LE FILS DES GLACES

ELIZABETH MCGREGOR

Le Fils des glaces

ROMAN TRADUIT DE L'ANGLAIS (GRANDE-BRETAGNE)
PAR SABINE BOULONGNE

JC LATTÈS

Titre original :

THE ICE CHILD
Publié par Bantam Press,
a division of Transworld Publishers.

Carte : Françoise Monestier

ISBN : 978-2-253-12005-6 – 1re publication LGF

À Kate, qui peut voir dans l'obscurité.

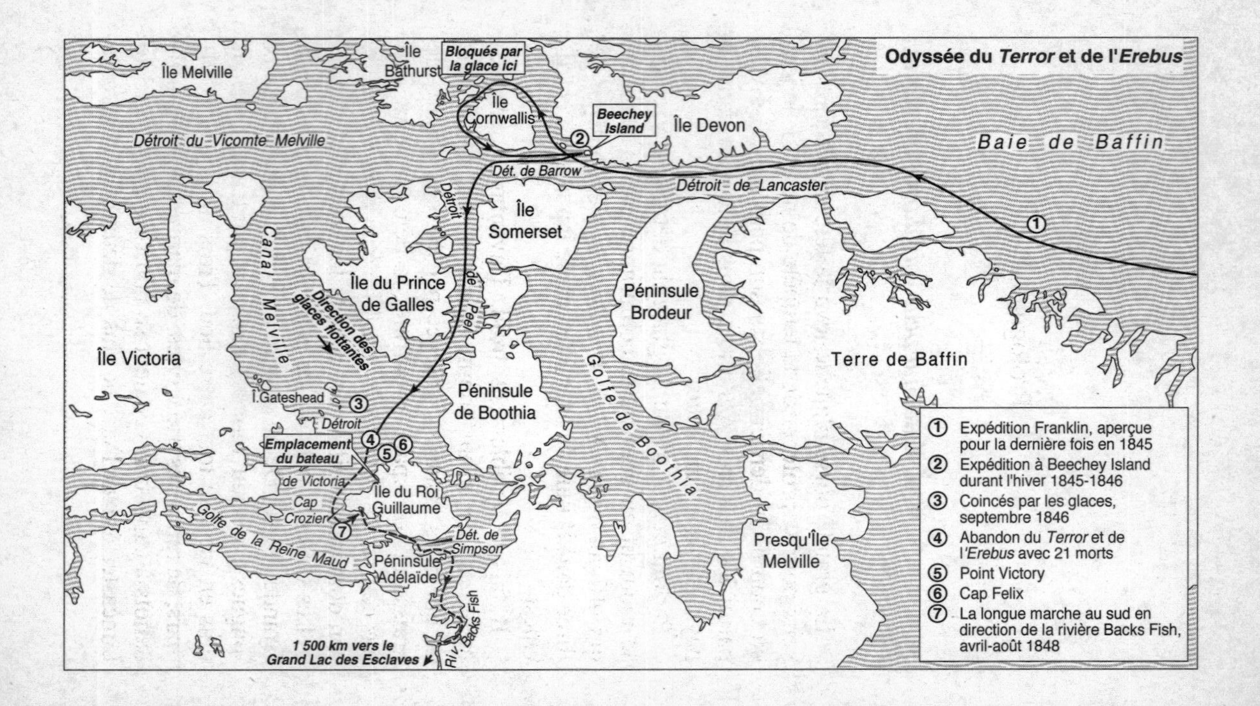
Odyssée du *Terror* et de l'*Erebus*
Île Melville
Île Bathurst
Bloqués par la glace ici
Île Cornwallis
Beechey Island
Île Devon
Baie de Baffin
Détroit du Vicomte Melville
Dét. de Barrow
Détroit de Lancaster
Détroit de Peel
Île Somerset
Canal Melville
Île du Prince de Galles
Direction des glaces flottantes
Péninsule Brodeur
Île Victoria
Terre de Baffin
Golfe de Boothia
Péninsule de Boothia
Î. Gateshead
Détroit de Victoria
Emplacement du bateau
Île du Roi Guillaume
Cap Crozier
Golfe de la Reine Maud
Dét. de Simpson
Péninsule Adélaïde
Presqu'Île Melville
Riv. Backs Fish
1 500 km vers le Grand Lac des Esclaves
① Expédition Franklin, aperçue pour la dernière fois en 1845
② Expédition à Beechey Island durant l'hiver 1845-1846
③ Coincés par les glaces, septembre 1846
④ Abandon du *Terror* et de l'*Erebus* avec 21 morts
⑤ Point Victory
⑥ Cap Felix
⑦ La longue marche au sud en direction de la rivière Backs Fish, avril-août 1848

Prologue

Eté 2000

La grande ourse blanche leva la tête en plissant les yeux pour se protéger de la tempête de neige. Elle jeta un coup d'œil derrière elle sur son petit qui la suivait parmi les congères et s'arrêta pour l'attendre dans le paysage blanc sur blanc.

Partout autour d'elle, la glace du détroit de Victoria se mouvait en gémissant, comprimée par la pression qui affluait de la mer de Beaufort, et s'engouffrait de force dans la baie de Melville vers le Passage du Nord-Ouest.

Il faisait terriblement froid. Davantage, certainement, que ce qu'un homme aurait pu supporter plus de quelques instants. Protégée par dix centimètres de graisse et son épaisse fourrure, la bête ne se rendait pas compte de la température. Elle était dans son pays, son domaine, indifférente à toute loi hormis la sienne.

Les Grecs appelaient ce pays Artikos, le pays de la Grande Ourse. De novembre à février, il présidait aux longues nuits du monde, mais au printemps, il était plus en vie que tout autre lieu. Trois millions de fulmars, de mouettes tridactyles, de marmettes et de guillemots à capuchon venaient se nourrir dans la baie de Lancaster durant l'été, et plus de deux cent cinquante mille phoques du Groenland, barbus et à capuchon. En mai et en juin, dix millions de mergules nains, aux petits corps trapus noir et blanc, séjournaient sur l'île de Devon. Au-dessus de toute cette faune, étincelante en hiver, brillait l'étoile polaire, cet astre jaune qui paraissait immobile, auréolé par les constellations d'Ursa Major, la Grande Ourse. Il y avait bien plus beau encore que tout cela : les lumières de l'aurore boréale, dont les bannières rose et vert pâle ondulaient à flots dans le ciel, torches brandies par les défunts pour guider les chasseurs, au dire des Inuit.

L'ourse polaire s'était accouplée sur la banquise du détroit de Peel en mai. Elle avait toujours été une extraordinaire voyageuse solitaire, même parmi son espèce vagabonde. Nageant toute cette saison en ne se reposant que rarement sur la glace, elle avait franchi le cercle Arctique en face de Repulse. En mars, une équipe de chercheurs spécialistes des mammifères marins l'avait repérée, sans prendre la peine de la marquer, alors qu'elle traversait les anciennes voies maritimes des baleiniers. Elle couvrait presque chaque jour quelque quatre-vingts kilomètres sans halte, battant l'eau sous le damier de glace à dix kilomètres à l'heure.

En décembre, elle avait mis bas pour la première fois, dans un trou profond creusé dans la neige. Son unique petit était arrivé en gémissant, piaillant tout ce qu'il savait, pressant ses pieds contre elle au bout de quelques minutes. Il pesait moins d'une livre à la naissance et tenait dans sa patte avant repliée. Dès le mois d'avril, il atteignait vingt-six livres. Elle avait interrompu son sommeil et abattu la porte de glace de son repaire pour regagner le monde extérieur.

Elle était sortie dans la neige, amaigrie par cette longue période d'abstinence, l'ourson dans son sillage.

Au début, elle s'était bornée à se prélasser au soleil à l'entrée de son antre, les yeux fermés pour les protéger de la clarté. Elle n'avait pas encore vraiment envie de manger, mais de temps à autre, elle roulait sur le dos pour permettre à son petit de se nourrir tout en contemplant le ciel interminable. L'ourson s'allongeait parfois sur son ventre et elle le berçait dans ses pattes de devant à l'instar d'une mère humaine berçant son enfant dans ses bras.

C'était le mois d'août à présent et la lumière commençait à changer. Elle sentait – et cela depuis des jours – que l'angle de cette lumière n'était pas tout à fait juste. Peut-être avait-elle marché trop longtemps avant de prendre refuge. Et si elle était allée trop à l'ouest ? Sa boussole intérieure censément infaillible l'avait apparemment trahie et, aux prises avec les premiers assauts du grand froid, elle se tenait, indécise, sur la banquise.

Il y avait quelque chose de bizarre.

Elle percevait un danger, juste une palpitation dans son sang, un message transmis sous forme d'impulsions nerveuses et d'odeurs. Elle voulait rebrousser chemin, repartir vers le sud où ceux de son espèce étaient regroupés, et ce frémissement dans sa conscience devenait impérieux. Seulement, une réalité bien plus pressante l'en empêchait : son petit était malade, trop malade pour aller bien loin. Tandis qu'elle l'observait, elle le vit s'effondrer, rouler sur lui-même et rester couché passivement dans la neige.

Elle se redressa sur ses pattes arrière et, après une pause d'une seconde à peine, elle projeta brutalement à terre ses quatre cent cinquante kilos. Si les scientifiques qui l'avaient repérée l'année précédente l'avaient vue à cet instant, ils auraient été sidérés par ce comportement étrange. Sa force lui permettait de s'introduire dans les repaires des phoques pour leur voler leurs petits avant même qu'ils aient vu la lumière du jour, ou de briser les glaces pour nager sous l'eau. Mais cette fois-ci, dans le blanc immaculé de la tempête, son comportement n'avait rien à voir avec l'une ou l'autre fonction.

Elle sentait l'épave sous elle, au fond de la mer.

Prisonnière sous la glace, même après cent soixante années, elle exhalait une odeur d'homme. La coque de bois et de fer avait laissé sa marque humaine indissoluble. Cette sensation d'aberration, une sorte de bouleversement des fréquences. L'écho se répercutait jusqu'à l'animal. L'ourse s'immobilisa, en équilibre sur ses pattes arrière. Haute de plus de deux mètres aux épaules, la femelle oscilla et tendit ses immenses pattes avant devant elle.

Puis elle retomba à quatre pattes et retourna vers son petit, percevant davantage sa présence qu'elle ne le distinguait dans le blizzard. Parvenue à sa hauteur, elle se coucha et l'enveloppa de son corps, le poussant doucement vers son épaule jusqu'à ce qu'elle sente son souffle faible contre elle.

PREMIÈRE PARTIE

1.

Tout avait commencé au printemps. En avril.

Le samedi de Pâques avait été ensoleillé, le premier jour clément de l'année. Dans Victoria Park, les cerisiers étaient en fleur, et les charmes commençaient à se couvrir de feuilles. La promesse irisée de l'été transparaissait dans la brume poussiéreuse de la ville.

Lorsqu'elle y repensait maintenant, Jo se voyait dans ce café au coin de Bartlett Street avec Gina à côté d'elle en train de feuilleter le journal. Et elle associait les deux choses : les cerisiers et le journal. C'était le premier jour où elle avait pensé à Douglas Marshall.

Elle avait vingt-six ans et travaillait depuis quatre ans en free-lance au *Courier* où Gina était sa rédactrice. De temps à autre, Gina entreprenait de mettre de l'ordre dans la vie de Jo afin de la rendre un peu moins frénétique, et c'était cette sollicitude qui avait valu à Jo de se retrouver embarquée de force dans la vieille Citroën bleue cabossée de Gina, à midi le Vendredi saint.

– Ça te fera du bien de sortir un peu de Londres, lui avait-elle dit alors qu'elles faisaient route pour Bath sur la M4. Tu ne vas pas encore passer ton week-end cloîtrée dans cet appartement.

– Je n'y suis pas cloîtrée, avait protesté Jo. J'y suis

très bien, avait-elle ajouté, défendant le trois pièces où l'on ne pouvait pas vraiment dire qu'elle vivait.

L'essentiel de ses biens était toujours dans des cartons six mois après son emménagement. Il n'y avait pratiquement rien dans les placards de la cuisine. D'après ce que Gina avait compris, elle se nourrissait de lait et de crackers au fromage.

– Tu dois prendre soin de toi.

Jo avait levé les yeux au ciel.

– Mais je ne fais que ça !

En jetant un nouveau coup d'œil sur le profil de son amie, Gina avait surpris une petite grimace obstinée.

Les gens qui rencontraient Jo faisaient souvent la grimace eux-mêmes en s'efforçant de mettre un nom sur son visage. « Est-ce qu'on se connaît ? » était la formule stratégique la plus courante. Sur la photographie publiée en haut de la colonne des collaborateurs du *Courier*, Jo trônait, tout sourire, au milieu d'une profusion de livres et de journaux. Prise en plongée, elle paraissait comme échouée sur une petite mer de papier, la tête légèrement tournée de sorte que la lumière du soleil tombait en biais sur son visage et ses épaules apparemment nues.

Si Gina avait une expression qui la caractérisait, c'était un sourire sardonique, en dépit de ses yeux ronds perpétuellement étonnés. Elle avait de lointaines origines indiennes et espagnoles, héritage mixte provenant d'un port de la Jamaïque que les touristes ne visitaient jamais. Ses parents avaient émigré en Angleterre dans les années 1950 ; son père était ingénieur et sa mère infirmière. Ils avaient fait cinq enfants robustes, francs du collier, difficiles à ignorer. Gina, la benjamine, s'était déjà hissée au rang de rédactrice des articles de fond au *Courier* quand Jo avait été embauchée en free-lance, à vingt-deux ans. Presque au berceau !

Peut-être était-ce l'aplomb de Jo qui plaisait à son amie, ce refus de se laisser mettre des bâtons dans les roues. Jo avait connu des hauts et des bas dans sa carrière, c'était le moins que l'on puisse dire. Elle avait abandonné ses études pour suivre une troupe de théâtre avant-gardiste en tournée et avait fait ses premiers pas dans le journalisme en s'introduisant de force dans la salle lors du concert rock-classique d'*Excelsis* au festival d'Edimbourg. Elle s'était fait repérer par l'équipe d'une émission télévisée du matin qui l'avait embauchée pour présenter son programme culturel. C'était par cette voie que, forte de sa détermination et de son franc-parler, elle avait débarqué un beau matin dans le bureau de Gina.

Au premier abord, Gina l'avait trouvée terriblement jeune. Un mètre soixante-cinq d'air frais, aurait dit sa mère : mince, presque efflanquée, bouillante d'impatience, de l'humour à revendre, et soupe au lait ! Son sourire cachait un esprit vif, ironique. Jo avait tendu la main et serré avec une poigne d'enfer celle de Gina qui avait eu toutes les peines du monde à la faire asseoir, tant elle était avide de se mettre au travail.

Assise à présent dans son bureau du centre-ville, Gina sourit en elle-même derrière les pages d'un journal. Jo était vautrée dans son fauteuil, les yeux clos, face au soleil. L'espace d'une seconde, on aurait dit l'image même de la détente. Jusqu'à ce qu'elle ouvre un œil, bâille et tapote le quotidien entre les mains de Gina.

– Que raconte la concurrence ? demanda-t-elle en s'ébouriffant les cheveux tout en se redressant d'une torsion.

– Rien de transcendant, répondit Gina. À part ça.

Elle brandit le journal ouvert à la page trois.

Jo mit sa main en visière pour se protéger les yeux de la clarté et regarda l'article. Il y avait une carte dans le coin, en haut à droite : un littoral échancré et le profil de montagnes descendant jusqu'à la mer.

– Qu'est-ce que c'est ? s'enquit-elle.

– Le Groenland. Tu connais Douglas Marshall ?

Jo réfléchit une seconde.

– Donne-moi un indice.

– BBC2.

Un long moment s'écoula.

– Jardinage, lança finalement Jo.

– Pas vraiment, non ! répliqua Gina. Archéologie. *Au fin fond du monde.*

– Ah ! fit Jo, comprenant. Un globe-trotter en quête de fragments de poterie. Lequel était Marshall ?

– Le grand chevelu.

– Ils l'étaient tous.

– Celui qui souriait tout le temps. L'expert en bateaux.

– Ah, lui !

Jo se souvenait vaguement d'un homme grand, vêtu le plus souvent d'une vieille veste en cuir. Pas une jolie couleur. Rouge sale. Passée. Élimée.

– Que lui est-il arrivé ?

– Il s'est volatilisé.

– Comment ? Où ça ? demanda Jo en jetant un coup d'œil à la carte.

– Sur le continent de glace et de neige.

Jo lui prit le journal des mains et parcourut l'article. Douglas Marshall avait été porté disparu alors qu'il effectuait une expédition archéologique dans un des endroits les plus inhospitaliers de la planète. Elle poussa un profond soupir.

– Ce type s'est lancé dans une mission personnelle

insensée au beau milieu d'une tempête de neige et nous sommes supposés aller le chercher. Regarde, ajouta-t-elle en désignant le dernier paragraphe de l'article, ils ont carrément envoyé une frégate. Quel gaspillage de fric !

– Tu ne dis pas ça sérieusement, protesta Gina en fronçant les sourcils.

– Bien sûr que si, riposta Jo. Ça coûte une fortune ! Et pourquoi est-il allé là-bas d'abord ? La gloire ! Une obsession ou une autre, je parie.

– Ce que tu peux être cynique !

– C'est vrai, renchérit Jo. Ça me fait penser à ces imbéciles qui traversent la Sibérie en montgolfière. Ou qui descendent le mont Everest en deltaplane. C'est bon pour les BD, ces trucs-là.

Gina lui reprit le journal des mains.

– En fait, expliqua-t-elle, il s'agit d'un projet scientifique. Une expédition.

– Ça revient au même.

– Mais il risque sa peau, Jo !

– On ne lui a rien demandé, que je sache !

– Il faut faire quelque chose.

– Envoyer la flotte ?

– Ouais. Pourquoi pas ? C'est un sujet britannique.

Jo éclata de rire.

– Ben voyons ! Hissez le pavillon !

Elle détourna le regard et porta son attention sur la circulation dans les rues en bas de l'immeuble.

– ... Quelle alternative avons-nous ? murmura Gina. Le laisser mourir de froid ?

– Oui, répondit Jo.

Et elle était presque sérieuse.

Jo avait quasiment oublié cette conversation quand elle pénétra dans l'immeuble du *Courier* le mardi suivant. Il était 10 heures et l'on s'y affairait déjà. Elle glissa la tête dans l'entrebâillement de la porte de Gina pour la saluer au passage.

– Hep ! Viens voir un peu ici, s'écria Gina.

– Je monte aux archives, répondit Jo.

– Dans une minute, répliqua Gina. Assieds-toi.

Jo obtempéra.

– De quoi s'agit-il ? Quelque chose de bien, j'espère ? Envoie-moi à Cannes, Gina. Regarde-moi. Je vais mourir si je ne prends pas le soleil.

Gina était en train de farfouiller parmi les papiers entassés sur son bureau.

– Marshall, dit-elle. Il n'arrête pas de me trotter dans la tête. On ne l'a toujours pas retrouvé. Je veux que tu fasses un article sur lui.

Le regard de Jo se fixa sur elle.

– Tu plaisantes ? Pas le cinglé !

– Je suis on ne peut plus sérieuse. Je souhaite que tu ailles interviewer sa femme.

– Sa femme ? Oh, Gina ! Non.

– Pourquoi pas ?

– Son mari a disparu. Je ne peux pas faire irruption chez elle comme ça. J'ignore tout de lui et je n'ai pas vraiment envie d'être mieux informée. Tu le sais parfaitement.

Gina hocha la tête, brièvement, dissipant ces objections plutôt que d'en reconnaître le bien-fondé.

– Nous n'avons aucune nouvelle de Mme Marshall. C'est la raison pour laquelle je tiens à ce que tu y ailles.

– Pour lui parler...

– Pour parler avec un membre de la famille.

– Parce que... ?

– Parce qu'aucun journaliste n'a jamais pu s'entretenir avec Alicia Marshall.

Gina trouva finalement ce qu'elle cherchait parmi ses paperasses.

– Voici la biographie de Marshall, précisa-t-elle en tendant à Jo cinq ou six feuillets agrafés. C'est un homme plutôt ouvert, contrairement à sa femme qui n'aime pas trop se faire remarquer. C'est elle qui tire les ficelles. Elle est pleine aux as. Administratrice de la Société des explorateurs. On la dit assez peau de vache.

Jo leva les sourcils, finalement intriguée.

– Ah ouais ?

– On lui a demandé de faire un commentaire cette semaine. Lundi, ajouta Gina. Elle a répondu : « Sans commentaire. »

– À qui ?

– Au *Times*.

– Vraiment ! s'exclama Jo d'un ton amusé.

– Tu es au courant des dernières nouvelles concernant Marshall ?

– Non.

– On a retrouvé son SPG.

– Qu'est-ce que c'est qu'un SPG ?

– Système de positionnement global. La chose la plus importante à avoir. Une sorte de boussole fonctionnant par satellite. Il l'a perdu sur la glace.

Jo hésita.

– C'est vraiment pas ma tasse de thé, tu sais, marmonna-t-elle. Tu ne pourrais pas envoyer quelqu'un d'autre ?

– J'ai un pressentiment, répondit Gina.

– Quel genre ?

– J'en sais rien. Ça pourrait être bien pour toi.

– Hum, fit Jo, pas très impressionnée.

Elle parcourut rapidement les feuillets posés sur ses genoux.

– Je ne sais même pas ce qu'il cherchait dans ce satané Groenland.

– Des vestiges médiévaux. Quelque chose à propos des Vikings et des Esquimaux.

– Passionnant !

– L'archiviste de la Société des explorateurs à Cambridge s'appelle Peter Bolton, poursuivit Gina.

Elle tendit à Jo une page de notes pour accompagner les photocopies.

– Il peut seulement te recevoir demain matin à 8 heures. Il donne ses cours aujourd'hui toute la journée.

Jo soutint son regard quelques longues secondes avant de céder. Elle connaissait trop bien la lueur qui brillait dans les yeux de sa rédactrice pour refuser.

– Super, grommela-t-elle en rassemblant les documents.

Jo avait un long trajet à faire en métro pour rentrer chez elle. Après avoir passé la journée à corriger de la copie et à se documenter sur un tout autre sujet de reportage pour lequel elle était censée interviewer des gens le vendredi suivant, elle était toujours aussi peu intéressée par Marshall. Dans le wagon cahotant, coincée parmi une centaine d'autres banlieusards, elle s'était bornée à jeter un rapide coup d'œil à sa biographie.

Douglas James Marshall, né en Ontario en 1960. Chargé de cours au Blethyn College, professeur d'archéologie, spécialiste des sites marins. Particulièrement intéressé par la construction des navires de l'époque victorienne, président de la Commission royale de l'héritage naval, 1989-92, auteur de La Société épave *(1994)*, Sous la Méditerranée *(1996)*, À la recherche d'Auguste *(1997)...*

Depuis quelques années, Douglas Marshall était le porte-parole de la Société universitaire des explorateurs. Il était mis à contribution chaque fois que l'on avait besoin des commentaires d'un expert historique docile. En outre, il participait régulièrement aux séries de la BBC2. Jo se remémorait vaguement les images du générique ; elle revoyait même certains paysages ainsi que les photos reprises par les suppléments du dimanche pour illustrer différents articles. Quant à Marshall lui-même, elle était bien incapable de se le représenter, en dehors d'un grand sourire flou.

Quand elle arriva chez elle, le voyant rouge de son répondeur clignotait. Elle vit que le fax était en attente, mais elle l'ignora et alla prendre une douche avant de se préparer un sandwich. Pendant qu'elle se restaurait, elle lut, à contrecœur, la documentation que Gina lui avait confiée. En plus de la biographie de Marshall, il y avait une copie de l'article paru le samedi précédent. Le gars avait disparu à un endroit appelé Uummannatsaq.

Les sourcils froncés, elle s'approcha d'un des cartons de déménagement où elle fourragea un moment parmi un tas de livres. Elle en extirpa finalement son vieil atlas d'écolière et s'installa par terre pour le feuilleter... Uummannatsaq... Elle n'arrivait même pas à le trouver ! Elle parcourut des yeux les îles du passage Nord-Ouest jusqu'à la mer du Baffin, puis le Groenland. Rien qu'en regardant la carte, il était clair que le littoral à cet endroit était montagneux et périlleux. À cette époque-ci de l'année, il devait y avoir des glaces flottantes jusque dans les profondeurs des fjords et loin au large. Si tant est que la glace se fragmentât jamais dans ces contrées. Elle frissonna. Elle n'avait jamais aimé le froid et l'idée de passer ne serait-ce qu'une journée dans un climat aussi impitoyable lui faisait horreur. Donnez-lui plutôt une plage de sable chaud où elle pouvait envoyer promener ses chaussures et ses habits. Elle sourit en elle-même et se replongea dans l'atlas.

C'était un méli-mélo de souvenirs. Sur la page de garde, elle avait consigné jadis son nom, de son écriture d'enfant, suivi de l'adresse qui était la sienne à sept ans : « Rheindahlen JHQ, Allemagne de l'Ouest ». Son père, fonctionnaire de carrière, déjà âgé de cinquante ans au moment de sa naissance, était conseiller auprès du ministère de la Défense. Les pages de l'atlas étaient épaisses, rugueuses, le lettrage et la mise en page démodés. Comme son père voyageait la plupart du temps, déterminer dans quel coin de la planète il se trouvait faisait partie de son rituel quotidien lorsqu'elle était petite. Elle se souvenait clairement d'avoir ouvert l'ouvrage sur ces pays qu'elle reconnaissait aujourd'hui encore d'après la texture du papier sous ses doigts. Elle avait suivi son père mentalement dans des endroits du monde dont les noms mêmes faisaient partie de son identité. Koweït. Singapour. Les îles Falkland. D'autres îles. Des îles en pleine mer comme celles-ci, battues par les vents et les courants. Elle porta son regard sur l'immensité verte du Canada, frangée de glace.

Elle referma l'atlas et le remit en place. Et, ce faisant, elle marqua un temps d'arrêt pour regarder son dos rouge effiloché – si détonnant parmi les livres de poche quasi neufs – dont le tissu élimé révélait le carton de la reliure. Son expression resta impénétrable. Elle avait perdu son père et sa mère au cours des cinq dernières années et son sentiment d'isolement était encore tangible. Pourtant des gens comme Douglas Marshall choisissaient de s'exiler. Les yeux fixés sur l'atlas, elle se demanda quel genre de famille elle allait rencontrer, attendant le retour de l'explorateur.

Au moment où elle s'apprêtait à éteindre la lumière, elle aperçut du coin de l'œil le fax dans le couloir. Une tasse de café nichée dans le creux de son bras, elle tira sur la feuille et parvint à l'arracher. Douglas Marshall, le visage déchiré en deux, lui rendit son regard. En haut de la page, Gina avait gribouillé : « Voilà notre homme ! » Jo plaça les deux moitiés du fax l'une contre l'autre.

La photo n'était pas géniale. Marshall faisait la grimace à cause du soleil. Impossible de deviner son âge d'après ce cliché ; elle lui aurait donné malgré tout un peu moins que ce que sa biographie lui avait précisé. Il fronçait les sourcils face à l'objectif. En arrière-plan, l'océan. Il était adossé à une balustrade blanche et tenait quelque chose dans une main. Elle plissa les yeux. Impossible de déterminer de quoi il s'agissait : peut-être un bout de ferraille, une barre métallique, un bâton en bois.

Elle soupira en gagnant sa chambre d'une démarche traînante.

– Oh, je sens que je vais t'adorer ! marmonna-t-elle au moment où elle refermait la porte derrière elle.

Un bâtiment de style géorgien niché dans un jardin privé abritait la Société universitaire des explorateurs. Jadis résidence privée, il était séparé de la rue par une grille noire discrète ornée d'enchevêtrements compliqués de feuillages et de vignes.

La rue McCullock se situait au cœur de la ville, près de Lion Yard. Quand Jo arriva sur les lieux, juste avant 8 heures, elle était déjà encombrée. Une file de voitures était bloquée sur la chaussée étroite en attendant qu'on finisse de décharger une camionnette devant un des collèges. Une centaine de mètres plus loin, Jo aperçut sous une voûte une porte en bois qui s'ouvrait sur une cour verdoyante et des armoiries rouges sur un mur médiéval.

Les doubles portes vitrées de la Société donnaient sur un grand vestibule. En pressant sur la sonnette, Jo distingua la réception, une sorte de bureau au fond et des vitrines le long d'un couloir. À gauche, une pièce plus vaste dont la porte était ouverte. À droite, un escalier.

Une femme sortit du bureau. Elle sourit à Jo à travers la vitre, lui ouvrit et la fit entrer.

– Il est en haut, dit-elle en lui désignant un siège dans l'entrée. Je vais le prévenir que vous êtes là.

L'endroit était immense, le plafond haut d'au moins dix mètres. Jo remarqua que l'arrière de l'édifice avait été récemment refait à neuf. Au-delà de l'escalier, le mur était en verre ; un large couloir conduisait à un autre bâtiment, moderne celui-là, qui lui faisait l'effet d'une bibliothèque.

Plusieurs minutes s'écoulèrent. Pour finir, elle se leva et s'approcha des vitrines qui tapissaient le mur du fond. Elle posa la main sur la glace inclinée de la première. Sous sa paume s'éparpillait un méli-mélo d'objets et quelques photographies sépia. Il y avait là une cuiller en argent dont le manche avait été réparé avec une touche de cuivre, les vestiges en lambeaux d'un petit livre, dépouillé de ses pages, avec des initiales dorées, passées, sur la couverture, un minuscule fragment de fer-blanc ou d'aluminium, un dessin représentant une sorte de moteur. Elle examina les photographies d'un peu plus près. Quatre hommes en uniforme, dont un seul jeune. Ils avaient cette pose raide et compassée propre aux premiers daguerréotypes de l'époque victorienne. Leurs noms figuraient en dessous, mais elle prit tout juste la peine de les lire. Aucun d'eux ne regardait directement l'appareil. Derrière eux dans la vitrine, une longue carte étroite représentant une voie navigable était exposée.

– Mademoiselle Harper ?

Jo se retourna. Un homme se tenait tout près d'elle. Elle ne l'avait pas entendu approcher. Il était à peine plus grand qu'elle. Moins d'un mètre soixante-dix et incroyablement rondouillard.

– Peter Bolton, fit-il en lui tendant la main.

La jeune femme fut aussitôt séduite par son visage d'écolier enthousiaste. Obèse, Bolton pesait sans doute plus de cent kilos, et respirait bruyamment après avoir descendu l'escalier.

– Vous venez de loin ? demanda-t-il.

– De Londres, répondit-elle.

– Ah ! s'exclama-t-il, plein de sympathie. Venez. J'ai du chocolat chaud. Vous aimez le chocolat chaud ? ajouta-t-il en s'arrêtant pour la dévisager.

– Oui.

– Tant mieux.

Il la conduisit dans son bureau. À cet égard, les suppositions que Jo avait faites en route tandis qu'elle s'efforçait de se représenter la Société et Peter Bolton étaient on ne peut plus exactes : c'était un bureau d'universitaire par excellence, tellement typique qu'on aurait pu se croire dans un décor de cinéma. Des étagères du sol au plafond, des livres entassés un peu partout par terre, de la poussière à gogo. Ils purent tout juste s'y introduire en poussant la porte avec force et se frayèrent un chemin jusqu'aux deux fauteuils qui surnageaient parmi les dossiers et les piles de papiers.

Bolton extirpa un Thermos de sous son bureau.

– Nous avons un distributeur qui ne marche jamais ainsi qu'une Mme Cropp qui, en revanche, est efficace, mais je n'aime pas la déranger, précisa-t-il en versant du chocolat dans deux gobelets en plastique.

Ils burent à petites gorgées.

– Mon téléphone n'arrête pas de sonner, dit-il.

– Vous devez en avoir assez de nous tous.

– Non, non, répondit-il gaiement. Me voilà très populaire tout à coup !

– Douglas Marshall a-t-il déjà été porté disparu auparavant ?

– Non. Jamais.

– Mais il a déjà participé à des expéditions...

– Et comment ! L'Antarctique, vous savez. La Turquie. L'Asie. Les Caraïbes.

– L'Arctique ?

– À deux reprises.

– Je vois, dit-elle en jetant un coup d'œil autour d'elle. Vous le connaissez depuis longtemps ?

– Plus de dix ans.

– Vraiment ? Je suis désolée. Vous devez être fou d'inquiétude.

Il hocha légèrement la tête.

– Oui... Ça ne lui ressemble pas. On s'efforce de ne pas trop s'affoler.

– Mais vous êtes inquiet.

– Oui.

– Sa femme aussi ?

– Alicia ?

Il marqua une pause, une fraction de seconde trop longue avant d'ajouter :

– Oui bien sûr.

Jo sourit.

– Je souhaiterais m'entretenir avec elle. Est-ce possible ?

À son grand étonnement, Bolton s'empourpra.

– Non.

Sa brusquerie la déconcerta.

– Une brève interview, dit-elle. Peut-être une photo ?

Bolton secoua la tête.

– Alicia ne se montre jamais en public.

– Rien que cinq minutes. Avez-vous son adresse ?

– Non, je suis désolé. Si vous voulez me poser des questions sur le voyage de Doug, tout ce que vous voudrez savoir...

Jo décida d'abandonner la partie. Pour le moment.

– Il vaut mieux que je vous dise que je ne sais strictement rien au sujet de M. Marshall et que je ne comprends pas sa passion pour le Groenland.

– Connaissez-vous ses antécédents ? demanda Bolton.

– Pas vraiment.

– Avez-vous entendu parler de Qilatitsoq ?

– Non.

Bolton se leva pour aller prendre une boîte sur une étagère voisine. Il l'ouvrit, en sortit une liasse de papiers et entreprit d'en sélectionner quelques-uns.

– J'avais l'intention de rédiger un communiqué de presse, si je trouvais le temps, dit-il. Prenez un exemplaire de ça. C'est le CV de Doug... quelques articles qu'il a écrits.

Elle saisit les feuillets qu'il lui tendait.

– Merci.

– Il a commencé par les communautés Inuit, reprit l'archiviste. À cause de Franklin. Franklin est l'une de ses passions. Depuis toujours. Il s'est intéressé à d'autres choses, bien sûr, beaucoup d'autres choses, mais il a choisi Franklin et les Inuit comme sujet de thèse. C'est comme cela qu'il a découvert les momies du Groenland. Vous en avez déjà entendu parler ?

– Désolée.

Bolton se passa la main dans les cheveux.

– Six femmes et deux enfants. Morts depuis plus de cinq cents ans. Magnifiquement préservés.

– Comme celles que l'on a trouvées dans les Andes ?

– Même mode de conservation. Froid et sec, vous comprenez ?

– Et celles-ci sont...

– Des Inuit. Ce qu'on appelait autrefois les Esquimaux ou Eskimos.

Il lui épela le mot.

– Et c'est la raison pour laquelle Doug Marshall est retourné là-bas. À cause de ces momies ?

– Oui.

– Et il en a trouvé d'autres ?

– Pas vraiment, mais il pense qu'il y a un sanctuaire religieux important plus loin dans le fjord.

– Je vois, fit Jo.

En toute honnêteté, elle ne voyait rien du tout. Un peuple vivant sur la glace. Elle ne parvenait pas à s'imaginer un endroit dominé par l'obscurité.

– Et puis, bien sûr, reprit Bolton, il y a le lien avec Franklin.

Le téléphone sonna. Il décrocha.

Jo l'observa pendant son coup de fil. Elle ignorait tout de Franklin. Elle eut la sensation d'un passage à vide momentané et reconnut là les symptômes du blocage qui l'assaillait chaque fois qu'elle se désintéressait d'un sujet et ne flairait plus rien. Un bon reportage avait un parfum de révélation qui l'éperonnait. Or, il n'y avait rien à révéler dans cette affaire, hormis une fascination pour les morts. De l'histoire ancienne ! Elle tambourina du bout des doigts sur le bureau de Bolton pour attirer son attention.

– Depuis combien de temps cherche-t-il d'autres dépouilles ?

– Six ans, répondit-il en plaquant sa main sur le combiné.

Laisse tomber, pensa-t-elle. Pour l'amour du ciel, il fallait être timbré pour passer six années à chercher des morts dans un endroit perpétuellement gelé !

Bolton commença à tourner les pages de son agenda. Son regard dériva au loin tandis qu'il écoutait son interlocuteur.

– Il a un oral à 14 h 30...

Jo se leva d'un bond. Elle sortit un bout de papier de son sac et griffonna dessus :

– Êtes-vous libre pour déjeuner ?

Il jeta un coup d'œil, hocha la tête, écrivit : « 13 h 30 Peut-être. » sur la page.

– Merci, dit-elle.

En redescendant l'escalier, elle s'immobilisa à mi-chemin. Le monde cherchait un homme qu'on ne trouvait pas. Et la presse cherchait une femme qui ne voulait pas qu'on la trouve.

Nous allons voir ça, songea-t-elle.

Elle s'approcha de la réception. La femme qui l'avait accueillie se leva de son bureau, derrière le comptoir, pour la rejoindre. Jo lui sourit.

– M. Bolton m'a donné l'adresse de Mme Marshall, mais je ne connais pas Cambridge, mentit-elle habilement. Si je tourne à droite à...

Mme Cropp ne marqua qu'un bref temps d'arrêt avant de jeter un coup d'œil à la carte que Jo tenait dépliée sous son nez.

– Oh, vous n'y arriverez pas en passant par là, dit-elle. Prenez l'A603. Vous vous retrouverez sur l'autoroute. Traversez le pont et continuez jusqu'aux Eversdens.

Jo résolut de miser sur la chance.

– Et la maison se trouve à Little Eversden ? dit-elle en regardant la carte.

– Non. Dépassez les Eversdens, mais n'allez pas jusqu'à Haslingfield. C'est trop loin.

Jo la gratifia de son plus beau sourire et replia la carte.

– C'est vraiment gentil à vous, dit-elle.

– Je vous en prie.

Bon, pensa Jo en franchissant le seuil, il faut bien que quelqu'un déniche l'épouse à un moment ou à un autre. Autant que ce soit moi !

Selon sa carte qui n'était pas très détaillée, il y avait une dizaine de villages éparpillés dans ces trente kilomètres carrés. Elle s'enfonçait dans un paysage froid, tout de vert et de gris. Des routes construites depuis des siècles sillonnaient les marais. Elle qui avait une passion pour les montagnes, ou tout au moins les sites vallonnés, se sentait toujours un peu perdue dans les vastes plaines de l'East Anglia. La lumière, haute, avait quelque chose d'étrange.

Elle passa devant un chapelet de maisons en bordure de la route étroite. En trente secondes, le village avait disparu derrière elle. Une bruine fine obscurcissait son pare-brise. Elle mit les essuie-glaces tout en négociant un virage à droite surgi de nulle part. La route n'eut bientôt plus que la largeur d'un sentier ; la voiture commença à cahoter parmi les nids-de-poule. De part et d'autre de la chaussée, des poteaux noir et blanc indiquaient la hauteur des crues du fleuve voisin. Devant elle, elle aperçut une église.

Elle se gara tout près pour jeter un nouveau coup d'œil à sa carte. Les Marshall habitaient sûrement quelque part dans les environs. Elle imaginait un manoir, connu des gens du cru. En levant les yeux, elle vit un homme qui promenait son chien. Elle baissa sa vitre.

– Excusez-moi, monsieur, la maison de Mme Marshall se trouve-t-elle par ici ?

Il tira sur la laisse de son épagneul pour l'empêcher de sauter.

– Marshall ?

– Alicia Marshall ?

– Connais pas de Marshall, bougonna-t-il.

Elle poursuivit son chemin pour se retrouver de nouveau sans tarder sur l'A603. En serrant les dents, elle traversa la route principale et prit la direction du sud.

Il se mit à pleuvoir pour de bon et il commença à faire sombre. Au moment où elle allumait ses phares, elle aperçut une petite pancarte noir et blanc dans une haie au bord d'une allée. Elle l'avait dépassée d'une bonne centaine de mètres avant de s'en rendre compte et de freiner. Franklin House. Ça valait la peine d'essayer.

C'était un ravissant édifice en pierres patinées au toit de tuiles incliné. Il datait sans doute du XVIIIe ou du début du XIXe. Un énorme magnolia dominait la façade au point de dissimuler pour ainsi dire la porte d'entrée. Jo sonna.

Un long moment s'écoula avant qu'elle n'entendît des pas. Puis la porte s'ouvrit. La femme qui se tenait devant elle, de grande taille, devait avoir une quarantaine d'années. Elle portait un tailleur sombre et ses cheveux noirs étaient relevés. Elle était élégante, posée et, à défaut d'être vraiment belle, présentait un physique saisissant.

– Oui ?

– Je cherche Mme Marshall, dit Jo.

– Et vous êtes... ?

– Jo Harper, se présenta Jo en lui tendant la main. Je ne me suis pas trompée d'adresse ?

La femme ignora son geste.

– C'est à quel sujet ?

– J'ai parlé avec Peter Bolton de la Société des explorateurs, ajouta Jo.

Le visage d'Alicia Marshall s'assombrit. Une moue de dégoût déforma les commissures de ses lèvres.

– C'est lui qui vous a envoyée ?

– Non, répondit Jo, mais je lui ai parlé il y a une heure. Je travaille pour le *Courier*.

La mention d'un des quotidiens britanniques les plus prestigieux facilitait parfois de telles conversations. Cela garantissait au moins que le sujet, quel qu'il soit, serait intelligemment traité. Jo s'attendait donc à voir les traits d'Alicia Marshall se radoucir.

À la place, elle fit mine de refermer la porte.

– Je me demandais si vous seriez disposée à me parler de cette expédition, enchaîna Jo. Pourquoi votre mari est parti là-bas ? Ce que vous inspirent ses...

Elle hésita une seconde sous le regard incendiaire de l'autre femme avant d'ajouter :

– ... ses aventures.

Pour la première fois, Alicia Marshall sourit.

– Aventures ?

– Avez-vous des nouvelles de votre mari ?

– Non.

La porte racla les dalles de l'entrée. Alicia poussa plus fort.

– Vous n'avez aucune nouvelle de lui depuis son départ ?

– Non. Maintenant, si vous voulez bien...

Jo posa la main sur le chambranle de la porte.

– Vivez-vous séparés ? questionna-t-elle.

Alicia Marshall dévisagea Jo avec insistance.

– Vous autres, journalistes, conclut-elle d'un ton méprisant.

– Voudriez-vous me parler de lui ? insista Jo.

– Je vous en prie, ôtez votre main de ma porte.

– Êtes-vous inquiète ?

– Non.

– Pardon ? Pas inquiète du tout ?

Mme Marshall fixa la main de Jo d'un air plein de sous-entendus.

– Pensez-vous qu'il soit vivant ? demanda Jo.

– Je n'en ai pas la moindre idée.

Déconcertée par le ton de sa voix, Jo lâcha la porte, qu'Alicia Marshall s'empressa de claquer.

Jo resta quelques instants clouée sur place, les yeux rivés sur le lourd heurtoir en fonte. Derrière elle, la pluie dégoulinait à travers le magnolia. Se retournant enfin, elle leva les yeux et regarda les gouttes qui se formaient sur les premiers pétales à demi éclos, parmi les branches dénudées.

– Pas inquiète, murmura-t-elle.

Au-delà de l'arbre imposant, un champ s'étendait jusqu'à la lisière d'un bosquet. Rien ne bougeait dans le paysage, pas même un brin d'herbe, rien non plus dans la tache bleue indistincte de la ville au loin. On aurait dit une illustration, avec la maison de Douglas Marshall délicatement crayonnée au premier plan. Jo se demanda ce qui avait bien pu se passer ici pour inciter une épouse à vouloir paraître indifférente à la disparition de son mari. Elle éprouva tout à coup de la compassion pour l'explorateur. Et un vif intérêt pour ce qui l'avait conduit si loin de chez lui.

2.

John Marshall rêvait.

Il le savait, mais il n'arrivait pas à se réveiller.

Il voyait son père sur la banquise, très loin. Une tête d'épingle noire sur l'océan gelé. Le ciel au-dessus de lui était bleu pâle comme certaines coquilles d'œuf. Doug disait quelque chose à son fils unique, quelque chose de très important, mais il détournait son visage et l'immense espace avalait ses paroles.

John baissa les yeux. Il y avait des empreintes d'ours polaire juste devant lui, étonnamment nettes dans la neige. Les quatre grosses pattes avaient laissé un sillage étroit et les griffes, de longues traces entre chaque pas. Il s'avança et posa un pied à l'intérieur d'un des énormes creux. Lorsqu'il releva les yeux, son père avait disparu. À la place, à moins de vingt mètres de lui, s'élevant sur son flanc au-dessus de la glace, il vit la *Jeanette.*

Une onde de choc le parcourut. Tu rêves, pensa-t-il. Tu es chez toi, au lit. Endormi. Ça n'a rien de réel. Pourtant, cela paraissait tellement réel. Le joli petit navire de De Long, acheté en Angleterre. Une coque en bois, des moteurs à vapeur. Il s'en approcha en suivant les empreintes de l'ours et s'aperçut qu'elles encerclaient l'épave sans vie. Depuis combien de temps la *Jeanette* n'avait-elle pas navigué ? Cent trente ans ? Elle n'était même pas connue de nos jours. Elle était quelque part au fond des océans, enfoncée dans le sable... et pourtant, elle se dressait là, devant lui. Pas un homme à bord. À part lui.

Soudain il sentit le contact de la balustrade tandis qu'il passait par l'écoutille. Il se mouvait avec aisance, l'aisance fluide du sommeil. Au premier échelon, la rampe était plissée, cannelée, le bois de chêne légèrement plus clair. Il savait que, pendant près de deux ans, la *Jeanette* avait dû s'abandonner à une danse funeste. Elle n'avait vogué libre que quelques semaines avant que la glace s'empare d'elle pour la garder prisonnière, semaine après semaine, mois après mois, dans le froid et le gel tandis qu'elle dérivait, impuissante, en un voyage triangulaire dicté par les amoncellements de glaces polaires. Il connaissait les détails de cette expédition comme s'il y avait pris part lui-même.

Ils avaient embarqué à New York en juillet 1879 et franchi le détroit de Béring à la fin du mois d'août. Ils poursuivaient un rêve, le rêve d'un océan polaire. Ils avaient gagné le Nord en toute confiance, prévoyant de passer l'hiver dans la mer de Tchoukotku, convaincus que là où le courant de Kuro Siwo convergeait avec le Gulf Stream, l'océan s'ouvrirait, la glace se changerait en eaux libres, plus chaudes. Ils trouveraient alors un passage qui les mènerait directement au pôle.

Ils avaient poursuivi ce rêve pendant trois ans avant de se retrouver coincés dans les glaces, en 1881. Le 11 juin de cette année, la coque de la *Jeanette* avait commencé à gémir, doucement, imperceptiblement d'abord, comme les geignements d'un bébé. Puis le navire s'était mis à grogner encore et encore, de plus en plus fort, pareil à un homme frappé en plein plexus solaire.

John marmonnait dans son sommeil à présent, comme s'il était lui-même paralysé par l'horreur.

À 16 heures cet après-midi-là, la glace s'était brusquement pressée à bâbord en plaquant le navire violemment à tribord. La *Jeanette* avait aussitôt chaviré à 16° et le plafond à tribord s'était ouvert de deux centimètres entre les poutres. De Long avait ordonné que l'on débarque les chaloupes de ce côté-là et qu'on les traîne loin de l'embarcation sur la banquise.

Pendant ce temps-là, la glace s'amoncelait à bâbord soulevant le navire sur ce flanc en l'enfonçant par tribord avant. Dans la salle des machines, on s'aperçut que la *Jeanette* se brisait en deux par le milieu ; l'eau se déversait dans les soutes à charbon. Sur le pont, les hommes continuaient à décharger péniblement les chiens et les provisions dans un silence désespéré, chacun s'attendant à ce que la glace bouge à nouveau en fendant le bateau en deux. La *Jeanette* était toute tordue, froissée comme du papier mouillé ; les boulons résistaient à peine à la pression et le pont gîtant à 20° s'enfonçait inexorablement sous l'eau.

Et puis à 17 heures, la glace s'emballa telle une locomotive.

Le pont de l'espar gauchit et l'équipage reçut l'ordre de tout enlever : vêtements, literie, livres et provisions. Pendant qu'ils couraient en tous sens, la coque se présenta un peu plus par le travers et le navire commença à se remplir d'eau à toute vitesse. Il donnait à présent de la gîte à 30° et les derniers hommes mirent pied à terre en s'efforçant de dégager la cargaison.

La *Jeanette* était restée suspendue dans la demi-clarté, en proie aux affres de la mort. L'équipage l'entendait, comme si elle respirait, sa voix mourante faisant écho autour d'eux. À 4 heures du matin, elle avait sombré.

Debout sur la banquise, ils avaient regardé sa cheminée se remplir d'eau tandis que ses bouts de vergue si écartés qu'ils reposaient sur la glace se redressaient. La *Jeanette* avait coulé presque à la verticale comme si elle avait voulu relever la tête au moment de rendre l'âme et regarder autour d'elle les derniers instants.

John sentait presque l'eau glacée inondant le bois, le grand gouffre de glace s'effondrant sous elle. L'espace d'une seconde, cette glace coula dans son sang et envahit tous ses sens. Au prix d'un formidable effort, il parvint à se libérer d'elle.

Il s'éloigna de son rêve à grandes enjambées en suivant la piste de l'ours qui se mêlait de temps à autre aux empreintes de son père. Il considéra les interminables kilomètres gris et blancs de la banquise, puis ferma les yeux, si fort que des taches de couleur surgirent derrière ses paupières. Une explosion d'étoiles bleues et orange, les gerbes d'un feu d'artifice. Quand il rouvrit les yeux, il distingua un pâle halo autour du soleil. Le froid le pénétrait de toutes parts, imprégnant chaque centimètre de sa peau et de ses os. Il se retourna une fois pour regarder le fantôme de la *Jeanette*, le navire qui ne serait plus jamais là, dans ce monde. Mais peut-être que lui-même n'appartenait pas à ce monde-là.

– Papa ! cria-t-il. Papa !

Sa voix fila sur la glace, réduite au silence en quelques secondes. De fines traînées de neige, plus de la vapeur que des flocons, effaçaient déjà les traces de l'ours et de son père. Il songea tout à coup qu'il était perdu, complètement perdu. Il avait été englouti dans l'abîme où son père s'était engagé avant lui et il n'y avait pas moyen de faire demi-tour. Pas de chemin. Ni de guide. Ni de sortie. Il éprouva l'irrésistible désir de se coucher sur la glace.

– John ! fit une voix.

Il prit conscience de son bras nu.

– John ! répéta-t-elle.

Lentement, il ouvrit les yeux. Amy Wickham le dévisageait, la main posée sur son bras.

– C'est toi, dit-il.

– Oui, c'est moi. Tu es glacé.

Il fit la grimace en pliant le bras resté hors des couvertures.

– Je rêvais, expliqua-t-il. Seigneur ! J'ai l'impression d'être mort de froid, ajouta-t-il en lui souriant. Réchauffe-moi, tu veux ?

Elle glissa la main sous le drap et lui frotta le bras. Il lui saisit la main, se retourna et elle pencha son visage vers le sien.

– Tu sens bon, murmura-t-il.

– J'aimerais bien pouvoir en dire autant de toi, répliqua-t-elle.

Il sourit nonchalamment. Le soir, il travaillait au bar de l'université, et la veille, il avait eu fort à faire. En outre, on lui avait offert une demi-douzaine de verres et il avait mal au crâne. Amy considéra en souriant son beau visage chiffonné par le sommeil tandis qu'il s'adossait aux oreillers. Il perçut son désir.

– Viens te coucher, dit-il doucement.

Elle se mit à rire.

– Pas tant que tu empesteras comme une distillerie, rétorqua-t-elle.

– Allez ! Viens !

Elle se balança sur ses talons, hors de sa portée, ravie, de le taquiner.

– À quoi rêvais-tu ? demanda-t-elle.

Il se passa la main sur le visage et se détourna de la clarté qui se déversait par la fenêtre. Elle avait ouvert les rideaux et le soleil inondait la pièce.

– À de Long, répondit-il, et à la *Jeanette*.

– Encore ! gémit-elle. Tu es obsédé, Marshall. Complètement obsédé, insista-t-elle en se levant.

– Et à papa, ajouta-t-il.

Elle baissa son regard sur lui, à mi-chemin entre l'inquiétude et l'affolement. Elle ne savait pas quoi lui dire à propos de son père ; ils en parlaient si rarement qu'elle avait l'impression de s'aventurer en territoire inconnu. Elle ne connaissait John que depuis quelques semaines et se faisait parfois l'effet d'une intruse. Elle s'approcha de la fenêtre en entortillant une mèche de cheveux autour de son doigt. Il eut tout le temps de l'observer en s'étirant tout en s'efforçant de dissiper l'image de la *Jeanette*.

Amy avait le même âge que lui : dix-neuf ans. Elle était petite – un mètre cinquante-huit. Les cheveux noirs, robuste mais svelte. Il l'avait rencontrée à la fin du trimestre précédent alors qu'elle dansait seule sur la piste minuscule d'un pub de la ville. Elle avait bien dû tournoyer dix minutes avant qu'il s'avance pour lui prendre le bras et l'attirer vers lui. Elle avait un petit corps ferme et brandissait les poings en cadence avec la musique, les cheveux collés sur sa nuque.

– Quand vas-tu m'épouser ? murmura-t-il.

– Ne sois pas bête, répliqua-t-elle sans même se retourner.

Ce qui était tout aussi bien puisqu'il plaisantait, bien évidemment.

Elle fit volte-face et il vit son air sérieux. Toute idée de malice l'abandonna aussitôt, remplacée soudain par une terreur viscérale.

– Que se passe-t-il ? s'écria-t-il en se redressant.

– Rien à voir avec ton père. Toujours pas de nouvelles.

Le soulagement dissipa quelque peu sa frayeur.

– Mais ta mère a appelé, ajouta Amy.

John soupira et s'extirpa du lit à contrecœur. Il ramassa son jean qu'il avait laissé par terre la veille au soir. Il s'abstint de demander ce qu'Alicia avait dit.

– Tu n'as pas entendu le téléphone ?

– Non.

– Il sonnait quand je suis entrée dans la maison. Il y a une journaliste du *Courier* dans les parages. Elle veut faire un article sur vous, précisa-t-elle tout en le regardant s'habiller. Ta mère insiste pour que tu rentres à la maison. Il ne faut pas que tu lui parles. Elle me l'a répété trois fois. Elle s'appelle Jo Harper. Tu ne dois pas la rencontrer.

– Je n'ai aucune envie de parler à qui que ce soit, de toute façon, déclara-t-il en enfilant un pull-over.

Amy s'était approchée de la table où trônait l'ordinateur de John et feuilletait quelques textes qu'il avait imprimés la veille au soir en rentrant du travail.

– Qu'est-ce que c'est ? demanda-t-elle.

– Rien qui puisse t'intéresser.

Elle brandit une photographie en la tournant dans un sens, puis dans un autre pour tâcher d'en saisir les détails.

– Qu'est-ce que c'est ? répéta-t-elle. Ça m'a l'air bizarre.

– Des amoncellements de glace.

Il lui prit le cliché des mains et lui montra l'image.

– C'est le détroit de Lancaster, précisa-t-il en suivant le tracé de la côte du bout du doigt.

– Ah bon ?

– Tu te souviens quand je t'ai parlé de cette équipe ? dit-il. Dix-huit personnes lancées à la recherche des reliques de Franklin. Des historiens canadiens. Cela provient de leur site Internet. C'est la banquise telle qu'elle était hier dans le détroit et plus au sud, jusqu'au chenal McClintock.

– Oui, fit-elle.

Il lui sourit.

– Fais comme si ça t'intéressait.

Elle releva le menton, un sourire jusqu'aux oreilles.

Il la prit par le cou et, se plaçant derrière elle, lui brandit la feuille sous les yeux.

– Les historiens sont en quête de récits d'envergure, lui expliqua-t-il pendant qu'elle gigotait dans ses bras, son souffle contre sa joue. De grands historiens à la recherche de grands navires victoriens. De grands bateaux disparaissent, des hommes aussi, toute la camelote volatilisée. Jamais revue. Beaucoup de sous et tous les lauriers pour le gars qui retrouve l'épave.

– Dans toute cette glace ? Ça m'étonnerait !

– Dans la glace, oui, confirma-t-il. Mille kilomètres de glace. Va chercher !

Elle fit mine de bâiller.

– Ça doit être vachement rasoir.

– Tu n'as aucune imagination, fit-il en la libérant. Tout ton problème est là.

Elle haussa les épaules.

– Je fais des études de mathématiques, souviens-toi, dit-elle. Et toi de l'archéologie.

Mais un autre imprimé sur le bureau, encore un cliché, attira son attention. Elle s'en empara.

– Oh ! Comme il est mignon !

C'était la photo d'un ours polaire, perdu sur la banquise : la glace bleu-blanc tachetée d'ombres turquoise, sous un soleil oblique, aveuglant, la tête de l'ours penchée dans la pose caractéristique de l'animal à l'affût d'un phoque.

John soupira, résigné.

– Il n'a rien de mignon, l'informa-t-il. C'est le plus

gros carnivore terrestre de la planète. Une véritable machine à tuer.

Il lui prit la photo des mains.

– Tu vois la cicatrice en forme de croissant sur sa tête ? ajouta-t-il. Cette équipe d'experts en histoire maritime a emmené un photographe avec elle. Un dénommé Sibley. Il prend ce genre de clichés : des caribous, des ours gris. Des ours blancs. Celle-ci s'appelle la Nageuse.

– Pourquoi ça ?

– À ton avis ?... Parce qu'elle est capable de couvrir des distances folles à la nage.

– Désolée d'avoir posé la question, dit-elle en considérant à nouveau la photo. Regarde un peu ses pattes. T'as vu la taille ! Ah, là, là ! De si jolis petits petons !

Cette fois, John ne l'entendit pas. D'après le site d'où il tenait ses photographies, l'énorme prédateur à la balafre suivait l'itinéraire des navires de Franklin kilomètre après kilomètre. C'était à vous donner la chair de poule. Il considéra la bête, son long cou, ses épaules puissantes, l'intensité de son regard.

Amy avait récupéré son sac et l'avait mis en bandoulière. Elle se tenait devant lui, une main sur la hanche, et le dévisageait.

– John, ta mère a demandé que tu rentres à la maison, lui rappela-t-elle. Tout de suite. Aujourd'hui même.

John arracha finalement son regard du cliché qu'il jeta sur le bureau avant de se passer la main dans les cheveux. Il considéra le lit d'un air entendu, puis se tourna vers elle. Il esquissa un sourire, un sourire de petit garçon, pétri de charme et d'innocence.

– Mais je n'ai aucune envie de rentrer, répliqua-t-il.

Jo regagnait l'Académie au volant de sa voiture quand son portable se mit à sonner sur le siège du passager.

– Jo ? C'est Gina. Où es-tu ?

– Je suis en route pour Cambridge.

Le feu venait de passer au rouge devant elle. Elle enfonça la pédale de frein.

– Fais demi-tour, dit Gina.

– Comment ?

Elle pensait avoir mal compris.

– Reviens ici.

– Pour quoi faire ?

– J'ai eu Mme Marshall au téléphone.

Jo s'immobilisa derrière une des files en attente. Des étudiants traversaient la route, leurs livres calés sous le bras ; parmi eux une fille à vélo vêtue d'un T-shirt noir et d'un short rose moulant. Elle vit l'homme au volant de la voiture devant elle la détailler du regard.

– Et alors ?

– Elle est furieuse.

– Pourquoi ça ? J'ai été la politesse même ! Tu aurais pu m'entendre. Je n'ai même pas franchi le seuil de sa maison.

– Peter Bolton également a appelé.

– Mais il était parfaitement sympathique !

– Plus maintenant.

– Seigneur ! Elle m'a ouvert la porte. Je n'ai pas insisté...

– Elle est administratrice de la Société des explorateurs, tu te souviens ? Une bienfaitrice !

– Et alors ? On n'a pas le droit de lui poser des questions ?

– Ça ne vaut pas la peine, répondit Gina. On ne peut rien publier. Tragédie familiale.

– Il n'est pas mort, souligna Jo. Et je n'ai jamais vu qui que ce soit qui ressemblait aussi peu à une femme éplorée.

Le conducteur derrière elle klaxonna. Le feu était passé au vert.

– Laisse tomber, lui dit Gina.

Elle avait la possibilité de tourner à droite, vers la M6 et le sud. L'espace d'une seconde, elle hésita avant d'appuyer sur le champignon en direction du centre-ville.

Elle arriva devant les bureaux de la Société à 13 h 30 précises.

Peter Bolton sortait à l'instant même. En l'apercevant, son visage s'allongea d'un kilomètre.

– Puis-je vous parler ? demanda-t-elle.

Il descendait les marches, déterminé à ne pas s'arrêter pour elle. Elle lui emboîta le pas au-delà du portail, le long du trottoir.

– J'ai un cours, dit-il.

– Monsieur Bolton...

Il s'immobilisa finalement et la dévisagea.

– Vous avez menti à ma secrétaire.

– Je suis désolée.

– Je ne vous ai pas donné l'adresse de Mme Marshall.

– Non.

Il paraissait exaspéré.

– Avez-vous la moindre idée des ennuis que vous m'avez causés ?

– Je suis désolée, répéta-t-elle.

– Vous ne pouvez pas passer sur le corps des gens comme ça.

– Je ne lui suis pas passée sur le corps ! protesta

Jo. Elle n'avait pas l'air d'être au courant de ce que faisait son mari. Le saviez-vous ?

Il ouvrit la bouche, sur le point de répondre, mais à l'évidence, se ravisa.

– Jolie tentative, dit-il à la place.

– S'agit-il d'un secret d'État ?

– Oui.

– Vraiment ?

– Oui, répéta-t-il en ébauchant un sourire.

– La présence de Doug Marshall au Groenland est-elle controversée ?

– Évidemment que non.

– Manquait-il de préparation ?

– Non.

– Y a-t-il une autre question à la clé en dehors de la découverte de reliques inuit ?

– Pas du tout.

– L'intimité de Mme Marshall est-elle seule en cause ?

– Oui.

Jo fronça les sourcils.

– Je n'ai pas été si grossière, souligna-t-elle.

– Le problème n'est pas là, répondit-il. Le fait même que vous y soyez allée suffit. Vous devez avoir une vie privée vous-même. Avez-vous envie que des étrangers vous posent des questions sans fondement quand vous êtes en pleine crise ?

Mais Alicia Marshall était loin d'être en crise. Jo l'avait trouvée calme, parfaitement maîtresse d'elle-même.

– Douglas Marshall se fait-il du souci pour son couple ? insista-t-elle. Est-ce à cause de ça qu'il est porté disparu ?

Cette fois-ci, Peter Bolton rit à gorge déployée.

– Non, non, bien sûr que non.

– Il se fiche de l'état de sa relation avec sa femme ? Cela ne peut donc pas avoir affecté son jugement ?

C'était l'idée qui l'avait hantée. Un de ces pressentiments surgis de nulle part à force d'additionner deux et deux pour obtenir systématiquement cinq. Douglas Marshall dans une situation qui mettait sa vie en péril, mais refusant catégoriquement de regagner ses pénates. Parce qu'il n'en voyait pas l'intérêt.

Bolton fixa un moment ses pieds, puis soupira.

– Qu'est-ce qui vous fascine donc tant dans ce couple ? demanda-t-il. Il ne diffère en rien des autres et n'influence absolument pas le jugement professionnel de Marshall. Personne d'autre dans ce pays ne s'y intéresse le moins du monde et c'est tant mieux.

– Mais...

– Il faut vraiment que vous m'excusiez, rétorqua-t-il. Je suis en retard maintenant.

Elle le regarda traverser la route et s'éloigner.

Pendant quelques instants, elle le suivit, pas délibérément, mais parce qu'elle se rendait dans la direction du centre commercial. Au bout d'un moment, elle le perdit de vue dans la foule. Elle traînassa, agacée par la froideur de Bolton et par le coup de fil qu'Alicia Marshall avait passé à Gina. Elle avait l'impression de s'être fait réprimandée par la maîtresse. À vrai dire, c'était exactement l'effet que lui avait fait l'épouse de Douglas Marshall ; elle lui rappelait sa propre maîtresse d'école, une vierge collet-monté, demoiselle sans âge qui arborait un chignon crêpé alors qu'il y avait des lustres que ce n'était plus à la mode. Pas une seule fois de sa vie, elle ne l'avait vue sourire.

En s'arrêtant devant un pub, Jo pensa à Alicia. Elle l'imagina souriant, riant même, accueillant son mari à bras ouverts, avec un repas tout prêt et un lit bien chaud. Impossible. Le visage d'Alicia Marshall était plus glacial que le Groenland.

La jeune femme haussa les épaules. Il n'y avait rien d'intéressant dans cette affaire en dehors du fait que Alicia et Douglas Marshall s'entendaient affreusement mal, ce qui incitait ce dernier à aller faire des cabrioles sur la glace à intervalles réguliers sans le moindre regret. Ce n'était probablement pas le genre d'homme à s'asseoir sur la banquise pour se lamenter sur sa vie privée, de toute façon.

Pourtant elle se posait des questions.

Avant toute chose, elle se demandait qui était Franklin, et pourquoi il était devenu une passion dans la vie de Marshall, du propre aveu de Bolton.

Elle regarda rapidement le menu sur l'ardoise accrochée au mur devant le pub et entra.

3.

L'ourse leva la tête. Elle avait entendu l'avion.

Elle était sur la banquise et il faisait un temps extraordinairement clair. L'espace perd toute perspective là où il n'y a rien pour mesurer la distance ou les tailles. Seule, l'ourse était le centre d'un monde sans relief, parfaitement plat ; l'horizon, rien qu'une ligne qui pouvait se trouver à vingt ou trente kilomètres. Dans l'atmosphère, les cristaux de glace engendraient un double soleil, une source de lumière centrale, auréolée d'une couronne de satellites scintillants.

L'animal se détourna du vrombissement sourd du moteur de l'appareil.

Le Twin Otter volait à basse altitude. Emmitouflé dans des couches de vêtements polaires, Richard Sibley était assis au bout de son siège, prêt à prendre des photos à travers le hublot du copilote. Il avait passé toute la semaine à Resolute, suppliant les gens de la base de le loger et de le laisser monter à bord des avions qui décollaient encore, maintenant que les historiens avaient quitté Beechey Island.

Lorsque les conditions étaient bonnes, et avec un peu de chance, il était possible de prendre des clichés qui lui permettaient alors de gagner sa vie. D'après ce qu'il savait, les spécialistes de l'Arctique n'étaient qu'une poignée. Il fallait être un peu dingo ou sacrément maso pour supporter de travailler avec des températures pareilles.

Quoi qu'il en soit, quand ses efforts étaient récompensés, c'était phénoménal ! L'année précédente, les photos qu'il avait faites d'un demi-cercle de bœufs musqués, mâles et femelles, protégeant leurs petits d'un blizzard bleu-gris – en fait de lui –, lui avaient permis de tenir le coup plusieurs semaines. Pour l'une d'elles, il avait cadré sur l'œil fixe, ocre vif, d'un bœuf, enfoui dans une crinière préhistorique, sous un front où se dressaient des cornes aux striures épaisses. Au centre de la pupille, presque perdu, mais pas tout à fait, on distinguait le spectre vague des crêtes de glace sur lesquelles il se tenait. C'était le type même d'image qui fascinait les gens. Il était pour ainsi dire impossible de détourner son attention de ce regard primitif empreint de ténacité.

Mais les bœufs musqués ne voulaient pas se montrer aujourd'hui. Après être allés faire le plein de carburant à l'île du Prince-de-Galles, ses compagnons avaient décidé de rebrousser chemin. Ils rasaient les collines désolées en direction de Peel. Sibley apercevait le littoral. Des petites dunes ondulées, pareilles au sable plissé laissé sur la plage par la marée descendante, s'étendaient sous ses yeux à perte de vue. Les couleurs l'hypnotisaient : crêtes grises de végétation rabougrie, émaillées de lichen et striées de neige. Ou ce qui avait peut-être été de la neige. Il savait qu'à présent elle aurait plutôt la consistance poudreuse, fragile, du sucre-glace. La température au sol était de – 30 °C, le vent soufflant à environ 15 km/h. Dans le détroit qui approchait, elle avoisinait sans doute – 50 °C. Il gèlerait en quelques secondes.

Ce fut à cet instant précis, alors qu'ils franchissaient

la frontière indéterminée entre la terre et l'océan pris par les glaces, qu'il l'aperçut.

L'ourse était parfaitement immobile bien que l'avion se dirigeât droit vers elle. Comme il la regardait, sidéré, à travers son téléobjectif, il reconnut la cicatrice en forme de croissant sur son front. Son cœur eut quelques ratés. On aurait dit qu'elle avait deviné sa présence, sans pour autant baisser la tête dans cette position familière de l'agression, ni même se détourner du bruit du moteur.

Ils la survolèrent à deux reprises. On aurait dit qu'elle était taillée dans la pierre avec sa fourrure étincelante dans la lumière oblique. Il eut le sentiment incroyable qu'elle montait la garde bien qu'il sût qu'elle n'avait pas encore de petits. Elle ne portait pas de marquage et il n'y avait pas de numéro d'immatriculation sur sa fourrure.

Elle semblait avoir surgi de nulle part.

Il arriva au bout de sa pellicule quand ils firent leur troisième et ultime passage. Il s'empara d'un autre appareil en jurant et ce fut alors seulement qu'il se rendit compte qu'elle s'était tournée. Elle faisait face au détroit, en direction du sud. Il la vit pour la dernière fois, la tête oscillant doucement de côté comme si elle cherchait une odeur, et puis il la perdit de vue dans l'éclat éblouissant de la glace.

4.

À 7 h 30, le lendemain matin, Jo était au *Courier*. En tenant en équilibre un gobelet de café, l'édition du jour et son sac à bandoulière, elle fit irruption dans le bureau de Gina et s'assit sur le canapé d'angle. Elle avait vaguement entendu quelques voix dans les couloirs, mais, dans l'ensemble, le *Courier* se réveillait à peine. Elle envoya promener ses chaussures en jetant un rapide coup d'œil aux monticules de papiers et de notes. Sur l'écran de l'ordinateur, une vieille tortue déambulait entre les cinq voies d'une autoroute, une image conçue par Gina en personne.

Elle entreprit de vider le contenu de son sac. En l'espace de quelques instants, le canapé fut recouvert des documents sur Doug Marshall, que Gina lui avait donnés, de plusieurs magazines écornés, de liasses de coupures de journaux et de quatre cassettes. Elle s'empara de l'une d'elles, s'approcha du magnétoscope de Gina et l'inséra dans la fente.

Pendant que la vidéo se rembobinait, elle contempla le fleuve en contrebas. Il faisait un temps gris, doux, paisible. L'eau était haute, la marée se ruant à l'intérieur des terres. Sur le Tower Bridge, la circulation était déjà dense, aussi constante que le courant au-dessous. Des cartes montrant cet emplacement précis sur la Tamise depuis le IIe siècle jusqu'à nos jours ornaient le hall de réception en bas. Il y avait un tableau représentant César, perché avec ses légions à l'endroit où le fleuve devient plus étroit sur son lit de gravier près de Southwark, alors qu'il se préparait à le franchir pour aller damer le pion à Cassivellaunus. Ainsi qu'une gravure de l'église en bois bâtie au VIIe siècle. On voyait aussi les navires de charge du Xe siècle qui en l'espace de trois cents ans avaient envahi tout l'estuaire. Aujourd'hui encore, les bateaux affluaient à ce même carrefour.

Dans le tableau datant du XIVe siècle, le London Bridge conduisait aux célèbres quatre-vingt-une églises de la cité, dans un périmètre situé entre la Tour à l'est et la Fleet à l'ouest. Des quais apparaissaient pour la première fois le long du fleuve dans la carte représentant le Londres médiéval. À l'époque des Tudor, ils occupaient déjà toute la rive septentrionale. Au XVIIIe siècle, la Tamise avait disparu sous une armée flottante de mâts ; elle était encombrée par des vaisseaux en provenance du monde entier. Riverside Wapping était sillonné d'allées étroites recelant tous les commerces maritimes ; les docks londoniens renfermaient l'essentiel des importations du pays : tabac, sucre, soies, thé, porcelaine, drogues, indigo, rhum, café et riz. Les hangars d'East India contenaient de l'huile de palme, des défenses d'éléphants, du vin, des fruits ; ceux de la Baltique étaient remplis de bois, de chanvre et de lin. Des entrepôts et des comptoirs de thé et de tabac s'élevèrent bientôt près du Pool.

La cassette cliqueta en parvenant à son point de départ. Jo s'approcha et enfonça la touche « play ». Après quelques parasites, le générique de *Au fin fond du monde*, – une série d'émissions qui datait de cinq ans – défila. En fronçant les sourcils, Jo regarda d'un œil critique les effets amateurs sur fond de murailles et de diagrammes de navires en coupe. Quand la musique se tut, elle fut surprise de découvrir la même vue que celle qu'elle venait de contempler depuis la fenêtre de Gina : la Tamise, un matin gris, l'eau clapotant à la marée montante. Elle prit la boîte de la cassette et vérifia le ruban noir sur sa tranche : « Épisode 4, lut-elle. Londres maritime, Douglas Marshall ».

Elle se laissa tomber sur le canapé et monta le son en appuyant sur le bouton de la télécommande. Douglas Marshall entra dans le champ. Il se tenait sur le London Bridge un matin d'hiver, le regard tourné vers l'est. Elle l'examina en mâchonnant l'ongle de son pouce. À présent, elle se souvenait de sa tignasse blond sable et de son grand corps, presque gauche, aux membres interminables. Ainsi que de son sourire.

« Quand j'étais enfant, commençait Douglas Marshall, je n'aimais pas beaucoup les bateaux. Pour mon neuvième anniversaire, je voulais une bicyclette, précisa-t-il avec un sourire jusqu'aux oreilles, une grande bicyclette avec une selle de course, mais voilà ! On m'a donné un livre sur les bateaux à la place. »

Il se tournait pour s'accouder au parapet.

« Ce n'était même pas un livre neuf, poursuivait-il. J'ignore où ma mère l'avait déniché. Il s'appelait *Explorations dans l'Arctique.* »

Jo remonta ses genoux contre sa poitrine et noua les bras autour de ses jambes.

« Peut-être la couverture avait-elle attiré son attention. Elle représentait un gars arborant une moustache de trente centimètres et vêtu d'un manteau en fourrure. Il sciait une énorme épaisseur de glace pour atteindre un phoque qui nageait en dessous. »

Marshall se mit à rire.

« Ça me ressemblait déjà plus. Poursuivre un phoque

avec une scie, ajoutait-il en haussant les épaules. Les gamins de neuf ans sont comme ça. »

Jo sourit.

Marshall désignait le fleuve devant lui.

« La Tamise est déserte aujourd'hui comparée à ce qu'elle était à l'époque de Franklin. Sir John Franklin, qui s'embarqua sur ce même fleuve en 1845, connut une ville dans la ville, où l'on parlait toutes les langues du monde et où s'échangeaient toutes les denrées exploitables. Les docks de West India faisaient plus de six cents mètres de long, six cents navires y accostaient à l'abri d'un mur de vingt pieds. Et il y en avait bien d'autres. En amont à Deptford, se trouvait le Bureau royal des subsistances de l'Amirauté. »

Marshall faisait de nouveau face à la caméra, les yeux rivés sur l'objectif, la mine sérieuse à présent.

« Volatilisée ! lançait-il, tout comme Franklin lui-même et la plus grande nation maritime du globe. »

La porte du bureau s'ouvrit. Gina marqua un temps d'arrêt avant d'entrer et d'enlever son manteau.

– Fais comme chez toi, dit-elle d'une voix douce.

Jo sourit.

– Salut. Désolée. Je n'en ai pas pour longtemps.

Gina suspendit son vêtement.

– Qu'est-ce que tu fabriques ?

Jo brandit la boîte de la cassette.

– Un type de la BBC m'a donné ces vidéos ce matin.

– Il doit travailler de nuit, souligna Gina en prenant un gobelet de café.

– Exact.

– Tu en veux ?

– Hum... non.

– Un sandwich au bacon ?

Jo leva les yeux au ciel. Gina posa un sachet sur

son bureau, l'ouvrit et coupa le petit pain chaud en deux. Elle en tendit la moitié à Jo. Elles avaient toutes les deux les yeux fixés sur l'écran. Jo avait appuyé sur « pause », et le visage de Doug Marshall était flou.

– Jamais entendu parler de Franklin ? demanda Jo.

– Benjamin.

– John.

– Donne-moi un indice.

– Époque victorienne.

– Ça ne me dit rien.

Jo finit sa part de sandwich et s'essuya les doigts sur un bout de papier récupéré dans la corbeille. Puis elle tendit le bras vers la feuille la plus proche parmi les documents entassés sur le canapé de Gina.

– Tu voulais que je me renseigne sur Marshall. C'est ce que j'ai fait, dit-elle. Tu sais ce qui le titille vraiment ? Un certain explorateur du nom de Franklin.

– Excuse-moi, l'interrompit Gina.

– Tu sais qui c'était ce Franklin ? poursuivit Jo. Il est allé dans l'Arctique pour trouver le passage Nord-Ouest. Il s'est embarqué en 1845 avec deux énormes navires et cent trente hommes environ. Ils ont tous disparu. Comme ça. Évaporés.

– Excuse-moi, répéta Gina.

– Qu'est-ce qu'il y a ? demanda Jo.

– Aurais-tu fait l'impasse sur la journée d'hier ? Celle où je t'ai priée d'arrêter de courir après Marshall ? Il n'y a pas d'accroche dans cette histoire, Jo.

Jo sourit. Elle tendit une liasse de documents à Gina.

– Regarde ça, dit-elle.

Gina jeta un coup d'œil à un imprimé provenant d'un site Internet.

– Franklin, sir John, dit Gina en suivant le texte du bout de l'index. Seigneur !...

Elle secoua la tête.

– John Franklin, né en 1786, explorateur de l'Arctique... dirige une expédition en 1845... Bla bla bla... Une quarantaine d'équipes furent envoyées pour essayer de retrouver sa trace...

– Quarante ! répéta Jo. L'Angleterre victorienne a fait des folies pour tenter de savoir ce qu'il était devenu.

Gina la dévisagea d'un air perplexe.

– Eh alors ?

– C'est intéressant, voilà tout, répondit Jo en soupirant.

Elle remit la cassette en marche.

– Voilà notre homme, dit-elle.

L'image sur l'écran avait changé. Douglas Marshall se trouvait à présent au cœur de Londres, près de l'Admiralty Arch. Il effleurait du bout des doigts une plaque en bronze. En un fondu enchaîné, la caméra passa de ce gros-plan aux équipages de Franklin.

« Les Victoriens ne furent pas les seuls à être obsédés par la découverte d'un passage Nord-Ouest, cette voie insaisissable, et selon certains, chimérique, sur le toit du monde, continuait Marshall. John Cabot entama le processus vers 1490 lorsqu'il déclara qu'il devait y avoir un accès septentrional vers l'Orient sur la glace. »

L'explorateur jetait un coup d'œil à la plaque commémorative.

« La fascination pour le thé, la soie et les femmes au teint bistre était suffisante pour que tout homme digne de ce nom entreprît de faire ses bagages. »

Il s'avançait. Derrière lui, on voyait des voitures qui roulaient au pas sur Waterloo Place.

« Cabot fut à l'origine d'une véritable ruée sur l'Arctique, poursuivait Marshall. Martin Frobisher en

1576. John Davis en 1585. Henry Hudson, en 1610, qui fut le premier homme à passer l'hiver sur place et qui, avec son fils, fut abandonné en pleine mer à bord d'une petite embarcation à la suite d'une mutinerie. Button... Baffin... Parry... Ross, qui s'attaqua aussi bien à l'Antarctique qu'à l'Arctique et qui découvrit le magnétisme du pôle Nord. »

– Jo, l'interrompit Gina, je sais que c'est un détail, mais il m'arrive de travailler ici.

– Désolée, fit Jo sans quitter l'écran des yeux.

– Ceci est mon bureau, lui rappela Gina.

En guise de réponse, Jo se pencha pour saisir ce que Marshall était en train de dire.

« Les Britanniques de l'ère victorienne, forts de leur connaissance de l'univers et de tout ce qui flottait à la surface du globe, y compris une poignée de continents obscurs, étaient persuadés que, si une génération était destinée à conquérir cette route, c'était bien la leur. Mais qu'était exactement ce fameux passage ? demandait-il. Quelques kilomètres de glace, rien de plus. Qu'était-ce aux yeux de la nation colonisatrice la plus avide du monde ? Que représentaient des mois d'obscurité, les courants marins les plus puissants de la planète ? Les esprits nautiques les plus subtils de l'époque en parlaient comme s'il s'agissait d'une simple promenade. Il suffisait d'écarter quelques indigènes, une poignée d'ours, quelques touffes de toundra. Aussi envoyèrent-ils leur élite, ajoutait-il en soupirant. Ils réunirent leurs meilleurs experts en glaces, les plus grands officiers de la Marine royale, des matelots de deuxième classe, les meilleurs chauffeurs, voiliers, gabiers, ferronniers, charpentiers, maîtres d'œuvre, médecins et ingénieurs. Sir John en personne, plus vraiment dans la fleur de l'âge à cinquante-neuf ans, et les navires de sa Majesté, l'*Erebus* et le *Terror*, prirent la mer à Greenhithe, le 19 mai 1845. C'était l'expédition polaire la mieux équipée qui fût ! »

La musique prenait de l'ampleur, couvrant la voix du commentateur, et un plan de la proue d'un bateau à mâts se substitua à son visage.

« Les navires s'enfonçaient profondément dans l'eau sous le poids de tout le matériel, des réserves et des gigantesques quantités de vivres, reprit Marshall. Ils avaient plus d'une tonne et demie de bœuf, autant de porc, une tonne sept de viande en conserve, treize mille litres d'alcool, huit cents de vin, trois cent cinquante kilos de tabac et cent trente-cinq kilos de bougies. Sans parler d'un orgue de Barbarie qui jouait cinquante airs, d'une centaine de bibles et d'un chien répondant au nom de Neptune. »

Gina, qui avait entrepris de passer en revue ses e-mail s'interrompit, les mains planant au-dessus du clavier. Pour finir, elle chaussa ses lunettes et fixa son attention sur l'écran.

– Ça fait un sacré paquet de provisions, murmura-t-elle.

Mais Jo ne l'écoutait pas. Son regard était rivé sur la télévision.

« Il s'agissait de trois-mâts, poursuivait Marshall, mais les deux navires n'en transportaient pas moins des locomotives à vapeur dans leur cale. Spécialement adaptées pour le voyage, elles avaient été dépouillées de leurs roues avant, mais pesaient tout de même quinze tonnes chacune. »

Il sourit de cette incongruité.

« Imaginez la place qu'elles prenaient. En partie à cause de ces engins, les réserves étaient stockées un peu partout, sur et sous le pont. Pour couronner le tout, les cales de ces navires étaient tapissées de fer en guise de protection contre la puissance phénoménale des glaces flottantes. »

Sur l'écran, les images se dissipèrent et le vacarme d'une violente tempête envahit la bande-son. Des embruns maculèrent l'objectif tandis que les proues des navires plongeaient dans un courant plus puissant, filant hors de l'estuaire de la Tamise vers les eaux de la mer du Nord.

« Le 4 juillet, les bateaux se réapprovisionnèrent au Groenland. Ils furent repérés par les baleiniers *Enterprise* et *Prince of Wales* le 28 alors qu'ils pénétraient dans le détroit de Lancaster, mais on ne les revit jamais, pas plus que leurs équipages. »

Finalement, Jo arrêta la bande.

– C'est ça qu'il cherche, dit-elle en se tournant vers Gina.

– Qui ça ?

– Douglas Marshall.

– Marshall, hum. Oui.

– Essaie de comprendre, insista Jo. C'est un spécialiste de Franklin. Ça fait des années qu'il est à la recherche de ces navires. Il a trouvé une boîte en métal provenant de l'un d'eux.

Elle se pencha en avant et tapota les documents qu'elle avait tendus à Gina.

– C'est là-dedans, quelque part. Les deux navires disposaient de petits cylindres métalliques. Ils rédigeaient des messages qu'ils glissaient à l'intérieur, les scellaient et les jetaient par-dessus bord. Un peu comme le Petit Poucet. Or, on n'en avait retrouvé qu'un seul. Au Groenland. Jusqu'au jour où Douglas Marshall est tombé sur un autre, il y a quatre ans.

– Que disait le message ? demanda Gina.

– C'est quelque part dans ces papiers, l'informa Jo.

Gina fut tentée de regarder, mais elle se refréna.

– Écoute, Jo...

– Crois-tu qu'il soit allé au Groenland dans l'espoir d'en trouver une autre ?

Gina croisa les bras sur sa poitrine et la considéra d'un air posé.

– As-tu lu l'article ?

– Quel article ?

– Dans le journal de ce matin.

Gina prit le *Courier* du matin, l'ouvrit à la troisième page sur une photographie d'un hélicoptère de la Royal Navy. En dessous figurait l'article en question.

LE BLIZZARD FORCE LES ÉQUIPES DE SECOURS À REBROUSSER CHEMIN

Les recherches pour retrouver le scientifique britannique Douglas Marshall et son guide inuit ont dû être interrompues hier soir jusqu'à l'aube en conséquence des pires intempéries de mémoire d'homme dans la zone concernée.

Marshall, 39 ans, professeur d'archéologie au Blethyn College de Cambridge, a disparu il y a quatre jours dans le Fjord Uummannaq, au nord-ouest du Groenland...

Jo releva les yeux.

– Ils ne le trouveront jamais là-dedans, nota Gina.

Jo s'abstint de répondre. Elle lut et relut l'article.

– Je vois l'accroche, ajouta Gina en serrant le poing qu'elle abattit sur son bureau. L'explorateur disparu revit l'aventure de son héros.

À son grand étonnement, elle vit Jo rougir. La jeune femme tourna la page et replia soigneusement le journal. Puis elle s'approcha de la fenêtre.

En regardant son dos tourné, Gina fronça les sourcils. Puis une lueur illumina son visage et elle eut l'air étonné. Elle se leva, contourna son bureau et vint à la hauteur de son amie.

– Tu voulais qu'il gèle, souviens-toi ! Le week-end dernier, tu as dit que tu voulais qu'il gèle.

L'expression de Jo ne trahissait pas la moindre émotion tandis qu'elle contemplait le fleuve.

John Marshall s'introduisit dans l'appartement de son père situé au deuxième étage d'un immeuble de Cambridge. Il y avait du courrier sous la porte témoignant d'une absence de près de deux semaines. Il hésita une fraction de seconde, puis ramassa le tout qu'il déposa sur la première surface à portée de main.

Son père lui avait confié une clé, mais John n'aimait pas venir ici. Cette clé n'était qu'un symbole, un geste de Doug lorsqu'il avait emménagé. Il lui avait spécifié qu'il devait s'en servir uniquement en cas d'urgence. John se demanda si son père considérerait cela comme une urgence. Il l'entendait d'ici : « Qu'est-ce qui t'a fait croire que je ne reviendrais pas ? lui dirait-il en fixant sur lui son regard rieur, intense. J'aimerais bien le savoir. »

Malgré lui, John sourit en gagnant le salon. Oh, rien que quelques annonces nécrologiques à deux doigts d'être diffusées à la télévision ! Rien que la mine de déterré de Peter Bolton quand il l'avait vu la veille à la sortie de la salle de conférences à 18 heures.

– A-t-on des nouvelles ? lui avait-il demandé.

– Non, avait répondu John. Je pensais que vous en auriez peut-être.

Bolton avait mis son bras autour de ses épaules en esquissant un pâle sourire.

– Je ne lui dirai pas que vous étiez inquiet et vous

non plus vous ne lui direz pas que je me faisais du mauvais sang.

John se mordit les lèvres. Il s'approcha de la fenêtre et contempla la vue. Dans l'appartement, l'air était chargé de poussière et d'humidité. C'était un deux pièces donnant sur la façade d'un grand immeuble de style victorien surplombant Parker's Piece ; les arbres de l'étroit jardin obscurcissaient l'espace. Il y avait un lit une place recouvert d'une couverture rouge dans un coin de la pièce principale, un canapé qui avait vu des jours nettement meilleurs, un poêle à gaz fixé au mur. Dans l'angle opposé, au-delà d'une autre baie vitrée se trouvait la cuisine – quelques plans de travail, deux plaques à gaz, une demi-douzaine de placards.

Son père vivait là depuis cinq ans, même si Alicia, sa mère, refuserait de l'admettre. Elle continuait à faire comme si Doug habitait toujours à Franklin House. Comme pour le prouver, elle faisait régulièrement le ménage à fond dans son bureau et disposait quelques livres sur la table. Elle y mettait aussi des fleurs. Elle ouvrait les fenêtres en grand en tournant son fauteuil pour que les coussins ne passent pas au soleil. Elle avait même conservé ses vêtements dans le placard droit de sa chambre. Elle dormait toujours d'un seul côté du lit mais rabattait aussi les draps de l'autre. Il y avait des livres sur sa table de nuit, non pas tels qu'il les aurait mis là lui-même en une pile désordonnée qui s'effondrait régulièrement, mais bien alignés sur trois rangées. Sa montre, une vieille Rolex des années 1930 qui avait appartenu à son père était posée à côté. John la regardait chaque fois qu'il entrait dans la pièce. Cinq ans plus tôt, Doug la portait en permanence, mais à présent, elle était abandonnée. Son père l'avait oubliée dans l'ouragan de sa dernière matinée à Franklin House. Le fait qu'il ne soit jamais revenu la chercher, qu'il n'ait pas pris la peine de demander à John de la lui rapporter – non qu'Alicia l'eût laissé la prendre – avait quelque chose de plus significatif, de plus poignant que tout le reste. Y compris sa chaise vide à table.

John s'approcha de la kitchenette. Il n'y avait pas grand-chose à manger. Il jeta un coup d'œil dans le réfrigérateur, sortit un berlingot de lait, l'ouvrit et en déversa le contenu dans l'évier. Il y avait du lard sous vide, pas encore périmé, deux œufs, du pain de mie qui commençait à verdir. John dénicha un sac plastique, y mit le pain et le posa par terre pour l'emporter.

Le soleil essayait de poindre. Il jetait une lumière glauque dans la pièce, effleurant le bureau sous la fenêtre, l'ordinateur, les livres et le téléphone. Il n'y avait pas de répondeur. John s'assit devant le bureau et inclina le fauteuil en arrière en glissant les doigts sur les accoudoirs aux bouts arrondis de la taille d'une main d'homme.

– Il reviendra, annonça-t-il à Parker's Piece, à la poignée de piétons qui traversaient la petite place à grandes enjambées, au chien qui courait en cercles décroissants, au cycliste qui s'était arrêté à mi-chemin.

La veille au soir, il était rentré à la maison, mais seulement après avoir tenté d'y échapper. Il avait appelé sa mère en essayant de trouver une bonne excuse.

– Tu devrais être ici.

– J'ai des cours.

– Personne ne s'attend à ce que tu y assistes.

Pendant le long silence qui avait suivi, il avait entendu le tic-tac de la pendule d'Alicia dans le couloir.

– Tu devrais être ici, avait-elle répété.

Il avait fini par y aller. En stop.

En ouvrant la porte d'entrée, il s'était aperçu qu'elle

le guettait. Elle avait dû le regarder monter l'allée mais ne lui avait pas ouvert. Elle avait attendu qu'il mette sa clé dans la serrure.

– Chéri ! s'était-elle exclamée en lui tendant les bras.

Il avait déposé un baiser sur sa joue.

– Tu as faim ?

– Ne t'inquiète pas.

– Je suis inquiète.

Ils avaient dîné à la salle à manger, et non à la cuisine. Elle avait fait repeindre la pièce.

– Ça te plaît ? C'est rouge russe.

– Ça pète, avait-il répondu en souriant.

– C'est une couleur authentique, avait-elle précisé.

Ils avaient achevé le repas en silence. C'était une ambiance à laquelle il était habitué dans cette maison.

Il lui aurait été difficile de dire à quel moment la guerre entre ses parents avait débuté, peut-être depuis trop longtemps pour qu'il s'en souvienne. Sa première vision d'Alicia datait de l'époque où ils ne vivaient pas encore au village. Il se souvenait d'un énorme escalier dans une maison assez semblable à celle-là ; ils louaient plusieurs pièces au premier étage. Il revoyait sa mère, ses souliers plats passant près de lui alors qu'il était assis sur les marches, en rébellion contre quelque chose qu'elle avait dit.

– Tu n'as qu'à passer la nuit ici, lui avait-elle suggéré.

Ils avaient un sofa recouvert d'un tissu râpeux, un téléviseur noir et blanc et un tapis qui perdait ses longs poils sur lesquels il tirait avec bonheur. Il se rappelait que sa mère s'agitait continuellement et qu'elle n'arrêtait pas de parler. Son père était là de temps en temps – l'œil chassieux, prononçant à peine deux syllabes le matin, absent la nuit ou de retour très tard, hissant ses bagages dans l'interminable escalier.

– Ton père voyage, disait Alicia.

Il se souvenait vaguement de l'époque où elle le disait encore d'un ton chaleureux. Avec de la fierté dans la voix.

Depuis sa plus tendre enfance, dès la première fois où il avait eu une pensée rationnelle à propos des bagages et des absences, il avait eu envie de suivre son père.

– Où est-il maintenant ? avait-il demandé un jour.

Il devait avoir six ans.

– Je veux y aller aussi.

Alicia avait pris une carte sur une étagère ; elle l'avait dépliée et avait installé son fils devant sur le fauteuil du bureau.

– Tu vois cette île ? On est ici. C'est l'Angleterre, lui avait-elle expliqué.

Puis son doigt avait parcouru la mer, franchi une interminable étendue de bleu.

– Tu vois cette autre île ? La Jamaïque. Dans les Caraïbes. Tu arrives à lire ?

Elle avait replié la carte et l'avait rangée en haut d'une autre étagère, dans un endroit inaccessible.

– Il est là-bas, avait-elle ajouté.

Puis, brusquement, elle l'avait pris dans ses bras et l'avait serré très fort contre elle.

– Tu voudrais quitter ta maman ? avait-elle dit. La laisser toute seule ?

Son regard était retourné subrepticement vers la carte.

– Qu'est-ce qu'il fait là-bas ? avait-il questionné.

Elle l'avait libéré.

– De la plongée sous-marine.

– Pour quoi faire ?

– Pour trouver des choses enfouies.

Longtemps, il avait imaginé son père plongeant encore et encore dans une mer chaude, pour le plaisir. Plus tard seulement, il avait compris que cet exercice nécessitait des bouteilles d'oxygène et d'interminables heures de travail laborieux. À l'époque de la Jamaïque – où son père avait passé quatre mois –, il avait attendu son retour avec une terrible impatience, convaincu qu'il reviendrait chargé de trésors provenant du butin de pirates. Lorsqu'ils étaient allés le chercher à l'aéroport de Gatwick, John était presque fou d'excitation à l'idée que Doug aurait des joyaux et des timbales en or plein ses bagages, des choses dont il lui ferait cadeau et qu'il pourrait conserver dans sa chambre. Il avait même libéré un espace sur ses étagères pour ce magot qu'il comptait bien montrer à ses amis.

Mais son père était rentré les mains vides.

– On ne peut rien emporter, lui avait-il expliqué. Tout doit être répertorié. Cela ne m'appartient pas, même si c'est moi qui le trouve.

Dix ans plus tard, bien sûr, il avait gardé le cylindre de Franklin.

Tricheur.

Quand il voyageait dans le Royaume-Uni, Alicia l'accompagnait. Portland. Lyme Bay. Quel âge avait John à l'époque ? Sept ? Huit ans ? Pas davantage. Des souvenirs d'un hôtel perché sur une falaise battue par le vent. De la Cobb à Lyme, glissante d'eau de mer. D'algues foncées sur la plage, d'un salon de thé accroché au bord. À travers ses fenêtres embuées, il avait regardé longtemps dehors, le cœur plein d'anxiété.

Un jour, à Lyme, son père l'avait emmené dans le bateau de plongée. Son initiation au travail maritime.

Un cadeau. Un test. John avait lu tous les livres sur les dizaines d'épaves de Lyme ; il connaissait les dates, les emplacements, ainsi que leurs noms et les jours où ils avaient sombré. Il pouvait même décrire certaines cargaisons. Il était déterminé à montrer à son père ce dont il était capable. Il avait promis de l'aider à vérifier l'équipement, de le chronométrer, de surveiller le niveau d'oxygène, et même de préparer le thé. À la maison, sa mère lui avait montré comment faire chauffer l'eau dans la bouilloire et remplir le Thermos. Il s'était exercé. Il voulait que son père soit fier de lui.

Ça n'aurait pas pu se passer plus mal. Il avait dégobillé pendant cinq heures d'affilée et Alicia avait récupéré une loque à leur retour. Il ignorait tout du mal de mer avant de mettre les pieds sur ce bateau, mais à cinq cents mètres de la côte, il était parfaitement au fait de la chose. Il s'était cramponné au bastingage pendant que les vagues se soulevaient. Il avait regardé son père descendre dans les eaux troubles gris-vert, suivi la trace des bulles ondulant sur les vagues. Et souffert la honte intolérable, lorsque son père avait fini par remonter, d'être resté tapi dans un coin du pont avec l'impression que le monde avait cessé d'exister, ou tout au moins qu'il se réduisait à quelques mètres de planches éclaboussées qui refusaient de rester immobiles avec un vent de force cinq.

– Il faut qu'on fasse un marin de toi, lui avait-il dit en le considérant, les sourcils froncés. Bon sang ! Mais regarde-toi ! Tu empestes, mon gars !

Il avait ri.

Je te déteste, avait pensé John, le cœur gros de chagrin.

– J'ai plongé avec mon père, avait-il affirmé à ses copains d'école, sans leur préciser qu'il avait vomi sur presque tout l'équipage et qu'à midi on l'avait renvoyé chez sa mère.

Quand il avait eu dix ans, son père avait proposé de l'emmener à Port Royal, en Jamaïque, mais Alicia avait mis le holà. C'était un voyage trop long. Quinze jours, en plein été. Qu'allait-elle bien pouvoir faire toute seule pendant deux semaines alors qu'ils se doraient au soleil ?

Ils étaient allés aux docks royaux de Portsmouth à la place.

– Il pleut aussi à la Jamaïque, lui avait dit son père pour essayer de lui remonter le moral le premier matin.

Ils faisaient la queue pour visiter le *Victory*. John fut très déçu : le bois magnifiquement peint en noir et en doré ressemblait trop au bateau-pirate de Disneyworld. Il voulait voir le genre de navires sur lesquels son père travaillait : il avait examiné des heures durant les photographies d'archives et savait que les trucs vraiment intéressants étaient un ramassis de fragments soigneusement numérotés.

L'épave du voilier royal d'Henry VIII ressemblait davantage à ça.

– J'ai connu certains des membres de l'équipage qui l'ont remonté à la surface, avait raconté son père lorsqu'ils avaient visité le *Mary Rose*.

Dans le musée, ils avaient passé en revue les vestiges répertoriés : les vêtements en grosse laine, les canons en bronze qui se chargeaient par la gueule, les paillasses, les flasques et les poires à poudre, les flèches et les arcs en if.

Son père était resté planté un moment devant l'une des vitrines, perdu dans ses pensées. John avait eu envie de lui prendre la main. Il faisait de son mieux pour lui en vouloir parce qu'il n'était jamais à la maison, mais la seule chose qu'il avait éprouvée ce jour-là, c'était le fol espoir que son père le prenne par l'épaule ou par la main. Il voulait sentir le contact de sa peau, la pression de ses doigts. Il voulait le faire revenir de l'endroit où il avait dérivé.

Mais son père ne revenait jamais vraiment. Même lorsqu'il était à la maison, même quand John prenait place à côté de lui dans la voiture ou devant la télévision, ou bien encore à table, quand il levait les yeux vers lui, il voyait toujours la même expression familière sur son visage : il était ailleurs, plongé dans quelque monde intérieur qui n'appartenait qu'à lui. Il était sur les lieux de l'épave du *Lord Western,* en Colombie-Britannique, flottant dans une mer ténébreuse au-dessus de la cargaison de bois d'un navire dans la baie de Sydney. Ou près de Nice, au milieu de la baie de Villefranche-sur-Mer, à dix-huit mètres de profondeur, dans l'épave gîtant à bâbord à 45° sur des sédiments de sable et de boue qui avait sombré dans une tempête en 1516 avec sa cargaison d'artillerie. Ou bien encore en Égypte, dans la baie d'Aboukir, sur *L'Orient*, qui avait coulé en août 1798, anéanti par Nelson au large des plages à l'ouest d'Alexandrie. Dans des endroits où l'on ne pouvait pas l'atteindre.

À seize ans, John n'avait plus envie d'aller où que ce fût avec son père. Il avait renoncé à attirer un jour son attention. Il avait accepté, avec l'amertume propre à l'adolescence, qu'il se situait quelque part dans la périphérie de l'existence de Douglas Marshall, peut-être en deuxième, ou en troisième position. Peut-être même en cinquième, en sixième, ou pis, après des dizaines de bateaux ensevelis au fond des mers. Il venait sûrement après Franklin en tout cas, cette énigme qui obsédait son père, surtout depuis son voyage au Groenland. Il supposait qu'il comptait moins à ses yeux que Franklin ou Crozier, son second.

Crozier qui aurait survécu longtemps après Franklin quelque part sur la glace une fois que les bateaux eurent coulé. Crozier, le héros, s'efforçant de commander une centaine de mourants après que l'*Erebus* et le *Terror* se furent abîmés. Ses joues brûlaient, il étouffait à la pensée de ces hommes qui vivaient encore dans le cœur de son père. « Je suis en vie, bordel, avait-il envie de crier. Je ne suis pas un héros mort. Je suis en vie ! »

C'est alors que l'idée lui était venue d'éclipser les exploits de son père. Un secret qu'il nourrissait en silence depuis quelque temps, cinq ou six ans peut-être. Cette pensée s'était imposée peu à peu à lui jusqu'au moment où il lui avait semblé qu'elle avait toujours été là, une sorte de quête prédestinée. Il rêvait de découvrir ce que son père avait toujours cherché en vain : un vestige de l'expédition Franklin, quelque indice bouleversant, peut-être même un ultime journal de bord provenant des navires. Peut-être alors son père le respecterait-il pour la première fois.

Il avait beau s'efforcer de ravaler son amertume, il s'apercevait que chaque fois que son père était le centre d'attention, comme maintenant, une méchante petite voix occupait son esprit, une voix pleine de chagrin juvénile aux intonations enragées. Il prit son menton en coupe tout en tiraillant de l'autre main sur la couture en cuir du fauteuil. Il ressentait parfois une envie irrationnelle de flanquer son poing dans la figure de son père. Juste pour qu'il le regarde. Vraiment. Cela vaudrait presque le coup qu'ils aient mal l'un et l'autre s'il pouvait voir une lueur de compréhension sur son visage. Quelque chose comme : *Oh mon Dieu ! Il souffre à cause de moi. Comme je souffre maintenant à cause de lui. Du sang sur son poing. Du sang dans la bouche.*

John poussa un profond soupir et se frotta le crâne des deux mains. Il se leva, s'étira, se tourna vers la bibliothèque bourrée de rapports d'expéditions. Il parcourut du regard les titres inscrits sur le dos des livres, les noms des fouilles. Lorsqu'il avait seize ans, il y en avait eu une en Turquie, à Serce Limani : une épave hellénique transportant une cargaison de vin y avait sombré au XIe siècle. Ce nom – celui qu'il avait sous les yeux à l'instant présent –, écrit de la main de son père sur un des rapports, avait un sens particulier pour eux deux.

Son père avait pris des dispositions pour l'emmener en Turquie en guise de cadeau d'anniversaire. Pour fêter l'approche de la maturité.

– Je ne veux pas y aller, lui avait-il déclaré.

Son père avait été surpris. Il avait déjà acheté les billets qu'il tenait dans sa main tendue.

– Ne t'inquiète pas pour ta mère, l'avait-il rassuré. Je l'ai mise au courant.

John le savait. Il les avait entendus se disputer.

– Je ne veux pas y aller, avait-il répété.

Doug avait regardé fixement les billets, puis son fils.

– Il s'agit de trois semaines en Turquie, en plein été, avait-il dit, abasourdi. Écoute, on va à Gatwick...

– Je n'irai pas.

Son père avait posé les billets sur la table entre eux, lentement, avec soin.

– Pourquoi ?

– Faut-il qu'il y ait une raison ?

– Oui, John. Il le faut.

– Parce que tu as déjà dépensé l'argent ?

Son père avait froncé les sourcils.

– Eh bien, oui, c'est vrai. J'ai dépensé l'argent...

– Je ne t'ai rien demandé...

– Non.

Il était évident que son père s'efforçait de garder son calme, sans hausser le ton.

– Mais l'argent n'a pas d'importance. Je veux que tu viennes plonger avec moi. Je veux t'apprendre.

– Eh bien, moi, je ne veux pas plonger.

– Ah bon ?

John avait bondi de sa chaise en rougissant de ses mensonges et de la fureur indicible qui montait en lui. Il y avait des années qu'il rêvait d'accompagner son père.

– J'ai prévu d'aller en Cornouailles cet été.

C'était vrai, mais ses plans n'avaient rien de définitif.

– Pour quoi faire ?

– Du surf.

Il y avait eu un long silence.

– J'ignorais que tu aimais le surf.

– Justement ! Tout le problème est là, avait-il rétorqué. Tu ne sais strictement rien à mon sujet !

John serra les poings en regardant le rapport d'exploration, une boule dans la gorge.

Il y avait eu d'autres invitations qu'il avait acceptées, mais il n'y avait pas eu de surprises : son père et lui n'étaient jamais à l'aise ensemble. Serce Limani les séparait à jamais.

On sonna à la porte.

John tressaillit et jeta un coup d'œil par-dessus son épaule. Il prit une profonde inspiration, s'approcha de la fenêtre et regarda dehors. Une fille se tenait sur les marches en bas. Il la distinguait mal. Il ouvrit la fenêtre. Elle recula de quelques pas tout en consultant un bout de papier qu'elle tenait à la main.

– Oui ? cria-t-il.

Elle leva les yeux.

– Je cherche John Marshall, dit-elle.

Il la dévisagea. Sa première pensée fut que le visage levé vers lui n'avait rien d'anglais. À vrai dire, il n'en avait jamais vu de tel.

– Attendez un instant.

Il dévala l'escalier, le cœur battant, et lui ouvrit la porte. Elle souriait un peu, en équilibre entre deux marches.

– Vous...

– Je suis désolée.

– Je vous ai déjà vue.

Elle rectifia la position de la bandoulière de son sac.

Il ne pouvait pas s'empêcher de la détailler du regard. Elle était grande, peut-être un peu plus que lui. Elle devait mesurer plus d'un mètre quatre-vingts. Elle avait des cheveux noirs relevés sur la nuque, une queue de cheval flottant sur son épaule. Il se sentit tout à coup incroyablement maladroit et bête. Comment aurait-il pu lui dire : « Vous êtes comme les femmes dans les livres. » Elle n'aurait pas su de quels livres il parlait. Elle ignorait tout de Long, Kane, McClintock et des autres. Et pourtant...

– D'où venez-vous ? demanda-t-il.

– Je suis au King's College, dit-elle en lui tendant la main. Je m'appelle Catherine...

– John Marshall, répondit-il en lui saisissant les doigts.

Il les serra trop longtemps ; elle baissa les yeux sur leurs mains nouées. Il libéra aussitôt la sienne en rougissant jusqu'à la racine des cheveux, ce qui ne lui était jamais arrivé de sa vie. Voilà donc l'effet que cela faisait de se retrouver face à face avec son fantasme. Cette femme sortait tout droit des journaux de bord de McClintock et de Kane, une Inuit avec un serpent de cheveux noirs sur l'épaule, le considérant avec cet air entendu qu'il avait vu sur des photographies datant du siècle dernier. Fabuleux. Impossible.

Il ferma carrément les yeux une seconde, s'attendant à moitié à ce qu'elle ait disparu quand il les rouvrirait.

– Pardonnez-moi, dit-il. Vous me rappelez vraiment quelqu'un. Des gens. Des gens que je ne connais que par mes lectures.

Arrête de baratiner, se dit-il. Pour l'amour du ciel, arrête avant qu'elle fiche le camp en courant.

Mais elle ne s'en alla pas. Au lieu de cela, elle se présenta.

– Je m'appelle Catherine Takkiruq, dit-elle. Pourrais-je vous parler ? C'est au sujet de votre père.

À 11 heures ce matin-là, Jo était à Westminster Abbey. Elle avait eu l'intention de se rendre à la Chambre des Lords. Elle avait un contact là-bas, un journaliste d'une revue à sensation qui lui avait promis des renseignements utiles en vue d'une interview avec un parlementaire prévue la semaine suivante. Au dernier moment, pourtant, elle s'était retrouvée devant le portail de l'abbaye en train de faire la queue au guichet.

Les touristes grouillaient partout. En levant les yeux vers le porche orné, elle songea qu'en dépit du fait qu'elle travaillait à Londres depuis quatre ans, elle n'avait jamais mis les pieds dans cet édifice, pas plus qu'à St. Paul's ou à la Tour de Londres. Du reste, elle ne connaissait personne à Londres qui eût visité ces lieux.

La file avança dans la pénombre de l'église. Jo en profita pour demander au préposé derrière son comptoir où se trouvait le monument élevé à la mémoire de John Franklin. « Sur votre gauche, puis la première allée à gauche. »

Étonnée par l'atmosphère qui régnait dans l'église, elle suivit la cohue, accordant son pas aux autres. Il y avait probablement plus d'un millier de personnes à l'intérieur, mais l'édifice les dominait malgré tout. Le plafond s'élevait au-dessus d'une profusion de marbre et de dorures ; l'ampleur même du bâtiment étouffait les voix. Jo s'arrêta au bout de quelques mètres et sortit de son sac les documents concernant Franklin. Elle avait imprimé quelques pages d'un des sites Internet qu'elle entreprit de feuilleter en quête d'une description du monument. Il y avait tout un tas d'informations dont elle n'avait nul besoin : la liste des membres de l'équipage, par exemple. Elle la parcourut rapidement des yeux.

Ces archives provenaient d'une université américaine dont le département d'histoire était apparemment composé d'obsédés de Franklin. Ils avaient répertorié tous les hommes présents sur l'*Erebus* et le *Terror*. Chaque nom était suivi d'une brève biographie, compilée, comme le site le précisait, à partir du *Naval Biographical Dictionary* d'O'Byrne, paru en 1849. Quatre ans seulement après l'expédition, pensa Jo. Leurs visages, leurs voix et leurs carrières étaient encore très présents dans les esprits lorsque ces portraits avaient été brossés.

Lieutenant Graham Gore, entré dans la Marine en 1820.

Jo orienta la feuille vers la lumière provenant des vitraux du grand chœur.

Prit part à la guerre chinoise... portrait au Musée royal de la Marine... Joue terriblement bien de la flûte, dessine parfois joliment et parfois très mal...

Elle fit la grimace. Elle aussi dessinait très mal. Elle n'était même pas capable d'esquisser une carte.

Lieutenant James Walter Fairholme... capturé par

les Maures en avril 1838 alors qu'il était commandant en second d'un négrier... Harry Goodsir, naturaliste faisant office d'assistant-médecin... Capitaine Francis Rawdon Moira Crozier, né à County Down en 1796, commandant en second, une autorité en matière de magnétisme terrestre... James Reid, spécialiste des glaces, capitaine de baleinier, un homme brusque avec un fort accent du Nord, intègre...

Et puis il y avait de jeunes garçons. Deux par bateau.

Elle rassembla ses papiers et poursuivit son chemin en regardant sur sa gauche à la recherche de la petite chapelle. Quand elle la trouva enfin, elle découvrit qu'un vaste monument en marbre à la mémoire du général Wolfe dominait l'entrée. Elle y jeta un coup d'œil et lut l'inscription. « *Tombé en pleine victoire...* » Elle regarda Wolfe gisant dans les bras de ses hommes, sous le drapeau. Mourait-on encore comme cela de nos jours ? se demanda-t-elle. Peut-être sur les champs de bataille. Elle pensa à la Bosnie, à des tranchées boueuses zigzaguant à flanc de colline. Les grandes causes nationales existaient-elles encore ? Elle avait interviewé tant de gens qui évaluaient exclusivement leur pays à l'aune de leurs succès ou de leurs échecs personnels. On n'entendait pour ainsi dire plus personne – même au sein du gouvernement – évoquer la gloire de la nation. Et pourtant des hommes tels que ceux-ci avaient péri précisément pour cette cause, la gloire d'une idée.

Elle se faufila dans la chapelle et passa devant Franklin sans le voir. Parvenue au bout, elle fit demi-tour et revint sur ses pas. À ce moment-là seulement, elle remarqua la modeste effigie à mi-hauteur du mur. Un buste en marbre du commandant en uniforme, enveloppé dans ce qui semblait être un manteau de fourrure, le regard rivé sur la nef de l'abbaye. Sous lui, l'*Erebus* et le *Terror* étaient représentés, leurs gréements croulant sous le poids de la glace, ainsi que des icebergs empiétant sur les ponts.

Comme elle restait plantée devant pour le contempler, des touristes durent se frayer un passage derrière elle.

– Franklin, fit une voix à l'accent américain. Ce n'est pas le nôtre.

Jo déchiffra la petite inscription aux lettres nettes.

À la mémoire de sir John Franklin
Né le 16 avril 1786 à Spilsby, dans le Lincolnshire. Mort le 11 juin 1847 au large de Point Victory, dans l'océan gelé, chef bien-aimé des vaillants équipages qui périrent avec lui en découvrant le Passage du Nord-Ouest.

Elle contourna le buste pour tâcher de se soustraire à la foule. Il y avait une autre inscription gravée au-dessous de la plaque de marbre, presque à l'abri des regards.

Ce monument fut érigé par Jane, sa veuve, qui, après une longue attente et ayant envoyé bien des gens à sa recherche, s'en fut elle-même à sa rencontre dans le royaume des Cieux et de la Lumière, le 18 juillet 1875, à l'âge de quatre-vingt-trois ans.

Jo avait la gorge serrée. Jane Franklin, sa femme. Qui l'avait attendu trente ans.

En fronçant les sourcils, elle parcourut à nouveau les papiers qu'elle tenait toujours à la main. Aucun document ne mentionnait la date du décès de Franklin. Comment avait-on pu la connaître si lui et ses navires avaient disparu ? C'était tellement précis. Le 11 juillet 1847. Deux ans après leur départ de Londres. Il était mort au beau milieu de l'Arctique, dans la glace, et quelqu'un connaissait la date exacte.

– Des bateaux gelés, fit une voix d'enfant tandis qu'un nouveau groupe se faufilait derrière elle. Le petit garçon passa son index sur les coques couvertes de glace.

– On dirait qu'ils se sont retrouvés coincés quelque part, nota son père tandis qu'ils poursuivaient leur visite.

Jo suivit la trajectoire du doigt de l'enfant, jusqu'à la base du monument où l'on avait ajouté une deuxième plaque.

Ce monument commémore aussi l'amiral sir Leopold McClintock qui découvrit le sort réservé à Franklin.

Elle considéra ce nom un moment.

McClintock, gribouilla-t-elle en haut de la photocopie de la liste des équipages.

Elle récupéra son sac par terre et regagna à pas comptés l'allée principale où il y avait un peu plus de place. Elle s'extirpa de la foule tant bien que mal, puis examina encore ses papiers.

Il y avait tellement de noms. Graham Gore... Harry Goodsir... Francis Crozier...

Elle se retourna une dernière fois vers le monument Wolfe, à l'entrée de la chapelle. Tous ces gens morts pour l'Angleterre, pensa-t-elle. Elle sentit quelque chose lui enserrer la poitrine, une sensation de claustrophobie, une réaction contre tout ce gaspillage de vies. Ils avaient emmené des gamins avec eux, pour l'amour de Dieu – des années entières dans des climats inhumains. Et pour quoi faire ? Plus aucun bateau ne s'aventurait au nord du Canada ou de l'Alaska de nos jours, d'est en ouest, ou l'inverse. C'était tout bonnement impossible. Tout était bloqué par la glace. Il y faisait nuit noire la moitié de l'année. On ne pouvait défier l'une des plus grandes forces naturelles de la planète avec une poignée de bateaux. Les quelques brise-glace russes qui parvenaient à passer fonctionnaient à l'énergie atomique. Pourtant les Victoriens avaient rempli leurs navires de leurs meilleurs hommes, des hommes comme Graham Gore qui ne savait pas peindre.

– À quoi ça lui aurait servi de savoir peindre, je vous le demande ? marmonna-t-elle.

Elle se détourna et s'engagea dans la foule.

5.

En 1845, Augustus Peterman avait douze ans. Ce jour-là, il se tenait sur un des quais de Greenhithe et frissonnait, mais pas parce qu'il avait froid. On était en mai ; il faisait bon. Une brise presque estivale soufflait de la Manche ; pendant le voyage de chez sa tante, dans le Kent, il avait parcouru des sentiers sillonnant des vergers où les arbres arboraient leurs derniers rameaux fleuris.

C'était la vue du bateau qui le faisait trembler. Le *Terror* se dressait devant lui, si large par le travers, avec ses larges membrures émergeant de l'eau. Il était monumental, magnifique, à vous couper le souffle !

Augustus connaissait son nom, comme tous les petits garçons d'Angleterre. Dès qu'il était arrivé dans les docks ce matin, il avait couru jusqu'à son mouillage pour toucher la seule partie de la poupe qu'il pouvait atteindre. C'était le vaisseau qui, neuf ans plus tôt, alors qu'il n'avait que trois ans, avait fait route jusqu'en Antarctique, le fin fond du monde, où la glace l'avait soulevé hors de l'eau avant qu'il se couche dessus, démâté, tel un jouet, jusqu'au moment où il avait enfin pu se libérer grâce à la volonté de Dieu, et à l'habileté de l'équipage.

Gus s'adossa contre le flanc du *Terror,* à l'ombre du grand navire, le cœur battant, en extase.

– Est-il assez grand ? demanda une voix d'homme.

Il se redressa d'un bond, honteux d'avoir été surpris.

– Oui, monsieur.

C'était un officier. Il n'en savait pas davantage. Il n'osait pas lever les yeux du haut-de-chausses jusqu'au visage, mais l'homme avait un accent irlandais.

– Tu vois la proue ?

– Non, monsieur.

Une main ferme s'abattit sur son épaule et l'incita par sa pression à avancer. Augustus aperçut le cuirassement du navire qui s'étendait jusqu'à dix mètres de l'étrave.

– Tu sais ce qu'il y a en dessous de ça ?

– Non, monsieur.

– Sept centimètres de chêne anglais doublé de deux couches de chêne africain, disposées en diagonale, l'informa l'homme, et garnies de cinq centimètres d'orme canadien, de nouveau en diagonale. Cinq épaisseurs de bois de vingt-cinq centimètres. C'est ça le *Terror,* ajouta-t-il en lui tapant dans le dos. C'est ce dont est fait un navire anglais.

Augustus avait les joues toutes chaudes. Sa mère devait le chercher. Elle allait être furieuse et elle piquait facilement des colères. Seulement il ne pouvait pas dire ça à l'officier. Les vrais marins n'avaient pas leur mère à leurs trousses. Sinon ce ne serait pas des hommes !

– Qui es-tu ? demanda l'homme.

Il marmonna son nom.

– Regarde-moi, mon garçon.

Augustus obéit. Il vit un beau visage rond, rasé de près, des yeux bleus, des cheveux couleur sable, des galons dorés sur la veste, une double rangée de boutons, une cravate-foulard noire sous un col blanc.

– Tu es le fils de Thomas Peterman. Tu m'as été recommandé par ton oncle. Et par M. Reid, l'expert en glaces.

– Oui, monsieur.

L'officier hocha la tête.

– Ton père était un bon marin. Un homme courageux.

Gus garda le silence. Son père était mort depuis quatre ans et il se souvenait à peine de lui. Il connaissait seulement l'histoire : il avait péri noyé près de Home Bay dans le détroit de Davis. Le harponneur du deuxième bateau avait frappé et la baleine – qui, selon l'équipage, était passée plusieurs fois en douceur sous le bateau – avait brusquement plongé en avant. Elle s'était abattue de tout son poids sur le bateau du harponneur et l'avait fait chavirer, jetant tout l'équipage par-dessus bord. Les occupants des autres barques l'avaient tuée à coups de lance tout en essayant de récupérer les hommes à la mer ; on avait retrouvé son père, flottant toujours cramponné à un aviron, bel et bien mort, dans un amas de sang et d'écume. Tué instantanément, dès le premier assaut de la bête, avait-on dit.

Soudain, l'officier s'accroupit devant lui et le regarda dans le blanc des yeux.

– On m'a parlé de lui, Gus, dit-il. Nous avons rencontré sur les îles Whalefish des Esquimaux qui avaient navigué sur le bateau de ton père parti de Hull un été.

Gus plongea son regard dans les yeux bleus de l'officier.

L'homme lui tendit alors la main.

– Je m'appelle Francis Crozier.

Gus fixa longuement son attention sur cette main

ouverte. Il savait à qui il avait affaire. Du coup, il avait la bouche sèche et n'arrivait plus à parler. Il n'y avait pas moyen de répondre à ça. Crozier avait été commandant en second de l'expédition et capitaine du *Terror.* Si ce navire était le bateau rêvé de tous les petits garçons, Crozier était son idéal d'explorateur. Seul James Clark Ross était plus connu que lui, et tous deux étaient amis. Crozier avait passé deux hivers dans les mers gelées. Il avait sillonné les océans à côté de Ross et, au cours de ces périples, il était allé plus au sud que tout autre homme au monde. Avant cela, il avait navigué avec William Edward Parry et il était allé plus au nord que tout autre homme au monde. Il avait survécu à la perte du *Fury.* Il avait parcouru l'Atlantique, le Pacifique et l'océan Indien ainsi que la Méditerranée.

C'était inhabituel pour un capitaine de remarquer un petit garçon. Plus encore – du jamais vu ! – de lui serrer la main. Gus lui tendit sa petite paume que la poigne de Crozier avala presque.

– Je te suis reconnaissant, Augustus, dit l'Irlandais d'une voix douce, de te lancer avec nous dans cette aventure.

Gus tenta de répondre quelque chose. Il bafouilla quelques syllabes et resta planté là, bouche ouverte, tandis que Crozier s'éloignait.

Il était toujours cloué sur place quand sa mère le dénicha. Il découvrit sa présence quand elle lui assena un coup cuisant sur le côté de la tête. Puis elle le saisit par le poignet.

– Je t'ai cherché partout, bougonna-t-elle.

Elle le conduisit à la longue rangée d'entrepôts. Là, on prit son nom, on lui donna un sac. Elle se pencha et l'embrassa à la va-vite. Juste une fois.

Tandis qu'il attendait sur le quai de monter à bord, sentant toujours sur sa joue le baiser hâtif, il songea aux grands ours blancs. Il avait déjà pris part à neuf expéditions baleinières, mais n'avait jamais vu d'ours polaires. Tout ce qu'il savait d'eux, c'était son oncle qui le lui avait appris. Il tremblait quand il rêvait d'eux, ces créatures incroyables qui vivaient là où rien d'autre ne subsistait. On disait qu'ils pouvaient dormir dans la tourmente, couverts de neige. Qu'ils étaient capables de nager sous la glace. Qu'ils mesuraient parfois trois mètres à l'épaule et pesaient autant que huit hommes. Allaient-ils en voir un au cours de ce voyage ?

Gus savait qu'on ne les tuait pas facilement. On pouvait en transpercer un d'une balle sans qu'il meure. Ces créatures capables de plonger et de rester sous l'eau des laps de temps inconcevables étaient les spectres blancs des mers. Tueurs patients et silencieux, ils traquaient les phoques des heures durant, couchés à l'affût au-dessus de leurs trous d'aération ou à l'écoute des piaillements de leurs petits dans leurs refuges de glace sous eux. Si son père n'en avait jamais attrapé, son oncle y était parvenu. Gus connaissait l'histoire par cœur.

La femelle s'était approchée jusqu'au bateau, sur la banquise, et avait entrepris de lécher l'huile de baleine qui imprégnait le bois de la coque. Ils l'avaient capturée avec une corde à nœud coulant en en attachant une extrémité à l'anneau de la proue avant de jeter le reste autour de son cou. Il avait fallu faire vite pour raidir le cordage afin de plaquer la bête contre le bateau. Ce fut un travail de marin et tout un art de la tirer ainsi, à dix, depuis le pont tandis qu'elle se débattait en tournant la tête en tous sens en quête d'air. Ses énormes griffes s'enfonçaient dans la glace, les flancs du navire. Elles éraflaient le bois. Ensuite on l'avait arrimée à des pitons sur le pont avec des cordes à chaque pied et autour du cou.

Les hommes avaient discuté pour savoir s'il fallait la garder ou la tuer. Vivante, on pouvait la ramener en Angleterre et la vendre une jolie somme ; elle y serait exhibée, bien que son espèce ne vécût pas longtemps en captivité. Ils pouvaient aussi l'abattre afin de consommer ses riches chairs, meilleures que celles du gibier et tellement plus savoureuses que la peau de baleine noire au goût de noix de coco, et même que les gencives de baleine, pourtant délicieuses, où des os restaient toujours logés. Meilleures aussi que le fatras vert des entrailles de rennes que les indigènes appelaient *mariyalo,* ou encore que la chair de phoque et de morse bouillie, coriace et insipide.

Ils décidèrent de l'abattre.

Elle encaissa le premier coup de lance, en frémissant à peine, toujours debout, le cou légèrement penché. Au deuxième assaut qui rompit une artère et provoqua un jaillissement de sang, elle tourna la tête en décrivant presque un cercle complet et regarda par-dessus le bastingage, vers la glace qu'elle avait laissée derrière elle. Pendant qu'elle chancelait, les hommes se ruèrent sur elle et la maîtrisèrent rapidement. À la fin, ses pattes avant étaient pliées sous elle, et ses pattes arrière, toutes droites.

Ce fut seulement une fois les feux du cuisinier allumés qu'ils remarquèrent son petit.

Il était sur la banquise, non loin du bateau, et avançait lentement avant de repartir en courant d'un pas hésitant. Ils se penchèrent par-dessus bord pour le regarder, pariant sur les moments où il allait se mettre à courir ou rester immobile à lever les yeux vers l'endroit où sa mère avait été prise. L'oncle de Gus lui avait raconté que l'ourson était resté là des heures. Ils lui avaient jeté du pain qu'il n'avait pas touché. De temps à autre, il pleurait, comme un chien enchaîné et affamé. Pour finir, las de ses gémissements, ils l'avaient attrapé sans peine avec une corde et hissé à bord.

Il était petit et facile à enchaîner sur le pont encore couvert de la peau et du sang de sa mère. Quand ils se libérèrent de la glace et reprirent leur route, le capitaine ordonna qu'on passe le faubert sur le pont et l'ourson tira violemment sur ses liens pendant que l'eau coulait sous lui.

Son oncle lui avait expliqué qu'il s'était à demi étranglé avec sa chaîne pendant toute une semaine en arpentant le pont tandis que le navire essuyait cinq jours de tempête. Ils avaient essayé de le faire manger, mais il avait refusé systématiquement tout en vomissant un lait épais, huileux, qui empestait le poisson. Le huitième jour, quand ils étaient montés sur le pont, ils l'avaient trouvé mort.

C'était dommage, vraiment dommage, avait dit son oncle. Vu tout l'argent qu'ils auraient pu empocher en le vendant à Hull.

La matinée était déjà bien avancée quand on conduisit Gus sur le pont inférieur du *Terror*. Il n'y avait là que la moitié de l'équipage, mais l'endroit était déjà bondé.

Les officiers disposaient de cabines, minuscules – deux mètres sur un mètre cinquante, à peine assez de place pour se lever et se vêtir, mais les matelots étaient encore plus à l'étroit. Leurs quartiers se situaient à l'avant ; ils occupaient moins de la moitié du pont. Au milieu des postes de couchage enfumés et obscurs, se trouvait la coquerie où les fourneaux éructaient. Les tables de la coquerie pendaient au-dessus de la tête de Gus ; elles étaient accrochées par des poulies que l'on descendait au treuil à l'heure des repas. Plus en avant, il y avait l'infirmerie ; en descendant, Gus avait vu que l'espace de couchage tout comme l'infirmerie étaient remplis de caisses de provisions.

L'homme qui l'avait conduit s'appelait Torrington.

– Un nouveau marin ! annonça-t-il quand les hommes déjà arrivés levèrent les yeux vers eux.

Le matelot le plus proche les toisa tous les deux du regard.

– Vous faites la paire, alors, Torrington !

Torrington sourit à Gus.

– J'ai fait un peu de cabotage. Des bateaux à vapeur, tu vois. J'ai l'habitude de la vapeur, et non de la voile.

– Et toi, mon garçon ? demanda l'autre.

– Les baleiniers, répondit Gus. De Hull.

– Tu es déjà allé au détroit de Lancaster ?

– Non, monsieur. Frobisher Bay.

L'homme s'approcha de lui.

– Tu es le garçon qu'on a recommandé au capitaine. Il connaissait tes coéquipiers.

– Oui, monsieur.

– Trié sur le volet, hein !

– Oui, monsieur.

L'homme se pencha vers lui. Il sentait le charbon. Gus vit la poussière noire qui lui encrassait le cou et les ongles ; il se rendit compte que ses habits aussi en étaient couverts.

– Tu peux m'appeler monsieur Smith, dit-il, puis il pointa son pouce dans la direction de Torrington. Tu sais ce que c'est qu'un chauffeur ?

– Oui, monsieur.

– Je suis un chauffeur, tu vois ? Et lui aussi il est chauffeur, ajouta-t-il en hochant la tête dans la direction de Torrington. C'est ce qu'ils disent en tout cas. La seule différence, c'est qu'il est chef de chauffe. Plus jeune que moi, remarque. De huit ans. Pas habitué à crever de froid. Jamais travaillé sous les ordres de Crozier non plus.

Il dévisagea durement Torrington.

– Pas passé quatre ans avec Crozier dans la glace comme moi, mais il est quand même le chef de chauffe ! Et moi je ne suis qu'un simple chauffeur, tu comprends ?

Les deux hommes se firent face, puis Smith se détourna en crachant du coin des lèvres.

Torrington serra l'épaule de Gus.

– Ne fais pas attention au bruit du vent, chuchota-t-il. Trouve-toi une couchette, ajouta-t-il en souriant.

Gus regarda autour de lui. Les hommes avaient réquisitionné les boîtes avec des couvercles à charnières pour ranger leur fourbi ; il ne lui restait plus qu'à mettre son matelas de toile dans un coin. Il le cala contre une pile de cartons portant tous la mention : « Soupes et bouillons – conserves patentées Goldner, 127 Houndsditch. Londres. »

– Ces boîtes sont arrivées hier, l'informa un autre homme. Elles étaient censées être stockées ici depuis un mois, mais elles sont arrivées hier, répéta-t-il en grommelant. On ne peut plus les descendre maintenant.

Gus n'en avait que faire. Les grandes caisses le protégeraient contre les courants d'air et il pourrait se faire un petit coin tranquille en se recroquevillant bien. Dire qu'il était dans un vrai navire et qu'au bout du pont, à quelques mètres de là, il y avait des officiers de marine en chair et en os – le capitaine notamment, juste au-delà de l'écoutille ! Dire que ce bateau n'empesterait pas l'huile de baleine, comme tous ceux qu'il avait connus, qu'à bord il y avait des hommes qui connaissaient la botanique et la médecine, le magnétisme et le commerce, et qui avaient navigué dans les sphères du Sud. Eh bien, cela faisait de ce bateau un véritable palais flottant, un royaume réservé à une poignée de privilégiés ! Franklin, qu'il n'avait pas encore vu, avait lui-même été gouverneur de la colonie australienne de Tasmanie. C'était un homme distingué, pieux, à la voix douce, prétendait-on. Il possédait de nombreux talents. C'était un gentleman d'âge et d'allure respectables. Ces hommes-là ne partaient pas en mer sur un baleinier et n'empestaient pas l'huile. Ils ne parlaient pas à leur équipage comme son oncle le faisait.

Pendant qu'il lavait le pont – sa besogne quotidienne –, Gus pensait à la différence entre Crozier et Franklin. Crozier était un simple marin, disait-on. On pouvait compter sur lui ; il connaissait l'Arctique et les indigènes qui y survivaient tant bien que mal, les Esquimaux. Au bout d'une semaine en mer à peine, Smith lui avait dit que Crozier était chasseur ; il abattait les caribous et attrapaient les renards au piège. Il chantait aussi, paraît-il. Il avait une belle voix d'Irlandais, limpide et suave. Il savait danser, et dansait avec les Esquimaudes. Il jouait du pipeau et racontait de belles histoires. Il avait même monté des pièces de théâtre et appris aux marins à jouer la comédie. C'était un joyeux luron, affirmait Smith qui lui transmettait toutes ces informations alors qu'il gisait dans sa couchette au-dessus de lui la nuit et que le bateau roulait et tanguait. Oui, le capitaine était un homme gai quand il ne broyait pas du noir, mais tous les hommes broyaient du noir parfois à force de vivre sans lumière, sans femmes, toujours en même compagnie.

– Évidemment, avait précisé Smith un jour où ils mangeaient à la table de la coquerie, il ne commandera jamais une expédition, comme Franklin.

Gus avait enfourné goulûment son dernier morceau de pain.

– Pourquoi ? avait-il demandé.

– Commandera jamais une expédition. Ce n'est pas un sang bleu.

– Bien sûr que si, protesta Gus.

Smith s'était contenté de rire.

– Il n'a pas été élevé à Londres dans le luxe, avait-il ajouté. Il est comme nous, du tout-venant. Même s'il était le meilleur homme à avoir jamais pris la mer, même s'il avait vaincu le feu, la tempête et les monstres avec son navire et découvert l'Orient, tu verras, ils ne le feront jamais chevalier, comme Ross. Ils ne le présenteront jamais à la Cour. Pas Crozier.

Il y eut un long silence autour de la table.

– Je ne suis pas du tout-venant, finit par lâcher Gus.

– Nous le sommes tous, mon garçon, rétorqua Smith. Tu crois qu'on nous couvrira de gloire quand on rentrera ? Tu crois ça ? Tu crois que tu dîneras avec des belles dames ? Que le Parlement t'accordera une rente ? Qu'on fera une parade en ton honneur ?

Smith se mit à rire.

– Bien sûr que non. Ils ne feront pas ça, ni pour toi ni pour lui.

Plusieurs matelots en face d'eux hochèrent la tête en guise d'assentiment en voyant Gus les interroger du regard.

– Du tout-venant ! répéta Smith en essuyant son assiette en fer-blanc avec sa manche. Utile pour un bateau, ne t'y trompe pas. Mais pas un seul comme sir John. Pas nous, mon garçon. Crozier non plus. Pas même lui.

La traversée de l'Atlantique fut agitée.

L'*Erebus* filait, toutes voiles dehors, dans la houle, perdant de temps en temps de vue le *Terror*. Le 27 juin, un épais brouillard s'abattit sur eux alors qu'ils longeaient le littoral du Groenland. À bord du *Terror,* on ne voyait plus rien, pas même le solide petit *Baretto Junior*, le navire de transport qui les accompagnait jusqu'à l'île Disko.

Ce matin-là, Gus eut le droit de monter sur le pont. À côté de lui, accoudé au bastingage, à peine visible dans la brume, se tenait Wildfinch, un garçon de dix-neuf ans, originaire de Woolwich, qui avait terriblement souffert du mal de mer et pouvait enfin se lever.

– Y a-t-il des Esquimaux par ici, Gus ? demanda-t-il.

– Oui, répliqua Gus. Tout le long de cette côte, et des Danois.

– Et où va-t-on jeter l'ancre ? À Disko ?

– Oui.

Wildfinch se tourna vers lui. Il avait un visage large, plat, ouvert, des cheveux très fins pour un garçon et la peau couverte de petites lésions rouges, comme des piqûres de puce. Torrington lui avait dit que Wildfinch venait de Whitechapel, un endroit que Gus connaissait seulement de réputation. On disait que sa mère ramassait du crottin, qu'elle sillonnait les rues la nuit à la recherche d'excréments d'animaux pour les vendre aux tanneries. D'autres hommes affirmaient que c'était une blague, mais Gus trouvait que c'était un moyen de gagner sa vie préférable à d'autres. Au moins, la mère de Wildfinch n'était pas une putain ou une voleuse.

Wildfinch lui faisait de la peine. De sept ans son aîné et plus grand que lui d'une bonne trentaine de centimètres, il n'en avait pas moins l'air complètement perdu.

– Sont-ils sauvages ? s'enquit Wildfinch.

– Qui ça ?

– Les Esquimaux.

Gus sourit.

– Pas autant que les gens de Whitechapel, répondit-il.

Wildfinch rougit.

– Ce sont de bons chasseurs. Ils viendront nous trouver. Pour faire du troc. Tu peux leur proposer n'importe quoi, un bout de savon, des bougies, du tissu, et ils te donneront peut-être une poche à tabac en échange. Tout en peau, Robert. Ils savent coudre les peaux à la perfection, je te jure. Les fourrures et tout ça.

Wildfinch tourna les yeux en direction de la côte, à l'est, quelque part dans le brouillard gris à la dérive.

– Des chasseurs, répéta-t-il pour lui-même.

Le lendemain, le brouillard s'était dissipé. Les bateaux se voyaient à nouveau et gagnèrent allégrement la côte du Groenland. Ils aperçurent les premières glaces en espérant qu'ils n'en verraient pas d'autres, des icebergs flottant en haute mer. Les experts en glaces de chaque navire prirent la navigation en main ; Crozier restait des heures entières à l'affût sur le pont.

Le 30 juin, ils franchirent le 66° parallèle nord.

On alla chercher une petite caisse dans la cabine de Crozier et on déballa le premier cylindre. Gus était là quand on le jeta dans la mer, un petit tube de cuivre qui ne tarda pas à disparaître.

Le 4 juillet, ils débarquèrent à Disko. Il y eut du chahut. On déchargea les cargaisons des navires de transport pour recharger le tout sur l'*Erebus* et le *Terror.* On fit sortir de la cale du *Baretto* les dix bouvillons embarqués à Stromness, tout éblouis, que l'on conduisit sur le quai pour les abattre. Gus mit pied à terre avec une bande d'hommes et aida à débiter la viande en grattant les os et les tendons et à l'empaqueter pour la mettre à congeler dans la cale. Dès qu'ils quitteraient le port en direction de l'ouest, les bateaux feraient office de chambre froide.

Les boyaux, les os, le sang ne gênaient pas Gus. Il y était habitué depuis qu'il avait travaillé sur des baleiniers où l'on dépeçait les carcasses sur le pont, debout dans les chairs et la graisse chaudes jusqu'aux genoux. Il ne lui serait jamais venu à l'esprit d'en contester la nécessité. Il tenait les cordes des bouvillons et les frappait sur la tête pour les étourdir quand ils tiraient sur leurs longes. Ce n'était rien du tout. La viande était la vie ; la survie. Rien d'autre ne comptait.

Quand tout fut fini, les navires s'enfonçaient profondément dans la mer, gémissant sous le poids des vivres, du charbon, des tonneaux. Le ciel se découvrit ; le soleil dardait ses rayons sur eux. Le bruit courut parmi les équipages que la mer était bien dégagée vers l'est. Il faisait très bon, la mer était plus chaude que d'habitude ; la traversée serait plus aisée qu'ils ne s'y attendaient. Les icebergs qui flottaient dans la mer de Baffin le prouvaient. Le Passage les attendait, ses portes grandes ouvertes dans l'été arctique. Dans moins de huit semaines, disait-on, ils seraient en Alaska.

Ils quittèrent le Groenland, le 12 juillet.

L'atmosphère à bord du *Terror* ne ressemblait en rien à ce que Gus avait connu dans l'univers laborieux des baleiniers. Il y eut un récital sur le pont un soir. On chantait. On célébrait l'office et on disait des prières. On dansait même un peu, parfois. Ils sentaient le souffle vif du vent chargé de neige, pareil à un petit coup douloureux sur la poitrine à la première aspiration. Les flots étaient limpides, les icebergs magnifiques, les voiles étincelantes. Ils avaient l'impression de voguer à bord des navires de Dieu sur Son océan, investis de la plus haute mission, à la grâce du Seigneur et avec sa bénédiction. Ils étaient les plus heureux des hommes. La seule chose qui gâchait le plaisir de Gus au cours de ces premiers jours d'été, c'était la vision de Crozier lui-même.

L'officier restait éveillé tard le soir, jour après jour, debout tout au bord de la proue, le regard fixé devant lui. Le jour où ils pénétrèrent dans le détroit de Lancaster et hélèrent le baleinier *Entreprise* au passage, Gus surprit une expression étrange sur son visage. Crozier la dissimula assez bien quand, en descendant, il passa à côté du garçon. Il lui sourit même et lui adressa un signe de tête en tirant ostensiblement sur ses manchettes et en resserrant son manteau autour de lui. Il continua son chemin et Gus l'observa, inquiet pour la première fois, plus inquiet qu'il ne l'avait jamais été à bord d'aucun bateau. Car la lueur qui brillait dans le regard du capitaine n'était pas de celles qu'inspiraient la confiance en la miséricorde et la grâce de Dieu, ni les joies du voyage, ni l'excitation à la perspective des conquêtes à venir. C'était beaucoup moins compliqué que ça. C'était la peur.

6.

Le téléphone sonna.

Jo s'extirpa péniblement de son sommeil.

– Allô ?

– Jo, c'est Gina.

– Seigneur, Gina ! Quelle heure est-il ?

– Presque 1 heure du matin.

– Où es-tu ?

– Au boulot. Écoute...

Jo se passa la main sur le visage.

– Qu'est-ce que tu fabriques au bureau à une heure pareille ?

– Tu appelles ça tard ? riposta Gina. Et tu veux travailler pour un vrai journal.

Jo fit la grimace au combiné.

– Écoute, ils l'ont trouvé.

– Qui ça ?

– Marshall, pardi !

Jo était soudain parfaitement réveillée.

– Doug Marshall ?

– En personne. Raide de froid comme du poisson surgelé, mais en vie.

Merci mon Dieu, pensa Jo, surprise par la vague d'émotion qui déferlait en elle.

– Et son guide ? demanda-t-elle.

– Marshall s'est cassé la jambe, lui expliqua Gina.

C'est l'Inuit qui a réussi à contacter les secours. Un travail de héros ! Ils ont récupéré Marshall il y a une heure.

Jo avait les yeux fixés sur la fente entre les rideaux. Elle ne voyait rien que des nuages, un ciel bas, jauni par les lumières de la ville.

– Tu es toujours là ?

– Oui, je suis là, fit-elle en basculant les jambes par-dessus le bord de son lit. Quand est-il censé rentrer en Angleterre ?

Elle pouvait presque entendre Gina sourire.

– Je vais me coucher, lui annonça-t-elle. À toi de jouer, ma belle !

La nuit était superbe. John songea qu'il n'en avait jamais vu d'aussi belle, mais quand il dérapa au moment où il franchissait l'angle de Trinity Lane au pas de course, juste au-delà des portes de Caius, il se dit qu'il était peut-être ivre. Il s'adossa au mur pour reprendre son souffle. Devant lui, Catherine s'arrêta et se retourna.

– J'ai un caillou dans ma chaussure, mentit-il.

Elle rit doucement. Pas dupe.

– Hé ! fit-il.

– Qu'est-ce qu'il y a ?

– Viens ici.

Il distinguait à peine son visage dans les ombres, mais il voyait distinctement les reflets bleus qui dansaient sur ses cheveux sous la lumière des réverbères.

– Redresse-toi et marche droit, murmura-t-elle d'un ton mi-rieur, mi-réprobateur.

Il s'exécuta. Au mieux qu'il put.

Ils atteignirent finalement la rue où il habitait et s'arrêtèrent près de la porte de son immeuble. Il leva les yeux vers le ciel et aperçut les étoiles qui filaient à toute allure entre les nuages.

– Je rentre, déclara Catherine en lui tendant la main.

– Tu rentres, répéta-t-il.

Il considéra sa main et la serra bien qu'il trouvât cela grotesque. Il avait envie de l'embrasser et non d'échanger une poignée de main avec elle.

– Tu ne peux pas me quitter comme ça, dit-il. Je voulais te montrer des trucs sur Franklin.

– Peut-être une autre fois.

La panique s'empara alors de lui : elle allait tourner les talons et il ne la reverrait jamais.

– Je ne t'ai jamais remerciée comme il faut pour la nouvelle et tout ça...

Cette fois-ci, elle éclata de rire.

– Tu m'as déjà remerciée vingt fois, John, et tu m'as offert quatre verres. Tu n'as cessé de me remercier de la soirée, chaque fois que quelqu'un t'offrait un verre. Maintenant, je rentre chez moi, okay ?

Il lui saisit le bras au moment où elle faisait volte-face.

– Je vais y aller, lui annonça-t-il à brûle-pourpoint.

– Où ça ? demanda-t-elle.

– Là d'où tu viens. La Terre du roi Guillaume.

Elle écarta ses doigts de son poignet.

– Je viens de l'Arctic Bay, lui rappela-t-elle. Et rappelle-toi que je n'y vis plus depuis l'âge de six ans !

– Je vais y aller, répéta-t-il. C'est mon secret. Maintenant tu le sais aussi.

Elle s'adossa au mur.

– Je te suis reconnaissante de me l'avoir dit.

– Non ! s'exclama-t-il en s'efforçant de retrouver ses esprits. C'est moi qui te suis reconnaissant. Ton père t'informant par e-mail du sauvetage de mon père avant que les journaux soient au courant. Tout ça.

– Ça fait vingt et une fois maintenant, protesta-t-elle sans la moindre animosité. François est le cousin de papa.

– Oui. Homme courageux. Sauvé la vie de mon père.

– Peut-être, dit-elle.

Elle baissa les yeux en souriant pour elle-même.

John se redressa brusquement.

– Monte une seconde, demanda brusquement John en se redressant. Je veux te montrer quelque chose. Je connais bien ton pays. Les moindres recoins. J'ai beaucoup de documentation. Rien qu'une minute, c'est tout. Ensuite, je te raccompagne chez toi. Promis.

Elle marqua une pause.

– Une minute, murmura-t-elle finalement. D'accord.

Elle monta les deux étages derrière lui. En arrivant devant sa porte, il se retourna vers elle et son cœur eut un petit sursaut de désir indolent. Comme il se débattait avec la serrure, la porte s'ouvrit, de l'autre côté.

Amy se tenait sur le seuil. Elle le dévisagea, puis regarda Catherine. Elle rougit violemment en voyant l'autre fille.

– Entrez, dit-elle en reculant. Je m'en allais.

John tendit les mains.

– Amy, je te présente Catherine Takkiruq.

La vue d'Amy lui avait fait l'effet d'un seau d'eau glacée à la figure. Il n'était plus du tout ivre subitement.

– Ah bon ? fit Amy.

Elle avait déjà récupéré son sac à l'autre bout de la pièce.

– Elle a reçu des nouvelles de mon père. Elle est venue m'en informer.

– Ah bon ? répéta Amy. Super !

– Écoute..., commença John.

D'un geste, Amy lui intima de se taire.

– Je suis juste passée pour fêter la bonne nouvelle, commenta-t-elle, imperturbable, en regardant Catherine dans le blanc des yeux. Apparemment, vous m'avez devancée.

– Désolée, répondit Catherine.

– Ne le soyez pas !

– Allez. Viens t'asseoir.

Amy tourna finalement son attention vers lui.

– Ça fait trois heures que je suis assise, rétorqua-t-elle. Et que je t'attends.

– Je n'ai pas travaillé ce soir, marmonna-t-il. J'ai fêté ça.

Il y eut un silence gêné. On aurait dit que Catherine avait envie que le sol s'ouvre devant elle pour l'avaler.

– Il faut que je vous prévienne qu'il vous fera attendre. Vous ne le trouverez jamais parce qu'il est tout le temps ailleurs, ajouta-t-elle en désignant le bureau et les livres empilés dessus.

Elle marqua une pause.

– Je vous le cède volontiers, lâcha-t-elle avant de sortir.

John s'avança vers Amy, mais en l'espace de deux secondes, la jeune fille était hors de sa portée et dévalait l'escalier.

– Amy ! cria-t-il. Amy !

Le claquement de la porte de l'immeuble fut la seule réponse à son appel, outre une plainte grommelée derrière la porte de l'appartement d'en face.

– Merde ! marmonna John.

– Je crois que je vais y aller, dit Catherine.

– Non, s'il te plaît ! Viens. Ce n'est pas ce que tu crois. Je ne lui ai pas demandé de venir.

– Elle a une clé, fit observer Catherine.

– Oui. Écoute...

Exaspéré, il regagna la pièce à grandes enjambées.

– Entre. Ferme la porte. Je suis désolé pour tout ça.

Catherine jetait des regards autour d'elle sur le bureau jonché de papiers, la moquette où d'autres s'empilaient, les cartes hydrographiques du Canada au-dessus, l'image photocopiée de l'*Erebus*, en coupe, scotchée au mur près du lit.

Il suivit son regard.

– C'était un navire de guerre avant qu'on l'expédie en Arctique, expliqua-t-il.

– Je sais, murmura-t-elle.

Il s'assit sur le lit. Il n'avait jamais connu une fille qui savait de quoi il parlait auparavant. Le fait que Catherine Takkiruq sût exactement ce qu'était l'*Erebus* le touchait au tréfonds de son être.

– Tu as blessé ton amie, remarqua Catherine.

Elle referma la porte, mais s'abstint de s'asseoir. À la place, elle se dirigea vers le bureau et saisit le premier livre qui lui tomba sous la main. Elle l'inspecta, l'ouvrit, parcourut les premières pages.

– *Les Terres désolées du Canada*, lut-elle.

Elle en prit un autre.

– *Une histoire de l'ouest du Canada jusqu'en 1871 – La terre de Rupert, le territoire de la baie d'Hudson et les territoires du Nord-Ouest*...

– Je les achète, dit-il.

– Ce sont des livres anciens.

– C'est... mon truc. Tout ce que j'aime.

Elle s'assit au bord du bureau sans faire le moindre commentaire.

– Je suis sérieux, dit-il. Un jour, j'irai là-bas. Je trouverai Franklin.

– Trouver Franklin ? répéta-t-elle. Comment comptes-tu t'y prendre ?

– Peut-être ton père pourra-t-il m'aider.

Son visage s'obscurcit. Il y eut un long silence avant qu'elle reprenne la parole ;

– Je comprends maintenant. C'est pour cela que tu m'as baratinée toute la soirée. Seulement la baie de l'Arctique est à des lieues de Gjoa Haven. Gjoa Haven se trouve sur la Terre du roi Guillaume, l'île de Franklin. Tu as gaspillé ton temps, mon vieux. Mon père ne peut pas t'aider.

Elle s'approchait déjà de la porte lorsque John se leva d'un bond.

– Ce n'est pas ça du tout, protesta-t-il. Je ne suis absolument pas en train d'essayer de mettre la main sur ton père par ton intermédiaire.

– Mon père chasse le narval, répliqua-t-elle. Il ne cherche pas Franklin. Il vit à des kilomètres des sites de Franklin. Il ne te servira à rien. Tu perds ton temps.

– Tu n'as rien compris. Oublie ce que je t'ai dit à propos de ton père. Je me débrouillerai tout seul.

– Ah oui ! Et comment ?

– On verra bien.

Elle le dévisagea, une main sur la hanche.

– Personne ne va là-bas tout seul.

– Moi, si.

– À présent, je sais que tu es fou.

– Je suis fou. Et alors ?

– Et quand comptes-tu partir exactement ? En avril, comme maintenant ? La neige est épaisse, John. En juin, peut-être ? C'est la période de la débâcle. Tu sais ce que cela veut dire ? La fonte des neiges. Impossible de tenir fermement debout là-dedans. Juillet, août ?

Elle secoua la tête.

– Moi, j'y vais en août. Il faut supporter les moustiques si tu y vas à ce moment-là.

– Je retrouverai leurs traces ! lança-t-il. Je dénicherai quelque chose que personne d'autre n'a découvert. Voilà ce que je vais faire ! Tu peux te moquer de moi autant que tu le veux. Je trouverai un moyen.

– On ne saura jamais ce qu'ils sont devenus, John, rétorqua Catherine. Ils ont disparu. Les équipages de Franklin, et leurs navires.

Son regard se porta un bref instant sur l'image de l'*Erebus,* avant de revenir sur lui.

– Tu sais ce que c'est, la Terre du roi Guillaume ? demanda-t-elle à voix basse. Une île au milieu de nulle part. Il faut des jours pour atteindre la côte ouest depuis Gjoa Haven. Et ensuite ? Tu vas faire quoi ? Marcher, plonger ? Hein ? Dans la glace, tout seul ? C'est ridicule.

– Je suis peut-être ridicule, dit-il, offusqué.

Il retourna vers le lit et considéra le dessin du bateau sur le mur. Dans le silence qui suivit, Catherine entendit quelqu'un marcher sur le trottoir. Les pas résonnèrent de plus en plus fort, puis se dissipèrent.

– ... mais, depuis que je suis tout petit, poursuivit-il sans la regarder, j'ai toujours rêvé de faire mieux que lui.

– Qui ça ? demanda-t-elle.

Il s'abstint de répondre.

– De faire mieux que qui ? insista-t-elle.

Comme il ne répondait toujours pas, elle s'approcha de lui et lui effleura l'épaule. Alors il se retourna vers elle.

– John, qui cherches-tu vraiment ?

En guise de réponse, il lui prit la main. Avec une infinie douceur, il la porta à ses lèvres et y déposa un baiser.

– Tu es vraiment merveilleuse, murmura-t-il, le regard brouillé de larmes.

Elle sourit, émue, même si elle ne comprenait pas pourquoi il pleurait.

– Mais non, dit-elle.

– Bien sûr que si.

Elle baissa les yeux sur leurs mains toujours nouées.

– Exotique probablement. C'est comme cela que tu me vois. Différente.

– À qui ressembles-tu ? s'enquit-il. À ton père ou à ta mère ?

Pendant la soirée, elle lui avait parlé un peu de sa famille. Son père était inuit pur sang, sa mère, américaine ; elle travaillait pour une compagnie pétrolière. Ils étaient restés mariés quatre ans et s'étaient séparés lorsque Catherine avait six ans. Elles étaient allées s'installer à Londres toutes les deux. Toutefois depuis que Catherine avait été admise à Cambridge, sa mère était retournée à Washington, à la faveur d'une promotion.

– Mon père n'est pas très grand, murmura-t-elle en réponse à la question de John. Ma mère, si.

Elle sourit.

– Ils formaient un drôle de couple.

– Ils se voient encore ?

– Plus maintenant. Ils s'adressent des tas d'e-mail, je crois. Pour se disputer.

– Comme les miens, dit-il.

Elle le considéra.

– Tu ressembles à ton père.

Son visage se ferma, soudain empreint de méfiance.

– Tu as les mêmes yeux, je crois. Le même sourire aussi. Très beau.

Son compliment n'eut aucun effet. Il détourna le regard et demanda :

– C'est comment dans la baie de l'Arctique en ce moment ? Est-ce qu'il fait jour ?

– Oui, répondit-elle, désarmée par le changement de sujet.

– Il fait plus froid quand le soleil revient, n'est-ce pas ? C'est ce que j'ai lu en tout cas.

– Parfois.

– Et l'on a quelquefois l'impression que le soleil réapparaît de bonne heure, les images de *Novaïa Zemlia* – Nouvelle Terre –, comme des illusions de lumière...

Elle libéra ses mains. Il n'arrivait pas à déchiffrer son expression.

– Est-ce vrai ? insista-t-il.

– Comment veux-tu que je le sache ?

– Évidemment que tu le sais. Tu as grandi là-bas.

– Je vis en Angleterre depuis l'âge de six ans.

– Mais tu y retournes tous les ans. Tu me l'as dit.

– Oui...

– Alors, tu dois le savoir. Tu en sais plus que moi. Est-ce que les enfants ne faisaient pas le tour des igloos quand le soleil revenait après l'hiver, pour souffler les flammes des lampes, enlever les vieilles mèches et en remettre des neuves ? Ne fallait-il pas qu'ils les rallument avec une seule flamme ?

Elle fixa son visage.

– Si tu le dis.

– Tu n'as pas fait ça ? insista-t-il, déconcerté.

Encore un silence.

– Je crois vraiment que je vais rentrer, dit-elle.

Elle se dirigea à grands pas vers la porte.

– Attends une minute ! dit-il. Attends.

Il essaya de l'attraper par le coude.

– Qu'est-ce que j'ai fait ?

Il voyait bien qu'elle était en colère. Un muscle tressaillait au coin de sa bouche.

– Je n'aurais jamais dû venir ici, dit-elle, et encore

moins rester quand j'ai vu ta copine. C'était franchement gênant.

– Je suis désolé, commença-t-il, mais ce n'est pas tout à fait ma copine. Enfin, je ne savais pas qu'elle serait là...

Il rougit en se rendant compte de l'effet de sa phrase.

– Et ce qu'elle m'a dit, poursuivit Catherine, songeuse : « Tu ne le trouveras jamais parce qu'il est toujours ailleurs. » (Elle hocha lentement la tête.) Elle a raison. Je suis juste là pour t'aider à aller où tu veux aller.

– C'est faux ! s'écria-t-il.

En ouvrant la porte, elle pivota brusquement sur ses talons.

– Tu veux une gentille petite Esquimaude ? Comme celles que Crozier connaissait, avec lesquelles il dansait ?

John fit mine de protester.

– Tous les membres d'équipage aimaient bien les Esquimaudes, pas vrai ? Elles n'étaient pas puritaines comme les chrétiennes.

Elle avait ouvert la porte en grand et se tenait à présent en haut de l'escalier. John se faufila à côté d'elle et se planta sur la première marche pour lui barrer la route.

– Tu te trompes, affirma-t-il, désarçonné par son accusation.

– Ah oui ? riposta-t-elle. Dans ce cas, c'est peut-être le fantasme qui t'excite, John. Ton petit monde où tu es capable d'élucider je ne sais quel mystère. Peu importe. En attendant, va chasser tout seul, homme des neiges !

– Ce n'est pas ça du tout.

– Non ? Alors de quoi s'agit-il ? Tu veux que je te

raconte des *irinaliutit*, des histoires en chansons, pour faire de toi un Inuit ?

– Non.

– Que je t'apprenne le demi-sourire pour accueillir le soleil ?

– Non, je...

– Je suis citoyenne américaine ! John, s'écria-t-elle, empourprée à présent, jusque dans le cou. Certes, une fois par an, je vais voir mon père qui ressemble à tous les Inuit d'aujourd'hui. Rien à voir avec ce qu'ils étaient autrefois, du temps de Franklin. Il a même oublié certaines choses que son propre père lui a enseignées. Il appartient à ce siècle, John. Et non pas à ton rêve !

Elle inclina la tête en direction de la pièce derrière elle.

– D'accord, il a un traîneau et il chasse, mais il n'est pas végétarien, dit-elle. Et tu sais pourquoi ? Parce qu'il y a dix ans, il a eu un problème avec l'alcool et maintenant il souffre de troubles gastriques. Alors tu prends tes fantasmes et...

Il monta la marche et posa les mains sur ses épaules. Elle respirait bruyamment sous l'effet de la colère.

– Pardonne-moi, dit-il.

Elle détourna le regard.

– J'ai la tête pleine de toutes ces choses. Ce n'est pas toi. Je ne veux rien te prendre. Je ne veux pas manquer de respect à ton père, lui voler un bout de son monde, lui demander quoi que ce soit. (Elle ferma les yeux une seconde.) Tu ne peux pas savoir à quel point j'en ai assez des types d'ici qui...

– Je comprends.

– Tu ne comprends rien du tout !

Il lui prit la main et y déposa un baiser.

Il avait la ferme intention de s'écarter pour la laisser

passer, mais la sensation de sa peau sur ses lèvres l'arrêta. Il avait reçu comme une décharge. Il écarta sa main, sans oser la regarder en face, en frottant son pouce, ses longs doigts, doucement, les explorant, tournant sa paume vers le ciel.

– Tu ne veux pas aller là-bas dans ce froid, John, murmura-t-elle. Je pense qu'il y a peut-être un froid en toi et c'est ça que tu veux guérir. Ce froid, dans ton cœur. Un père et un fils...

Il l'interrompit en plongeant son regard dans le sien.

– Mon père n'a pas de cœur, déclara-t-il.

7.

L'ourse se trouvait au large de l'île Prince Leopold, près du cap Clarence.

Lorsque, en 1845, les navires avaient contourné la péninsule de Borden en sortant du détroit de Lancaster, Franklin avait dû voir les sommets hauts de mille mètres qui formaient presque une muraille autour de la baie de l'Arctique. En saison, l'endroit grouillait de narvals, d'épaulards, de baleines franches, de morses et de phoques.

Le temps était clair et glacial : – 30°. Mais, au soleil, on avait l'impression qu'il faisait un peu moins froid. À un kilomètre d'elle, la Nageuse était suivie par un mâle, un adulte de cinq cent cinquante kilos qui l'avait évitée faute d'avoir flairé la moindre odeur d'œstrus. Ce jour-là, l'équipe avait pour objectif de la marquer.

Richard Sibley était assis derrière le chef-biologiste en compagnie de son assistant et du documentaliste. L'idée était d'équiper de colliers radiotélémétriques les jeunes femelles qui n'avaient pas encore eu de petits. On administrerait à l'ourse un tranquillisant depuis l'avion, lui avait expliqué le biologiste, une fois qu'elle aurait quitté la haute mer. Ils ne voulaient pas qu'elle retourne dans l'eau une fois endormie.

Au moment où ils la survolaient, la Nageuse se mit

en mouvement, les pattes avant tendues, celles de derrière fléchies vers l'extérieur. Elle était plus rapide qu'une autoneige, stable sur les plis de glace qui auraient contraint un véhicule à multiplier les manœuvres. Ils lui expédièrent une flèche à l'aide d'un calibre.22 en se penchant par la porte latérale.

L'animal leva à peine les yeux, accélérant encore l'allure et zigzaguant légèrement comme pour éviter le projectile. Quand celui-ci atteignit son flanc, elle conserva la même vitesse. On aurait dit un nuage se mouvant parmi les nuages, hypnotique dans sa cadence régulière, avec cette ombre bleue, scintillante, à son image.

Puis elle ralentit, ses pattes arrière montrant en premier les effets de la drogue. Elle essaya de continuer à courir en allongeant les pattes avant jusqu'à ce qu'elle se couche à plat ventre sur la glace, comme aplatie, dans un profond sommeil.

Sur la neige blanc-bleu qui les aveuglait, ils prélevèrent des échantillons de sang, passèrent un courant électrique pour contrôler ses réserves de graisse : quatre sur cinq selon l'échelle de Quetelet. Elle avait bien chassé et s'était bien nourrie. Ils remarquèrent l'extraordinaire développement de ses épaules et de son arrière-train. Si elle avait été humaine, elle aurait fait partie des athlètes, souple, robuste, le contour de ses muscles visible même au repos. Ils lui tatouèrent la lèvre pour pouvoir l'identifier de façon permanente et lui peignirent un numéro sur le flanc.

Pendant que ses compagnons s'activaient, Richard Sibley se mit un peu en retrait. Il avait les problèmes qu'il rencontrait chaque fois qu'il prenait des photos dans des températures aussi basses. Son souffle avait couvert de givre l'arrière de son appareil ; et l'objectif menaçait de prendre le même chemin. Il le plaça sous son aisselle et recula en considérant fixement le collier autour du cou de l'ourse. Ils l'avaient roulée de côté ; elle était étendue sur la glace, une patte avant dressée. Sa force et sa beauté avaient quelque chose de poignant.

Il détourna le regard en plissant les yeux pour se protéger de l'éclat de la neige. Il s'efforçait d'imaginer les photos à prendre. Il concentra son attention sur les silhouettes humaines qui se détachaient, le tableau qu'elles composaient sur le vide de la toile de fond. Il fit toute une pellicule en se rapprochant peu à peu pour saisir les détails : la tête, les oreilles, les pattes. Les griffes sur la neige. Le collier dans la fourrure. Une main sur son pelage. L'arme, l'ours, la glace. Le tatouage.

Il ne sentait plus ses mains ni ses pieds. Un engourdissement, tel un avertissement, sur son visage, autour de la bouche. Il retourna dans l'hélicoptère en enfouissant son visage dans la manche de sa veste, soufflant de l'air chaud dans le creux de son coude. Soudain, il eut envie de fuir, de partir loin du détroit, de regagner Winnipeg. Il ne put s'expliquer le poids dans sa poitrine jusqu'au moment où ils s'envolèrent à nouveau, lorsqu'il regarda une dernière fois l'ourse qui, à présent, remuait sur la neige. Il avait l'impression d'avoir profané son domaine, d'avoir participé à un raid-éclair. C'était plus que cela. Il sentait qu'elle valait mieux qu'eux – elle qui vivait dans un monde qu'il ne connaîtrait jamais vraiment, détentrice d'une vérité immuable.

Il dissipa cette idée irrationnelle et, tandis qu'ils survolaient le détroit de Barrow, entreprit de préparer mentalement un texte de mise à jour qu'il publierait sur le web ainsi que la réponse qu'il enverrait à un garçon nommé John Marshall.

8.

La mer était dégagée, mais Jo ne pouvait pas la regarder. Assise derrière le pilote dans l'hélicoptère Dauphin, coincée entre John Marshall et l'infirmier-chef, elle passait son temps les doigts croisés, les yeux rivés sur la partie du tableau de bord qu'elle apercevait entre le pilote et son observateur.

Il faisait un temps magnifique au-dessus de l'Atlantique nord ; la visibilité était sans limite. Des vagues ourlées de blanc déferlaient dans toutes les directions. Peu de vent. Pas un nuage dans le ciel. Le temps clément qui régnait sur la pointe méridionale du Groenland leur permettait de voler sans effort.

– Vous avez de la chance de voir ce paysage ainsi, lui avait dit le pilote quand ils s'étaient élancés sur la mer.

Elle s'était recroquevillée.

– Je ne veux rien voir du tout, avait-elle répliqué.

Mais un vrombissement avait impitoyablement avalé ses paroles tandis que le Dauphin plongeait de côté et filait en direction du *Fox*.

Elle jeta un coup d'œil à John Marshall. À dire vrai, la tête inclinée sur sa poitrine, il avait l'air encore plus mal en point qu'elle. Elle lui donna un petit coup de coude.

– Ça vous plaît de voler ? demanda-t-elle.

Il haussa les épaules. Elle l'observa à la dérobée. Il ressemblait beaucoup à son père : grand, élancé, des cheveux couleur sable. Elle se demanda si Doug Marshall avait cette même expression réservée. En public, il paraissait plein de charme et d'humour. Peut-être était-ce tout ce qu'il révélerait de lui : le personnage public.

Ce matin-là, lorsqu'elle avait rencontré John pour la première fois, il était en compagnie d'une des plus jolies filles qu'elle eût jamais vues. Au moment des présentations, Jo s'était aperçue qu'elle tiraillait d'un air gêné sur son gros anorak en se tenant très droite. L'instant d'après, elle avait souri intérieurement : elle aurait beau se dresser de toute sa taille, elle n'arriverait jamais à l'épaule de Catherine Takkiruq. Pour aggraver les choses, elle s'était rendu compte qu'elle était bien incapable d'éprouver de l'animosité pour cette fille en dépit de sa beauté saisissante. Catherine semblait être la gentillesse faite femme.

Elle flanqua un nouveau coup de coude à John.

– Votre amie est-elle russe ? demanda-t-elle en haussant la voix pour couvrir le vacarme de l'hélicoptère.

– Comment ?

– Sibérienne ?

Il sourit en secouant la tête.

– Canadienne. Inuit.

Évidemment, se dit-elle. À quel autre type de femme un Marshall pouvait-il s'intéresser ?

– Elle est extraordinaire.

Ses yeux disaient tout.

Le Dauphin poursuivait sa route dans un vacarme assourdissant, perdu dans l'espace bleu infini de la mer. Au bout d'un moment, elle plongea la main dans sa poche et en sortit la photographie froissée de Doug.

En la plaquant contre sa cuisse pour l'empêcher de s'envoler, elle la montra à John.

– Ce truc sur cette photo, dit-elle en la désignant d'un geste. Est-ce le cylindre qu'il a trouvé ?

John considéra l'image un long moment avant de répondre.

– Oui.

Puis il ferma les yeux et détourna la tête.

Le regard de Jo passa de son visage au cliché. Déconcertée par son silence prolongé, elle replia la feuille et la remit dans sa poche. Frustrée.

Au cours des derniers jours, elle s'était renseignée sur la découverte de Doug Marshall, une trouvaille tellement fabuleuse qu'elle avait suffi à lui faire un nom. Elle avait déniché un article qu'il avait rédigé pour la presse spécialisée à propos de la manière dont il était tombé dessus, presque littéralement, lors d'un précédent voyage au Groenland. On n'avait retrouvé que deux boîtes métalliques provenant des navires de Franklin, la première à Egedesminde, sur la côte ouest du Groenland, en juillet 1849. L'autre, celle de Doug Marshall, à Sarfannguag, en août 1990. Ces cylindres jetés par-dessus bord, probablement à intervalles réguliers au cours du voyage – sorte de piste en papier enveloppé dans du métal –, indiquaient la position du bateau à une date précise. Pendant cent cinquante ans, la disparition de ces repères avait intrigué les historiens, jusqu'au jour où Douglas Marshall avait ramassé ce second cylindre dont il avait extrait un mot de Crozier, le commandant en second de Franklin.

Plus que tout, Jo voulait parler à Marshall de ce message laconique, jeté du deuxième bateau, le *Terror,* en juillet 1845. Les navires se trouvaient alors dans le détroit de Lancaster, au-delà de la pointe septentrionale de l'île Bylot et faisaient route, toutes voiles dehors, vers l'ouest. Vers l'oubli. Vers l'enfer. Elle frissonna.

Le bruit des moteurs était étourdissant. En dépit de son casque protecteur, les cognements sourds des rotors retentissaient dans tout son corps, ébranlant sa colonne vertébrale. Ils volaient depuis cinquante minutes et elle n'arrêtait pas de regarder sa montre. L'infirmier lui décocha un sourire en biais. Il y avait une poche de sang enveloppée d'un sac isolant dans une glacière entre ses jambes ; de temps à autre, il posait son pied dessus.

Jo aurait donné cher pour que tout fût fini. À côté d'elle, John Marshall semblait s'être endormi.

La seule fois de sa vie où elle avait eu peur de voler auparavant, c'était en l'été de ses dix-huit ans, alors qu'elle revenait de Corfou sur un vol charter. Ils avaient été surpris par un orage au-dessus de l'Adriatique. L'appareil avait fait des embardées dans le ciel, plongeant de plusieurs centaines de mètres entre les trous d'air tandis que des éclairs dansaient sur l'aile juste à côté de son hublot. Toutefois, les acrobaties du Dauphin l'emportaient de loin sur celles de cet autre appareil.

En levant les yeux, elle vit le pilote la regarder en brandissant le pouce. Après quoi, il désigna l'océan en contrebas. Jo suivit la direction de son doigt, et, tout à coup, elle aperçut, loin en dessous d'eux, la mince silhouette grise du *Fox,* une frégate de type 23 de la Royal Navy qui faisait route vers le sud-sud-est sur le miroir de la mer. Son cœur fit un bond dans sa poitrine. Dieu merci ! Enfin. Le Dauphin vira brusquement et l'estomac de Jo plongea de plusieurs centaines de mètres. Elle cala les poings entre ses genoux en serrant les dents.

Quelques minutes plus tard, ils sortaient sur le pont

de la frégate à la queue leu leu sous le tourbillon de l'hélice. Ballottée par le vent, elle saisit la main que lui tendait l'officier venu les accueillir.

– Le vol s'est bien passé ?

Elle prit un air réjoui qui n'avait sûrement rien de convaincant.

– Superbe ! mentit-elle.

Une fois à l'abri, elle enleva son bonnet en laine.

– Anthony Hargreaves, se présenta le médecin-major en souriant.

– Jo Harper, répondit-elle. (Puis elle se tourna vers John.) Voici John Marshall, le fils de Doug.

Les deux hommes se serrèrent la main. John garda le silence.

– Nous l'avons remis à peu près d'aplomb, informa le médecin.

– Comment va-t-il ? demanda Jo.

– Nous avons réduit la fracture hier soir, expliqua-t-il d'un ton hésitant en jetant un coup d'œil à John. Une vilaine cassure.

– Pouvons-nous le voir ?

– Quand vous voudrez.

Jo se tourna vers John.

– Vous d'abord.

– Ça m'est égal, répliqua-t-il.

Il y eut un moment embarrassant. Jo estimait que le fils de Doug devait la précéder et son indifférence manifeste, qu'elle espérait feinte, la mettait mal à l'aise. Elle n'arrivait pas à déterminer si c'était elle qui lui déplaisait ou le fait de se trouver sur cette frégate. Elle avait remué ciel et terre pour qu'ils puissent venir jusqu'ici et, dès le départ, son attitude l'avait étonnée.

Elle était parvenue à le joindre à Cambridge le lendemain du jour où l'on avait retrouvé son père. Sa voix à l'autre bout du fil lui avait semblé méfiante.

– Vous ne me connaissez pas, lui avait-elle dit après lui avoir précisé son nom.

– Ma mère m'a parlé de vous.

Après ce début difficile, il ne lui avait guère simplifié les choses.

– Je m'efforce de trouver un avion pour me rendre à bord de la frégate, commença-t-elle. J'ai des accointances dans le département et... enfin bon, si quelqu'un doit y aller, c'est vous et votre mère.

Il avait gardé le silence.

– Je voudrais y aller moi aussi, dit-elle. Pour interviewer votre père.

– Ils ne nous emmèneront jamais là-bas, avait-il riposté d'un ton catégorique.

– Je sais que c'est inhabituel, mais...

– Ils ne nous prendront pas.

– Je vais quand même essayer. Je voulais juste savoir si vous seriez disposé à m'accompagner.

Encore un silence.

– Peut-être, avait-il finalement répondu.

– Et Alicia.

– Non.

Jo avait raccroché, persuadée que John Marshall l'avait prise en grippe.

Moins de vingt-quatre heures plus tard, elle l'avait malgré tout rappelé.

– Quelqu'un à bord du *Fox* a besoin de sang. AB rhésus négatif. Ils veulent bien nous embarquer.

– Très bien.

Elle avait raccroché en se disant : si ton père n'est pas plus bavard que toi, je suis fichue.

Ils descendirent l'échelle qui conduisait au pont inférieur, se dirigèrent vers l'arrière et tournèrent à gauche en direction de l'infirmerie. C'était une petite cabine juste assez grande pour contenir un bureau, quelques placards et une couchette double dans une alcôve de deux mètres sur un mètre cinquante dissimulée par un rideau.

Jo porta son attention sur un tableau d'affichage accroché au mur. Il y avait là la photographie d'une petite fille, de huit ou neuf ans à peine. Hargreaves qui avait suivi son regard tapota l'image du bout de l'index.

– C'est la fille d'un des membres de l'équipage, l'informa-t-il. L'association Norberry a testé tout le monde à bord quand on était à quai. Analyses de sang.

– Pour quoi faire ? s'informa-t-elle.

– Don de moelle osseuse. Elle a une leucémie.

– Oh ! murmura Jo. Je suis désolée.

Hargreaves s'approcha du lit et tira le rideau. À l'évidence, Doug Marshall dormait, une main derrière la nuque. Toutefois, au moment où ils avancèrent vers lui, il ouvrit les yeux.

La première pensée de Jo fut qu'il ne ressemblait pas au cliché qu'elle avait dans la poche de son pantalon.

– Vous paraissez plus jeune qu'en photo, dit-elle en souriant. Jo Harper.

John s'approcha à son tour, effleura l'épaule de son père, puis alla se poster au pied du lit.

– Comment te sens-tu ? s'enquit-il.

– Pas trop mal.

Jo les considéra l'un après l'autre d'un air gêné.

Doug tourna son attention vers elle.

– Comment va votre jambe ? demanda-t-elle.

– Ça peut aller. Je ne sais pas comment j'ai fait mon compte. C'était tout plat à l'endroit où je suis tombé. Plat comme une crêpe.

– Oh...

– J'ai glissé sur la piste la plus facile du monde et j'ai dévalé quarante mètres.

Jo lui sourit. Elle s'attendait à moitié à une démonstration de bravade. *J'étais en train de négocier un passage particulièrement difficile et...*

– Dans la neige ? questionna-t-elle.

– Sur de la roche couverte de neige.

– Ouille !

– En fait, j'ai atterri en douceur, mais la dégringolade, elle, a été plus brutale.

Jo hocha la tête.

– Et c'était il y a une semaine ?

– Huit jours.

Elle le savait déjà, bien sûr, mais tout en lui faisant la conversation, elle cherchait une accroche.

– Vous êtes resté couché huit jours dans la neige ?

– J'ai marché un peu. Nous avons trouvé un endroit pour nous abriter.

Du coin de l'œil, elle vit John retirer son manteau et s'asseoir lourdement sur une chaise. Elle l'entendit pousser un profond soupir.

Elle fit de nouveau face à Doug.

– Vous avez marché avec une jambe cassée ?

– Juste pour m'éloigner du rivage et sortir de l'eau.

Elle fronça les sourcils.

– Je ne vous suis plus, dit-elle. À quel moment êtes-vous tombé dans l'eau ?

– Quand j'ai essayé de descendre des rochers.

Elle le considéra d'un air interloqué, puis se mit à rire.

– Ce n'était pas si drôle sur le moment, rétorqua-t-il d'un ton réprobateur.

– Vous avez déboulé d'une piste droite et plate quarante mètres plus bas sur des rochers, et puis vous avez basculé dans l'eau, dit-elle.

Doug Marshall rit à son tour. Elle reconnut alors le visage qu'elle avait vu sur l'écran, strié de fines ridules dues à l'hilarité.

– Arrangez un peu l'histoire pour le journal, voulez-vous ? demanda-t-il. Il ne faudrait pas que tout le monde le sache.

– Je ferai de mon mieux, promit-elle.

On avait frappé. Hargreaves alla ouvrir et revint les bras chargés d'un plateau.

– Voyez si vous arrivez à avaler ça maintenant, Doug, dit-il, et ne me dégobillez pas dessus cette fois-ci.

En s'écartant momentanément de Doug, Jo vit ses yeux vaciller dans la direction de son fils. Elle surprit le regard de John en train de l'observer et comprit qu'il se sentait rejeté. Elle s'était interposée entre eux. C'était une occasion pour John de parler avec son père et elle l'en avait privé.

– John, dit-elle, venez-vous asseoir ici près de votre père.

Il ne broncha pas et continua à siroter son thé.

– Je suis très bien où je suis, lâcha-t-il finalement.

Pendant ce temps-là, Doug buvait à petites gorgées, la tête soutenue par Hargreaves. Jo remarqua que c'était un réel effort pour lui et nota à nouveau ce coup d'œil vers John, quand il eut fini.

Pour couvrir le silence, elle dit la première chose qui lui vint à l'esprit.

– Que pensez-vous que cela signifie ? Le mot dans la boîte métallique ? Le cylindre en cuivre.

Doug tenait sa tasse en équilibre instable sur sa poitrine.

– Le cylindre ? répéta-t-il en la regardant.

– J'ai lu votre article : « Franklin retrouvé. »
– Eh bien ! Merci, dit-il.
– Et quel était le sens du message de Crozier, à votre avis ?
Doug adressa un signe de tête à Hargreaves pour qu'il prenne la tasse.
– Ne vous donnez pas la peine de me répondre si vous ne vous sentez pas bien, fit-elle. Je peux revenir plus tard.
Il secoua la tête.
– De majestueux navires..., murmura-t-il.
Il y eut un temps d'arrêt. Jo jeta un coup d'œil à Hargreaves qui avait bougé. Doug leva un doigt en signe d'avertissement.
– Si vous me faites encore une de ces sales piqûres, lança-t-il, je vous trucide.
Hargreaves se tourna vers Jo.
– Je vous laisse une minute, dit-il. Vous voyez ce bouton sur le mur ? Sonnez si c'est nécessaire.
Après son départ, Doug leva les sourcils à l'adresse de Jo, comme si tout ce remue-ménage le mettait au désespoir.
– De majestueux navires, répéta Jo.
Elle se demandait si elle ne le poussait pas un peu trop, mais Marshall avait repris des couleurs.
Tandis qu'elle l'observait, il lui sourit, comme s'il la voyait vraiment pour la première fois.
– Franklin vous intéresse ? demanda-t-il.
– Oui.
– Je ne vous crois pas.
– Pourquoi pas ?
– Les femmes n'en ont que faire.
– Disons que quelqu'un a accroché mon intérêt.
– Un victorien en redingote ?
– Non, dit-elle, un homme au Groenland.

Ils échangèrent un bref coup d'œil, puis, intriguée, elle examina l'arceau dissimulé sous la couverture. Une brusque bouffée d'adrénaline la prit au dépourvu. Elle venait de se souvenir du commentaire embarrassé qu'Hargreaves avait adressé à John à propos de la gravité de la fracture.

Elle arracha son regard du lit et reporta son attention sur le visage de Doug.

– Le mot de Crozier..., commença-t-elle.

– Pauvre Francis, murmura-t-il. Quant à l'intérêt des femmes...

– Était-il marié ? demanda Jo.

– Crozier ? Non. Hormis à la mer...

– Il était second et...

– Si vous aviez vu ce mot ! s'exclama-t-il. Nous avons porté le cylindre à la Marine nationale et nous l'avons ouvert. Qui aurait pensé qu'un bout de papier survivrait des semaines en mer, et plus d'un siècle dans la glace. C'est pourtant ce qui s'est produit.

Il se passa la main sur le front.

– Aucune rousseur due à l'humidité, pas la moindre décoloration, poursuivit-il. Rien que l'écriture de Crozier sur le papier à en-tête de l'Amirauté, comme s'il l'avait rédigé la veille.

– Vous avez dû avoir la chair de poule, observa-t-elle d'un ton calme.

– Effectivement, c'était saisissant. On aurait dit que Crozier était là avec nous et nous exhortait à comprendre.

Il porta ses mains à son visage, puis les croisa sur sa poitrine.

– Ils ont passé le premier hiver dans un endroit appelé Beechey Island, reprit-il à voix basse.

Il avait de la peine à parler.

– Et puis, c'est arrivé.

Elle fronça les sourcils.

– Qu'est-ce qui est arrivé ?

– Ce que Crozier disait dans son message. Les jours de mort.

– Les jours de mort ? répéta-t-elle en se penchant vers lui.

– Ils passèrent l'hiver à Beechey Island...

La porte s'ouvrit. Hargreaves était de retour. Jo se leva et alla à sa rencontre. Elle remarqua que John n'avait pas bougé d'un centimètre. Il regardait fixement par terre à présent.

– Je ne comprends pas ce qu'il dit, chuchota-t-elle à l'adresse du médecin.

Celui-ci se rendit au chevet de son patient et l'observa avec attention.

– Hé, Douglas, dit-il. Fatigué ?

– Trois d'entre eux périrent.

– Personne n'est mort, le rassura Hargreaves.

– Trois moururent et ils les enterrèrent.

Hargreaves se tourna vers Jo. Elle haussa les épaules, l'air de dire : Je sais pas.

Marshall soupira péniblement.

– Ils essayèrent de remonter le détroit de Lancaster jusqu'au détroit de Barrow. Mais il y avait de la glace. Ils firent demi-tour... rebroussèrent chemin. La glace les arrêta de nouveau. Trois périrent cet hiver-là...

Jo retourna près du lit, à côté d'Hargreaves.

– Je lui ai donné de la morphine, précisa-t-il. Ce n'est rien.

– Les majestueux navires poursuivaient leur route, marmonna Doug, et puis c'est arrivé. Il y eut des morts..., fit-il avant de sombrer dans le sommeil.

Une heure plus tard, Anthony Hargreaves prêta sa

cabine à Jo pour qu'elle rédige son article et l'envoie par e-mail.

– Venez avec moi, avait-elle dit à John. Vous pourrez peut-être m'aider.

Le fils de Doug la suivit, à contrecœur, lui semblait-il, tel un enfant boudeur. Jo se demanda si c'était à cause d'elle, si cela venait de lui, ou s'il était tout bonnement l'archétype de l'âge ingrat. C'était encore un adolescent, non ? se dit-elle en refermant la porte de la cabine et en le regardant se percher, bizarrement replié, comme une grue, les jambes sous lui, les bras noués autour des genoux. Dix-neuf ans, c'était encore l'adolescence. Tout juste.

– Comment va votre père à votre avis ? lui demanda-t-elle.

– Il s'en sortira, répondit-il. Il s'en sort toujours.

Elle était en train de brancher l'ordinateur portable. Son commentaire l'interrompit. Elle pivota sur sa chaise et le dévisagea.

– Et vous, est-ce que ça va ? reprit-elle.

– Bien sûr.

– J'ai l'impression que je vous tape sur les nerfs, John. Que je vous agace, pour une raison ou pour une autre.

– Non.

– Je parie que vous ne le voyez pas beaucoup, risqua-t-elle, frappant à l'aveuglette.

– Il y a des gens qui le voient plus que moi, répliqua-t-il.

Ils échangèrent un regard.

Aïe. C'est là que le bât blesse.

– Vous faites de l'archéologie, vous aussi.

– Oui.

Elle jeta un coup d'œil à l'écran bleu qui scintillait devant elle. La page blanche.

– Par où faut-il commencer ? interrogea-t-elle.

Pas de réponse.

– Pensez-vous que votre père s'identifie à Franklin ?

Finalement, une lueur d'intérêt passa sur le visage de John.

– Franklin ? répéta-t-il.

– Oui.

Il grimaça un sourire.

– Non.

– Quelqu'un m'a laissé entendre que c'était possible, dit-elle d'un ton détaché. Pourquoi trouvez-vous ça drôle ?

– Parce que c'est Crozier, répliqua John. C'est lui qu'il aimerait découvrir.

– Crozier, celui qui a rédigé le message contenu dans le cylindre ?

– Oui.

– Une bouteille à la mer, fit-elle d'un ton songeur. C'est plutôt romantique.

Il eut un petit rire moqueur.

– Pas romantique ?

– Oh que si ! répondit-il. C'est en tout cas ce que disent certains. La petite phrase qu'il a griffonnée en bas de la page : « Les majestueux navires continuent leur route. » Ils pensent qu'elle était adressée à Sophia, la nièce de Franklin. Crozier lui avait demandé sa main et elle l'avait envoyé promener.

– Oh ! s'exclama Jo. Le pauvre !

– Vous connaissez le poème ? demanda John. Celui dont est tiré ce vers ?

– Non. Qui en est l'auteur ?

Il leva les sourcils.

– Vous êtes journaliste et vous ne connaissez pas Tennyson ?

Jo brandit les deux mains.

– Regardez-moi, je suis une philistine.

John esquissa un sourire.

– Dites-moi tout, l'exhorta Jo.

John s'adossa contre la cloison de la cabine. Le navire tanguait ; dehors, le jour déclinait. Autour d'eux sur le bateau, chacun vaquait à ses occupations. Ils entendaient des bruits de pas pressés, des éclats de voix. La photo d'une femme d'âge moyen était épinglée au-dessus du bureau d'Hargreaves. L'espace d'un instant, Jo se demanda quel effet cela faisait de passer si longtemps en mer. Tant de choses en suspens : la vie d'hommes, de femmes et d'enfants, interrompue, délaissée, pendant des mois, voire des années.

John commença à réciter à voix basse :

Les majestueux navires poursuivent leur chemin
Jusqu'au port au pied des collines
Mais Oh ! pour le contact d'une main intouchable
Et le son d'une voix immuable..

Brise-toi, brise-toi
Ô mer ! sous les rochers à pic !
La tendre grâce d'une journée qui n'est plus
Jamais ne me reviendra.

Ils se dévisagèrent. Elle vit alors, clairement, avec précision, sur son visage, ce qu'il avait essayé de cacher. Le rejet.

– Qui avez-vous perdu, John ? demanda-t-elle.

Pendant une seconde, elle crut qu'il allait lui répondre. Puis, à son grand étonnement, il se leva et, manquant de se cogner la tête contre le plafond bas, ouvrit la porte à la volée.

– John !

Il était parti sans se retourner.

Elle fit face à l'écran qu'elle regarda fixement un long moment tout en tapotant son pouce sur la barre d'espacement.

9.

En octobre, la lune était magnifique. Elle avait atteint sa déclinaison maximale au nord et, lumineuse, parée de tons crème, elle parcourait le ciel avec audace. Gus passait des heures sur le pont du *Terror* à la contempler. Elle lui rappelait la charrette du laitier qui sillonnait les rues de Hull avec ses roues éclaboussées d'herbes jusqu'aux jantes, ses planches frottées, presque blanches et ses bidons récurés, propres comme des sous neufs. Il se souvenait de ce premier coup d'œil au lait mousseux quand le laitier soulevait le lourd couvercle ; la lune avait exactement la même couleur.

C'était étrange de penser qu'ils se trouvaient si loin, au nord du globe, que la lune ne se couchait jamais et vagabondait dans le ciel. De sa lueur glorieuse, elle illuminait la neige, l'eau et le rivage de Beechey Island, au point que les bateaux, scellés dans leur havre hivernal, semblaient se réduire à de simples dessins à la plume tout à plat sur une page. Tandis que la lumière du jour faiblissait et que la lune prenait le relais du soleil, Gus se demanda pourquoi il n'avait pas peur. Il avait toujours détesté se coucher dans le noir et se réveiller alors qu'il ne faisait pas encore clair. Il avait toujours réclamé des bougies, longtemps, même quand il avait commencé à partir en mer. Mais, bizarrement, cette vieille peur, la peur de la nuit, l'avait quitté. Dieu merci, parce qu'il allait être dans le noir pour de bon, maintenant. Vingt-quatre heures de noir sans répit pendant des semaines, avec seulement de temps à autre un aperçu de cette lune éclatante.

Fort heureusement, l'équipage était plein d'entrain, même à l'approche de l'hiver. Cela facilitait les choses. En octobre, ils avaient magnifiquement préparé les bateaux pour les mois à venir. Ils avaient jeté l'ancre dans un endroit abrité. En bas, à bord de l'*Erebus* et du *Terror*, les chaudières et les systèmes de ventilation étaient capables de maintenir une température de près de dix-huit degrés. Il y faisait aussi bon que dans une chambre d'été au pays. Même sur le pont, sous abri, ils n'avaient pas encore atteint le point de congélation.

Gus avait adoré l'été. Depuis le mois de juillet, ils avaient remonté le détroit de Lancaster jusqu'au chenal de Wellington. Jamais de sa vie il n'avait été aussi au nord. Ils avaient contourné l'île de Devon, cet énorme affleurement désolé qui s'élevait au milieu des flots, pareil à une fortification.

À bord de l'*Erebus,* le commandant Fitzjames, tout comme sir John, était avide de progresser à bonne allure parce qu'il pensait que le chenal de Wellington les conduirait à l'ouest. Le bruit courut parmi les équipages que, de l'avis de Fitzjames, il y avait des chances qu'ils trouvent très bientôt le Passage. Ils l'auraient franchi en moins de trois semaines. Le vent s'engouffrait dans le gréement, grondant à travers les voiles, extirpant des notes graves des cordages tendus. Quand on se tenait sur le pont, on avait l'impression d'être au milieu d'un orchestre primitif, au cœur des percussions, à l'intérieur d'un tambour.

Le 8 août, ils aperçurent leurs premiers morses. Et les premiers icebergs.

Gus était en bas en compagnie de John Torrington quand John Bailey vint leur annoncer la nouvelle.

– Nous allons avoir une tempête.

– Elle nous poussera plus loin, commenta Torrington en souriant.

Gus se faisait du souci pour Torrington. Il n'avait pas l'air bien depuis plus de deux semaines et cela faisait quatre jours qu'il ne travaillait plus. Gus le trouvait maigre même s'il était naturellement grand et svelte. C'était la vue des os sur sa figure, rehaussée de blanc quand il tournait la tête vers la lumière le soir, à table, que Gus avait remarquée en premier. À la prière du dimanche, Torrington ne s'était pas levé, ni agenouillé. Il était resté assis très droit, le visage orienté vers Crozier tandis qu'on faisait lecture d'un long chapitre d'Isaïe. Quand il avait penché la tête pour prier, Gus avait découvert deux crêtes blanches sous ses yeux.

– Va voir les morses, lui suggéra Torrington.

– J'en ai déjà vu, répondit Gus.

Torrington sourit et lui décocha un solide coup de coude.

– Vas-y, Gus. Je serai encore là quand tu reviendras. Je ne vais pas filer me marier.

C'était une blague bizarre qu'il faisait tout le temps. Il avait raconté à Gus que son père répétait ça à tout bout de champ. « Je ne vais pas filer me marier. » Il disait ça avec son accent de Manchester, plat et désabusé, relevé d'une vague intonation mélodieuse à la fin des phrases.

Gus courut sur le pont. Il y avait toute une bande de morses à moins de cinq mètres du navire. Ils secouaient la tête comme pour faucher l'eau avec leurs défenses.

– C'est le mauvais temps qui les pousse si près des terres, commenta l'un des hommes.

Au-delà de la poupe, il désigna une grande barre de nuages bas à l'horizon. Plein sud.

– La tempête, ajouta-t-il.

Ce n'était pas les morses qui attiraient l'attention de Gus, mais la vision de la mer au-delà qui, plus tôt – il n'y avait pas deux heures qu'il était redescendu –, était tachetée de petits glaçons et qui maintenant disparaissait presque entièrement sous une masse dense de glaces flottantes. D'imposants icebergs s'approchaient d'eux. Un immense champ d'icebergs. La mer n'était plus dégagée nulle part.

Quand il retourna auprès de Torrington, il s'abstint de dire que Bailey avait eu raison. John était déjà couché dans son hamac suspendu au-delà de la coquerie, dans l'infirmerie qui mesurait moins de deux mètres carrés. Il avait remonté les genoux contre sa poitrine et Gus entendit le râle de sa respiration.

La tempête s'abattit sur eux à une vitesse inouïe.

Le vacarme le réveilla. Allongé dans le petit lit en cartons qu'il s'était bâti, il vit les lampes à l'huile de baleine se balancer. On ne tarda pas à les éteindre. Plusieurs hommes coururent sur le pont. Tous les officiers étaient debout. Le bateau se soulevait en dansant bizarrement dans le courant comme si des mains invisibles tiraient sur la poupe. Le vent comme le courant avaient changé et le *Terror* faisait ce que les navires n'étaient pas censés faire : il se secouait comme s'il était vivant, basculant, puis retombant, basculant, retombant. Gus resta couché dans le noir pour réfléchir. En dépit des hurlements du vent et des creux de vagues de plus en plus profonds, il décida que le

Terror ayant été construit comme aucun autre bateau, il résisterait et se comporterait comme aucun autre.

À 3 heures du matin, on se serait cru en plein ouragan ; la glace s'engouffrait par paquets dans le détroit. Impossible de se rendormir. La tourmente les ballottait violemment. La mer était déchaînée et l'air chargé de glace s'insinuait dans le navire et pénétrait chaque homme. Ils perdirent de vue l'*Erebus*, avalé par les montagnes vert indigo de l'océan. On aurait dit que l'été passé à voguer paisiblement dans le chenal de Wellington n'avait été qu'un rêve, un mirage, une promesse trompeuse de calme et de soulagement destinée à les attirer inexorablement vers un cul-de-sac.

Il n'aurait servi à rien d'essayer de s'arrimer à l'un des énormes icebergs pour plus de sécurité : le capitaine estimait qu'avec des bourrasques pareilles, même un câble en manille de vingt-cinq centimètres d'épaisseur lâcherait ; les haussières se briseraient. Aussi bourrèrent-ils les écubiers de sacs afin de rendre le navire aussi étanche que possible, et laissèrent-ils le *Terror* filer avec juste assez de voile pour tenir la dragée haute à la mer, le hunier et la misaine étroitement retenus par des garcettes.

Tous regardaient l'ennemi implacable se rapprocher.

Il était 8 heures du matin lorsque l'*Erebus* réapparut, toujours devant eux, entre les icebergs. Gus marmonna une prière. Ils étaient les navires de Dieu, après tout. Le Seigneur ne les laisserait sûrement pas mourir avant qu'ils aient au moins entamé leur mission. Tandis qu'il chuchotait le nom du Christ, son cœur palpitait d'excitation. C'était ça la vraie vie. Même s'ils devaient périr dans la tempête, c'était la vie !

Le long du littoral, des plaques gelées se pressaient massivement les unes contre les autres en crissant. Ils n'avaient pas d'autre solution que de se laisser glisser, impuissants, entre elles, même si, à chaque vague, un bloc fonçait vers eux à une vitesse alarmante en déposant son lot de glace sur le pont. À nouveau, ils aperçurent l'*Erebus* devant eux, entre deux bancs de glace, et tous les hommes silencieux retinrent leur souffle, s'attendant à tout instant à voir le navire s'écraser contre les icebergs.

Seule la brusque apparition d'une trouée les sauva. Le *Terror* parvint à s'amarrer au fortin d'un iceberg bas baigné d'eau qui les tira vers l'avant comme dans une course de chevaux ; la mer déferlant sur le navire et la glace s'engouffrant à toute allure dans le chenal. Gus se souvint alors d'un jeu auquel il avait joué jadis dans une étroite allée en pente entre les maisons. Quand il avait cinq ou six ans, le père d'un de ses amis leur avait fabriqué un chariot en bois plat muni d'un rouleau à chaque bout ; ils avaient attaché le chien devant et descendaient ainsi la colline à tombeau ouvert en rebondissant sur les pavés et contre les murs, basculant dans la boue, meurtris à chaque chute, piétinés par l'animal fou de rage, avant de remonter le chariot, la corde et le chien en haut de la pente et de recommencer.

Tandis qu'il pensait à ce pauvre chien furieux, sautant en tous sens, aiguillonné par leurs coups de bâton, Gus sentit le *Terror,* en dépit de tout son poids et de sa majesté, tiré par le courant et les blocs de glace. Le navire rebondissait sur les crêtes des vagues, tout comme il avait rebondi lui-même des centaines de fois sur les pavés de l'allée.

Gus n'avait jamais vu la glace affluer si vite. La veille encore, ils parlaient d'atteindre l'autre côté du Canada en trois semaines. Désormais, l'hiver les tenait à sa merci. Il avait l'impression que ce bel optimisme remontait à des mois ; ils évoluaient dans un autre paysage, un autre monde. Soudain, vers midi, un vieil iceberg les harponna. Sa pointe jaunie en nid d'abeille s'élevait à dix mètres au-dessus de l'eau, mais il s'enfonça sous le bateau par le travers en leur présentant ce qui leur fit l'effet d'une rive blanche de glace. Tout à coup, le *Terror* se souleva, propulsé sur cette saillie, comme acheminé de force en cale sèche. Ils se cramponnèrent tandis que le bateau vacillait et Gus se demanda si l'embarcation n'allait pas être expédiée de l'autre côté de l'iceberg. Mais la glace céda. Le navire bascula en arrière, se redressa, le tout en moins de cinq minutes.

Gus regarda attentivement l'homme à côté de lui. Il paraissait indifférent à la situation.

– La glace a ses relâchements, fit-il en haussant les épaules. Elle s'emballe, se relâche, s'emballe, se relâche. Tout ça fait partie de la même chose.

Gus considéra l'iceberg qui s'élevait près d'eux, semblable à un visage buriné de vieil homme, tout en rides et en plis. Il serra discrètement ses mains l'une contre l'autre et les pressa contre sa poitrine pour rendre grâce à Dieu pour les relâchements et le remercier d'avoir écouté ses prières, d'avoir fait de lui un marin et non une baleine, de lui avoir permis de prendre part à cette expédition en n'étant plus seulement un moussaillon sur un pont couvert de sang, dans l'huile et l'eau salée jusqu'aux mollets, en train de gratter des os pour récupérer du blanc de baleine.

Il fut décidé qu'ils retourneraient à Beechey Island, dans la petite baie qui les protégerait des ravages de l'hiver. Ce que sir John et Fitzjames avaient pensé du changement brutal de la mer, Gus ne le sut jamais. Peut-être l'avaient-ils pris avec philosophie, comme les équipages qui y étaient bien obligés. Quoi qu'il en soit, il ne fut plus question de filer vers le Pacifique en trois semaines. Ils se détournèrent de cette perspective et acceptèrent l'obscure et longue attente.

La première fois qu'ils avaient jeté l'ancre dans la baie en octobre, la côte de Beechey Island était encore visible. C'était une plage de calcaire gris, réduit en éclats et en fragments, blanchie près du bord par une sorte de gravier argenté. En dehors de Beechey Island et sa grande sœur, l'île de Devon, il n'y avait pas d'autres éminences repérables dans toutes les directions. C'était vraiment le bout du monde où la terre disparaissait. Rien que des vues plates et dégagées sur des centaines de kilomètres. Certains hommes affirmaient qu'Adam avait eu une telle vue sous les yeux quand Dieu l'avait renvoyé du jardin d'Éden : plus de couleurs, ni terre, ni fleurs, pas le moindre frémissement de feuilles ou d'herbes. Rien qu'un vide silencieux de sorte qu'Adam n'avait rien à contempler ou à penser hormis à lui-même et à sa honte.

Gus se demandait si Adam avait vraiment été si loin du Paradis. Peut-être avait-il ressenti ce que lui-même éprouvait maintenant, que devant lui s'étendait une page blanche sur laquelle on pouvait tout écrire. Sa petite âme était-elle prête à relever ce défi, comme la sienne ? Quoi qu'il en soit, Gus cachait ces sentiments aux autres membres de l'équipage parce qu'il se doutait que ce n'était pas des pensées très chrétiennes et que, si sir John venait à l'apprendre un jour, il en serait probablement offusqué.

Au soleil, qu'elle se trouvât ou non à la lisière de l'Éden, Beechey Island pouvait être d'une beauté saisissante dans sa vacuité sous la voûte d'un ciel bleu étincelant. Une langue de terre la reliait à l'île de

Devon, un bloc carré plus vaste s'élevant au-dessus de la mer. À quelques centaines de mètres du rivage, des falaises de près de cent cinquante mètres de haut, criblées de trous et scarifiées par les tempêtes glaciales qui les assaillaient presque toute l'année, dominaient la baie.

Ils se mirent tous au travail avec une volonté commune. En un rien de temps, ils bâtirent un observatoire, une menuiserie, une forge, des lavoirs ainsi qu'un grand entrepôt sur la rive à proximité des bateaux. Ils y déchargèrent les provisions qu'ils avaient embarquées aux Whalefish Islands, et sir John autorisa la construction d'un stand de tir à l'est de l'île pour permettre aux hommes d'améliorer leurs aptitudes. Il était essentiel de savoir tirer et Gus voulait à tout prix apprendre. Il espérait que quelqu'un lui donnerait des cours ; Torrington, qui lui avait promis d'essayer, sortit avec lui le premier dimanche après qu'on eut achevé le stand. En prenant appui sur l'épaule du garçon, il lui assura qu'il ferait un excellent tireur et qu'ils abattraient des ours ensemble à la lumière du soleil de minuit, en mai.

Deux jours plus tard, Torrington dut s'aliter. Personne ne parlait du mal dont il souffrait et quand ils s'asseyaient pour manger, Gus n'osait pas poser de questions. Dehors, la température chutait rapidement ; le froid commençait à s'insinuer à travers la coque. De la glace se formait dans les fentes du bois. Il régnait un calme étrange tandis que la lumière baissait et que les navires cessaient peu à peu d'osciller avec les vagues. Ils ne tardèrent pas à être pris dans l'étreinte infrangible de la glace, captifs pour des mois.

Des navires peints sur le lavis de l'océan.

Gus s'efforçait de se souvenir de l'endroit où il avait entendu une phrase dans ce genre-là. C'était à l'école, mais il était question de bateaux dans les tropiques, il en était sûr. Des bateaux pris dans une funeste accalmie. Ici aussi, l'accalmie était funeste : dehors, rien à voir hormis la grisaille spectrale qui s'élevait au large de Beechey et de Devon et, un peu plus loin, l'*Erebus* – pâle reflet d'eux-mêmes –, dépouillé de ses mâts de hune et de perroquet pour que la glace ne pèse pas dessus.

Même sur l'île où il aidait le forgeron à construire la forge, Gus ne trouvait pas les mots pour se renseigner sur l'absence de Torrington. Il y avait comme une conspiration à propos de la maladie du chauffeur. Pareils aux enfants qui ont peur du noir, les hommes regardaient ailleurs, fermaient les yeux ou faisaient naître des images plus favorables dans leur esprit.

Mais Gus entendait Torrington dans l'infirmerie. On lui apportait de la nourriture qu'il refusait, et sa voix forte lui parvenait, plus terrifiante que tout parce que ce n'était plus sa voix, mais celle d'un inconnu.

Gus se trouvait devant l'infirmerie quand M. Macdonald en sortit un soir. Il y avait presque une semaine que Torrington y était confiné.

– Monsieur, fit-il d'un ton hésitant.

Macdonald le dévisagea.

– M. Torrington va-t-il mieux ?

Macdonald s'arrêta. Gus osa le regarder dans les yeux. S'il avait trouvé le courage de parler, c'était parce que, tout comme lui, Macdonald était allé dans l'Arctique à bord d'un baleinier. Il espérait que ce lien ténu entre eux, cette vague camaraderie, lui vaudrait un petit avantage l'autorisant à lui adresser la parole alors que c'était généralement interdit.

– Non, répondit Macdonald sans détour, il ne va pas mieux.

L'officier fit venir le cuisinier et lui parla à voix

basse. L'homme repartit pour revenir bientôt avec plusieurs boîtes Goldner soudées au plomb provenant des réserves. Macdonald en choisit deux ou trois. Gus l'entendit dire :

– De la viande et arrangez-vous pour qu'il ne la régurgite pas.

La peur donna des ailes à Gus. Il s'avança et appela Macdonald.

Les hommes autour d'eux sombrèrent dans le silence.

Macdonald se retourna.

– Notre voisin à la maison avait la phtisie.

L'officier jeta un coup d'œil aux autres, puis reporta son attention sur le garçon. Il fronça les sourcils. Gus savait que son attitude effrontée risquait d'être taxée d'insubordination si Macdonald en décidait ainsi, mais il était désespéré de connaître la vérité. Une idée lui était venue à l'esprit, une idée si terrible qu'elle lui donnait la nausée. C'était le souvenir de rideaux tirés à midi, d'une charrette noire s'arrêtant devant la maison, d'un poney efflanqué, drapé de crêpe.

Macdonald considéra le garçon un long moment, mais, en définitive, il garda le silence. Au moment où il quittait le pont, Gus se tourna vers l'homme le plus près de lui.

– Est-ce la phtisie ? demanda-t-il.

La peur lui nouait l'estomac, comprimant l'espace étroit sous ses côtes.

– C'est ça ?

Il lut la réponse sur le visage de l'homme.

Deux semaines après leur retour à Beechey Island, Gus participa à la construction d'une route jusqu'à l'*Erebus.* Les deux bateaux étaient à moins de cent mètres l'un de l'autre.

Le tracé avait été délimité avec des pierres, mais ils les remplacèrent par des pieux, plantés dans la glace, afin que les hommes puissent aller d'un navire à l'autre, même au plus fort d'une tempête. D'un côté, ils relièrent ces poteaux par une corde ; de l'autre, ils laissèrent les blocs de calcaire en ligne. En voyant les officiers marcher sur la route en se tenant parfois à la corde, Gus songea qu'il était fier des longues heures passées à tailler les pieux et à les maintenir droits pendant qu'on les enfonçait profondément dans la glace. Après la route, ils creusèrent des trous pour abriter les feux. Une besogne harassante, à vous rompre l'échine. Ceux-ci achevés, il fallait constamment les surveiller pour éviter qu'ils gèlent, et avoir toujours de l'eau de mer à portée de main pour éteindre les feux. Mais on ne pouvait pas laisser ces trous se refermer.

Le soleil déclinait peu à peu vers la terre. Il se mit à neiger. S'il avait déjà été témoin d'innombrables tempêtes de neige, Gus n'avait jamais passé suffisamment de temps à terre pour assister à cette emprise suffocante de la neige. Chez lui, elle enveloppait parfois le port de pêche, mais ne tardait pas à se changer en gadoue. On déblayait alors les entrées des maisons à coups de balai. Ici, on l'entassait consciencieusement sur les ponts pour isoler et l'on éparpillait du sable en surface afin d'éviter les glissades. Parfois, la neige s'abattait sur eux discrètement pendant la nuit, et s'amoncelait jusqu'aux bastingages et au-delà. Pendant les tempêtes, elle tombait presque à l'horizontale, laissant des traces aveuglantes sur les yeux. Mais, le plus insidieux et de loin le plus menaçant, c'était les chutes de neige muettes qui déposaient d'énormes paquets blancs sur eux dans l'obscurité. Gus eut vite fait de se lasser d'y courir en tous sens durant ses aller-retour entre l'île et le bateau. Il passa moins d'une journée à faire des boules de neige sur le rivage en poussant des cris de joie. La neige perdit rapidement de sa splendeur, devenant un élément à maîtriser, à combattre, un fléau qui encroûtait ses vêtements et lui collait aux semelles.

On fit venir les médecins de l'*Erebus* afin qu'ils examinent John Torrington. On décida qu'il fallait le monter quatre fois par jour sur le pont pour soulager sa congestion, aggravée par l'atmosphère confinée de l'infirmerie. Gus se porta volontaire pour l'aider la première fois. Il fut content de voir Torrington sourire en montant pas à pas les marches.

Torrington s'accouda au bastingage pour contempler les falaises, désormais de simples spectres blancs dans la pénombre.

– On est au bout du monde, Gus, dit-il.

Le garçon essaya de trouver quelque chose à dire pour lui remonter le moral, mais ce fut peine perdue. Il avait envie de lui parler du stand de tir, de lui demander s'ils y retourneraient un jour ensemble tout en sachant que son ami ne quitterait sans doute jamais plus le navire.

Torrington se tourna vers lui.

– Tu n'as pas peur de moi, Gus ?

– Non. Pourquoi aurais-je peur ?

Torrington soupira. Gus crut voir des larmes dans ses yeux, mais c'était difficile à dire dans l'obscurité.

– Je ne te soufflerai pas dessus, murmura Torrington.

Bientôt ce fut Noël. Au cours de la semaine précédente, Gus avait été mis à contribution pour transporter des provisions de l'entrepôt aux navires, mais le 21 décembre, le capitaine le pria de l'accompagner à l'observatoire sur le rivage. Ils n'échangèrent pas un mot pendant qu'ils marchaient sur la route de glace, pas un mot non plus à l'intérieur du bâtiment. Crozier se borna à désigner le poêle où le combustible déclinant scintillait, et Gus se mit au travail, jetant des pelletées d'anthracite pour ranimer le feu.

On y voyait à peine clair bien que midi approchât. Crozier, vêtu d'un pantalon et d'un manteau en peau de phoque et coiffé d'une casquette en peau de chien, s'assit sur une caisse et se prépara à faire ses relevés. Le thermomètre indiquait moins dix degrés.

– On a bien chaud ici, Augustus, murmura Crozier.

– Oui, monsieur, répondit Gus en considérant les instruments.

Le magnétomètre était juché sur un piédestal de gravier gelé d'où se déployait un télescope. Toutes les six minutes, Crozier notait l'arc dans son carnet.

Au bout d'un moment, il leva les yeux.

– Il faut que tu bouges un peu, Gus, dit-il gentiment. Ne reste pas au garde-à-vous. Tu vas geler sur place.

Docile, Gus se mit à arpenter la petite pièce.

– J'ai pris des relevés des températures, expliqua Crozier d'un ton distrait, passant sa mitaine en fourrure de renard d'une main à l'autre avant de déplacer le chronomètre. Il peut y avoir jusqu'à trente degrés de différence entre les abords du poêle et le sol. Notre approche suffit à altérer la lecture du thermomètre parce qu'il capte la chaleur de nos corps.

Il jeta un coup d'œil en direction du feu.

– Au pays, les églises sont remplies tout comme les poêles, murmura-t-il.

Il leva les yeux vers Gus.

– Que fera ta mère, sans toi ?

Gus n'y pensait guère.

– J'ai un frère qui peut se charger des commissions, dit-il. Il a six ans maintenant.

Crozier sourit.

– Tu penses que c'est ton aide qui lui fait défaut ? dit-il. Il n'y a pas que ça à mon avis.

Gus médita la chose. Il ne pensait pas qu'il manquerait à sa mère : elle avait huit enfants. Lui avait quatre frères et trois sœurs. Les deux aînés étaient en mer, comme lui. Lorsqu'elles n'allaient pas à l'école, ses sœurs récoltaient des chiffons qu'elles triaient pour les vendre ; elles dévidaient la laine pour refaire des habits qu'elles vendaient aussi. Depuis la mort de son père, Noël était un cauchemar – la disette, jusqu'à ce que ses frères rentrent à la maison avec leurs gages. Alors, peut-être, ils avaient droit à un morceau de bœuf et leur mère buvait son saoul de bière blonde et brune. Le plus souvent, ils dormaient près du feu où il faisait bien plus chaud que dans leurs lits. Et puis c'était tellement plus propre que sous les couvertures. Il n'y avait pas de poux dans les cendres.

En présence de Crozier, Gus rougit au souvenir de son foyer.

– Ils penseront à nous, dit-il.

Parce que cette fois-ci, peut-être, ce serait le cas. Les hommes à la taverne demanderaient à sa mère des nouvelles de son fils à bord du navire de Franklin.

– Es-tu heureux d'être venu ici, Gus ? s'enquit Crozier.

C'était une drôle de question. Les marins ne se demandaient pas s'ils étaient heureux, surtout à bord d'un aussi splendide navire. Beaucoup se plaignaient, c'était vrai. Ils déploraient le manque de lumière, d'huile que l'on rationnait – de sorte que, parfois, les seules lueurs dont ils pouvaient bénéficier provenaient de fines mèches de liège et de coton qui flottaient dans des soucoupes. Ils se plaignaient des mauvaises odeurs, des rats qui leur grignotaient même les cheveux quand ils dormaient. Ils se plaignaient du whisky à forte teneur en alcool qui gelait quand même, du froid intense qui rendait la marche si difficile dans la neige pareille à du sable. D'un autre côté, quand ils étaient de bonne humeur, ils chantaient. La semaine dernière, ils avaient même entonné des cantiques de Noël. Quand Crozier les y autorisait, ils organisaient des courses autour du bateau, et l'homme le plus rapide remportait un prix. Ils s'entraidaient dans les pires besognes. Mais ils ne se demandaient jamais s'ils étaient heureux.

Gus vit les yeux de Crozier se voiler. L'espace d'un instant, il entr'aperçut les mois sinistres qui les attendaient, année après année. Mais cela passa en une seconde.

– Oui, monsieur, répondit-il. Très heureux.

John Torrington mourut le 1er janvier.

Gus avait passé la Saint-Sylvestre avec lui. Torrington s'était montré assez gai vers la fin de l'après-midi. Il avait joué aux échecs – une demi-partie en tout cas – avec Macdonald et réclamé une Bible. Ils l'avaient entendu chanter quelques mesures, puis chuchoté pour lui-même. Gus avait supplié toute la journée qu'on l'autorisât à le voir. Ils avaient fini par céder. À 20 heures, ils le laissèrent entrer.

Torrington gisait sur le lit qu'on lui avait construit. Une grande concession, car seuls les officiers avaient des lits. Deux lampes à huile brûlaient près de lui. La Bible était posée sur sa poitrine.

– Qui est-ce ? demanda-t-il.

– C'est moi, répondit Gus. Venez voir la nouvelle année avec nous, John.

Il y eut un silence tandis que Torrington caressait la Bible.

– 1846, Gus, dit-il finalement, et j'aurais vingt et un ans.

Gus chercha désespérément quelque chose à dire.

– Et puis j'irai me marier, lui dit-il.

Le malade tourna la tête. Le cœur de Gus se serra quand il vit à quel point Torrington avait l'air épuisé.

– As-tu une petite amie qui t'attend, Gus ? questionna Torrington.

– Non, John.

– Comment ! Tu n'en as pas ?

– Non.

Torrington esquissa un pâle sourire.

– Vraiment ? Tu n'as jamais embrassé une dame ?

Gus piqua un fard.

– Non.

Torrington hocha la tête. Ses lèvres remuèrent un peu.

– Moi non plus, murmura-t-il.

La lumière provenant de la lampe la plus proche vacilla, menaçant de s'éteindre. Torrington fit un effort pour essayer de se redresser.

– Neige-t-il dehors ? chuchota-t-il.

– Non, répliqua Gus. Tout est tranquille.

– Y a-t-il des ours, Gus ?

– Pas encore.

La main de Torrington tâtonna à la recherche de celle du garçon. Ses doigts étaient si longs. Presque une main de gentleman. Quelqu'un lui avait frotté la peau de sorte qu'on ne voyait presque plus la poussière de charbon. Ses trois premiers doigts étaient presque de la même longueur. Sous la chemise à rayures bleues, Gus distinguait chaque petit os. Les jointures paraissaient énormes, décharnées. Sa peau ressemblait à du parchemin, comme si le sang avait disparu.

– Regarde sous le lit, dit Torrington.

Gus s'exécuta et trouva une petite boîte en fer-blanc.

– Ouvre-la.

À l'intérieur, il y avait une lettre ainsi qu'une clé, un petit recueil de poèmes et une bourse en cuir.

– Prends-la, dit Torrington. Prends-la, Gus, et porte-la à ma mère.

Gus ne savait pas quoi dire. Cet homme, supérieur à tous – hormis peut-être au capitaine –, avait été si bon pour lui, lui parlant comme à un égal et non pas comme le dernier matelot de l'équipage qu'il était. En d'autres temps, il aurait pu être son instituteur, ces jolies mains tenant l'ouvrage tandis qu'il lui apprenait à lire. Torrington avait quelque chose en lui qui allait bien au-delà de son rang subalterne. Il méritait mieux que cette besogne de chauffeur alimentant des feux comme aux portes de l'enfer dans les nuages de poussière de charbon qui envahissaient l'atmosphère sous les ponts. Gus le voyait dans ses yeux : ce qui aurait pu être, si cette belle nature avait eu d'autres chances.

Le garçon se mit à pleurer. Il ne voulait pas, mais les larmes jaillirent d'elles-mêmes. Il les ravala tant bien que mal et posa la tête sur le lit de Torrington.

Pendant plusieurs secondes, il ne se rendit pas compte qu'un bruit distinct de sa propre respiration haletante lui parvenait. Pris d'horreur, il leva la tête et vit Torrington, le regard fixé sur lui, un filet de sang au coin de la bouche.

Gus se leva d'un bond.

– Monsieur Macdonald ! appela-t-il. Monsieur Macdonald !

Les charpentiers, Thomas Honey et son compagnon, Alexander Wilson, mirent deux jours à construire le cercueil. Il était en bel acajou, des planches de deux centimètres d'épaisseur et larges de trente centimètres. Le couvercle et le fond du cercueil comportaient chacun trois parties : une longue portion centrale et deux sections façonnées fixées de part et d'autre par des chevilles en bois. Gus monta sur le pont, sous la taude, et regarda Wilson courber le bois pour faire les côtés, le ployant sans le briser. Les hommes travaillaient en silence ; ils assemblèrent finalement les différentes parties avec des clous en fer carrés.

Le 2 janvier, à midi, on monta la dépouille de Torrington sur le pont. On lui avait fait sa toilette et on l'avait vêtu d'une chemise et d'un pantalon propres. On lui avait attaché les bras au corps en les sanglant d'une longueur de coton au niveau des coudes. Des bandes plus fines lui liaient les orteils, les chevilles et les pieds. Ses longues mains reposaient sur ses cuisses. On l'avait allongé avec soin sur le lit de copeaux odorants qui emplissaient le cercueil ; un petit monticule du même matériau lui soutenait la tête en guise d'oreiller. Sous son menton, on avait noué un mouchoir à pois bleu et blanc, attaché discrètement derrière sa nuque pour tâcher de maintenir sa mâchoire en place, mais Gus vit, avec un serrement de cœur, qu'il avait la bouche toute molle, en une ultime grimace, et les yeux écarquillés.

Ils le plaçèrent dans le cercueil et clouèrent le couvercle qu'ils recouvrirent d'une couverture en laine bleu marine avant d'envelopper la bière d'un drapeau. Puis, ils apportèrent du pont inférieur ce que Gus avait aidé à fabriquer depuis deux jours : une plaque en métal en forme de goutte de pluie, sur laquelle était écrit en lettres blanches :

John Torrington
mort
le 1er janvier
1846
à l'âge de vingt ans.

Ils le descendirent le long du flanc du bateau et sortirent en procession sur la glace, éclairés par des torches. À mi-chemin, ils s'arrêtèrent pour attendre une deuxième série de lampes dans la pénombre en plein midi, ainsi que sir John Franklin en personne, qui arriva emmitouflé dans un manteau et coiffé d'un chapeau, tête baissée pour se protéger de la première neige fine qui tombait.

Le capitaine Crozier lui emboîta le pas, tout comme le commandant Fitzjames et les deux médecins. Ils étaient suivis des hommes chargés de combler la fosse, dont un portait un dosseret. L'office fut bref dans le vent mordant et la neige qui tombait de plus en plus fort et couvrait rapidement le cercueil, dissimulant peu à peu l'inscription. On ne perdit pas de temps, dès la fin de la cérémonie, pour remplir le trou de cailloux. Tandis qu'il regardait les pelles s'agiter et les pierres tomber, Gus ne pensait qu'à une seule chose : l'une des poignées en cuivre sur le côté du cercueil était encore dressée. Il devait à tout prix se pencher pour la mettre à plat avant qu'elle ne soit couverte.

Au cours de la semaine qui suivit, une atmosphère étrange régnait dans les bateaux. Les officiers continuaient à faire des allées et venues entre l'*Erebus* et le *Terror*. Dans le mess et les quartiers des officiers, il y eut toutes sortes de discussions, dont les hommes ne surent rien, des conversations à mots couverts qui se prolongeaient tard dans la nuit.

Au grand étonnement des équipages, le cinquième jour après l'enterrement de Torrington, Franklin ordonna que l'on fît sauter les verrous de l'entrepôt et trois caisses de conserves de Goldner furent ouvertes. Gus n'avait pas la moindre idée de ce qui s'était produit ensuite. D'après la rumeur, toutefois, une poignée d'hommes de l'*Erebus* avaient reçu l'ordre d'emporter les caisses sur le versant nord-est de l'île et d'ouvrir tout le stock de boîtes. On disait que Franklin avait fait vider ces boîtes qu'on avait ensuite rangées proprement en lignes – plus de sept cents en tout, et que toute la viande qu'elles renfermaient avait été transportée plus loin encore et recouverte de neige.

Gus ne savait pas ce qu'il fallait en penser. Il avait mangé de la nourriture provenant de ces conserves, comme tout le monde. Les officiers, bien évidemment, plus que les autres. Torrington avait eu droit aux rations d'un gradé, uniquement des boîtes, et pour ainsi dire pas de biscuits. Une grande partie de leurs provisions était dans ces conserves peintes en rouge et portant la mention Goldner Patent.

Était-ce possible qu'elles ne soient pas bonnes ? se demandait Gus. Elles étaient soudées hermétiquement au plomb. Les aliments à l'intérieur ne pouvaient pas se détériorer. Il avait trouvé cette nourriture tout à fait mangeable quand on lui en avait donné un peu pour la fête de Noël. Lorsqu'il avait interrogé un des marins, l'homme s'était borné à hausser les épaules.

– Ils ont dû en trouver une mauvaise, lui avait-il répondu.

– Mais pourquoi les ont-ils ouvertes après la mort de John ? demanda Gus.

– Comment veux-tu que je le sache ?

– Est-ce quelque chose dans les boîtes qui l'a tué ? insista Gus.

L'homme lui avait ri au nez.

– Le tuer ? répéta-t-il. C'est le froid et la phtisie qui l'ont tué. Il avait déjà eu ça avant, mon petit. Tu ne le savais pas ? Il s'est fait enrôler en mer dans l'espoir de guérir. Y'a pas de quoi s'étonner.

Il avait collé son visage, grimaçant, sale, contre celui de Gus. Il avait une haleine fétide.

– Tu crois que je serais encore là s'il y avait quelque chose de mauvais dans ces conserves ?

Il enfonça son doigt dans le creux de son épaule.

– Et toi ?

Gus se détourna, gagna le pont inférieur, prit la Bible que Torrington lui avait laissée. Au bout d'une heure ou deux, il avait oublié le regard concupiscent, le doigt pointu, le ton sarcastique. Mais pas les sept cents boîtes de conserve emportées loin de leur vue.

Une mauvaise boîte, pensa-t-il après coup. Rien qu'une mauvaise boîte.

10.

Trois semaines s'écoulèrent avant que Jo revoie Doug Marshall. Pendant cette période, avril céda la place au mois de mai. Les deux marronniers de sa rue s'épanouirent et l'aubrétia qui avait réussi inexplicablement à envahir le mur voisin de sa cuisine en sous-sol se para d'une foison de fleurs d'un mauve incroyable, presque fluorescent. Un matin, elle s'aperçut qu'elle le regardait fixement depuis un moment, sa tasse de café à la main, tout en se demandant à quoi pouvait bien ressembler Cambridge au printemps.

Alors elle décrocha son téléphone.

Il mit longtemps à répondre.

– Bonjour. C'est Jo Harper.

– Bonjour, Jo.

– Vous avez l'air essoufflé.

Il y eut un temps d'arrêt, puis Doug éclata de rire.

– Je suis à plat ventre par terre.

– Mon Dieu ! Vous êtes tombé ?

– Non, répliqua-t-il. Je vais plus vite en rampant.

– Vous plaisantez.

Il ne répondit pas. Elle entendit un soupir.

– Bon, je suis assis sur une chaise à présent, dit-il. J'ai vu que vous aviez vendu votre reportage.

– Dans le monde entier.

– Félicitations.

– Je me demandais si...

Elle se mordit la lèvre. Seigneur, pourquoi était-ce si difficile ? Elle avait l'impression d'avoir seize ans tant elle était gênée. Muette de timidité.

– Écoutez, je vous dois au moins un déjeuner.

– Pour quelle raison ?

– Parce que j'ai vendu mon papier.

– C'est vous qui l'avez vendu. Pas moi.

– D'accord. Parce que vous êtes un trésor national, dans ce cas. Tout le monde vous adore.

Il rit à nouveau.

– Je chasse mes admirateurs à coups de bâton.

– Si je venais vous voir, disons, demain ?

– Ne vous gênez pas.

Ils prirent rendez-vous ; il lui indiqua l'adresse. Quand elle raccrocha, elle sourit à l'aubrétia, lumineux dans son coin sombre. Puis elle surprit son reflet dans la glace du couloir.

– C'est juste un déjeuner, déclara-t-elle à son image.

En arrivant à Cambridge de bonne heure le lendemain, elle alla directement à la Société des explorateurs.

Mme Cropp n'était pas en faction à la réception. Une étudiante, assise derrière le comptoir et faisant de son mieux pour se rendre utile, lui passa Peter Bolton au téléphone. Jo attendit vingt minutes qu'il descende. Quand finalement il apparut, elle se leva et s'avança en lui tendant la main.

– Vous avez de la suite dans les idées, dit-il.

– Pourrions-nous recommencer au début ? proposa-t-elle. Je promets de ne plus harceler Alicia. Je vous le jure sur ma tête.

Il esquissa un sourire.

– Je ne suis pas persuadé que vous l'ayez harcelée à

proprement parler, concéda-t-il. Si l'on veut être d'une précision scrupuleuse.

– Ni de me mettre dans sa ligne de vision. Zone d'exclusion de six kilomètres, si vous voulez.

Son sourire s'élargit. Bolton pointa le menton vers le numéro du *Courier* qu'elle tenait à la main.

– Vous avez fait du bon travail.

– Oh, vous l'avez lu ? Je vous en ai apporté une copie, au cas où.

– Je l'ai lu. Merci pour la publicité.

– Écoutez, je...

Elle jeta un coup d'œil par-dessus son épaule vers les vitrines d'exposition.

– La dernière fois que je suis venue ici, vous aviez des vestiges de Franklin, me semble-t-il.

– Effectivement.

– Pourriez-vous m'accorder quelques instants ? Cinq minutes ?

– Que puis-je pour vous ?

– Voudriez-vous me les expliquer ?

– Vous avez l'intention d'écrire un autre article ? s'enquit-il.

Elle s'empourpra légèrement.

– Peut-être. Je...

– Vous avez chopé le virus.

– Le journal a reçu beaucoup de courrier à ce sujet.

– Nous aussi. Par ici, ajouta-t-il en tendant la main.

La vitrine était telle qu'elle s'en souvenait : les photos sépia, la cuiller en argent avec sa réparation en cuivre, le minuscule fragment de fer-blanc peint en rouge.

– Je sais ce qui s'est passé la première année, dit-elle en posant délicatement la main sur la vitre, au-dessus des reliques si soigneusement conservées et étiquetées sur leur tapis de serge vert. Ils passèrent le premier hiver dans le détroit de Lancaster...

– À Beechey Island en 1845-1846, poursuivit Bolton. Ils en partirent précipitamment en laissant des centaines d'objets sur place.

– Pourquoi précipitamment ?

Bolton haussa les épaules.

– La théorie la plus répandue est que la glace se serait brusquement rompue et que le courant leur était favorable. Les choses se déroulaient ainsi dans ces navires polaires. Il fallait surveiller quotidiennement l'évolution de la glace, que l'on soit en mer ou amarré pour l'hiver. Dans le cas contraire, au mieux, on manquait une bonne occasion, au pire, on en mourait.

– Quels genres d'objets ont-ils laissés à Beechey ? questionna-t-elle.

– Les vestiges de leurs excursions durant ce premier hiver au nord de la baie de l'Erebus et du Terror et dans un endroit appelé Caswell's Tower, une masse rocheuse située à quelques kilomètres de là.

– Dans quel but ?

– Des repérages cartographiques, principalement. Outre la collecte de spécimens pour les botanistes, des relevés des migrations animales, des courants maritimes, de la profondeur et de l'étendue de la glace et des températures.

– Et on a récupéré ce qu'ils avaient abandonné ?

– Non, répondit-il. Ces vestiges restés à Beechey ou à proximité étaient principalement des anneaux en pierre destinés à maintenir les tentes en place, des conserves de viande ou de soupe vides, des bouteilles. Des os d'oiseaux qu'ils avaient abattus. Outre deux bouts de papier.

– Oh ! Et que disaient-ils ?

– C'était juste des fragments. L'un d'eux portait le

nom du médecin-assistant à bord du *Terror,* M. Macdonald. Rien que son nom. L'autre disait : « A convoquer... »

– Comment ces papiers ont-ils pu être préservés dans des conditions pareilles ?

– L'Arctique ne ressemble à aucun autre endroit au monde. Un objet laissé sur place, même du papier, s'il est suffisamment protégé, demeurera intact pendant des centaines d'années. On a analysé des squelettes d'animaux, ainsi que quelques ossements d'Inuit qui se sont révélés être vieux de centaines, voire de milliers d'années, et on a pu déterminer qu'ils étaient restés là où ils étaient tombés. Rien ne vient les déranger, voyez-vous. Et le permafrost les préserve. Tout comme Torrington.

– Torrington ? demanda Jo en levant les yeux vers lui.

– Le maître John Torrington, chauffeur à bord du *Terror.* Il est enterré à Beechey Island. Ainsi que deux autres membres de l'expédition. John Hartnell, un matelot de seconde classe de l'*Erebus*, décédé trois jours après Torrington. Et William Braine, mort trois mois plus tard.

Jo se souvint des paroles de Doug à bord du HMS *Fox. Trois périrent.*

– Et leurs tombes sont toujours là ? murmura-t-elle.

– On les a même exhumés et examinés.

– Torrington et les autres ? demanda-t-elle, surprise.

– Oui.

– Mais n'étaient-ils pas... décomposés ?

– Ils étaient incroyablement bien préservés. Leurs dépouilles et leurs tombes nous ont fourni des informations stupéfiantes sur l'expédition, mais aussi sur la médecine telle qu'elle se pratiquait au milieu du XIXe siècle...

– Par exemple ?

Bolton haussa les épaules.

– Hartnell avait subi une autopsie. On n'avait jamais eu la preuve d'une telle intervention à l'époque.

– Et les médecins des navires s'en seraient chargés ?

– Oui, répondit Bolton. Harry Goodsir probablement. Il avait une formation d'anatomiste. Il était médecin-assistant à bord de l'*Erebus*, le bateau d'Hartnell. Alors que Torrington faisait partie de l'équipage du *Terror*.

– Goodsir..., répéta Jo, presque pour elle-même.

Elle se souvenait d'avoir vu son nom sur la liste qu'elle avait récupérée sur Internet. Il avait fait ses études à Edimbourg ; il était le frère cadet du professeur John Goodsir, un anatomiste et morphologiste de renom. Il avait exercé avec son père dans un endroit appelé Anstruther. Il avait été affecté sur l'*Erebus* non pas à cause de ses aptitudes médicales, mais parce que c'était aussi un naturaliste de talent. Dans le portrait moral qui figurait à côté de son nom sur la liste, le commandant Fitzjames l'avait qualifié d'« homme très bien informé et d'agréable compagnie ». Elle se souvenait aussi de sa photographie. Un visage jeune, une expression intense, sérieuse. Il lui avait presque fait l'effet d'un écolier.

– Torrington a-t-il aussi subi une autopsie ? demanda-t-elle.

– Non. Juste Hartnell.

– Cela signifierait-il que son décès était inattendu ?

– Probablement.

– Trois jours après Torrington. Inattendu, répéta-t-elle.

– Bien sûr, une part importante de la population souffrait de la tuberculose à l'époque. La phtisie, comme on disait alors.

– L'équipage a dû être terrifié par ce nouveau décès d'un homme jeune au sein d'une communauté aussi restreinte, nota-t-elle.

– Cela avait effectivement toutes les chances de provoquer un vent de panique si le problème n'était pas géré convenablement, reconnut Bolton en hochant la tête. Sans doute Goodsir était-il anxieux d'en déterminer la cause.

– Et vous m'avez dit que l'autopsie d'Hartnell avait révélé des choses que nous ignorions...

– C'est exact, répondit Bolton. Par exemple, l'incision en Y comme on disait en ce temps-là était inversée. De nos jours, les bras du Y s'étendent jusqu'aux épaules et la ligne droite descend sur le devant de la poitrine. Goodsir pratiqua l'incision dans l'autre sens, les pointes du Y rejoignant chaque hanche et la ligne droite remontant vers la gorge.

– Était-ce l'estomac de Hartnell qui l'intéressait dans ce cas ?

– Eh bien, non, même si la forme de l'incision tendrait à le prouver. Lorsque Roger Amy et Beattie exhumèrent ces corps et entamèrent une nouvelle autopsie sur Hartnell, ils s'aperçurent que Goodsir avait dû attribuer le décès du sujet à une affection du cœur ou des poumons car ce furent ces organes-là dont il fit l'ablation pour les examiner.

Jo fronça les sourcils.

– Et Goodsir détermina la présence d'une tuberculose ?

– Sans doute.

– Il dut en informer Franklin...

– Oui, renchérit Bolton en hochant la tête. Il dut

avertir Franklin ainsi que les autres capitaines, après quoi ils enterrèrent sûrement Hartnell le plus vite possible.

Jo eut un frisson. Sa grand-mère avait une formule pour exprimer cette sensation précise. *Quelqu'un a dû marcher sur ta tombe.*

– Parlez-moi de Torrington, dit-elle en s'efforçant de se débarrasser du malaise qu'elle ressentait au creux de l'estomac. Était-il mieux préservé que Hartnell ?

– Absolument. Quand ils l'ont sorti de sa tombe en 1984, il était tout mou et sa tête a roulé sur l'épaule d'Owen Beattie. D'après Beattie, une fois la glace fondue, on aurait dit qu'il était juste inconscient.

– Mon Dieu ! chuchota Jo en écarquillant les yeux.

– L'exhumation a été effectuée avec beaucoup d'habileté, précisa Bolton. Beattie et son équipe, très émus par ces gens, leur ont témoigné le plus grand respect.

– J'en suis sûre, dit-elle en frémissant à nouveau.

– Torrington est mort d'une tuberculose aggravée d'une pneumonie, expliqua Bolton. Il n'avait que vingt ans. À le voir, on aurait dit qu'il avait été enterré quelques heures auparavant. Il y avait même une couche de neige sur le cercueil. Il a dû se mettre à neiger au moment où ils l'ont mis en terre.

– Vous voulez dire qu'il ne s'était pas décomposé ?

– Il était pour ainsi dire intact. Ses yeux étaient entrouverts. Sa peau, ses ongles, ses cheveux, ses chairs... ses vêtements, le tout intact. Quant à Hartnell, décédé quelques jours après lui, il était presque aussi bien conservé.

– Il est mort de la tuberculose lui aussi ?

– Ah ! fit Bolton. C'est là que ça devient intéressant.

Jo le considéra d'un air prudent. Elle n'était pas du tout sûre de ce qu'il voulait dire par « intéressant ».

– Prenez le cas de William Braine, poursuivit l'archiviste, absorbé par son sujet à présent. C'était un robuste gaillard. Il avait appartenu à la Marine royale. Il s'était battu et avait été décoré. Il avait une cicatrice sur le front ; sa denture était en mauvais état à tel point que la pulpe d'une de ses dents de devant était exposée. Il se l'était cassée et on ne l'avait pas soignée. Il devait souffrir le martyre. Voilà donc un homme habitué aux privations, à la vie dure, à la mer qui avait sans doute supporté des choses bien pires que ça. Pourtant, il ne pesait que quarante kilos à sa mort. Il était émacié. Victime de la famine.

– Mais... (Jo réfléchit.)... Il est mort en avril, n'est-ce pas ?

– Exact.

– Moins d'un an après leur départ ?

– Oui.

– Et ils avaient des tonnes de provisions. Suffisamment pour tenir le coup des années...

– Absolument.

– Des milliers de conserves...

– Oui.

Elle le considéra d'un air sidéré.

– Comment un homme peut-il mourir de faim avec autant de vivres à bord ?

Une sonnerie retentit au bout du couloir. L'étudiante postée à la réception se leva pour regarder la pendule. Il était 10 heures : l'établissement allait être ouvert au public.

Jo reporta son attention sur les vitrines. Si peu de fragments provenant de la masse énorme de ces navires. Trois tombes, pour un total de cent vingt-neuf hommes.

– Pourquoi ? murmura-t-elle. De quoi avaient-ils peur ?

– Pour l'enterrer si profondément ?

– Oui.

Bolton considéra la poignée de reliques enfermées sous la vitre.

– Braine et Hartnell avaient la tuberculose, tout comme Torrington, répondit-il à voix basse. Ils succombèrent probablement eux aussi à une pneumonie. Le problème, c'est la rapidité avec laquelle ils ont été emportés. Ils étaient sans doute déjà très affaiblis.

Jo leva les yeux vers lui en fronçant les sourcils.

– Par quoi ? demanda-t-elle.

– Le poison, répondit Bolton.

En sortant du bâtiment, Jo remonta Midsummer Common en aspirant l'air frais à pleins poumons. C'était une belle matinée paisible ; les bruits de la ville étaient étouffés, à croire que Cambridge avait cessé toute activité pour profiter de la clémence du temps.

Elle ne pouvait chasser de son esprit l'image de l'incision en Y, l'autopsie effectuée dans la pénombre du bateau à la lueur des bougies, et restait hantée par la peur sourde des hommes. Elle fit une petite prière pour remercier Dieu de l'avoir fait naître au XXe siècle, dans la peau d'une femme – en fait pour tout ce qui lui avait épargné de vivre à l'aube du XIXe siècle et d'avoir servi sur un navire tel que le *Terror*.

Elle s'arrêta chez un fleuriste pour acheter un énorme bouquet d'œillets. Elle ne savait pas du tout comment Doug Marshall réagirait quand elle arriverait les bras chargés de fleurs, mais peu lui importait. Les fleurs étaient autant pour elle que pour lui. Elle avait besoin de leur parfum et de ces couleurs pimpantes pour dissiper les visions de Torrington et d'Hartnell qui s'attardaient dans son esprit.

Doug répondit immédiatement à son coup de sonnette.

– Montez, lui dit-il par l'intermédiaire de l'interphone. La porte est ouverte. C'est au quatrième.

Il était assis dans un canapé, sa jambe soutenue par un tabouret devant lui.

– Eh bien, vous m'avez l'air en forme, déclara-t-elle.

– Ça va.

– Vous travaillez ?

– Je bricole.

Elle se balança d'un pied sur l'autre avant de se rendre compte qu'elle avait toujours son bouquet dans les bras.

– C'est pour vous, fit-elle.

– Merci.

– Je vais les mettre dans de l'eau.

– Pourriez-vous faire du thé pendant que vous y êtes ? demanda-t-il. Je m'en chargerais bien moi-même, mais...

– Pas de problème...

En attendant que la bouilloire siffle, elle jeta un coup d'œil autour d'elle. Il était évident que Marshall dormait sur le canapé qu'il occupait à l'instant ; une pile de couvertures et d'oreillers était posée à côté.

– Ça ne doit pas être facile pour vous, cette jambe cassée, dit-elle.

– Des amis viennent me donner un coup de main de temps à autre. L'une des secrétaires du collège m'a pris en pitié. Elle fait mes courses.

– Et les repas ?

– Je suis capable de faire la cuisine. Dès lors que ça ne prend pas trop de temps.

Elle hésita.

– J'ai été surprise quand vous m'avez donné cette adresse, dit-elle. Je pensais que vous viviez à Franklin House.

– Ce n'est plus chez moi. Ma femme y habite.

Mal à l'aise, elle se détourna pour préparer le thé. Tandis qu'elle remplissait les tasses et les disposait sur un plateau, il ajouta :

– Nous sommes séparés depuis cinq ans.

– Je suis désolée.

Elle s'abstint, avec tact, de lui préciser qu'elle s'en était doutée.

Doug se radossa. En regardant rapidement dans sa direction, elle surprit une grimace de douleur fugitive. Il agita la main, comme pour dissiper une démangeaison.

Jo porta le plateau près de lui.

– Avez-vous une infirmière qui vous suit ?

– Oui.

– N'avez-vous pas besoin de prendre un calmant maintenant ? demanda-t-elle en le fixant.

Il marqua une pause, puis tourna ses paumes vers le ciel.

– Flûte ! Moi qui pensais vous avoir dupée, dit-il. Tiroir du haut. Juste ici, près du canapé.

Elle l'ouvrit et en sortit un flacon qu'elle lui tendit. Puis elle alla chercher un verre d'eau. Il avala le comprimé. Quand il lui rendit le verre, sa main effleura la sienne. Elle se sentit rougir.

Bon sang ! pensa-t-elle. *Qu'est-ce que c'est que cette histoire ! Je n'ai pas rougi depuis l'âge de douze ans !* Elle s'empressa de reporter le verre dans l'évier et de ranger le flacon de remèdes dans le tiroir en espérant qu'il n'avait rien remarqué.

– Vous devriez être à l'hôpital ou dans une maison de repos, lança-t-elle par-dessus son épaule.

Il posa sa tête contre le canapé et leva les yeux vers elle.

– Écoutez, Jo, dit-il, si vous voulez qu'on s'entende, ne m'enquiquinez pas.

Elle ne répondit rien, mais s'assit en face de lui et but son thé en souriant. Il ne l'avait pas offensée. Bien au contraire. Doug appartenait à la même espèce d'homme que son père. Plus âgé que sa mère de vingt-deux ans, la cinquantaine déjà quand Jo était née, il était d'une nature taciturne et irritable, et ses formules à l'emporte-pièce pouvaient vous taper sur les nerfs. Cependant, il avait le cœur tendre et elle l'avait surpris parfois au bord des larmes dans les moments les plus inattendus : quand il regardait les nouvelles ou lisait un article dans le journal par exemple. Il mesurait plus d'un mètre quatre-vingt-dix et il était solidement bâti. Il portait des costumes trois-pièces inévitablement saupoudrés de la cendre de ses cigares. Elle se souvenait, comme si c'était hier, du soir où elle l'avait aperçu au premier rang de la salle de spectacle lorsqu'elle avait interprété le rôle principal dans le mystère de la Nativité, avec ses airs d'homme d'État, en train de se tamponner les yeux avec son mouchoir.

– Qu'est-ce qui vous fait sourire ? demanda Doug.

Elle sursauta et se ressaisit aussitôt.

– Rien.

– Moi ?

– Non, pas vous. Mon père.

– Super, lâcha-t-il, je vous rappelle votre père !

Elle lui décocha un grand sourire, puis elle reposa sa tasse et prit le livre qui était tombé, ouvert, du canapé. Elle examina le titre : *L'Anthropologie sur le terrain.*

– On vient juste de me parler d'un anthropologue, dit-elle. Owen Beattie.

– Oh ! s'exclama Doug. Un homme brillant. Beechey Island.

– ... et des soudures au plomb sur les conserves de Goldner.

– De qui tenez-vous ces informations ?

– De Peter Bolton. J'étais à la Société tout à l'heure. Je voulais m'entretenir avec lui.

– À propos d'un article ?

– Non. Simple curiosité.

– Jamais entendu parler d'une femme curieuse à propos de Franklin.

– Vous m'avez déjà dit ça sur le bateau.

– Ah bon ?

– Oui. Vous avez prétendu que, d'après votre épouse, Franklin ennuie les femmes à mourir. Quelque chose comme ça.

– Ah bon ? répéta-t-il.

– Je vous ai répondu que j'avais rencontré Alicia et qu'elle m'avait fichue à la porte.

Doug hocha la tête, comme si c'était un comportement auquel il fallait s'attendre de la part de sa femme.

– Je suis désolé, Jo, reprit-il. Je ne me souviens pas vraiment de ce que nous nous sommes dit sur le bateau.

– Vous étiez passablement dans le coltar, même le lendemain, souligna-t-elle. Mais nous n'avons plus parlé d'Alicia. Juste du Groenland et de Crozier. Pourtant, ajouta-t-elle en se penchant en avant, vous n'avez jamais mentionné ces conserves. Les provisions. Le saturnisme.

Doug se radossa et glissa une main au creux de son dos en faisant la grimace.

– Ce brave vieux Stephan Goldner, marmonna-t-il. L'empoisonneur !

– On croirait un roman noir, poursuivit Jo. Et c'est lui qui a fourni toutes les boîtes de conserve à l'expédition ?

– Toutes, sans exception.

– Mais ce n'était pas la première fois qu'il approvisionnait les navires de l'Amirauté ?

– Loin de là, dit Doug. Et il fonctionnait toujours de la même façon. Il livrait au dernier moment des boîtes de tailles toujours différentes de celles qu'on lui avait commandées afin d'éviter qu'on supervise son travail. Quand on l'a engagé pour l'expédition Franklin, il avait une bonne réputation, mais les choses sont allées de mal en pis par la suite.

– Pourtant ils ont continué à faire appel à lui ?

– Il avait la capacité de remplir d'énormes contrats. Et puis il avait ce que... vous et moi, qualifierions sans doute de... condamnation à mort sans appel même si lui parlait d'un système patenté pour conserver les aliments.

Doug secoua la tête.

– Une technologie moderne, voyez-vous, dit-il. Tout le monde voulait ce qui se faisait de mieux, les tout nouveaux brevets...

– Et toutes les boîtes étaient contaminées. C'est ce que vous pensez, n'est-ce pas ?

– Ce n'est pas ce que je pense. J'en suis convaincu. En outre, leur contenu se détériorait de plus en plus au fil du temps. Beattie a trouvé des traces de plomb dans les os et dans les cheveux de Torrington.

– Peter me l'a précisé tout à l'heure.

– Une quantité phénoménale de plomb, précisa

Doug. Entre 412 et 657/1 million. Au sein d'une culture non exposée au plomb, chez les Inuit de cette région à l'époque par exemple, ce chiffre se situait en dessous de 30/1 million.

– Seigneur ! souffla Jo.

– Quant au taux d'Hartnell, il était de 313/1 million.

– Et Braine ?

– 280.

– Et tout cela provenait des conserves ?

Doug remua sur son siège.

– Certes, à l'époque victorienne, la société était saturée de plomb comparée à la nôtre, reconnut-il. Le thé était vendu enveloppé dans de la feuille de plomb. Ils avaient de la vaisselle en étain et de la poterie vernie au plomb. Autant d'éléments contaminateurs. Si le taux de John Torrington était si élevé, c'était probablement à cause du plomb contenu dans la poussière de charbon ou peut-être parce qu'on l'avait nourri exclusivement de conserves pendant des semaines pour essayer d'améliorer son état de santé. Mais, ajouta-t-il en abattant sa main sur le canapé, ce sont bel et bien les boîtes et la cupidité de Goldner qui sont en cause. C'est ce qui leur a coûté la vie.

– Vous pensez que les hommes de Franklin ont ouvert les boîtes et découvert que le contenu était fichu ?

– Dans certains cas, oui, mais pas toujours. La viande n'avait pas forcément l'air si mauvais, mais elle était probablement avariée non seulement par le plomb utilisé pour souder les boîtes, mais par toutes sortes de substances toxiques. En commençant par le botulisme. Les abattoirs et la préparation des aliments laissaient beaucoup à désirer en ce temps-là. Si vous cuisiez et mangiez la nourriture tout de suite, ça pouvait aller, mais Goldner la mettait en conserve et la faisait cuire *après,* sans vraiment être sûr que sa méthode de cuisson atteignait la viande au centre de la conserve. De sorte que...

– Ce qui se trouvait dans la viande au milieu de la boîte, crue ou partiellement cuite...

– ... pourrissait à l'intérieur et contaminait tout le reste du contenu. Imaginez-vous en train d'ouvrir une de ces boîtes deux ans plus tard, ajouta-t-il en faisant la grimace.

– Mon Dieu ! s'exclama Jo, écœurée.

Il la gratifia d'un petit sourire et hésita. Son regard glissa sur elle, comme s'il la voyait sous un jour nouveau. Elle perçut une lueur d'intérêt dans ses yeux et son estomac chavira. Elle croisa les bras sur sa poitrine. Un geste de défense. Contre elle-même ? Contre lui ? Et alors ? pensa-t-elle. Elle enfonça ses ongles dans la peau au creux de ses coudes, mais s'empourpra malgré elle. Une phrase de Gina lui revint en mémoire, quelque chose qu'elle avait dit un soir où elle avait partagé plusieurs bouteilles de Becks et disserté sur le sort du monde et sur le leur.

– Tu ne trouveras jamais un homme si tu te protèges.

– Que veux-tu dire ? s'était-elle exclamée.

Gina avait souri.

– Tu te planques derrière une vitre en Plexiglas.

– Pas du tout ! avait-elle protesté.

Gina s'était radossée en lui décochant un grand sourire.

– Ah non ? Donne-moi un nom alors, celui d'un homme avec qui tu te laisses vraiment aller.

– Eh bien, je...

– Rien qu'un...

– Simon.

Gina s'était esclaffée d'un air moqueur.

– Au cours des deux dernières années, je veux dire !

Jo avait fait la moue.

– Je m'en sors quand même.

– Ah oui ?

Gina s'était penchée vers elle pour lui effleurer le bras.

– Je me fais du souci pour toi, ma petite.

– Tu as tort.

– Ah vraiment ! avait riposté son amie en hochant la tête. Un de ces jours, tu vas craquer. Tu verras. Tu vas craquer, ma belle et quand ça t'arrivera..., ajouta-t-elle en agitant un doigt, ça va faire mal ! Très mal. Crois-moi. Je sais de quoi je parle.

À l'époque, Jo ne s'était pas appesantie sur la question. Elle s'était dit qu'elle pouvait toujours se trouver quelqu'un si elle le voulait. C'était juste qu'elle n'en avait pas envie. Elle aurait sûrement le temps, et toutes sortes d'occasions, quand elle se sentirait prête. Et ce moment-là, ce serait elle qui le déterminerait, et non *lui*. Elle qui prendrait les devants. Elle qui... Elle regarda à nouveau Doug. Et pensa : *Oh, merde !*

Elle se pencha brusquement en avant.

– Cela vous ennuie-t-il que je vous demande votre âge ?

– J'ai eu quarante ans la semaine dernière, répondit-il. Pourquoi ? Et vous, quel âge avez-vous ?

– Vingt-sept ans.

Doug hocha la tête, un petit sourire flottant sur ses lèvres.

– Et alors ?

– Rien du tout.

Elle rougit à nouveau. Et pas qu'un peu ! Elle résolut d'en revenir à un sujet moins risqué.

– Il semblerait que des tas de choses soient allées de travers dès le départ lors de cette expédition.

– Oui.

– Surtout le plomb.

– C'est exact. Pour aggraver les choses, en faisant l'autopsie de Braine, Beattie et son équipe ont également trouvé du *clostridium botulinum*, en d'autres termes, des toxines botuliniques. De fait, ils en ont fait la culture.

Jo en resta bouche bée.

– Elles étaient vivantes ? Ces toxines ? Dans ses intestins ?

– Oui.

– Depuis cent soixante ans ?

– Oui.

– C'est incroyable !

– Oui.

– Et qu'est-ce que c'est que ces toxines botuliniques ? demanda-t-elle.

Doug remua une nouvelle fois sur le canapé en redressant un peu sa jambe, en équilibre instable.

– Eh bien, on en trouve dans la terre, répliqua-t-il. C'est le principal élément qui décompose la matière organique. De la famille des bactéries à l'origine du tétanos et de la gangrène.

– Si on en trouve dans la terre, cela doit être très commun, souligna-t-elle.

Doug réfléchit avant de répondre.

– Vous voulez dire, suffisamment pour qu'il y en ait non seulement à l'intérieur des conserves, mais aussi autour ?

– Peut-être. Est-ce qu'ils n'avaient pas du bétail sur pied dans ces bateaux ?

– Ça n'a pas duré très longtemps.

– Et les conditions d'hygiène n'étaient pas exactement idéales...

– Toutes sortes de sources sont envisageables, reconnut-il, mais quand on a des milliers de boîtes de conserve à bord, c'est à coup sûr là que se portent avant tout les soupçons. Et le *clostridium botulinum* prospère dans les aliments en conserve mal conditionnés.

Jo se radossa à sa chaise. Elle le dévisagea longuement.

– Bon, qu'est-ce que vous avez envie de manger pour déjeuner ? demanda-t-elle.

Son éclat de rire fut ponctué par un coup de sonnette. Quelques secondes plus tard, ils entendirent un voisin descendre l'escalier, puis une conversation étouffée sur le palier du rez-de-chaussée et d'autres pas, plus légers, mesurés, monter jusqu'à la porte de Doug.

– Vous attendez quelqu'un ? s'enquit Jo.

– Non, répondit-il.

Alicia apparut sur le seuil. La première impression de Jo fut qu'elle avait l'air encore plus posée et glaciale que lorsqu'elle l'avait rencontrée un mois plus tôt. Il lui sembla en outre qu'elle avait particulièrement soigné son apparence. Ses cheveux étaient un ton plus clair que dans son souvenir et un peu plus ondulés sur les épaules. Son maquillage était irréprochable. Elle était vêtue d'un tailleur en lin et portait une grande pochette en cuir sous le bras. Elle tenait aussi un petit panier tressé dont le contenu disparaissait sous un torchon propret. Son regard passa lentement de son mari à Jo.

– Bonjour ! lança Jo.

Alicia la considéra avec indifférence. Sans se donner la peine de répondre, elle s'approcha de Doug, se pencha et lui déposa un baiser sur la joue.

– Je te présente Jo Harper, dit Doug.

– C'est inutile, rétorqua Alicia en se juchant sur un des bras du sofa. Comment vas-tu ? ajouta-t-elle en regardant son mari dans le blanc des yeux.

– Ça va, Alicia. Je te présente Jo Harper, répéta-t-il.

– Ça n'a pas l'air d'aller. À vrai dire, tu as une mine épouvantable.

Jo se tortilla un peu sur sa chaise. Doug ne semblait pas si mal en point que cela. Il paraissait fatigué, certes, et agacé par la douleur qui le tenaillait. Mais une mine épouvantable, non.

– Ça va.

Alicia jeta un coup d'œil au tas de couvertures.

– Tu campes, dit-elle. Ce n'est vraiment pas nécessaire, mon chéri.

Jo surprit une grimace.

– Qu'est-ce que tu fais là ? demanda-t-il.

Alicia sourit. S'il y avait quelque chose d'épouvantable, songea Jo, c'était bien la vue de cette bouche dure, pincée. Alicia se tourna vers elle.

– Question plus pertinente, qu'est-ce que vous faites là ? s'informa-t-elle.

Doug se raidit visiblement.

– Alicia...

– J'ai lu votre article, enchaîna son épouse.

– Vraiment ? Comment l'avez-vous trouvé ? s'enquit Jo.

– D'un sensationalisme déplaisant.

– Vraiment ? riposta Jo. J'ai de la chance.

– De la chance ? répéta Alicia.

– Que votre avis ne me fasse ni chaud ni froid,

répliqua Jo. Nous sortions déjeuner. Voudriez-vous vous joindre à nous ?

– Déjeuner ? lança Alicia. Je demande à voir ça ! Il est incapable de descendre l'escalier.

– J'en suis parfaitement capable, protesta Doug.

– Je peux l'aider, ajouta Jo.

Alicia se leva.

– Ça ne sera pas nécessaire, annonça-t-elle. J'ai apporté de quoi manger.

– Je sors, décréta Doug.

– Non, riposta Alicia, à moins que ce soit pour rentrer à la maison. Dans ce cas, ce serait différent.

– Pour l'amour du ciel ! bougonna Doug.

Jo se leva. Elle ramassa son sac.

– Je crois que je vais y aller.

– Non, fit Doug en la retenant par la main.

– Au revoir, dit Alicia.

– Au revoir, Doug, dit Jo. Ravie d'avoir pu m'entretenir avec vous.

– Pour l'amour du ciel, s'écria Doug à l'adresse de sa femme, elle est venue de Londres ! Tu pourrais au moins être aimable ! Je l'ai invitée. Pas toi.

– Elle n'a qu'à retourner d'où elle vient.

– Il est hors de question qu'elle rentre ! hurla Doug. Je vais aller déjeuner avec elle.

– Je vous verrai une autre fois.

– Vous ne me verrez pas une autre fois, bordel !

Il se démenait pour essayer de se lever en cherchant désespérément sa canne autour de lui.

– Ne sois pas ridicule, fit Alicia.

– Pourquoi est-ce que tu ne me laisses pas tranquille ? Jo...

– Comment pensez-vous le faire descendre ? voulut savoir Alicia. Vous rendez-vous compte qu'il n'est pas sorti de cette pièce depuis qu'il est revenu de voyage ?

Jo se tourna vers Doug.

– Non. Il ne me l'a pas dit.

– Tu vois ? lança Alicia.

– Il faut bien qu'il sorte à un moment ou à un autre, fit remarquer Jo.

– Et comment ! confirma Doug.

Jo avança d'un pas. Elle posa sa main sur le bras de Doug. Il leva vers elle un regard presque plaintif, tel un chien qu'on laisse à la maison quand tout le monde s'en va faire une promenade à la campagne. L'espace d'un instant, elle crut qu'il allait carrément lui dire : « Ne me laissez pas. »

– Je reviendrai une autre fois, dit-elle. Vraiment... c'est probablement infaisable...

– Je vais vous raccompagner, l'interrompit Alicia.

– Merci. Je connais le chemin.

11.

Ils avaient hissé les voiles et faisaient route vers le sud dans l'été arctique. On était en août 1846 et Gus était malade. Il ne savait pas quand ça avait commencé ni s'il était gravement atteint, mais il sentait que quelque chose avait changé, surtout dans les rêves qui envahissaient ses heures de veille. Il savait aussi qu'il avait minci et qu'il était plus léger ; il évitait de regarder ses poignets et ses mains et les cachait, dans la mesure du possible, sous les manches de sa chemise ou de sa veste. Ses mains ne lui appartenaient plus. C'étaient celles de John Torrington, le jour de la Saint-Sylvestre.

Il en était convaincu mais il avait honte. Comment aurait-il pu dire aux autres qu'il avait les mains de quelqu'un d'autre ? C'était tellement absurde qu'on aurait dit une blague. Peut-être était-ce une blague, après tout ? Quelqu'un lui avait peut-être joué un tour. Si ça se trouvait, un soir avant qu'il s'endorme, un quidam lui avait chuchoté que ce n'étaient pas ses mains, mais celles de Torrington, et cette pensée s'était infiltrée dans son esprit, comme si elle venait de lui. Il ne pouvait plus s'en défaire. Ses mains se trouvaient dans le cercueil, loin derrière eux à Beechey Island. En échange, on lui avait donné celles, blanchâtres, que l'on avait attachées aux cuisses de Torrington. Il les portait tel un terrible trophée.

Et puis il était très las, au point de ne plus bien comprendre leur itinéraire, même s'il savait qu'ils avaient quitté Beechey Island précipitamment un matin de juillet en abandonnant une partie de leurs possessions, laissant même sur place les tas de conserves soigneusement alignées que certains des hommes avaient eu l'intention d'utiliser comme cibles pour s'entraîner. Un matelot avait oublié une de ses meilleures paires de gants qu'il avait mise à sécher dehors sous des pierres. Des choses importantes, d'autres insignifiantes se retrouvèrent ainsi éparpillées quand ils prirent leurs jambes à leur cou : des sacs à charbon vides, des pans de toile qu'ils étaient en train de raccommoder et qu'ils auraient dû ramasser à la hâte au lieu de les jeter.

Pis encore, à la consternation de Gus, toujours hanté par cette terrible perte, alors qu'il dévalait le rivage en courant, il avait entendu un petit bruit métallique sur les galets. Il s'était arrêté sans parvenir pour autant à en déterminer la cause. Ce fut seulement une fois sur le bateau qu'il s'était rendu compte qu'il avait laissé tomber la clé du petit coffret que Torrington lui avait confié, cette clé qu'il avait promis de porter à la mère de son ami. Il était trop tard, bien sûr ; ils étaient déjà en mer. Mortifié par sa négligence, tandis qu'ils quittaient l'anse, Gus avait regardé s'éloigner Beechey Island ainsi que les trois tombes à dosserets en bois qui semblaient abandonnées, si loin du pays.

Il n'avait plus le cœur à travailler alors que le travail était la raison de sa présence et qu'il avait été si fier de tout ce qu'il était en mesure d'accomplir. Certains jours, il était de bonne humeur, et seule cette curieuse obsession à propos des mains de Torrington et sa honte le poursuivaient encore. D'autres jours, les pires, la fatigue l'accablait. Une fois, il eut des crampes à l'estomac alors qu'il faisait la queue pour grimper au gréement ; on l'avait renvoyé avec une menace et une gifle du revers de la main. Il s'était caché en essayant d'avaler un étrange goût sucré, comme du métal. Quelque chose de chez lui... Le lait de la charrette. Du lait pur, écrémé. Il aurait tué pour un verre de lait, pour la sensation de ce liquide dans sa gorge. Pour un goût, quel qu'il soit, qui ne serait pas métallique, ni salé.

Il pensait que le sel ne lui convenait peut-être pas, mais il s'abstint de le dire. Tout ce qui lui venait à l'esprit était si grotesque. Comment le sel pourrait-il incommoder un marin ? Il avait pourtant l'impression d'aller mieux lorsqu'il renonçait au porc salé des rations ou quand ils s'étaient régalés en mangeant les oiseaux qu'ils avaient abattus à Beechey Island. Il songeait qu'il aimerait bien manger de la viande fraîche tous les jours. Il se disait même qu'au lieu de quitter l'île, il aurait préféré rester là-bas et regarder le ciel se remplir des milliers et des milliers d'oiseaux qui montaient en tourbillons du sud. C'étaient les mergules nains qu'il préférait, petits, trapus, avec leur tête noire et leur ventre blanc immaculé.

Debout sur le rivage de Beechey Island, immobile, silencieux, il avait perçu les changements qui se produisaient autour de lui comme si l'océan se démenait pour ressusciter, tandis que le ciel se peuplait. La terre ferme de Beechey Island et le rocher dressé de Devon n'étaient rien, des grèves inertes. Là-bas, au large, toute la vie était rassemblée en un nombre incalculable de poissons et de baleines, de narvals et de morses. Pendant ces premières semaines d'été, Gus avait eu l'impression d'être sur une sorte de chaussée où des flots invisibles de pieds et de sabots de cheval gigantesques l'évitaient de justesse. Il sentait le poids de leur corps se pressant dans les espaces vides ; il jetait alors un coup d'œil vers les bateaux qui lui avaient semblé si imposants dans le dock de Greenhithe et les trouvait minuscules dans cette immensité.

La glace se fendit le dernier jour de juillet. Ils entendirent une explosion en mer. Une explosion, comme si Dieu Lui-même avait miné Son paysage blanc en le réduisant en miettes. Il y eut un affolement ; les officiers étaient sur le pont et on transmettait des signaux d'un navire à l'autre. « La glace bouge ! » entendit-il alors qu'il se hissait sur le pont. C'était la voix de Crozier.

Ils s'engagèrent dans le détroit de Barrow, là où la glace les avait empêchés d'aller l'année précédente. Le vent s'était levé. L'*Erebus* et le *Terror* s'élancèrent et prirent de la vitesse, filant comme des voiliers de plaisance. C'était une belle journée fraîche d'une clarté éblouissante ; le roulement de l'eau, le bruit du vent dans les voiles étaient divins. Enfin du mouvement ! Merveilleux ! Ils contournèrent la rive septentrionale de l'île de Somerset et pénétrèrent dans le détroit de Peel, ravis de trouver ce passage inconnu orienté plein sud.

– Nous y sommes, disaient les marins. Nous faisons route vers le Pacifique à présent.

Pas d'icebergs en vue. Rien que la mer, magnifique palette de somptueuses couleurs. Le soulagement qu'ils éprouvaient loin du sempiternel gris et blanc de Beechey Island leur faisait l'effet d'une drogue. L'océan, tour à tour cobalt, aigue-marine, ou bleu roi profond, défilait sous leurs yeux. Ils aperçurent des morses ainsi que des baleines, si nombreuses, si énormes que Gus lui-même en resta bouche bée. Suffisamment de baleines pour éclairer le monde entier avec leur huile. On aurait cru qu'ils passaient d'une salle remplie de trésors à une autre, ignorant ces richesses inestimables pour aller au-devant d'un butin plus formidable encore.

Le lendemain du jour où ils s'étaient enfoncés dans le Peel, un message leur fut transmis de l'*Erebus*.

– Que dit-il ? demanda Gus à l'homme le plus proche de lui.

– Nous devons continuer notre route.

– Pourquoi est-ce qu'on ne continuerait pas ? demanda Gus, intrigué.

– Crozier veut s'arrêter pour bâtir des cairns sur le rivage afin d'indiquer aux navires qui viendraient après nous par où nous sommes passés, et quand.

Gus haussa les épaules. Cela lui paraissait absurde de faire halte alors qu'ils filaient d'aussi bon train. Une fois dans le Pacifique, ils auraient tout le temps de faire savoir au monde les conditions de leur voyage.

– Ce sont les ordres, grommelèrent les hommes du carré. Mais ils ne protestèrent pas longtemps. En vérité, personne ne voulait interrompre l'élan si doux et si rapide du *Terror*.

Moins d'une semaine après leur départ, ils revirent la neige. Des icebergs réapparurent loin au sud, et Thomas Blanky, l'expert en glaces du *Terror,* était constamment sur le pont, scrutant l'horizon et tendant l'oreille à l'affût d'un passage sûr. On pouvait entendre les différentes voix de la glace – les doux remous lents des granules de glace qui fondaient dans l'eau, le raclement des plaques fraîchement gelées contre la proue, le grand cognement sourd des blocs isolés.

On posta des vigies.

– Des glaçons, cria l'une d'elles le troisième jour, à midi.

Tout en haut des mâts, les sentinelles voyaient ce que les autres, eux, ne distinguaient pas tant qu'ils n'étaient pas tout près : de gros blocs de glace qui heurtaient violemment la coque et dont l'écho ébranlait tout le navire. Ils rasèrent en grondant les flancs du *Terror*.

– Vous voyez cet iceberg ? lança Blanky. C'est un vieux.

Son commentaire circula dans tout le bateau. Un « vieil iceberg » avait une consonance bien plus inquiétante que « glaçons ». Ce terme désignait une masse de glace peut-être aussi grande qu'une maison, surmontée de neige et portant les traces des marées tout autour. Ce bloc gigantesque avait connu plus d'un hiver. Il n'apparaissait pas dans l'océan par hasard ; il provenait d'un amoncellement de glace plus profonde, plus compacte, tassée depuis de nombreuses années, que seule la chaleur extraordinaire des dernières semaines avait pu libérer.

Maintenant toujours une bonne cadence, malgré la glace, l'*Erebus* et le *Terror* couvrirent près de deux cent cinquante milles.

– Terre ! entendit-on soudain.

Tout le monde se précipita sur le côté en suivant la direction indiquée par la main tendue de la vigie. Au loin, on ne distinguait guère qu'un vague contour plat.

– Qu'est-ce que c'est ? demanda Gus.

– La Terre du roi Guillaume ! lui répondit-on. La Terre du roi Guillaume !

Gus regarda Blanky, puis Crozier debout sur la passerelle de commandement. Il constata que l'expert en glaces ne scrutait pas le sud, mais le nord-ouest, la vaste étendue de mer gardée par Gateshead Island où ils avaient pénétré quarante-huit heures plus tôt.

En suivant son regard, Gus remarqua tout le blanc

qui s'accumulait dans leur sillage – plus de blanc que de bleu à présent.

On va être coincés de nouveau. Cette idée lui traversa l'esprit. *Nous allons être pris au piège.* Mais il écarta cette pensée, l'évacua de force de sa tête. Peu importait si la glace se refermait derrière eux tant que l'océan était dégagé devant. Il savait que la Terre du roi Guillaume n'était pas loin du détroit de Simpson. S'ils dépassaient l'île, ils atteindraient Simpson. Et Simpson se situait à plus de la moitié du trajet, plus proche du Pacifique que de l'Atlantique. Apercevoir la Terre du roi Guillaume, c'était entrevoir le salut. Mieux valait ne plus regarder en arrière.

À 18 heures, ce soir-là, les navires se mirent en panne. Des nuages s'amoncelaient à l'horizon, mais la mer était calme. Crozier monta sur le pont en compagnie des seconds, Little et Hogson, et de Jopson, l'ordonnance du capitaine. Soudain, Jopson descendit de la passerelle, saisit Gus par l'épaule et le plaqua contre le bastingage.

Gus se fit tout petit sous le regard attentif de Crozier. Le capitaine lui parut moins grand qu'à Greenhithe l'année précédente, mais son regard était plus dur, son sourire moins facile.

– Augustus, lui dit Crozier, tu vas venir avec moi. Je veux que tu voies M. Goodsir.

Jopson le poussa dans le dos, entre les omoplates.

– Oui, capitaine, répondit Gus.

Crozier le regarda intensément une seconde ou deux.

– Brave petit, murmura-t-il.

On n'aurait jamais pensé que l'*Erebus* était le plus récent des deux bateaux – de treize ans. Plus gros que le *Terror* avec ses trois cent soixante-douze tonnes, il mesurait cent cinq pieds de long et vingt pieds de travers. Il paraissait plus sombre, plus laid, comme défiguré par l'âge. Monter à bord en pleine mer prenait du temps ; il fallait passer par-dessus la plate-forme de bois large de deux pieds qui faisait saillie de l'accastillage, construite spécialement pour empêcher les glaces d'empiéter sur les ponts.

Comme ils s'en approchaient, Gus leva les yeux vers sa forme légèrement arrondie. On aurait dit un immense dock flottant. Il se balançait dans la houle pareille à un lutteur poids lourd sautillant dans le cercle de terre battue, les bras sur les côtés, épiant son adversaire. Tandis qu'on le hissait à bord, Gus se disait qu'il ne voyait pas comment les glaçons qui continuaient à fouetter ses flancs de part et d'autre pourraient assaillir ce puissant vaisseau. On aurait pu penser qu'il les mesurait du regard.

Ils descendirent sur le pont inférieur par l'unique écoutille en empruntant une échelle de sept pieds presque à la verticale. C'était le seul pont chauffé ; on sentait encore les vestiges de la suie de l'hiver. Bien que brossées de frais, les poutres étaient sombres et le bois un peu graisseux au toucher. Ils s'enfoncèrent ensuite dans l'escalier des cabines, un tunnel de deux pieds de large, à peine éclairé, et Gus comprit où ils allaient –, on se serait cru sur le *Terror ;* l'intérieur des deux navires était presque identique. Au bout du couloir se trouvait le carré des officiers. Jopson ouvrit la porte et s'écarta pour laisser passer Crozier, Little, Hodgon et Blanky.

– Restez ici, dit Crozier à l'adresse de son ordonnance. Attendez que M. Goodsir vienne vous voir.

Gus guigna par une fente dans la porte. Les verres de hublot Preston, des lucarnes circulaires, laissaient passer des taches de lumière, éparpillant dans la cabine des rayons ondulants. Sous l'un de ces hublots se trouvait Franklin, son visage presque spectral dans les lueurs bleuâtres. Gus ne l'avait jamais vu d'aussi près. Il regarda fixement ce grand homme légendaire, enveloppé dans son manteau bien qu'il fît assez chaud. Le commandant était en train d'étudier des cartes étalées sur la table ; Gus remarqua le bourrelet de chair autour de son cou, les poches sous ses yeux. Il paraissait beaucoup plus que soixante ans.

Les officiers étaient déjà en pleine conversation. Sous le regard de Gus, Franklin les interrompit.

– Nous n'avons pas le choix, dit-il d'une voix mesurée, étonnamment frêle. La baie de Poctes pourrait bien nous fournir de quoi hiverner, mais nous ne cherchons pas à prendre nos quartiers d'hiver.

Tous se penchèrent sur la carte.

Le doigt de Franklin était posé sur la carte marine du nord polaire que l'Amirauté lui avait fournie juste avant le départ. La Terre du roi Guillaume y était clairement indiquée près de l'endroit où ils se trouvaient, mais on ne connaissait rien de sa côte méridionale. Tout ce dont ils pouvaient être sûrs, d'après leur position présente, c'était que cette terre se situait entre deux détroits : à l'est, James Ross ; à l'ouest, Victoria.

Crozier s'assit à côté de Franklin. Il considéra un long moment la baie de Poctes, une ligne en pointillés d'est en ouest indiquant que la Terre du roi Guillaume, rattachée à la péninsule Boothia, faisait bel et bien partie du continent américain.

– Il n'y a pas moyen de ressortir au bout du détroit de James Ross, conclut Franklin.

Crozier leva les yeux.

– Je vous l'affirme, ajouta le commandant en voyant l'expression de Crozier.

– Je n'en suis pas convaincu, commandant, murmura Crozier. Pardonnez-moi.

C'était la première fois qu'il ouvrait la bouche depuis qu'il était entré dans la pièce. Une faible rumeur s'éleva parmi les autres officiers.

– Vous n'êtes pas de cet avis ? demanda Fitzjames.

– Je n'en suis pas convaincu, répéta Crozier.

– Personne ne peut l'être tant qu'on n'a pas vu la chose de ses propres yeux et qu'on n'aura pas franchi le chenal, reconnut Fitzjames. Mais on peut supposer...

– J'en doute, insista Crozier.

Il échangea un regard avec Blanky, l'expert en glaces du *Terror*. Franklin se radossa. Le reflet des vagues ondulait sur ses mains jointes.

– Veuillez nous exposer votre théorie, dit-il.

Crozier tourna la carte, n° 261, dans sa direction.

– Voici la pointe la plus au sud, l'isthme dont nous supposons l'existence entre la Terre du roi Guillaume et la péninsule de Boothia, déclara-t-il d'un ton calme. Dease, Simpson et Ross ont tous présumé que ce lien existait.

– Une présomption suffisamment forte pour qu'on l'intègre sur nos cartes, nota Franklin.

– Mais néanmoins une hypothèse, répliqua Crozier.

Franklin agita la main.

– Et vous, vous pensez qu'il n'y a pas d'isthme et que la voie n'est pas libre vers l'ouest jusqu'à Victoria ? Que la Terre du roi Guillaume serait une île ?

– Oui, commandant. Il y a des chances que ce soit le cas.

– Et quel est le rapport avec notre discussion ?

– L'idée est que si nous nous dirigeons vers l'est, nous trouverons un passage aussi bien qu'à l'ouest, répondit Crozier, mais en rencontrant sans doute moins de masses de glace.

Son commentaire fut suivi d'un long silence. Franklin l'observa un moment.

– Nous ne courons aucun risque en allant à l'ouest. Nous en courons un, en revanche, si nous faisons route vers l'est : celui de tomber sur l'isthme exactement à l'endroit où il est indiqué sur la carte pour nous retrouver dans une baie, là où elle est marquée.

– Mais il y a bel et bien un risque si nous allons à l'ouest, protesta Crozier.

– À savoir ? rétorqua Franklin.

Crozier leva les yeux vers Blanky.

Celui-ci gigota un peu, mal à l'aise. Il avait navigué avec Ross dont le nom avait été attribué à ce détroit.

– Je ne sais pas plus que quiconque si l'est est une impasse ou non, murmura-t-il, mais... (Il jeta des coups d'œil prudents aux autres officiers)... avec tout le respect que je vous dois, je connais la glace. Et il en arrive des tonnes de Victoria. Il y en a aussi devant nous et elle est terriblement compacte. Il se pourrait qu'il n'y en ait pas autant de l'autre côté.

– Vous ne pouvez pas savoir si elle est compacte ou non, souligna Franklin.

– C'est en tout cas mon avis, commandant.

– Fondé sur quoi ?

– L'état des icebergs que nous dépassons, répondit Blanky.

– Nous disposons de vapeur pour briser les icebergs en cours de route, commenta Franklin.

– Pas suffisamment pour briser la banquise et les packs.

– Nous avons des locomotives dans les cales, protesta Franklin.

– Elles-mêmes ne viendront pas à bout de ce qui nous attend, renchérit Blanky.

Il y eut un autre silence. Le visage de Franklin ne

manifestait pas la moindre expression. Fitzjames laissa échapper un petit soupir et s'installa en face du commandant en haussant les sourcils.

Franklin se tourna alors vers James Reid. Le regard de l'expert en glaces de l'*Erebus* était fixé sur la carte n° 261.

– Qu'en pensez-vous, monsieur Reid ? demanda-t-il.

Reid s'empourpra. Il n'aimait pas parler fort ; il avait honte de son accent du Nord. Il se sentait mal à l'aise en présence des officiers, même maintenant, alors que le sort de l'expédition reposait sur les aptitudes de Blanky et les siennes.

– Il y a incontestablement de la vieille glace sur notre route, dit-il finalement, mais Victoria est la voie la plus courte et la plus directe.

Franklin sourit pour la première fois.

– Exactement, dit-il. C'est tout à fait mon avis. Nous distancerons la glace avant qu'elle devienne solide.

Crozier blêmit. Blanky détourna les yeux.

– Nous disposons sur nos embarcations des procédés les plus puissants pour briser la banquise, même compacte, ajouta Franklin. Nous sommes blindés. Aucun navire n'est mieux équipé que le nôtre pour passer. Et nous devons saisir notre chance maintenant. Il reste peut-être moins de deux semaines avant que les prédictions de M. Blanky ne se révèlent exactes. J'affirme qu'elles ne le sont pas encore, mais cela pourrait devenir le cas si nous n'agissons pas rapidement. Nous devons nous hâter en prenant la route la plus courte.

Un murmure d'assentiment monta des lèvres de toutes les personnes présentes. Hormis celles de Crozier.

– Commandant, insista-t-il, la vapeur ne suffira pas pour franchir le détroit de Victoria.

L'expression de Franklin se durcit l'espace d'un instant. Gus entrevit l'homme tel qu'il avait dû être plus jeune. Puis cette vision se dissipa. Le vieillard qui se considérait comme le père de son équipage réapparut.

– Nous connaissons votre point de vue sur la vapeur, je pense, répondit-il.

– Si j'avais commandé cette expédition, j'aurais refusé de m'embarquer en dépendant de la vapeur, reprit Crozier. Ce n'est pas la réponse à nos prières. Si nous espérons qu'elle nous conduira jusqu'au détroit de Victoria, nous nous leurrons. Nous serons assaillis, loin de tout refuge. La glace se refermera sur nous avant que nous ayons dépassé la Terre du roi Guillaume. Avant que Simpson ne soit en vue. Bien avant.

Cela tenait presque de l'insubordination. Les officiers se figèrent, comme si le moindre mouvement risquait d'être pris pour une violation. Crozier avait haussé la voix et son accent irlandais était plus marqué. Gus vit de petites taches colorées apparaître sur les deux joues de Franklin, comme deux petits sous cuivrés.

Le commandant se pencha en avant.

– Seulement ce n'est pas vous qui commandez cette expédition.

Crozier rougit.

– Nous ne serons pas coincés dans le détroit de Victoria, reprit Franklin en détachant ses mots. Nous ne prendrons pas la route de l'est pour nous retrouver, comme Ross lui-même l'avait prédit, dans la baie de Poctes, sans aucune issue. Nous allons faire route jusqu'au détroit de Victoria et atteindrons Simpson avant la fin de la semaine, et nous briserons la glace sur notre passage à coups d'explosifs si nécessaire. Et, avec la volonté de Dieu, nous verrons le Pacifique avant l'arrivée de l'hiver.

Crozier baissa finalement les yeux.

– Et ceci, monsieur Crozier, ajouta le commandant en se levant, est la dernière chose que j'ai à dire sur la question.

12.

On était vendredi soir.

Jo dormait à poings fermés sur son canapé. La cassette qu'elle avait louée défilait au bénéfice de l'air ambiant. Elle était couchée sur le côté, à mille lieues de là, quand on sonna à sa porte.

Elle se redressa en essayant de déterminer où elle était. Elle consulta sa montre en clignant des yeux. 21 h 40. Elle se frotta les yeux en se demandant si c'était Gina. Plus tôt dans la journée, elle l'avait appelée pour l'inviter à l'anniversaire de son filleul.

– Je ne peux pas venir, avait répondu Jo. Je repeins mon appartement.

Il y avait eu un moment de silence incrédule.

– Sans blague !

– C'est vrai. J'ai acheté de la peinture et tout ce qu'il faut.

– Quelle couleur ?

– Jaune.

– Tu vas tout peindre en jaune ?

– Tout, avait répliqué Jo d'un ton résolu. Ça va être très clair.

– À quoi faut-il attribuer cet événement ?

– À l'ennui.

– Je dirais plutôt à la honte.

Jo avait éclaté de rire.

– J'ai vidé les cartons en plus.

– Vraiment ? Où as-tu mis tout ça ?

– Par terre.

– Ah ah ! C'est un bon début. Tu es sûre que tu ne veux pas venir ?

– Y aura-t-il de la glace et des bonbons ?

– Des tonnes.

– C'est tentant. Écoute, si j'ai fini...

– Et dans le cas contraire ?

– Viens demain matin. Apporte de quoi manger.

Gina avait gloussé.

La sonnerie retentit de nouveau. Jo se leva.

– J'arrive ! hurla-t-elle.

Elle passa sa tenue en revue. Son pantalon était maculé de peinture ; elle en avait aussi plein les cheveux. Elle avait commencé à peindre au rouleau pour s'apercevoir qu'elle en mettait plus sur elle que sur les murs. En milieu d'après-midi, elle était passée au pinceau. C'était plus lent, mais plus efficace. Son salon étincelait à présent, même dans l'ombre.

– J'arrive, j'arrive, grommela-t-elle à la personne qui, de l'autre côté de la porte, s'était mise à frapper.

– Qui est-ce ? cria-t-elle en éteignant la télévision.

– Doug.

Elle s'arrêta net et regarda fixement la porte. Puis elle tira le loquet et ôta la chaîne.

Il était adossé au mur près de l'escalier. Même sous la lueur sulfureuse des réverbères, il était gris.

– Seigneur ! Qu'est-ce que vous fabriquez ici ? s'exclama-t-elle.

– Je fais un demi-marathon, répondit-il.

– Comment ?

– Je plaisante.
– Je pensais que c'était Gina.
– Comme vous voyez...
– Oui.
– Jo, dit-il, si vous ne me laissez pas entrer, je ne peux pas vous garantir que je ne vais pas m'effondrer.
Elle tressaillit.
– Oh mon Dieu ! Pardonnez-moi. Vous m'avez fait un tel choc... Entrez. Comment allez-vous ? Laissez-moi vous aider.
À force de pas traînants et de trébuchements, ils atteignirent le sofa.
– Dieu soit loué ! marmonna-t-il en s'y asseyant lourdement.
– Vous avez l'air en piteux état. Qu'est-ce qui vous a pris ?
– La folie, dit-il, puis il regarda autour de lui.
– Vous étiez occupée à ce que je vois.
Pour la première fois, elle remarqua l'odeur pénétrante de la peinture.
– C'est jaune, commenta-t-il. Très jaune, non ?
– Qu'est-ce que vous avez contre le jaune ?
– Rien du tout, répondit-il. Mais il y a des traces.
– Pas du tout, riposta-t-elle.
Elle marqua un temps d'arrêt, la main sur la hanche.
– Où ça ?
– Près de cette table.
– Ce n'est pas une table. C'est une caisse.
Il sourit.
– Quand je pense que je redoutais que l'état de mon appartement vous choque.
– Je vous en prie ! rétorqua-t-elle. Ceci n'a rien d'un désordre. J'ai rangé.
Elle reporta son attention sur lui.

– Vous n'avez vraiment pas bonne mine, dit-elle. Voulez-vous boire quelque chose ?

– Je n'ai pas le droit. À cause des médicaments. Qu'est-ce que vous avez à m'offrir ?

– Un peu de cognac. Du thé et du cognac.

– Vous m'avez convaincu.

Elle alla dans la cuisine et dénicha la bouteille au fond d'un placard.

– Ça se garde, le cognac ? cria-t-elle. On m'a donné cette bouteille à Noël.

– Quelle année ?

Elle disposa la théière, des tasses et le cognac sur un plateau. Elle fouilla dans une boîte en fer où elle trouva deux biscuits salés tristounets et mous.

– Écoutez, dit-elle en posant le plateau sur la moquette, je suis vraiment gênée. Je vais aller chercher des plats tout prêts.

– Asseyez-vous une minute, dit-il.

Il but une gorgée d'alcool. Son visage reprit peu à peu des couleurs.

– Comment êtes-vous arrivé jusqu'ici ? demanda-t-elle.

– Un ami m'a conduit jusqu'à Charing Cross. J'ai pris une chambre d'hôtel. De là, je suis venu en taxi.

– Rien que pour me voir ?

– Rien que pour ça.

– Mais pourquoi ?

– Pour vous faire des excuses.

– J'aurais pu être sortie, Doug.

– J'aurais réessayé demain matin.

– J'aurais pu partir pour le week-end.

– Dans ce cas, je serais revenu lundi.

– Allons !

– J'ai un rendez-vous à l'Institut maritime national.

– Ah.

Il se pencha en avant.

– Mais ce n'est pas ça, Jo. Ce n'est pas aussi important. Je suis venu de bonne heure pour vous voir.

– Pour vous excuser à propos de quoi, précisément ?

– D'Alicia.

– Oh, fit Jo d'un air songeur. Eh bien ce serait plutôt à elle de me faire des excuses.

– C'est un fait. Et c'est elle que j'aurais dû jeter dehors et non pas vous.

– Vous ne m'avez pas jetée dehors, lui rappela-t-elle. Je suis partie de mon plein gré.

Il serra le poing autour du pied de son verre.

– Ma femme est un vrai bulldozer !

– Ça n'a pas d'importance, Doug.

– Mais si, répondit-il. Vous avez pris la peine de venir jusqu'au bateau en avion et vous m'avez rendu visite à Cambridge à mon retour.

– Vous ne m'aviez rien demandé.

– Certes non, mais je suis content que vous l'ayez fait.

Elle sourit.

– Alors le moins que j'aurais pu...

– Vous ne pouviez pas jeter votre femme à la porte, lui dit-elle. En ce qui me concerne, l'intruse, c'était moi.

– Si quelqu'un s'est comporté en intruse, c'est bien elle.

Jo se rendait compte qu'elle avait touché un point sensible.

– Elle n'admet pas que l'on puisse lui refuser quoi

que ce soit. Ça me rend dingue. J'ai essayé de lui parler, de hurler. J'ai même cassé des meubles.

– Vraiment ?

– Il y a un an ou deux.

– Elle vous aime, dit Jo.

– Elle ne m'aime pas, répondit-il. Elle ne veut pas me lâcher. C'est un parasite.

– Vous êtes toujours son mari.

– Plus pour longtemps. J'ai demandé le divorce, il y a deux mois.

Jo but son cognac à petites gorgées.

– C'est peut-être à cause de cela. Elle a peur de vous perdre et se cramponne d'autant plus.

– Vous ne vous imaginez pas ce que j'ai vécu ces cinq dernières années.

Jo tripotait le bord du plateau. Ça ne lui semblait pas vraiment convenable d'être là à condamner Alicia en son absence, même si elle avait du mal à la voir sous un jour favorable.

Elle s'aperçut qu'elle était en train de grignoter un des biscuits salés tout mous et s'efforça de ne pas faire la grimace.

– Comment vous êtes-vous rencontrés ? demanda-t-elle.

Il sourit.

– C'est de l'histoire ancienne. À l'université.

– À Cambridge ?

– Non, à Lancaster.

– Je connais.

– Vraiment ?

– Une de mes camarades d'école a fait ses études là-bas. J'y suis allée... Voyons, il y a trois ans, je crois. Près de la mer.

– C'est sur la côte du Lancashire, confirma-t-il. Alicia faisait des études d'économie et de politique.

– Redoutable.

– Elle l'a toujours été.

– Et vous...

– Alicia a décidé que l'on devait se marier, poursuivit-il. Elle a toujours été très organisée. Elle avait une force... Bref, elle faisait bouger les choses. Il n'y avait personne comme elle là-bas. Elle était à des années-lumière des autres filles. Elle avait une vision précise de son existence. Tout était planifié.

Il posa son verre et regardait fixement devant lui tandis qu'il se remémorait le passé.

– Elle savait parfaitement où elle voulait en être à trente ans, quarante ans, cinquante ans. C'est elle qui m'a suggéré de continuer mes études jusqu'au doctorat. Elle semblait penser que j'avais un brillant avenir devant moi.

Il fronça les sourcils.

– Ça ne me paraissait pas du tout évident, mais elle en était persuadée. Nous sommes allés vivre dans le Sud. Elle a trouvé un travail et m'a entretenu pendant que je poursuivais mes études.

– Et vous vous êtes mariés.

– Seulement quand elle est tombée enceinte de John.

– Je vois.

Doug surprit son expression.

– Oui, dit-il. Je suis quelqu'un d'égoïste.

– Oh, je n'en sais rien, répondit-elle. Des tas de gens se trouvent dans des situations...

– Je me suis servi d'elle. Elle s'occupait de tout. Une vraie locomotive ! Je crois même qu'elle a planifié sa grossesse, bien qu'à présent elle le nie.

– Vous n'en aviez pas parlé ?

Il hésita.

– J'avais quelqu'un d'autre.

Jo le dévisagea avec étonnement.

– Vous étiez séparés ?

– Non. Nous étions ensemble depuis deux ans. J'avais rencontré une fille et je pensais le dire à Alicia, rompre avec elle...

– Pour vivre avec l'autre fille ?

– Oui.

– Et puis Alicia vous a annoncé qu'elle était enceinte ?

– Oui.

Jo croisa son regard.

– Je ne pouvais pas la laisser tomber. Elle m'a pardonné.

– Pardonné d'aimer cette autre fille ? s'exclama Jo. C'était vraiment gentil de sa part.

Elle ne put réprimer son cynisme, évident dans sa voix. En voyant la réaction de Doug, elle haussa les épaules.

– Je suis désolée, dit-elle. Ça fait tout de même un peu l'effet d'un chantage, cette grossesse ! Comment l'autre fille a-t-elle réagi ?

– Elle était...

Il marqua un temps d'arrêt.

– Je ne sais pas comment dire, Jo. Elle était anéantie. Totalement anéantie. Et moi... écartelé. Je ne savais plus quoi faire.

– Vous l'aimiez ?

À son grand étonnement, il rougit profondément.

– Énormément.

– Plus qu'Alicia, dit-elle.

Ce n'était pas une question.

– Je ne pouvais pas quitter Alicia.

– Alors vous avez fait ce qu'il convenait de faire.

– John est né, poursuivit-il. Nous travaillions tous

les deux très dur. Les choses se sont tassées. La fille a épousé quelqu'un d'autre.

– Vous la voyez toujours ?

– Non. Elle a déménagé.

– Mais, avec John, la situation de votre couple a dû s'arranger.

Il leva les yeux. Depuis le début de la conversation, il regardait fixement par terre.

– Elle ne s'est jamais arrangée. Je savais que je n'aimais pas la femme que j'avais épousée. Qu'elle ne partageait pas mes intérêts. Je travaillais, elle travaillait et se chargeait en grande partie de l'éducation de John, ce dont je lui étais reconnaissant parce que j'étais si souvent loin... Je me suis servi d'elle, répéta-t-il. Elle rêvait d'un certain style de vie, d'un foyer, d'une carrière. Elle n'a jamais souhaité avoir d'autres enfants. Elle ne s'est jamais mêlée de ce que je faisais. On a continué ainsi cahin-caha.

Il se gratta le front distraitement.

– Par accident ou par habitude, comme beaucoup de couples. Ce n'est pas une histoire très gaie.

Jo changea de position. Elle était assise par terre et croisa les jambes. En se passant la main dans les cheveux, elle sentit les mouchetures de peinture séchées.

– Jo, dit-il la regardant, je ne suis pas venu ici pour vous raconter ma vie. Je voulais juste que vous sachiez que j'étais désolé.

Sur ce, il s'avança sur le canapé.

– Qu'est-ce que vous faites ? questionna-t-elle.

– Je devrais y aller.

– C'est hors de question. Je vais aller chercher de quoi manger d'un instant à l'autre.

– Vous êtes fatiguée.

– Absolument pas.

Il lui sourit.

– C'est vrai, fit-il, j'avais oublié. Vous avez vingt-sept ans. Vous n'êtes jamais fatiguée.

Elle lui décocha un sourire sournois.

– Il m'arrive d'être claquée comme tout le monde.

– Alors...

Il promena ses regards autour de lui à la recherche de sa canne.

– Mais pas ce soir, dit-elle.

Elle s'interrompit dans ses mouvements et le regarda intensément.

– Ce soir, je ne suis pas fatiguée, répéta-t-elle.

Une expression de pur étonnement passa sur le visage de Doug.

Jo se pencha vers lui en évitant précautionneusement sa jambe dans le plâtre et l'embrassa.

Elle pensait s'en être débarrassée depuis belle lurette, cette image du prince de contes de fées. Elle croyait s'en être défaite, tout comme elle s'était défaite de ses jouets, rejetant la fiction au profit des faits, s'obligeant à affronter la réalité. Elle avait suivi son chemin dans un monde bien réel, rempli de gens qui n'avaient rien à voir avec les contes de fées. Elle leur parlait tous les jours, des égocentriques aux pieds d'argile, des inquiets, des désabusés, les quelconques, les idiots, les ambitieux, les chanceux. Et pendant tout ce temps-là, elle n'avait pas imaginé une seconde qu'un chevalier l'attendait dans les coulisses, qu'un rêve pouvait encore se réaliser. Elle ne pensait plus avoir quoi que ce fût de vulnérable dans le cœur, la moindre naïveté ou faiblesse.

Elle le contempla alors et vit tout ce qui venait de défiler dans sa tête se refléter sur son visage. Mon Dieu, pensa-t-elle. Les miracles existent encore.

Il tendit les bras et la serra contre lui en pressant

son visage sur son épaule. Elle sentit sa poitrine se gonfler, ses bras resserrèrent son étreinte.

– Je ne savais pas, murmura-t-il. Je ne savais pas.

Elle recula un peu et le regarda dans le blanc des yeux.

– Moi non plus, dit-elle. Mais maintenant, je sais.

13.

L'ourse dormit paisiblement pendant toute la tempête. La température baissa rapidement, incitant même la population inuit de Bylot, Borden et Brodeur à se mettre à l'abri. Quand le vent se leva, impossible d'y faire face. Les animaux migrateurs venus dans les fjords lui tournèrent le dos en se regroupant. De gros caribous mâles attendant le retour des femelles avec leurs petits se massèrent à l'abri d'une congère. Ils avaient traversé la glace depuis Bylot Island deux semaines plus tôt et déjà décharnés et râpés, perdant leur fourrure hivernale, ils ne pouvaient guère qu'endurer les rafales mugissantes.

Les narvals étaient déjà arrivés en s'ouvrant une brèche dans les champs de glace polaire après l'hiver. L'ourse les entendait parfois quand elle plongeait dans l'océan. Les phoques à capuchon, sa cible de prédilection, aboyaient et jappaient comme des chiens ; les morses produisaient des sons de basse et de baryton. Narvals et bélougas saturaient l'eau de leurs signaux aux harmonies étranges, comme venues d'un autre monde.

Pour l'heure, elle n'y prêtait plus attention. Elle avait replié une de ses énormes pattes avant et glissé son museau en dessous, couvrant ainsi la seule partie de son corps qui dégageait de la chaleur. Elle était délicieusement à son aise. Le froid ne pouvait pas l'atteindre ; seul un temps très chaud ou des efforts prolongés hors de l'eau pouvaient élever la température de son corps. C'était une véritable machine à supporter la glace. Comme les bourrasques redoublaient, elle se laissa tomber lentement d'un côté, la neige s'amoncelant sur elle. Engraissée par la viande de phoque, elle ne pensait qu'à dormir.

Son compagnon était couché à trois mètres d'elle. Depuis quelques jours, il la suivait à la trace, obnubilé par l'odeur d'œstrus émanant de son urine. Le premier jour où il l'avait sentie, il n'était pas le seul dans son désir ; trois autres mâles avaient rôdé dans les parages. Deux d'entre eux étaient trop jeunes pour l'importuner ; ils s'étaient contentés de l'observer en s'accroupissant à une distance respectable. Mais un mâle de huit ans pesant non moins de quatre cent cinquante kilos avait traversé sa piste moins de quatre heures plus tard ; il s'était approché de lui en zigzaguant un peu, la tête levée pour flairer l'odeur de son adversaire. Il s'était dressé sur ses pattes de derrière, évaluant l'ennemi tout en lorgnant la femelle, puis il était retombé sur la glace en grognant à cause d'une douleur arthritique provoquée par une vieille blessure.

Ils s'étaient approchés l'un de l'autre à pas lents, de cette démarche caractéristique, puis la cadence s'était accélérée. Le mâle le plus lourd était plus grand, mais il était aussi plus vieux, plus lent et puis il avait faim. Sa mauvaise humeur se manifesta par de grands coups de patte violents, ses griffes ravageant les épaules du jeune mâle. Ils pouvaient à coup sûr se blesser, voire s'entre-tuer. Au bout de quelques minutes pourtant, le plus âgé avait battu en retraite en secouant la tête au son des rugissements profonds et tonitruants du vainqueur. Sur un autre continent, sous d'autres températures, à l'entendre, on aurait pu le prendre pour un lion.

L'ours victorieux et la femelle s'étaient accouplés le jour même. D'innombrables fois, ils consommèrent leur union sur la glace. La journée fut longue et calme ; ils vagabondèrent entre les fragments flottants en s'arrêtant de temps à autre pour évaluer le courant. Vers le soir, ils trouvèrent le phoque barbu.

C'était la meilleure proie que le mâle pût lui apporter : plus gros qu'un phoque à capuchon, cette espèce pouvait peser jusqu'à cinq ou six cents livres une fois adulte. C'étaient de véritables machines à manger, engloutissant des crustacés à foison, des bulots en particulier qu'ils réussissaient à débarrasser de leur coquille. Entre deux plongeons, les deux ours, rassasiés, se reposaient sur la banquise et dormirent sur les plates-formes blanches à la dérive.

Le mâle descendit sans bruit dans la mer, son immense masse disparaissant bientôt sous l'eau. Soudain, il refit surface, les yeux rivés sur la forme gris foncé du phoque à cent mètres de là. La femelle derrière lui se laissa tomber sur la glace et observa la scène. Il se frayait un passage dans les chenaux de glace sous l'eau et resurgissait à la surface, mais on ne voyait alors que son museau et ses yeux. Son regard était fixe : le phoque tourna la tête, sans le voir, s'affala à nouveau et se retourna paresseusement en un roulement de graisse audible.

À cinquante mètres de lui, l'ours disparut. L'espace d'un instant, l'océan fut immobile. Puis l'animal explosa hors de l'eau et saisit le phoque par la tête ; l'impact de ses griffes fut suivi d'un formidable coup assené avec son museau. Il ne se mouvait pas comme une bête pesante, mais plutôt comme un chat, incroyablement rapide et mortellement précis. La mort fut instantanée. L'eau rougit, la carcasse fut expédiée sur la glace. Une belle prise.

Dans sa vie, l'ours mangeait tout ce qu'il trouvait : des phoques, des bœufs musqués, de la baleine, des narvals, des oies, des charognes ou encore des algues, des baies ou des œufs. Il lui fallait beaucoup de nourriture pour conserver son poids et ses épaisses couches de graisse. Loin sur les glaces, des ombres le suivaient à la trace la plupart du temps, à une distance respectable : les renards de l'Arctique qui dépendaient de ses proies pour survivre.

Les Inuit respectaient l'ours comme aucune autre créature au monde. À leurs yeux, c'était un objet religieux, un être mythique. L'apparition de l'étoile Aldebaran, dans la constellation du Taureau, au cours des premiers mois de l'année, était liée à l'ours. Ils suivaient sa trajectoire dans le ciel en fin d'après-midi, du nord-est au nord-ouest. Dans la baie de Cumberland, que les baleiniers connaissaient si bien, on l'appelait *nanurjuk*, l'esprit de l'ours polaire. Plus à l'ouest, dans la baie de Repulse, à la pointe sud du golfe de Boothia, on disait *kajurzuk*, qui signifiait rougeâtre. Dans le golfe du Couronnement, beaucoup plus à l'ouest, au-dessus du lac du Grand Ours, elle devenait *agleoryuit*, les poursuivants.

Aldebaran était un ours tenu en respect par des chiens de chasse inuit, une grande étoile blanche et pâle aux franges éparpillées dans les Hyades. Quant aux trois étoiles de l'Épée d'Orion, c'étaient des chasseurs qui s'élançaient derrière leurs chiens. L'ours demeurait à jamais suspendu dans le ciel nocturne, au cœur d'un drame de lumière éternel.

La tempête de glace dura jusqu'au matin. Elle s'arrêta aussi vite qu'elle avait commencé. Pendant quelque temps, rien ne bougea dans le paysage morne où le tapis d'herbes et de saxifrages à peine surgi avait été comme avalé. Puis la femelle se redressa lentement et se secoua pour se débarrasser de la neige. Elle leva la tête et huma l'air glacial. Une vive lumière embrasait le ciel blanc-bleu. Dans quelques heures, les couleurs du printemps arctique réapparaîtraient peu à peu ; les rochers bas et lisses où elle s'était allongée se pareraient à nouveau de lichen orange. Tout redeviendrait comme vingt-quatre heures plus tôt.

Pourtant la Nageuse qui s'était remise en route percevait un changement. Pendant son sommeil, il s'était produit quelque chose. Le monde avait changé.

Elle ne se retourna même pas vers le géant endormi derrière elle. Son compagnon dont la forme se détachait sur le tapis de neige ne se réveillerait pas avant une heure. Elle serait déjà loin. Elle ne le reverrait sans doute jamais.

14.

Assise dans la serre attenante à Franklin House, Alicia regardait la lettre qu'elle tenait à la main. Elle la retourna en fronçant les sourcils.

– Qu'en penses-tu ? demanda John.

Catherine et son fils lui faisaient face de l'autre côté de la table basse sur lequel reposait le plateau du thé impeccablement disposé. Il s'était mis à pleuvoir et les gouttes tambourinaient doucement sur le toit.

– Je ne sais vraiment pas quoi en penser, avoua Alicia.

John se pencha vers elle.

– C'est un bon photographe, souligna-t-il. Il a une excellente réputation.

Alicia posa la lettre parmi les tasses.

– Je n'en doute pas.

– Alors ?

Elle ôta ses lunettes de lecture. Son regard s'attarda un instant sur Catherine.

– Je veux être sûre d'avoir bien compris, dit-elle. Tu souhaites aller au Canada cet été pour travailler avec cet homme.

– C'est lui qui a proposé de m'embaucher.

– On ne peut pas vraiment dire qu'il veuille t'embaucher, répondit-elle en souriant, puisque ta collaboration ne sera pas rémunérée.

John jeta un bref coup d'œil à Catherine.

– D'accord, reconnut-il. Il veut que je collabore avec lui, comme tu dis, pendant six semaines.

– Je ne comprends pas pourquoi il fait appel à toi, insista Alicia.

Il y eut un silence durant lequel John prit une profonde inspiration.

– Parce que je lui ai écrit.

Catherine posa une main sur son bras.

– Parce que tu l'as harcelé jour et nuit, précisa-t-elle en souriant.

Il lui rendit son sourire, puis se tourna vers sa mère.

Alicia, elle, ne souriait pas. Elle baissa les yeux vers la lettre avant de reporter son attention sur Catherine.

– Et vous venez de là-bas ? demanda-t-elle.

– Non, madame Marshall, mais mon père vit dans la baie de l'Arctique.

– C'est bien ce que je disais.

– C'est loin de Churchill. Churchill se situe dans la baie de l'Hudson.

Alicia pinça les lèvres.

– C'est une expérience, maman, intervint John.

– Mais pourquoi là-bas ?

– Un grand nombre d'ours se rassemblent dans cette région.

Alicia se leva brusquement. La tension était tangible dans ses épaules rigides. Elle promena son regard sur le jardin, au-delà de la baie vitrée.

– La semaine dernière, on t'a proposé d'aller faire des fouilles cet été à Spitalfields, dit-elle.

– Tout le monde fait ça.

– Si j'ai requis ce stage pour toi, c'est pour t'aider dans tes études, répliqua-t-elle en lui faisant face.

– Je sais, répondit-il, mais je ne t'avais rien demandé, n'est-ce pas ?

– John, murmura Catherine, le mettant en garde.

– Tu ne m'as peut-être rien demandé, mais il n'empêche que j'ai tout arrangé. Tu pourrais au moins me remercier.

– Je veux aller à Churchill, répéta-t-il en haussant le ton. J'ai passé l'été dernier à faire des fouilles. Combien d'occasions pareilles se présentent dans la vie ?

– Ce n'est pas comme si tes études avaient quoi que ce soit à voir avec les civilisations arctiques.

John se leva à son tour.

– Il ne s'agit pas de mes études ! renchérit-il. C'est quelque chose de différent.

Impassible, Alicia soutint son regard.

– Je sais pertinemment de quoi il est question, riposta-t-elle. De te lancer dans quelque vaine croisade, exactement comme ton père. Et tu viens me demander de financer cela !

Catherine se mit debout elle aussi. Elle s'approcha de John.

– C'est à des lieues des sites Franklin, souligna-t-elle.

L'expression d'Alicia se durcit.

– Cela vous ennuierait-il de mettre un terme à votre leçon de géographie ? Si John s'intéresse à cet endroit, et à ce travail en particulier, c'est uniquement parce que cet homme poursuit un ours *qui a été repéré sur les sites de Franklin*.

Elle croisa les bras d'un air triomphant.

– Oh, tu crois que je n'ai pas compris ! s'exclama-t-elle. Tu t'imagines peut-être que je suis incapable de consulter un site Internet quand tu m'indiques le nom d'une personne. Je sais parfaitement qui est Richard Sibley, je connais ses liens avec Franklin tout comme son obsession pour cet ours en particulier. Ce qui, à mon avis, ajouta-t-elle, n'est rien d'autre que de la poudre aux yeux.

– Mais personne ne t'a rien demandé ! fulmina John.

Il s'empara de la lettre et la fourra dans sa poche.

– Je savais que tu ne comprendrais pas !

– Tu crois que je n'ai pas suffisamment entendu parler de Franklin dans ma vie ! rétorqua-t-elle.

Elle se rapprocha de lui dans une attitude à la fois cajoleuse et menaçante. En la regardant, Catherine eut froid dans le dos. L'attachement d'Alicia était manifeste, pénible à voir ; on aurait presque cru que John et elle formaient un couple. Elle regarda la main d'Alicia s'emparer de celle de son fils.

– À quoi ton père est-il arrivé en cherchant ces gens-là ? demanda-t-elle à voix basse, d'un ton plein de sous-entendus. Il a rapporté un petit cylindre en cuivre, en tout et pour tout. Pourquoi cherches-tu à rivaliser avec lui ?

– Je ne cherche pas à rivaliser avec lui, bordel ! rétorqua John, les joues en feu, en se dégageant brutalement.

Alicia le considéra, interdite.

Il tourna les talons et sortit en claquant la porte, abandonnant Catherine sur place.

Les deux femmes se regardèrent.

– Vous feriez mieux de le rejoindre, lança Alicia.

– Je ne l'ai pas influencé, madame Marshall, répliqua Catherine d'un ton calme.

– Vraiment ?

Catherine se dirigea vers la porte de la serre et l'ouvrit d'une poussée. Les parfums du jardin affluèrent à l'intérieur.

Elle jeta un coup d'œil à la pelouse impeccablement coupée, aux brins d'herbes serrés, pareille à un tapis de bowling. Ce n'était pas un endroit pour se dorer au soleil. Ni même pour marcher. Juste pour admirer. Elle mit son sac en bandoulière et suivit John.

Il était dans le couloir en train d'appeler un taxi.

– Ne la laisse pas comme ça, lui dit-elle.

– Je ne lui demande rien d'autre qu'un billet d'avion.

– Elle redoute de te perdre.

La préposée de la compagnie de taxis répondit. Il précisa l'adresse et raccrocha.

– On étouffe dans cette baraque, marmonna-t-il.

– Elle t'adore, insista Catherine.

Elle se débattait avec l'idée qu'Alicia avait peut-être raison. John pouvait déguiser la proposition de Sibley en prétendant qu'il s'agissait d'une nouvelle aventure, mais c'était bel et bien la même vieille obsession. En fait, la mère de John avait touché un nerf. Catherine savait pertinemment que John voulait à tout prix surpasser Doug Marshall.

– Demande à ton père, marmonna John, répétant ce qu'Alicia lui avait suggéré avant que la deuxième discussion à propos de la lettre n'eût commencé.

– Rien ne t'empêche d'essayer, observa Catherine.

John éclata de rire.

– Ah oui ! Comme s'il était disposé à m'écouter ! Il me donnerait de quoi payer le billet, comme ça !

– Je suis sûre qu'il t'écouterait.

John porta la main à son front, exaspéré.

– A-t-il jamais prêté la moindre attention à ce que je voulais ? Crois-tu qu'il y ait une chance qu'il m'écoute maintenant que cette femme le monopolise ?

– Jo Harper, tu veux dire ?

Catherine le considéra d'un air circonspect.

– Qui d'autre ?

Elle se mordit la lèvre une seconde avant de répondre.

– Moi, je la trouve sympathique. Et elle rend ton père très heureux.

– Ah oui ! riposta méchamment John. Heureux. Génial !

Il ouvrit la porte avec vigueur et sortit dans l'allée. La pluie crépitait sur le magnolia dont les pétales flétris jonchaient le sol.

Catherine le suivit. Elle le dépassa pour lui barrer le chemin. Son regard erra sur le visage de John.

– Tu es jaloux ! fit-elle d'un ton songeur.

Il garda le silence et se remit à marcher après l'avoir écartée d'un geste. Elle s'élança à sa poursuite.

– Tu ne peux tout de même pas être jaloux du bonheur de ton père ?

Il s'arrêta, les yeux rivés à terre.

– Pour qui me prends-tu ? S'il est heureux, tant mieux ! Qu'est-ce que cela peut bien me foutre ?

Elle le dévisagea intensément. Elle avait les cheveux et le visage tout mouillés ; la pluie ruisselait sur la veste en cuir de John.

– Je crois qu'au contraire cela te touche de très près.

– Qui t'a demandé de jouer les psychiatres ? grommela-t-il. Surtout si tu t'y prends aussi mal.

– Je ne pense pas me tromper, renchérit Catherine. Tu crois que c'est Franklin qui t'intéresse ou je ne sais quoi à propos d'un mort, d'un équipage disparu, de bateaux introuvables. Ce photographe de la faune. Cet ours. Alors que ce n'est pas ça du tout. Tu ne tiens pas particulièrement à partir pour la baie de Peel ou pour Beechey Island. En fait, c'est lui que tu veux atteindre !

Il n'avait toujours pas levé les yeux, mais quand il répondit enfin, sa voix était grave, gutturale.

– Et tu connais toutes les réponses, bien sûr, dit-il. Parce que j'ai envie d'accepter une proposition parfaitement intéressante, une super-occasion. Ça ne peut pas être simplement une envie d'aller passer six semaines au Canada ? Hein ? Ou de ficher le camp de cet endroit qui me rend claustrophobe.

Il pointa un doigt accusateur sur elle.

– Tu pars pour la baie d'Arctique, pas vrai ? dit-il.

– J'y vais chaque été.

– Pourquoi ?

– Pourquoi, répéta-t-elle, perplexe. Pour voir mon père. Je lui rends visite tous les ans, en août. Ça fait dix ans maintenant.

– Mais tu ne m'emmènerais pas avec toi, n'est-ce pas ?

Elle le fixa, sidérée.

– Tu ne me l'as jamais demandé, John.

– Alors, m'emmènerais-tu ?

– Je n'en sais rien.

Il se remit en route.

– Très bien.

– John ! appela-t-elle en essayant de lui prendre le bras. Tu ne me l'as jamais demandé...

– Écoute, dit-il en s'arrêtant brusquement, ça n'a pas d'importance. Va le voir. C'est une tradition, je le sais. Je le comprends. Ce serait gênant de m'emmener, je le comprends aussi. Mais...

Il pressa son poing serré sur son front.

– Mais quand moi, j'ai envie d'aller au Canada, ne t'avises pas de m'expliquer mes motivations, d'accord ! Ne sois pas comme elle ! ajouta-t-il en secouant un doigt en direction de la maison.

– C'est parce qu'on t'aime, déclara-t-elle simplement. Tout comme ton père aime Jo Harper. Et tout comme tu l'aimes.

Il la regarda. Il y eut un silence, un très long silence pendant que le paysage vert pâle pleurait. Puis il partit sur la route à la rencontre du taxi.

15.

Au moment où ils pénétraient dans le détroit, la panique s'empara d'eux. Franklin commença par ordonner qu'on mît la vapeur : les moteurs des locomotives rugirent dans les cales. Au départ, les navires parvinrent à briser la glace amoncelée qui crépitait comme des coups de feu. Le soleil était haut dans le ciel ; le vent soufflait fort. Les bateaux s'acheminaient aussi bien dans l'eau gelée que dans les vagues. Une clarté blanche se déversait sur eux, comme s'il y avait plus d'un soleil dans le ciel. Gus, bouche bée, restait cloué sur place tandis que les marins qui cherchaient à déterminer d'où venait cette nouvelle source de lumière se heurtaient à lui.

Le *Terror* naviguait dans le sillage de l'*Erebus*. À peine l'autre navire avait-il trouvé un passage que la glace se refermait derrière lui sous leurs yeux. Ils fonçaient dedans, chaque homme nourrissant dans son cœur un unique espoir. *Juste ces quelques milles encore. Juste à travers ce détroit. De l'autre côté, l'eau sera dégagée.*

La glace ne leur cédait pas en silence. Loin de là. Elle sifflait et geignait, elle tonnait. Parfois on aurait dit des animaux qui braillaient, des piaillements d'oiseaux. À d'autres moments, elle grondait sourdement comme s'il y avait quelque chose sous les vagues, quelque monstre marin battant le ventre du navire. Comme si la glace était vivante. Elle serpentait, craquait, puis s'écartait sur leur chemin et, tandis qu'ils progressaient, elle s'accrochait à la proue, ses gigantesques mains glacées cognant le bois.

Une fois midi passé, Gus comprit d'où venait cette nouvelle lumière : c'était le reflet de la glace devant eux. Des chapelets de packs dérivaient dans l'eau bleu électrique, mais au-delà, loin devant eux, le monde entier tout blanc faisait jaillir une clarté qui remplissait le ciel ; les ponts eux-mêmes semblaient immaculés, comme délavés. Le *Terror* tremblait tel un homme fiévreux et roulait à mesure qu'on le poussait. Plus il roulait, plus l'*Erebus* devant roulait aussi, et plus on augmentait la vapeur. Les éructions de la cheminée formaient un chenal noir dans la lumière.

À 13 heures, on envoya Gus en bas. On avait besoin de main-d'œuvre supplémentaire pour les chaudières. Petit, léger, il pouvait se faufiler plus vite et racler plus fort pour pousser le charbon. Hadès régnait en maître là-bas en bas, dans ces lueurs rougeoyantes. Il faisait si chaud que les hommes travaillaient nus jusqu'à la ceinture, ruisselant de sueur et de charbon. Gus courait aussi vite qu'on le lui ordonnait malgré la poussière qui lui encombrait la gorge et lui opprimait la poitrine.

L'homme à côté de lui n'arrêtait pas de jurer. Il maudissait la chaleur, la glace, le navire, le capitaine.

– Jamais voulu voir le Pacifique, râlait-il tout en pelletant. Jamais voulu revoir l'océan. Plus d'océan, plus d'océan, océan...

Sa litanie faisait l'effet d'une chanson. Ils besognèrent sans relâche jusqu'à ce que la sueur leur coule dans les yeux. D'autres vinrent alors les remplacer parce qu'ils n'arrivaient plus à respirer dans cette fosse flamboyante.

Au moment où Gus sortait en titubant, il sentit le navire se tordre violemment.

– Marie mère de Dieu ! s'exclama un marin.

Ils se figèrent en percevant le mouvement de bascule sous leurs pieds.

– Il va sombrer.

Le *Terror* se souleva. Un énorme bloc l'avait heurté brusquement, à toute volée. Ils sentirent qu'il perdait le contact avec la mer et dansait un peu. Pendant plusieurs minutes, le navire glissa sur la glace. Les hommes n'osaient pas se regarder. Ils levaient tous les yeux vers les poutres basses du pont en dessus, dans l'expectative. Puis, tout aussi soudainement, la pression se dissipa et le *Terror* retomba. Gus regarda autour de lui pour voir s'il apercevait le marin qui lui avait parlé, il n'y avait pas si longtemps, des relâchements de la glace, bien qu'il sût pertinemment que celui-ci avait été différent de ceux qu'ils avaient perçus auparavant. Le coup porté s'apparentait au poing de Jupiter : massif, implacable ! « Faites qu'on ne soit pas tués ! » murmura-t-il.

Un cri s'éleva sur le pont. Deux hommes dégringolèrent l'échelle.

– Il envoie une patrouille, dirent-ils.

Six hommes de chaque bateau furent expédiés sur les glaces flottantes en avant. Pendant deux heures, ils taillèrent la glace. C'était une terrible besogne. À tout instant, ils risquaient de tomber à l'eau car on ignorait l'épaisseur du bloc gelé qui grinçait sous leurs pieds ; cela changeait d'un moment à l'autre. Ils n'arrêtaient pas de déraper et de glisser tandis qu'ils s'activaient tels des démons noirs sous la proue des navires avec leurs haches. De temps à autre, l'*Erebus* et le *Terror* reculaient, puis fonçaient en avant.

Gus resta assis en bas dans un état pitoyable tandis que le *Terror* tressaillait et grognait. Ils allaient se retrouver coincés. Ils allaient encore passer un hiver ici. Ils allaient sûrement mourir de faim.

Le garçon avait entendu dire que, s'ils s'arrêtaient là, les rations seraient limitées. Un hiver dans le détroit les mènerait à leur troisième année et, en vérité, après avoir déjà utilisé tellement de charbon et faute d'avoir abattu autant de gibier qu'ils l'avaient espéré à Beechey Island, il ne leur resterait probablement pas assez de vivres pour tenir le coup douze mois de plus. Ni suffisamment de combustible pour faire la cuisine. Les rations seraient réduites à quatre pour six. Cela signifiait que six hommes devraient se partager les portions prévues pour quatre ; il faudrait se serrer la ceinture et supporter la situation, y compris durant les pires mois à venir. Désormais, ils dépendraient exclusivement des conserves, des biscuits de mer et du porc salé.

Gus avait horreur des conserves. Ils n'avaient pas droit à la viande, mais on leur donnait des tas de soupes aux navets, aux carottes, aux pommes de terre. Il n'avait jamais aimé les légumes et devait se boucher le nez pour les avaler. Il en était arrivé à détester le nom de Goldner. Chaque boîte portait ce patronyme familier écrit en toutes lettres. Gus aurait donné cher pour rencontrer le fournisseur et l'obliger à engloutir son atroce bouillie insipide. L'idée qu'il serait probablement forcé de manger l'essentiel de ses rations, au demeurant limitées, froides, pour économiser de la chaleur, lui donnait envie de vomir.

De tous les rationnements, celui qui concernait le charbon était assurément le plus préoccupant. En descendant aux chaudières, Gus avait vu qu'il n'en restait plus beaucoup. La vapeur, les coups d'étrave surtout, en avaient englouti de vastes quantités, bien plus vite qu'ils n'arrivaient à pelleter. Rien qu'aujourd'hui, ils en avaient utilisé plus de trois tonnes. Ce charbon leur était nécessaire, il le savait. Ils en auraient besoin en hiver pour chauffer le pont inférieur afin qu'ils ne gèlent pas dans leurs lits. Ils en auraient aussi besoin afin de cuire la nourriture et faire fondre la glace pour l'eau. S'ils s'évertuaient à briser la glace à ce rythme encore longtemps, ils viendraient à bout des réserves. Une telle éventualité était impensable. Ce serait leur arrêt de mort. Il prit sa tête entre ses mains en se couvrant les yeux.

Il n'y aurait de nouveau plus de couleurs. Ils seraient dans le noir.

Il essaya de se représenter les couleurs dont il se souvenait. Il s'efforça de se rappeler ce à quoi ressemblait Londres le jour où on l'avait conduit au bateau. Il songea aux marquises rouges et vertes au-dessus des échoppes, aux arbres printaniers, au vert vif acide des feuilles toutes neuves dans le soleil. Il pensa aux arpents de pommiers en fleur dans le Kent où sa mère avait logé pendant trois jours avec sa sœur avant de l'emmener à Greenhithe. Des centaines d'arbres aux branches ondulant comme des jupons vaporeux.

Il se remémora les couleurs des vêtements – non pas des culottes en peau de phoque, en fourrure ou en taupe, mais des habits de tissus fins et doux : des pantalons crème, des vestes fauve, des redingotes bleues. Il pensa au rouge écarlate de la robe d'une femme qu'il avait vue descendre d'une diligence – une étoffe brillante aux plis soyeux. Il revoyait très clairement la manière dont la jupe effleurait le sol, les pétales de fleurs glissant rapidement en dessous pour réapparaître quand elle s'était retournée sur le trottoir. Il songea au cuivre poli des heurtoirs sur les portes des maisons, à la mousseline ornée de brins jaune citron drapée sur la fenêtre de la petite maison de sa tante, au soleil illuminant la cuisine.

– Franklin est sorti, dit un homme.

Gus ouvrit les yeux.

– Il est sur le pont ?

– On l'entend crier.

Gus se hissa en haut de la longue échelle. En se glissant subrepticement à tribord, il aperçut les officiers. Parmi eux, Blanky. L'*Erebus* était dangereusement près, si près qu'une demi-douzaine d'hommes, les mains nouées, les jambes à cheval, auraient pu combler l'espace entre les deux navires. La glace hurlait, grinçait, chantant une mélopée funèbre. Et c'était vrai : Franklin lui-même était sur le pont de l'*Erebus* et criait d'une voix haut perchée, aussi sauvage que la glace. Gus se figea, sous le choc : le commandant n'avait jamais haussé le ton, jamais manifesté la moindre colère. Le son qui s'échappait de sa gorge ne lui appartenait pas. C'était la voix d'un homme défiant les éléments, se mesurant à un impossible ennemi. C'était le genre de bruits qu'un être produirait dans les affres du désespoir le plus total. Gus sentit le sang lui monter aux joues et son cœur chavira.

Il y eut une brusque agitation à bord du *Terror*.

– Il est tombé ! cria Blanky.

Qui était tombé ? Un des hommes descendus sur la glace ? Qui ?

Le *Terror* fit une embardée. La glace monta à pic entre les deux bateaux. Une immense fontaine blanche, solide. Des particules descendirent en pluie sur le pont, certaines atterrissant sur les épaules et le visage de Gus. Il était tellement proche de l'*Erebus* qu'il entendait les cordes grincer en se tendant. Il voyait la peinture de la coque s'écailler. Puis vint le géant. Tandis que Gus écoutait le fatras de voix hurlant à bord de l'*Erebus,* un autre cri monta de son propre bateau.

– Marie mère de Dieu et de tous les anges !

Il se retourna. Tous en firent autant.

À un quart de mille de la poupe, ils virent derrière eux le pack se fracasser soudain, comme si le formidable poids de la glace n'était qu'un château de cartes. Il s'émietta et tomba, se souleva de nouveau, s'effondra encore, pointa vers le ciel, tomba encore et, chaque fois, de plus grandes plaques de glace dégringolées se déposaient en d'énormes blocs au pied du jeune iceberg, l'élevant toujours plus haut après chaque destruction temporaire. Quelque chose de massif le poussait de derrière, quelque chose de grotesque. On aurait dit que Dieu lui-même descendait le détroit de Victoria à bord d'un vaisseau invisible et qu'avec l'énergie qui avait bâti les montagnes, les mers, les continents, il fabriquait une nouvelle mer, un vaste plateau de glaces en vrac. C'était la Genèse à son plus fort, la création du monde. Et cela leur arrivait droit dessus.

– Notre père qui êtes aux cieux..., bredouilla Gus.

Seulement Il n'était pas au ciel. Il était là et fonçait droit sur eux avec Ses grandes mains blanches. Il semait la panique parmi Ses océans, les mettant hors d'eux, les gelant alors que jadis, ils bouillonnaient. Du coup, des icebergs hauts comme une maison et pesant des centaines de tonnes s'y frayaient un chemin de force comme si ce qui se trouvait sur leur passage n'était rien, n'avait aucun poids, n'occupait aucun espace. Le *Terror* n'était qu'une ombre, un souffle qui serait bientôt éteint.

Il était à deux cents mètres.

Cent mètres.

Il était plus haut que le bateau, un mur de roc blanc, une forteresse. Volante.

– Que Votre règne arrive, que...

Gus s'interrompit. Était-ce Sa volonté de les annihiler ? Fallait-il prier pour ça, pour la fin ? Pour qu'ils soient réduits en miettes, noyés ? Une pensée surgit brutalement dans son esprit avec une absolue clarté : il ne voulait pas mourir noyé. Il ne voulait pas aller dans cette mer. Il ne voulait pas sentir le talon de Dieu sur sa nuque.

Il ferma les yeux.

– Que Ta volonté soit faite, murmura-t-il.

Il s'en remettait à son Créateur en espérant une mort rapide. Attendit.

– Doux Jésus ! s'exclama un homme à côté de lui.

Gus rouvrit les yeux. Les grincements, les gémissements, les craquements du mur de glace avaient brusquement cessé, remplacés par le sinistre silence de la pression contre la pression. Entre l'*Erebus* et le *Terror,* un paysage de glaces brisées avait fait son apparition ; les deux navires étaient embrochés en surface, chacun penchant dans une direction opposée. Au-dessus d'eux se dressait la montagne qui avait fait l'impossible en retrouvant son aplomb ; elle s'élevait à quatre-vingts pieds de haut dans leur sillage, à moins de cinquante mètres. Et elle s'était arrêtée.

– Capitaine !

La voix rompit le silence. On entendit chaque être humain à bord des deux bateaux expirer tout à coup. Un soupir de soulagement empreint d'incrédulité. Ils étaient encore en vie.

– Capitaine Crozier !

Crozier était accoudé au bastingage. Le second de l'*Erebus* se trouvait à moins de cinq mètres de lui.

– Qu'y a-t-il ? cria Crozier.

– C'est M. Franklin, capitaine ! bredouilla l'homme.

– Que se passe-t-il ? demanda Crozier.

Pas de réponse. Gus entendait encore les geignements du moteur à vapeur sous le pont. Crozier se retourna.

– Arrêtez la vapeur, pour l'amour du ciel ! beugla-t-il.

Les moments qui suivirent furent irréels. La glace pendait au-dessus d'eux, entre eux. Les bateaux ne faisaient pas un bruit.

– Que Dieu sauve nos âmes ! murmura quelqu'un.

– Que se passe-t-il ? répéta Crozier.

– Sir John est touché, lui répondit-on.

Ils attendirent une demi-heure à bord du *Terror*.

– Il est mort, marmonna un marin, et nous aussi.

Il était 18 heures quand Crozier se décida finalement à convoquer l'équipage. Le vent s'était un peu levé, mais la glace semblait s'être arrêtée pour de bon. Ils sentaient qu'ils étaient transportés lentement, par à-coups. Les icebergs étaient bleus sous le ciel étincelant.

– Sir John a eu une crise d'apoplexie, annonça Crozier en forçant la voix pour couvrir le vent. Il se remet. Il n'y a pas de quoi s'inquiéter.

Ils l'entendirent, et perçurent aussi le changement en lui. Ils échangèrent des regards, puis reportèrent leur attention sur le capitaine qui avait prédit ce jour. Il avait dit qu'ils rencontreraient d'immenses courants de glace flottant dans le détroit, qu'il n'y aurait pas moyen de passer à travers. Qu'ils n'auraient pas la force, malgré tous les satanés moteurs désormais impuissants sous leurs pieds, d'obtenir plus que quelques heures de répit face à la pression mortelle infligée par la mer prise par les glaces.

Crozier resta debout devant eux quelques instants sans leur faire le discours auquel ils s'attendaient. Il s'abstint de leur dire que, le lendemain, ils tenteraient à nouveau de briser la glace. Il ne leur affirma pas non plus que c'était juste temporaire et qu'ils avaient encore des chances de trouver un passage au loin. Il ne leur déclara pas qu'ils resteraient là une autre année, ni qu'au retour de l'été, dans douze mois, il n'y aurait plus de glace pour les empêcher d'avancer. En bref, il ne les encouragea pas plus qu'il ne décréta que ce qu'il avait redouté s'était produit, qu'il avait eu raison et Franklin tort.

Il ne dit rien du tout. Il ordonna juste une double ration de rhum et de tabac. Puis il regagna ses quartiers.

16.

Il neigeait à Cambridge. Pendant la nuit, un épais rideau avait dérivé doucement sur la campagne. Quand Jo se réveilla à 7 heures, un tapis blanc recouvrait les rues de la ville et ourlait les toits. Lorsqu'elle s'approcha de la fenêtre et regarda dehors, le paysage n'avait plus rien à voir avec celui de la veille au soir. La neige étouffait les bruits. On aurait dit que le monde entier dormait.

Elle se rendit à la salle de bains. En revenant dans l'escalier, elle s'aperçut que le Velux était presque recouvert. On ne distinguait plus qu'un petit fragment de la vue sur la ville, en forme de boîte aux lettres. Dans les champs au loin, les peupliers étaient gelés, un réseau noir se détachant sur l'aube naissante, isolé dans une mer blanche. Elle tendit le bras en prenant appui sur la rampe et effleura le contour de la neige entassée sur la vitre inclinée. Puis, elle resserra la couverture autour d'elle – le froid sur le palier lui mordillait les pieds – et regagna la chambre.

Il y avait six mois qu'elle vivait avec Doug.

Elle se remit au lit et se serra contre lui de tout son long, calant sa tête dans le creux douillet entre ses omoplates et nouant ses bras autour de lui. Il marmonna quelque chose dans son sommeil et lui caressa les mains.

Six mois.

C'était déjà presque Noël. On était le 22 décembre. Elle avait de la peine à croire qu'il se soit écoulé autant de temps et que tant de choses aient changé. Six mois plus tôt, elle vivait seule dans son appartement de Fulham, désormais vide, témoin de son indécision. Elle ne savait pas s'il fallait vendre ou attendre. Elle doutait encore de ce qui lui était arrivé. Elle pensait quelquefois que sa vie avec Doug allait un jour s'évaporer, se volatiser, s'arrêter du jour au lendemain. Disparaître. Tout comme la ville avait disparu sous la neige. Elle se retrouverait toute seule, dans son petit lit.

Elle chassa cette pensée de son esprit et roula sur le dos en croisant les doigts, par superstition, comme un enfant. Elle leva les yeux au plafond. La maison était étroite, très vieille, un bâtiment de trois étages datant de la Régence, doté d'une cave, d'une cuisine étriquée à l'arrière, d'un salon luxueusement vaste au premier et d'une chambre nichée tout en haut, sous le toit. Doug la lui avait fait découvrir le mois dernier seulement.

– Elle te plaît ? lui avait-il demandé alors qu'ils se tenaient devant.

Le trottoir était tout juste assez large pour eux deux. Une camionnette de la poste s'était faufilée dans la ruelle entre les bordures marquées d'une double ligne jaune, les frôlant presque.

Elle avait levé les yeux vers la minuscule façade, calée parmi d'autres bâtiments biscornus alignés au petit bonheur la chance. Du bois noir se détachait sur du plâtre blanc rehaussé de briques rouges. En regardant plus haut, Jo avait remarqué que les fenêtres à tout petits carreaux à l'étage, tachetées de blanc et de bleu, reflétaient les tons du ciel.

– À qui est-ce ? avait-elle demandé.
– Ça te plairait de vivre ici ?
Elle s'était tournée vers lui.
– C'est vraisemblable ?
– Je veux l'acheter. Pour nous.
– Tu ne peux pas acheter cette maison, avait-elle riposté.
– Pourquoi pas ?
– Parce que... si nous vivons quelque part, et devons acheter quoi que ce soit, je veux payer ma part.
Il avait éclaté de rire.
– Allons !
– Je suis sérieuse. Il n'y a aucune raison que tu subviennes à mes besoins. Ce serait injuste.
Il avait soupiré.
– Écoute, tu n'as même pas mis l'appartement de Fulham en vente. Et pourquoi est-ce que je ne subviendrais pas à tes besoins, comme tu dis, si j'en ai envie ?
– C'est gentil à toi, avait-elle répondu, mais je ne suis pas une princesse.
Il l'avait dévisagée, perplexe, en écarquillant les yeux.
– Une quoi ?
Elle avait agité la main d'un geste impatient.
– Une femme entretenue. À qui on achète des choses.
– Entretenue ? avait-il répété. En quelle année sommes-nous ? 1902 ?
– Exactement. Tu vois bien.
– Écoute, c'est une demeure agréable, bien mieux que mon appartement. Je l'ai vue dans la vitrine chez Flaxters et j'ai pensé que tu l'aimerais aussi. De telles occasions sont rares. Elle ne te plaît pas ? Regarde. C'est gothique !
– J'adore.

– Il y a un jardin derrière. Un jardin clos, Jo.

– Je n'en doute pas.

– Alors...

Elle avait fait la grimace en se balançant d'un pied sur l'autre.

– Restons où nous sommes, avait-elle fini par dire.

Il s'était tourné vers elle.

– Tu ne veux pas déménager ?

– Non.

La camionnette de la poste était de retour. En sens inverse. Le conducteur leur adressa un sourire gêné tandis qu'ils exécutaient un rapide pas de danse pour l'éviter.

– Donne-moi une raison valable.

Elle avait haussé les épaules.

– Il n'y en a pas. Je ne veux pas bouger. C'est tout.

– Le monde ne va pas s'écrouler sous prétexte que nous trimbalons nos biens quatre rues plus loin.

– Je ne veux pas qu'on m'achète quoi que ce soit, lui avait-elle rappelé.

– Ce n'est pas pour toi que je l'achète, bécasse, avait-il répondu sur le même ton. J'en ai assez de vivre dans trois pièces et de me prendre les pieds dans mes chaussures. Je veux un bureau. Et il y a l'autre chose. Nous avons besoin de davantage d'espace.

Elle s'était mordu la lèvre et avait souri de ce qui était depuis peu un doux leitmotiv entre eux.

– Oui, l'autre chose, avait-elle murmuré.

Il l'avait regardée longuement, scrutant son visage.

– On ne va pas se briser, lui avait-il dit d'un ton calme. On n'est pas si fragile.

En es-tu si sûr ? avait-elle pensé. Je suis tombée amoureuse de toi, et toi de moi et tu n'appelles pas ça fragile, risqué ? Déménager. Rompre le sort. Non merci.

Ils avaient pourtant fini par se décider. Doug avait versé un acompte, mais la maison était à leurs deux noms. Jo avait failli changer d'avis dans le bureau du notaire en proie à une étrange sensation à la perspective du changement. Comme un miroir qui se brise. Un écho lointain. Sa main était restée en suspens sur le contrat. Doug s'était penché pour lui chuchoter à l'oreille :

– Signe. Si cela peut te rassurer quand l'appartement de Fulham sera vendu, je te promets d'accepter tes sous.

Depuis cette première nuit dans son appartement en mai, ils ne s'étaient pour ainsi dire jamais quittés. Jo n'arrivait pas à se souvenir de l'effet que cela faisait de vivre sans lui. Ils s'étaient ajustés parfaitement l'un à l'autre sans les tensions de l'adaptation auxquelles ils s'attendaient à moitié. Le premier mois, Doug avait vécu avec elle à Fulham, durant le congé imposé par sa jambe. Une fois guéri, il était retourné à Cambridge ; elle l'avait accompagné. Ils en avaient à peine parlé. Elle travaillait tout aussi bien à Cambridge qu'à Londres où elle se rendait deux ou trois fois par semaine en prenant le train pour voir Gina ou ses autres contacts. Elle en vint à adorer le trajet du retour, lorsqu'elle regardait Londres disparaître pour être remplacé peu à peu par des champs, des vallons, puis par les vastes espaces tapissés de terre rouge de son nouveau lieu de vie.

Doug n'exigeait strictement rien d'elle. Il ne lui avait jamais demandé de changer quoi que ce soit à sa vie. Il n'insistait pas pour qu'elle soit là, ou qu'elle s'occupe de lui d'une manière ou d'une autre. Il n'y avait aucun relâchement dans la façon ordonnée et austère dont il gérait son existence. Il avait l'habitude de tenir une maison et n'en faisait pas toute une histoire. Il s'abstenait même du moindre commentaire à propos du désordre coutumier de Jo, qui tendait à la suivre partout, telle la traîne d'une robe de mariée, même si elle se rendait compte que, de temps à autre, il se mordait la langue.

Au quotidien, ils ne se ressemblaient pas du tout. C'était à un niveau plus profond qu'ils étaient faits du même bois. Tous deux aventuriers dans l'âme, ils n'hésitaient pas à enfreindre les lois. Des années les séparaient ; ils n'appartenaient même pas à la même génération. Physiquement, ils étaient aux antipodes l'un de l'autre. Ils vivaient dans deux mondes à part. Et pourtant, en définitive, ils étaient similaires.

Jo sourit intérieurement en songeant aux pensées et aux superstitions que lui avait inspirées cette maison. Elle caressa doucement le creux du dos de Doug. Il se réveilla.

– Tu es glacée, chuchota-t-il.

– Il neige.

Il roula sur le côté et la regarda.

– Vraiment ? Beaucoup ?

– Comme sur une carte de Noël, lui répondit-elle. À gros flocons. Je parie qu'il y a un rouge-gorge quelque part dans le jardin à l'heure qu'il est. Ainsi que des gens en costumes victoriens dans des diligences, des châtaignes en train de rôtir, le père Noël, etc.

– Le père Noël en train de rôtir, murmura-t-il. Ça c'est une idée !

– Effectivement.

Il sourit.

– Comment vas-tu ? demanda-t-il.

– Très bien.

Il soupira, se frotta les yeux, puis jeta un coup d'œil vers la table de chevet.

– Quelle heure est-il ?

– Presque 8 heures.

Ils s'enlacèrent. Il fit doucement glisser son pouce sur son poignet et dessina un petit cercle dans le creux de sa main.

– Ils vont tous trouver une excuse pour ne pas venir s'il neige.

– Pas Gina, dit-il. Elle déblaiera la neige à elle toute seule tout le long de la M11 s'il le faut. Tu verras. Et John viendra. Catherine l'y obligera.

Ils sourirent, mais brusquement la bonne humeur de Doug s'évanouit.

– Je pense tout de même qu'on aurait dû prévenir Alicia, dit-il. J'ai un mauvais pressentiment.

Doug n'avait vu sa femme qu'à deux reprises depuis le mois de mai. En juillet, quelques jours après que Jo se fut installée dans son appartement à Cambridge, il s'était rendu à Franklin House un matin sans lui préciser où il allait. Elle le comprit seulement quand il revint à l'heure du déjeuner, les joues en feu, l'air presque malade.

– Que se passe-t-il ? avait-elle demandé. Qu'as-tu fait ?

– Je suis allé voir Alicia, avait-il répondu en lui tendant une lettre. J'ai reçu ça aujourd'hui.

C'était le jugement provisoire de son divorce. Il ne restait plus que six semaines avant la fin officielle de son mariage.

– Je savais qu'elle avait dû recevoir le même document, avait-il ajouté, et j'ai pensé....

Il fit la grimace, fronça les sourcils.

– J'ai pensé que même maintenant, elle ne l'accepterait pas. Alors...

Ils s'étaient assis sur le canapé, côte à côte, dans le salon baigné de soleil. Un parfum sucré émanait des roses que Jo avait achetées la veille : des roses anciennes, anglaises, dont les couleurs éclaboussaient la table près de la fenêtre.

– Comment a-t-elle réagi ?

Il s'était passé la main distraitement dans les cheveux.

– Comme d'habitude.

– Laisse-moi deviner, avait-elle murmuré. Elle m'accuse.

– Je ne te connaissais même pas à l'époque où j'ai envoyé ma demande, avait-il souligné. Nous sommes séparés depuis cinq ans. Elle ne peut rien faire.

– Elle ne te lâchera jamais.

– Elle sera bien obligée. Je veux t'épouser.

Il y avait eu un moment de silence. Jo regardait fixement la main de Doug dans la sienne.

– Tu aurais tort de te remarier si vite, avait-elle murmuré.

– J'y tiens. C'est la seule chose qui compte pour toi. Marions-nous dès que le divorce sera prononcé.

– Non, avait-elle répondu. Je m'attendrais à voir Alicia à chaque coin de rue, brandissant une hache.

– Épouse-moi le mois prochain.

– Non.

– À Noël alors.

Elle lui avait souri.

– Tu veux te retrouver avec une deuxième femme sur les bras, lui avait-elle dit. Une femme des années plus jeune que toi.

– À Noël.

– De la même génération que ton fils, qui me déteste.

– John ne te déteste pas, dit-il. Il est mal dans sa peau, c'est tout.

Elle plissa les yeux.

– Il est jaloux, Doug, de toi et de ton temps. Et maintenant tu vas lui annoncer ça !

Doug avait détourné momentanément les yeux.

– J'ai perdu des années avec lui, observa-t-il. Je ne vais pas en faire autant avec toi.

– Oh Doug...

– Je le récupérerai, lui avait-il assuré, je te le promets, Jo. Je ferai tout mon possible pour rattraper ce que j'ai raté avec lui. Mais je ne veux pas te perdre. Je veux t'épouser. Dis-moi oui. À Noël.

Le parfum des roses envahissait la pièce. Elle se souvenait de ça, plus que de tout autre chose.

Il était 11 heures du matin quand ils arrivèrent au Preston Arms, le pub le plus proche de Shire Hall où ils étaient convenus de retrouver Gina, John et Catherine avant la cérémonie. Ils avaient dû marcher tête baissée depuis Lincoln Street pour se protéger de la neige qui tombait toujours dru, fine et granuleuse, plus de la neige fondue maintenant, que des flocons, et se posait dans les rues déjà métamorphosées. La circulation avançait au ralenti dans Cambridge. Le ciel était bas, gris, chargé.

Ils étaient à bout de souffle quand ils arrivèrent à destination. Ils s'arrêtèrent sur le seuil pour secouer leurs manteaux. En levant les yeux, ils aperçurent Gina qui fonçait dans leur direction, les bras grands ouverts.

– Seigneur ! s'exclama Jo tandis que son amie la serrait contre elle. Comment es-tu arrivée jusqu'ici ?

– C'était l'enfer, dit Gina en la regardant des pieds à la tête. Jolie robe. Avec les bottes en caoutchouc, c'est charmant.

Jo rit.

– Que veux-tu que je fasse ? Doug aime le caoutchouc.

– Ah oui ?

Gina leva les yeux au ciel. Elle se tourna vers Doug qu'elle gratifia de la même accolade puissante au point qu'il fit la grimace à Jo par-dessus son épaule. Pour finir, ils s'écartèrent l'un de l'autre.

– Ne me dites pas que vous êtes venue en voiture, dit-il.

Gina se lissa les cheveux en souriant. Elle était tirée à quatre épingles dans un tailleur rouge pimpant, assorti de hauts talons du même ton.

– En voyant la météo hier après-midi, j'ai décidé de venir le soir même. Je suis arrivée vers minuit. Il commençait juste à neiger.

– Tu aurais dû nous appeler, lança Jo.

– À minuit ? Hors de question ! s'exclama Gina. Venez prendre une coupe de champagne.

Ils gagnèrent la pièce voisine. Un seau à glace et cinq verres étaient déjà prêts sur une table.

– J'ai pensé qu'on boirait après la cérémonie, dit Gina en s'asseyant. Et puis je me suis dit : Non. Mieux vaut avant *et* après.

Doug jeta un coup d'œil aux verres.

– On attend John ?

Jo regarda sa montre.

– Avons-nous le temps ? ajouta-t-il.

– Il faut cinq minutes pour se rendre à Shire Hall. La cérémonie est à 11 h 30...

Elle reporta son attention vers lui.

– Il ne devrait pas tarder. Tu peux déboucher la bouteille.

Il hésita.

– Je vais peut-être attendre qu'il arrive.

Jo lui adressa un regard compatissant. Elle savait qu'il faisait des efforts pour bien faire les choses et ne pas contrarier John.

Depuis qu'ils lui avaient annoncé qu'ils allaient se marier, le fils de Doug avait eu un comportement étrange. Il se montrait froid et distant à leur égard. Les conversations avec lui se déroulaient comme s'il avait affaire à un étranger.

– J'ai l'impression d'être un spécimen scientifique, avait avoué Jo à Doug. Il agit comme... comme s'il préparait une dissertation sur nous. C'est tellement bizarre.

– Je ne comprends pas plus que toi, lui avait répondu Doug.

Elle lui avait pris la main.

– Vous devez régler votre problème vous deux, lui avait-elle dit. Je ne te parle pas de nous, du mariage. Il faut que vous trouviez un terrain d'entente, John et toi. Plus de ça. C'est insupportable de vous observer, Doug. C'est douloureux.

– Je sais. Il me glace.

– Eh bien, ne le laisse pas faire !

– J'ai déjà essayé.

– Tu penses que c'est à cause d'Alicia ?

– C'est facile de l'accuser.

– Alors donne-toi un peu plus de mal, Doug.

Il lui avait décoché un sourire en biais. Il ne savait pas par où commencer, comment s'y prendre, ni quoi dire. Et John n'était pas près de l'aider. Son expression lorsqu'il regardait son père, lorsqu'il les regardait, Jo et lui, était insondable. Un mur de glace.

– Eh bien, dit Gina, vous avez l'air en pleine forme. Tous les deux !

– Nous le sommes, dit Jo.

– Dire que dans une heure, vous serez Monsieur et Madame Marshall.

– Oui, fit Jo, incapable de réprimer un sourire.

– Ah ! s'exclama Gina en souriant à son tour. Je t'ai enfin fait perdre ton calme.

– Je ne suis pas calme du tout, avoua Jo. Je suis même très nerveuse.

– Pour quelle raison ? demanda Doug.

– Oh..., fit-elle en haussant les épaules Je ne sais pas. Pour rien.

Gina se pencha et lui effleura la joue.

– As-tu annoncé la nouvelle à John ?

La porte s'ouvrit à cet instant. Ils levèrent les yeux. John et Catherine se tenaient sur le seuil, Catherine éblouissante dans une veste en mouton blanc, John un peu moins, en jean et en imperméable.

Doug s'avança vers eux, la main tendue.

– Annoncé quoi ? murmura John.

Doug dégagea sa main de celle toute molle de son fils. Il embrassa Catherine.

– Venez vous asseoir. Je vais déboucher la bouteille.

– Super ! s'exclama Catherine.

Elle adressa à John un regard d'avertissement évident. Ensuite elle s'approcha de Jo et lui déposa un baiser sur la joue.

– Laissez-moi vous présenter, dit Jo. Catherine, voici Gina, ma rédactrice au *Courier.* Gina, voici Catherine, l'amie de John.

Les deux femmes échangèrent une poignée de main.

– Bonjour, Gina, dit Catherine. Sacré temps pour un mariage !

John s'était approché de la table. Il n'avait pas embrassé Jo. Il regarda son père ôter le papier métallique qui enveloppait le bouchon.

– Y a-t-il du nouveau ? demanda-t-il d'un ton égal mais plein de sous-entendus.

Doug cilla des paupières, juste une fois, en regardant Gina. Il déboucha la bouteille de Bollinger et remplit les coupes.

– À votre santé, dit-il.

– Tous mes vœux de bonheur ! ajouta Gina.

John regarda son verre pendant qu'ils buvaient.

Doug reposa le sien sur la table.

– Nous entamons... euh..., une nouvelle aventure, continua-t-il. À divers égards.

Jo observait John depuis quelques instants. Il y eut un bref silence.

– Je m'apprête à entamer une nouvelle série pour *Au fin fond du monde,* ajouta Doug.

John fit face à son père.

– Ils ne tournent plus, riposta-t-il. C'est toi-même qui me l'as dit.

Doug sourit.

– C'est ce qu'ils m'ont soutenu l'année dernière, répondit-il, mais, depuis, il y a eu l'épisode du Groenland... La Société des explorateurs est partie prenante du projet.

– Ils t'ont proposé une autre série à cause du fiasco du Groenland ?

Doug tressaillit.

– Je suppose que c'est une manière de résumer les choses.

– Nous allons faire ça ensemble, dit Jo. John m'a embauchée pour porter les sacs.

Sa petite plaisanterie tomba à plat.

– Je vois, dit John. C'est une bonne accroche.

Il reposa son verre.

– Une journaliste se dégote un mari grâce au Groenland où elle est allée le trouver après un vol interminable...

– Ça, c'était du battage publicitaire, contra Jo à la hâte. Je n'ai jamais prétendu que j'avais remué ciel et terre pour le rencontrer. C'est le journal qui a inventé cette histoire. Je leur ai dit qu'un membre de la famille s'y rendait et que j'avais réussi à me faire embarquer.

– Mais ce n'est pas la vérité, si ? s'enquit John d'une voix suave. Vous avez bel et bien remué ciel et terre pour y aller. Une grande histoire d'amour. C'est vous qui m'avez fait embarquer.

– Bref, peu importe ! intervint Doug.

– Je vous signale qu'il est 11 h 15, murmura Gina.

Catherine se leva.

– Alors tu vas voyager ? poursuivit John.

– Oui, répondit Doug, il y aura forcément des déplacements.

– Où ça ? demanda John. Au Groenland ?

– Oui.

– Dans le détroit de Victoria ?

John lut la réponse sur le visage de son père.

– Tu te lances encore à la poursuite de Franklin, s'exclama-t-il.

– Ça n'a jamais été fait auparavant, souligna son père. Franklin. En détail.

– Tu as raison, reconnut John. Jamais.

– Écoutez, John, intervint Jo, nous voudrions que vous preniez part au projet. Nous savons à quel point ça vous passionne.

Le regard de John dériva vers elle.

– Ça me passionne, répéta-t-il.

– Alors...

John releva le menton. Ses épaules se raidirent.

– Il y a toujours quelqu'un d'autre, dit-il lentement, en s'adressant à son père. Il faut toujours que tu emmènes quelqu'un d'autre avec toi.

– John..., lança Doug.

– Ce n'est pas grave, poursuivit son fils. Pas grave

du tout. Un jour, je te montrerai de quoi je suis capable.

Sur ce, il tourna les talons et sortit de la pièce. Jo le regarda partir, épouvantée.

– John ! cria Catherine.

– Cours-lui après, Doug ! s'écria Jo d'un ton suppliant.

– C'est hors de question.

Jo lui tira sur le bras.

– Vas-y. Tout de suite.

– Pour lui dire quoi ?

– Pour le ramener.

– Pour quoi faire ?

– *Pour quoi faire* ?

Jo en resta bouche bée.

– Pour quoi faire ? répéta-t-elle.

– D'accord, d'accord...

– Rappelle-le, Doug. Vite.

Elle jeta un coup d'œil à Gina.

– J'en étais sûre, lui dit-elle. J'étais sûre qu'il péterait les plombs.

– C'était son rêve le plus cher depuis toujours, dit Catherine.

Jo la dévisagea.

– Je le sais. Nous le savons tous les deux. Doug a dit aux gens de la télévision qu'il tenait à ce que John collabore à la série. Dès le départ. Nous nous en sommes assurés. Son rôle est précisé dans le synopsis.

Catherine fronça les sourcils.

– Peut-être...

Ils attendirent tous.

– Peut-être que quoi ? dit Doug, l'exhortant à continuer.

Catherine secoua la tête.

– Il veut peut-être y arriver tout seul, vous savez.

– Comment peut-on chercher Franklin tout seul ? demanda Doug. Il faut des équipes, du renfort.

– Oui, c'est...

Catherine marqua une pause.

– ... un grand obstacle. Mais il ne pense qu'à ça.

– Il peut y aller avec moi ! s'exclama Doug.

Catherine ne parvenait pas à le regarder en face. Elle baissa les yeux.

– Il ne veut pas y aller avec moi ? dit Doug. C'est ça ? Il veut à tout prix me surpasser d'une manière ou d'une autre.

Jo se rapprocha de lui. Elle posa la main sur son bras, puis lui effleura le visage du bout des doigts.

– Va le chercher, Doug, dit-elle. Il faut régler ça. Maintenant. Tout de suite. S'il te plaît.

Doug arracha son regard du visage détourné de Catherine. Il avait l'air secoué, blessé. Il tapota l'épaule de Jo, presque distraitement.

– Allons nous marier, dit-il.

– Je suis sérieuse, Doug, insista Jo. Va le chercher.

– Non, rétorqua-t-il d'un ton ferme. S'il ne peut pas ravaler cette fichue jalousie ne serait-ce qu'une matinée, c'est son problème.

Il saisit son manteau et l'enfila.

– On va se marier. C'est beaucoup plus important.

Gina observait Jo. L'expression de son amie s'était durcie. Gina avait vu ce regard déterminé des centaines de fois. Jo l'arborait quand elle était sur le point de décrocher un reportage et qu'on l'envoyait balader sous quelque prétexte.

Doug tendit la main à Jo, mais elle se déroba.

– Il n'est pas question que l'on se marie sans ton fils comme témoin, déclara-t-elle d'un ton résolu. C'est ce qui était prévu. C'est ce qui va se passer.

– Tu plaisantes ? fit-il en la dévisageant.

– Pas le moins du monde.

– Que veux-tu que je fasse ? Que je lui coure après ?

– Oui.

– Mais nous allons être en retard, s'exclama-t-il en levant les bras d'un geste exaspéré. En retard pour notre mariage, bon sang !

– Certes. Dans ce cas, il vaudrait mieux que tu y ailles tout de suite. Allez, file.

Il ouvrit la bouche pour protester, puis regarda Gina. Elle leva les sourcils. Il se retourna vers Jo, qui l'embrassa, lentement, avec douceur, sur la bouche.

– Seigneur, tu es la femme la plus étrange de la planète ! murmura-t-il.

– On perd du temps, répondit-elle.

Il sortit après avoir jeté un ultime regard dans sa direction.

Elles le suivirent dans la rue enneigée. John avait disparu. Doug courut jusqu'au bout du trottoir en glissant un peu dans la gadoue glacée. Il atteignit le carrefour, regarda à droite et à gauche dans Castle Street et Huntingdon Road. Le feu passa au vert et les voitures qui attendaient démarrèrent au ralenti.

– Je ne le vois pas ! cria Doug.

Les trois femmes s'acheminaient dans sa direction.

– Il est peut-être allé vers Castle Mound, suggéra Jo.

Ils se tournèrent tous dans cette direction, mais c'était impossible d'en avoir le cœur net. Le seul moyen d'atteindre Castle Mound consistait à s'enfiler dans un petit passage entre les maisons.

– Maudit soit-il ! marmonna Jo.

Elle regarda Catherine.

– Pardonnez-moi, dit-elle à voix basse, mais c'est très important pour Doug.

– Pour John aussi, dit Catherine.
– Je le sais, lâcha Jo d'un ton sec. Je...
– Le voilà ! s'écria Gina.

Doug avait déjà repéré son fils de l'autre côté de la rue. Il avait, semblait-il, commencé à se diriger vers Chesterton Lane avant de changer d'avis, peut-être parce que la pente était trop glissante. Doug traversa la rue en courant, évitant de justesse une camionnette qui venait de prendre de la vitesse. Il y eut un concert de klaxons. Elles le virent rejoindre son fils.

Les deux hommes parlèrent un moment. Doug saisit le bras de John. John regarda son père d'un air dur, écouta, puis se détourna de lui brutalement. Doug l'obligea à lui faire face en lui tirant sur la manche. Elles les entendirent hausser le ton même si elles ne comprenaient pas ce qu'ils disaient. Puis John inclina la tête ; on aurait dit qu'il marmonnait quelque chose rapidement, tout près du visage de son père. L'espace d'une seconde, ils se figèrent en se fixant droit dans les yeux, puis, sous l'œil de Jo horrifié, elle vit Doug lever le poing.

– Non ! s'écria-t-elle.

John recula d'un pas. Doug s'interrompit, regarda sa main brandie, puis la relaissa tomber. John fit encore un pas en arrière, au-delà du trottoir, sur la chaussée.

– John ! souffla Catherine.

Doug essaya d'attraper la main de son fils. Se méprenant sur son geste, John se dégagea, oubliant apparemment qu'il se trouvait sur la route. Doug parlait d'un ton pressé, hurlant. John leva les mains. Les doigts de Doug glissèrent sur les bras de son fils en essayant de l'attirer à lui pour l'éloigner du danger.

– Doug ! cria Jo.

Il se tourna vers elle.

Le camion descendait la colline sans bruit, le chauffeur cramponné à son volant à peine visible à travers le pare-brise maculé de neige. Jo entrevit les énormes pneus tourner sans prise sur la glace et les roues arrière patiner en entraînant le véhicule de côté. Il y eut des crissements de pneus de l'autre côté de la chaussée, où les conducteurs venant en sens inverse avaient vu l'obstacle foncer vers eux – un conteneur de quatorze tonnes rebondissant à présent contre le bord du trottoir, le chargement ébranlé de sorte que la remorque tremblait, ses parois métalliques frémissant comme une toile secouée par une brise. Le camion monta sur le trottoir et alla s'écraser contre des réverbères qu'il arracha de terre.

Pendant une seconde, il fut impossible de dire où l'impact projetterait le chargement.

Ils ne seront pas touchés, pensa Jo. Elle le vit tout à fait clairement. Une petite voix tranquille, objective, dans sa tête décida qu'ils étaient trop loin. Là où ils se tenaient, ils ne couraient pas vraiment de risques. Les autres véhicules s'étaient arrêtés. Il y avait de l'espace, du temps pour que Doug et John les rejoignent.

Le chargement penchait à quarante-cinq degrés. Il parut rester en suspens pendant quelques impossibles minutes. Elles virent la panique sur le visage du conducteur.

Tout à coup, Doug bougea, saisissant John pour le tirer vers le trottoir d'en face. Son soulagement était tangible. Il avait évalué la distance lui aussi, songea Jo.

Mais personne n'avait vu la voiture.

Elle avait roulé trop vite toute la matinée et s'engagea à tombeau ouvert dans Chesterton Lane, conduite par un garçon qui n'avait son permis de conduire que depuis cinq mois. Le gamin n'avait jamais pris le volant dans la neige ; il était en retard pour sa livraison de plus d'une heure. Il se méprit sur la scène qui se déroulait devant lui. Trop arrogant, trop rapide.

Il accéléra même pour dépasser la voiture arrêtée au milieu de la route. Il ne vit que le camion, puis la cargaison basculée alors qu'il contournait le véhicule.

Il ne repéra Doug et John que trop tard.

17.

Gina se tenait près de la porte et regardait la lumière pâlir. Il était 15 heures. La neige avait cessé de tomber depuis midi et la température avait chuté au-dessous de zéro. Dans la chaleur abrutissante du couloir de l'hôpital, c'était bizarre de contempler ce qui lui faisait l'effet d'un paysage monochrome. Les réverbères commençaient à s'allumer. Leur nuance violet fané ajouterait une unique couleur juste avant la nuit. Elle ferma les yeux. Une larme coula sur sa joue ; elle l'écarta du revers de la main.

– Oh Seigneur ! murmura-t-elle.

En entendant un bruit derrière elle, elle rouvrit les yeux et se retourna pour apercevoir Jo en face d'elle. La porte des toilettes pour dames se refermait derrière elle. Elle était livide.

– Sont-ils prêts ? s'enquit Jo.

– Oui, répondit Gina en prenant le bras de son amie.

Ce n'était qu'à quelques mètres, mais la distance qui les séparait de la chapelle paraissait interminable. Le sol ciré brillait comme un miroir ; les murs étaient bleus.

– Il fait froid ici, hein ? demanda Jo.

– Oui, mentit Gina.

Le docteur les attendait ; une infirmière se tenait

près de lui. Gina avait l'impression qu'elle devait pousser Jo pour la faire avancer ; son amie se cramponnait à elle, tel un poids mort. Il y eut un moment terrible quand ils franchirent le seuil. Il fallut pour ainsi dire porter Jo dans le silence de la pièce au-delà.

Elle s'immobilisa au bout de quelques mètres. Le corps de Doug gisait sur un chariot drapé de blanc près d'un petit autel. Même de l'endroit d'où elle se tenait, Gina vit qu'il n'avait aucune marque sur le visage. De part et d'autre de lui se dressaient deux grands bouquets, sans doute rescapés du malheur de quelqu'un d'autre, pensa-t-elle. Elle vit Jo porter son regard sur les roses abricot.

– Je ne peux pas, dit-elle.

John était assis avec Catherine au deuxième rang ; il leur tournait le dos. En entendant la voix de Jo, il se leva et lui fit face.

La meurtrissure au-dessus de son œil droit virait déjà au noir, lui fermant à demi la paupière. Une vilaine entaille lui barrait le visage du front jusqu'au cou ; il avait les joues tout égratignées. La force de l'impact l'avait projeté sur son père dont il tenait le bras. Au tout dernier moment, Doug l'avait poussé hors de la trajectoire directe de la voiture lancée à toute allure. John était resté inconscient plus de cinq minutes. Lorsqu'il avait repris connaissance, il avait entendu la sirène de l'ambulance et vu Jo à genoux au milieu de la route en train d'essayer de réveiller son père.

Jo dévisagea le garçon qui se dressait devant elle. À côté de lui, Catherine, pâle, les yeux rougis, serrait ses bras étroitement contre sa poitrine. Jo s'approcha de John. Elle revit le visage de Doug dans le contour de sa bouche, la couleur de ses yeux. Une fois devant lui, elle hésita.

– Je suis désolé, dit John.

Elle sentit les roses se tendre vers elle et l'effleurer, leur parfum persistant se déposant sur elle comme des mains douces. Elle ferma les yeux et vit la clarté du soleil, la chambre de Doug, une fenêtre ouverte et les motifs passés des fleurs alpines sur le tapis. Elle rouvrit les yeux.

– Vous l'avez tué, dit-elle.

John chancela.

– Vous l'avez tué, vous me l'avez pris.

– Jo ! fit quelqu'un.

Une femme. Quelqu'un de proche.

– Je ne vous pardonnerai jamais, ajouta-t-elle. Vous comprenez ? Vous m'entendez ? Je ne vous pardonnerai jamais.

– Jo ! répéta la voix.

John avait reculé presque jusqu'à la dépouille de son père. Il s'arrêta en sentant les roues du chariot contre son pied. Le peu de couleurs qui lui restait disparut de son visage. Il se tourna vers Doug.

– C'est ça, lança Jo. Regardez-le. C'est vous le responsable. Vous le voyez ? C'est votre jalousie qui l'a tué.

Gina lui saisit les mains. Elle la détourna en l'attirant contre elle, la prit dans ses bras et la serra.

John s'éloigna alors dans la petite allée où ses pas résonnèrent. Catherine lui courut après. En arrivant à la porte, elle posa sa main sur la sienne, déjà cramponnée à la poignée.

– Laisse-moi tranquille, dit-il.

– Je viens avec toi. Tu as besoin de quelqu'un.

Il la dévisagea, les larmes aux yeux. Comme ils se tenaient face à face, les premières coulèrent sur ses joues.

– Je n'ai besoin de personne.

– John !...

– Elle a raison, s'écria-t-il.

Catherine resta immobile, épouvantée.

– Non, John ! Elle ne le pense pas.

Il s'arracha sauvagement à elle.

– Eh bien, moi, si ! chuchota-t-il. Éloigne-toi de moi.

Il ouvrit la porte et ils entendirent ses pas trébuchants, précipités s'éloigner dans le couloir.

Jo se mit à trembler dans les bras de Gina. Catherine, sous le choc, se retourna pour dévisager les deux femmes. Jo s'effondra contre l'épaule de Gina, et elles se dirigèrent cahin-caha vers les chaises où Gina assit son amie. Elle fouilla dans sa poche à la recherche d'un mouchoir, puis elle vit que le visage de Jo était sec. Elle avait les yeux rivés sur Doug.

– Ça va aller, dit Gina. Ça va aller.

Jo se tourna lentement vers elle.

– Pas du tout.

– Non, dit Gina. Je n'ai pas voulu dire ça... Oh mon Dieu, Jo. Je ne sais pas ce que j'ai voulu dire.

Elle secoua la tête, désespérée.

– Je suis tellement désolée.

Le regard de Jo erra ici et là, allant des fleurs à la neige derrière la vitre.

– C'est l'autre chose, murmura-t-elle.

Un sourire étrange apparut sur son visage.

– Quelle autre chose ? demanda Gina.

– On disait ça, Doug et moi, poursuivit Jo d'une voix plaintive.

Elle leva les yeux. Catherine se tenait près d'elle, blanche comme un linge.

Soudain, Jo se leva et s'approcha de Doug. Elle posa sa main sur sa poitrine, lui caressa l'épaule. À la consternation des autres femmes, elle le poussa légèrement, comme pour le réveiller.

– Reviens t'asseoir une minute, murmura Gina.

Jo se tourna vers elles deux.

– Ça ne va pas aller du tout, dit-elle, parce que j'attends un bébé.

DEUXIÈME PARTIE

Deux ans plus tard

1.

L'ourse avait passé un long moment à essayer de trouver l'endroit qui convenait. Elle cherchait de la belle neige bien tassée, comme celle que les Inuit employaient pour construire leurs igloos. Elle en avait besoin pour à peu près le même objectif. Lorsqu'elle tomba finalement sur une cuvette, elle se mit à creuser rapidement en ratissant la glace avec ses énormes griffes jusqu'à ce qu'elle ait pratiqué une ouverture étroite. Au fur et à mesure qu'elle s'activait, la neige qu'elle écartait s'amoncelait derrière elle et bouchait l'entrée. En remontant progressivement, elle finit par évider une cavité arrondie de deux mètres cinquante sur deux environ.

Ce serait sa demeure pour l'hiver, l'endroit où elle mettrait bas. Elle fit un petit trou d'aération dans le toit. De l'extérieur, toutefois, il était impossible de se douter que quoi que ce soit vivait à l'intérieur, ni même qu'un animal était passé par là. Les empreintes de ses pattes seraient vite effacées par les tempêtes de neige. Dedans, il faisait bon, quarante degrés de plus que dans la toundra alentour. Elle racla le sol de sa tanière un moment jusqu'à ce qu'elle soit à son aise, puis se coucha pour dormir.

Semaine après semaine, la machine infaillible de son corps tournerait au ralenti, tant qu'elle resterait ainsi isolée du monde. Sa température et son rythme cardiaque allaient diminuer et elle entrerait dans l'état d'hibernation, sans boire ni manger, tandis que sa graisse transformée par le métabolisme la sustenterait. Durant cette longue parenthèse presque onirique, son petit grandirait en elle.

Il naquit de bonne heure dans l'année, un minuscule fragment de vie. Un jour, il pèserait entre six cents et sept cent cinquante kilos. Il appartenait à la plus grande espèce carnivore de la planète. Pourtant, quand sa mère lui donna naissance dans le crépuscule bleuté de son refuge, il pesait un peu plus d'une livre. Il était aveugle et sourd, son corps était à peine couvert d'un pelage fin. Suivant son instinct, il avait tété le lait de sa mère, prodigieusement riche qui comportait trente et un pour cent de graisses et douze pour cent de protéines.

Dehors, au-dessus d'eux, les spectres de l'aurore boréale dansaient dans le ciel. Mais la mère et le petit ne voyaient rien des flammes et des brumes qui s'élevaient en volutes au firmament. L'ourse enveloppa son fils dans ses pattes de devant et céda au sommeil.

Quatre mois plus tard seulement, elle se redressa pour creuser un tunnel et rejoindre le monde. On était en mars et elle avait perdu plus de deux cents kilos durant son exil volontaire. Entre-temps, son bébé avait atteint la taille d'un petit chien ; il était plein de vie, et curieux. Il ne se satisfaisait plus des confins de sa nurserie hivernale et trépignait d'impatience, pressé de dépasser sa mère.

Au début, la clarté l'éblouit. Il n'y avait pas de tempête. Le soleil était un disque d'un gris d'acier émergeant entre les nuages jaunes. Il attendit à l'entrée en considérant d'un œil incertain la nouvelle lumière tandis que sa mère, encore ensommeillée et se mouvant au ralenti, s'éloignait de son repaire et commençait à gratter la neige. Quand elle eut déniché des mousses et des algues gelées, elle les mangea avec voracité en les mélangeant à de la neige.

Dans un premier temps, toutefois, se nourrir n'était pas sa priorité. Elle resta près de l'ouverture de sa tanière en observant les explorations hésitantes de son petit. Elle s'allongea là, sur le dos. Son bébé joua un moment dans cet espace nouvellement découvert qui s'étendait devant lui ; de temps en temps, il s'arrêtait et regardait au-delà, comme s'il considérait l'immensité de son empire. Pour finir, il retourna auprès de sa mère. Elle était son unique protection contre le ciel blanc immaculé.

2.

Le soleil inondait la chambre de Jo. Elle se réveilla brusquement en fixant les rais de lumière qui zébraient le mur en face d'elle. Si un rêve l'avait si soudainement tirée de son sommeil, elle l'avait déjà oublié.

Elle jeta un coup d'œil au réveil – 6 heures – et à la photo de Doug sur sa table de nuit. Elle avait été prise le jour où ils avaient emménagé dans cette maison. Il était sur le seuil, à moitié tourné vers elle, et riait. Comme toujours, elle le considéra un moment, puis effleura son visage du bout du doigt.

Elle se redressa et resta un moment assise au bord du lit, le temps de laisser ses regrets familiers déferler, puis s'estomper dans son esprit. Pour finir, elle se leva et, se passant la main dans les cheveux, elle enfila sa robe de chambre. Elle se rendit sur le palier, gagna la pièce jadis destinée aux rangements, et désormais réservée à son fils. Elle s'approcha sans bruit du lit de Sam : il dormait à poings fermés, les couvertures entassées autour de lui, le visage presque enfoui dans son oreiller. Elle lui caressa doucement le front et les cheveux. Il ronflait légèrement et serrait dans son petit poing une des pattes de son ours en peluche bleu.

Au bout d'un moment, elle descendit et gagna la cuisine où elle se prépara du thé. Sa tasse bouillante à la main, elle ouvrit la porte et sortit dans le jardin, pieds nus, sur les briques en terre cuite polies de l'allée. Comme toujours, pendant ces premiers instants de silence de la journée, elle resta immobile, les yeux fermés, se laissant aller.

Quand Doug et elle s'étaient installés dans la maison, le jardin n'était qu'un lugubre carré d'herbes grisâtres abandonné. En décembre, il avait disparu sous la neige qui figea l'Angleterre pendant plus de six semaines, mais elle se souvenait clairement du premier jour où elle s'y était aventurée à nouveau, un matin de mars. Jusqu'à ce matin-là, elle ne s'était même pas donné la peine d'ouvrir la porte, pour la bonne raison qu'elle ne menait nulle part. Tout se passait du côté de la façade, le long de la ruelle. En jetant un coup d'œil au jardin de temps à autre depuis la fenêtre de sa chambre, elle se disait qu'il ressemblait à une cour de prison ; le plus souvent, elle évitait carrément de regarder dans cette direction. Elle avait déjà un espace comme celui-là dans la tête, un carré sombre où ses pensées défilaient, un terrain d'exercices pour ses démons. Elle ne tenait pas à se retrouver dans un endroit qui était la réplique de son humeur.

En ce matin de mars, pourtant, elle avait été prise au dépourvu. La neige avait disparu depuis longtemps, et l'herbe poussait. Elle s'était rendu compte que l'arbre maigrichon dans un coin était un lilas, que le réseau de vignes entortillées sur le mur n'était autre qu'une clématite qui avait désespérément besoin d'être taillée avant sa floraison printanière. Des chélidoines bordaient l'allée. Elle avait regardé fixement ces couleurs et songé à quel point elles étaient inattendues, surprenantes. Ces plantes étaient vivantes et vibraient tels des petits soleils le long des dalles jusqu'au mur du fond.

Elle avait repris vie avec le jardin. Cela avait été un long et lent voyage.

Lorsque Sam était né en juin, elle l'avait emmené sur la pelouse quand elle rentrait à la maison le soir et s'était assise avec lui à l'ombre du lilas. La clématite avait fleuri entre-temps ; elle formait une gerbe de feuilles vertes qui couraient, lui semblait-il, à toute allure sur le haut du mur pour plonger de l'autre côté. Toute la partie gauche du jardin lui avait offert une profusion de jacinthes de bois en avril. Elle avait tondu l'herbe – en soufflant, alors qu'elle était enceinte de huit mois ; le gazon formait désormais une belle parcelle verte, moelleuse. On se serait cru dans un pré et non en pleine ville.

La dernière chose qu'elle avait faite avant la naissance de Sam, c'était acheter un rosier. Un petit pot contenant un rosier abricot miniature. Elle commençait juste à supporter la vue des roses.

Elle s'était assise là un autre jour en prenant Sam dans ses bras, indifférente aux protestations anxieuses de Gina qui déplaçait à tout moment les chaises et le parasol, et elle avait baissé la tête vers son enfant, inhalant le parfum de son petit corps à peine sorti du bain, sentant l'ardeur du soleil sur sa nuque et sur son dos, cette chaleur presque tendre. Un sentiment étrange l'avait alors envahie, l'impression qu'il y avait un lien, puissant, indéfinissable, comme si, au-delà du feuillage, un fil reliait la mère et l'enfant au reste du monde. Elle avait perçu une communion. Elle avait levé la tête, les yeux écarquillés l'espace d'un instant. Comme une main qui lui effleurait les cheveux, un nom chuchoté au creux de son oreille. Elle avait regardé Sam et vu son fils porter son regard quelque part au-dessus de son visage, comme si lui aussi avait entendu et écoutait.

En y repensant plus tard, elle avait changé d'avis. Elle avait décidé que, contrairement à ce qu'elle avait ressenti sur le moment, il n'y avait rien de surnaturel dans tout cela. Il n'y avait eu ni effleurement, ni communication, ni chuchotement, rien que les feuilles du lilas qui s'agitaient dans la brise au-dessus de sa tête. En outre, elle s'était juré, des mois plus tôt, de ne jamais croire aux fantômes et ne plus faire confiance aux miracles.

Sam était réel, si réel dans les nuits sans sommeil qui accentuaient plus encore sa solitude. Si réels ses regards curieux, étonnés, ses petits doigts serrés autour des siens. Son petit corps nu dans ses bras, contre sa poitrine. Si réel aussi quand il pleurait, quand elle se penchait sur son berceau à l'affût de chaque respiration. D'autres choses, en revanche, n'avaient rien de réel. À commencer par ses rêves.

Elle rouvrit les yeux dans la lumière de plus en plus vive. Elle finit son thé, retourna dans la maison et monta ouvrir les rideaux du salon.

La même clarté qui se déversait dans sa chambre emplit la grande pièce. Doug n'en aurait pas cru ses yeux s'il avait vu comment elle vivait à présent. Elle était organisée – il aurait été sidéré de voir son bureau, impeccablement rangé. Elle était même d'une méticulosité quasi pathologique, comme si elle avait fait sienne une partie de sa personnalité.

Elle regarda autour d'elle, enchantée par cette pièce, toute de lumière et d'espace. C'était une autre tâche qu'elle s'était fixée avant la naissance de Sam : décrocher les vieux rideaux de brocart rouge qu'ils avaient hérités du propriétaire précédent et enlever la moquette pour exposer le beau plancher en chêne. Elle avait acheté un canapé d'occasion recouvert d'une étoffe crème qu'elle avait garnie de coussins jaunes.

Une grande bibliothèque tapissait le mur d'en face. En guise de touche finale, un grand vase de fleurs trônait sur la table basse devant la fenêtre. Il y avait toujours des fleurs près de la fenêtre. C'était la seule règle qu'elle s'imposait dans la maison.

Elle entendit du bruit dans la chambre de Sam et remonta auprès de lui. Il était réveillé et regardait droit devant lui. Il ne pleurait pour ainsi dire jamais au réveil. Jo avait parfois l'impression qu'il était parti loin, qu'il voyageait quelque part dans l'espace jusqu'au moment où il la voyait et émergeait alors véritablement du sommeil.

Elle s'agenouilla.

– Salut, mon petit gars, murmura-t-elle en lui caressant le visage. Debout ! Il faut qu'on prépare ta fête.

Un sourire illumina son visage. Son anniversaire remontait à quelques jours, mais c'était aujourd'hui, dimanche, qu'ils le célébraient. En se penchant pour le prendre dans ses bras, elle se heurta le genou à quelque chose. Elle ramassa l'objet. C'était un élément de Lego.

Sam le lui reprit aussitôt.

– Répare, dit-il.

Elle considéra un moment le bout de plastique vert tout tordu.

– Je ne peux pas réparer ça, protesta-t-elle. Tu l'as écrabouillé avec je ne sais quoi.

– Répare.

– Il est tout écrasé. Qu'est-ce que tu as fait ? Tu es passé dessus avec ton tracteur ? C'est fichu, petit brigand.

Le regard de Sam s'illumina.

– Tracteur, dit-il.

– Le tracteur est dans le hangar, Sam.

– Tracteur, maintenant ! répéta-t-il en lui tirant sur le bras.

– Non, Sam ! le gronda-t-elle gentiment. Le petit déjeuner maintenant. Le tracteur, c'est pour plus tard.

Il fit la moue et se laissa retomber en arrière en roulant sur le côté.

– Allons, Sam, dit-elle en lui tendant les bras. Lève-toi, veux-tu.

Il détourna la tête et enfourna le Lego dans sa bouche.

Elle tira sur son T-shirt. Et s'arrêta.

– Hé, murmura-t-elle, qu'est-ce que c'est que ça ?

Il avait une grande meurtrissure au creux de son dos, de forme étrange.

– Qu'est-ce que tu t'es fait ? s'exclama-t-elle.

Elle souleva son vêtement et inspecta rapidement l'enfant en passant la main sur sa poitrine et le long de ses jambes.

– Répare, marmonna Sam.

Elle n'aurait pas su dire s'il faisait allusion à son jouet ou à la meurtrissure.

– Ça te fait mal ? demanda-t-elle.

Il se dégagea en se tortillant.

Les sourcils toujours un peu froncés, elle réussit à s'emparer de lui et à le soulever. En se relevant, elle serra son petit corps dodu contre elle. Elle pressa les lèvres contre son cou et y déposa un baiser. En poussant des cris de joie, il rejeta la tête en arrière et la regarda. Le sourire de Doug. Les yeux de Doug.

– Tu as faim ?

– Ouais.

Elle sourit en le hissant sur sa hanche.

– Tout va bien à ce que je vois ! dit-elle.

À 11 heures, elle était dans la cuisine encombrée de plats, de bols et de casseroles. Quand la sonnette retentit, elle courut dans le couloir en se léchant les doigts pleins de chocolat.

Catherine se tenait sur le seuil.

– Vous êtes venue ! s'exclama Jo en l'étreignant. Oh, merci.

Catherine entra en refermant la porte derrière elle.

– C'est la panique ?

– Juste deux douzaines de flans qui ne veulent pas prendre.

– Parfait, commenta Catherine. C'est encore plus dégoûtant quand on se les lance à la figure. C'est idéal pour les anniversaires d'enfants !

Tandis que Catherine enlevait son manteau, Jo lui servit une tasse de café.

– Où est Sam ? demanda la jeune fille.

– Il dort, lui répondit Jo. Il s'est assoupi sur le canapé il y a un quart d'heure.

Elle s'assit en face de Catherine et lui sourit pardessus le bord de sa tasse.

Après la mort de Doug, elles ne s'étaient pas revues pendant plus de six mois. Les deux premiers mois, Jo les avait passés à Londres, chez Gina. Elle avait peur de rentrer à la maison, peur de retourner à Lincoln Street après l'enterrement. Elle y était restée exactement deux jours toute seule avant de faire son sac pour se retrouver sur le pas de porte de Gina, tremblante d'angoisse.

Elle s'était absorbée dans son travail avec une fièvre qui avait inquiété son amie. Gina la suppliait de se détendre. Elle savait que Jo dormait à peine. Aussi, elle n'avait guère été surprise lorsqu'un matin, un mois environ après la mort de Doug, elle l'avait trouvée accroupie par terre dans sa chambre, incapable de s'arrêter de pleurer. Après avoir tout essayé pour se dérober à son chagrin, elle avait fini par céder.

Une semaine de désespoir noir avait suivi. Gina, prenant des après-midi de congé, s'était occupée d'elle en permanence. Jo mangeait à peine, mais elle dormait des heures et des heures – dix, douze, quatorze heures par jour. En définitive, elle avait émergé avec une mine de rescapé de la guerre, pâle, fragile et affreusement mince, mais son visage exprimait à nouveau une clarté froide.

C'était vers cette époque, en tout début d'année, que Jo avait tenté de reprendre contact avec John et Catherine. Elle avait abouti à une impasse. Une voix inconnue au bout du fil lui avait annoncé que John avait déménagé sans laisser d'adresse. Catherine avait quitté le foyer d'étudiants où elle habitait. Frustrée, Jo avait écrit à John, à Franklin House. Elle voulait essayer de combler le fossé qui les séparait. Elle était hantée par l'idée qu'elle l'avait repoussé, tout comme Doug avait reconnu l'avoir fait. Mais sa lettre lui avait été retournée.

Février. La période la plus morne de l'année. Des journées courtes, des nuits interminables. Jo avait fini par se résigner à regagner Cambridge. Elle n'avait pas revu Catherine Takkiruq avant mai.

Jo avait passé la matinée à faire des recherches pour un reportage politique. Elle était censée se rendre à Manchester le lendemain et elle pensait à cela en montant l'escalier d'une librairie du centre-ville. En sortant du salon de thé, sa tasse de café à la main, elle avait découvert avec bonheur un arrangement de gros fauteuils confortables et de canapés rustiques. Catherine y était installée.

L'espace d'une seconde, Jo était restée clouée sur place. Sa première pensée fut que Catherine était plus jolie que jamais. Ses épais cheveux noirs étaient relevés en une tresse désordonnée d'où s'échappaient des mèches. Elle tenait un livre ouvert sur ses genoux ; il y en avait toute une pile à ses pieds. À l'instant où Catherine levait les yeux et la reconnaissait à son tour, Jo vit quelque chose de différent sur son visage. Elle en eut le souffle coupé. Le chagrin était tangible dans son expression, peut-être pas immédiatement identifiable hormis pour quelqu'un qui connaît bien ce sentiment.

– Bonjour, dit Jo.

– Bonjour, répondit Catherine.

Elles se dévisagèrent. L'espace d'un instant, Jo eut l'impression que Catherine allait détourner les yeux et se replonger dans sa lecture. Puis son regard alla errer sur le ventre de Jo.

– Vous avez besoin d'un coup de main ? s'enquit-elle.

– Non, merci. Ça va, répondit Jo. Je vous dérange ?

Catherine secoua la tête. Elle écarta la pile de livres pour lui permettre de passer.

– Vous préparez vos examens ? demanda Jo après s'être assise.

– Oui, répliqua Catherine. Je viens ici pour avoir un peu la paix.

Jo, embarrassée, avait remué son café. Elle ne savait pas quoi dire.

– J'ai essayé de vous contacter, finit-elle par dire. On m'a annoncé que vous aviez déménagé.

– J'ai trouvé une chambre meilleur marché que je partage avec une amie, dit Catherine. J'ai essayé de vous appeler. Quelqu'un m'a répondu que vous étiez partie à Londres.

– C'est exact. J'y suis restée quelque temps.

Elles se regardèrent encore, au-delà des ravages

accablants des derniers mois. Pendant tout ce temps, Jo se demanda comment formuler la question qui lui brûlait les lèvres.

– Savez-vous où est John ? murmura-t-elle finalement.

Elle se rendit compte aussitôt qu'elle avait touché une corde sensible. Les yeux de Catherine s'emplirent de larmes.

– Oh, dit Jo, je suis tellement désolée. Si seulement vous saviez à quel point. J'ai essayé de le joindre...

Catherine agita la main pour interrompre le flot de mots.

– Ce n'est pas de votre faute.

– Où est-il ? répéta Jo. Chez lui ? Alicia m'a réexpédié ma lettre.

– Il n'est pas là.

Jo scruta son visage.

– Il n'est pas chez Alicia ?

– Ni à Cambridge, répondit Catherine. Il a disparu.

Jo la considéra, épouvantée.

– Il a logé chez sa mère après l'enterrement, poursuivit Catherine. Mais, au début de l'année, il est parti.

Jo se radossa à son fauteuil.

– Oh mon Dieu ! s'exclama-t-elle. C'est de ma faute, à cause de ce que je lui ai dit. J'ignorais tout...

Catherine se pencha et lui prit la main.

– Non, fit-elle d'un ton pressant. Je ne pense vraiment pas, Jo. Alicia...

Elle s'interrompit. Et Jo leva les yeux vers elle.

– Alicia le pense. Elle m'accuse.

– Alicia est très amère, reprit Catherine. Il est inutile de prétendre le contraire. C'est le genre de personne... enfin, vous voyez ce que je veux dire ? Elle cherche un bouc émissaire.

– Et elle en a trouvé un en moi ! Pas seulement

pour John, mais pour la mort de Doug, parce qu'il était avec moi. Sur le point de m'épouser.

Catherine rougit. À son tour, Jo lui pressa la main.

– Je vois le tableau, dit-elle.

Catherine se mordit la lèvre.

– John ne voulait plus nous parler, continua-t-elle en articulant. Alicia, bien évidemment, quand je la voyais, c'était tout le contraire. Elle n'arrêtait pas de parler. Il m'arrive de penser qu'elle a fait fuir John. Mais je crois que ce n'est pas seulement sa mère, ni ce que vous lui avez dit...

Jo fronça les sourcils.

– De quoi s'agit-il alors ?

– Il est perdu, c'est tout, dit Catherine. Complètement perdu.

– Mais il vous a écrit ? s'enquit Jo.

– Non, Je n'ai aucune nouvelle.

Elles restèrent un moment assises côte à côte, en silence.

– Je suis navrée, fit Jo.

Pour finir, Catherine reprit la parole.

– Je pensais que vous étiez toujours à Londres. Peut-être chez Gina.

– J'y étais, mais j'ai toujours eu l'intention de revenir. Je voulais que l'enfant de Doug naisse ici, dans la ville qu'il avait choisie. Qu'il grandisse ici, comme il le souhaitait.

Catherine hocha la tête en signe d'assentiment.

– Vous allez connaître un peu de bonheur, Jo.

Jo considéra son ventre arrondi.

– J'ignore quel genre de mère je ferai, avoua-t-elle, exprimant une peur discrète mais persistante. Il y a des moments où je pense que je me débrouillerai bien. Et puis... enfin bref, je ne sais pas grand-chose sur les bébés.

Elle releva les yeux et s'aperçut que Catherine la regardait de nouveau avec ce sourire que, dès lors, elle reconnaîtrait immanquablement ; un sourire profondément doux, d'une patience infinie.

– Moi non plus je n'y connais pas grand-chose, mais je peux vous aider, Jo, si vous voulez.

– Il n'est pas question que je vous demande une chose pareille ! lança Jo. Vous allez devoir travailler.

– J'ai décroché un poste de chercheur, répondit Catherine. Deux ans, ici même, à Cambridge.

– Eh bien, fit Jo, ne voulant pas abuser de sa gentillesse, peut-être une soirée de baby-sitting de temps en temps ?

Catherine posa avec douceur sa main sur le ventre de Jo. Un bref instant.

– Je tiens à vous aider, ajouta-t-elle d'un ton grave. Pour Doug.

Dès cet instant, leur alliance était forgée.

La fête commençait à 15 heures, mais Gina arriva bien avant. À la porte, elle tendit les bras à Jo et la serra contre elle.

– Tu es superbe ! s'exclama Jo.

– Moi, je te trouve un peu maigrichonne, répondit Gina. Qu'est-ce qui se passe, ma petite ? On ne te donne pas à manger ?

– Sam me vole mes saucisses ! rétorqua Jo.

Gina entra, puis se retourna. Son mari, Mike, attendait sur le trottoir.

Chaque fois qu'elle le voyait, Jo avait envie de rire. À cause de sa taille : deux mètres cinq et son poids, cent dix kilos, presque exclusivement de muscles. Mike était l'archétype du joueur de rugby bien qu'il eût renoncé à la compétition quatre ans plus tôt pour devenir le correspondant sportif du *Courier* – ce qui lui avait permis de faire la connaissance de Gina. De fait, Gina, les yeux fixés sur son propre avenir, avait pour ainsi dire mis son rédacteur en chef K.O., pour qu'il embauche Mike plutôt que qui que ce soit d'autre.

– J'ai vu sa photo et je me suis dit « oui ! », avait-elle expliqué à Jo un an plus tôt.

– Juste « oui » ?

Gina avait répondu en riant.

– Juste « oui, oui, oui » !

Pourtant, des mois s'étaient écoulés avant que Gina ne confie à Jo ce qui se passait dans sa vie. Elle était venue lui rendre visite un dimanche après-midi à Cambridge – il y avait un an pour ainsi dire jour pour jour, vers le premier anniversaire de Sam, et lui avait tout avoué.

– Pourquoi fais-tu une tête pareille ? lui avait demandé Jo d'un ton impérieux.

– Que veux-tu dire ?

– Comme si tu avais honte de lui.

– Je n'ai pas honte, avait-elle riposté.

Elle avait marqué une pause.

– C'est juste... enfin...

– Doug, avait murmuré Jo.

– Oui, Doug.

Jo s'était assise avec son amie et avait pris sa main dans les siennes.

– Écoute, Gina, cela ne doit pas t'empêcher de vivre ta vie !

– Certes.

– Tu ne tenais pas à ce que je sois au courant, c'est ça ?

– Pas du tout !

– Tu connais cet homme, quel qu'il soit, depuis six mois et tu ne m'en as jamais rien parlé.

– Je ne savais pas comment te le dire, avait reconnu Gina.

– Tu crois que je t'en veux d'être heureuse ? Pour l'amour du ciel, Gina !

– Ce n'est pas ça. C'est juste que je ne supporte pas de te voir malheureuse.

– Comment s'appelle-t-il ?

– Mike Shorecroft.

– Pas le rugbyman ?

– Si.

– Il a joué pour l'Angleterre !

– Tu le connais ?

Jo avait levé les yeux au ciel.

– Il me reste un peu de sang dans les veines. Mike Shorecroft !

Gina avait carrément rougi.

– Tu es amoureuse.

– On se marie en septembre, avait annoncé Gina.

Et il en avait été ainsi. Une cérémonie merveilleusement joyeuse au cours de laquelle la jeune mariée n'avait cessé de rire, tandis que son futur époux avait bafouillé et versé plusieurs larmes. Durant la réception, Jo s'était vue assaillie par ce qui lui avait paru des dizaines de parents de Gina, déterminés à serrer sur leur cœur et embrasser tout ce qui bougeait. Et même ce qui ne bougeait pas.

En rentrant chez elle ce soir-là, Jo s'était aperçue qu'un peu du bonheur de Gina avait déteint sur elle. Elle s'était couchée, le sourire aux lèvres, en se souvenant, avec plaisir uniquement, de ce que pouvait être l'amour.

Elle regarda Mike tandis qu'il pénétrait dans son appartement. Il remplissait presque à lui seul le couloir étroit. Il l'embrassa sur la joue avec enthousiasme.

– Comment allez-vous ? demanda-t-il.

– Ça va bien, merci.

Elle s'interrompit.

– Qu'est-ce que c'est que ça, pour l'amour du ciel ?

Il tirait un paquet derrière lui. Un énorme paquet en forme de triangle enveloppé dans du papier jaune vif. Avant qu'il eût le temps de répondre, Sam apparut à la porte du fond.

– Sam ! s'écria Gina. Viens déchirer ça !

Elle souleva l'enfant dans ses bras et l'embrassa. En le voyant grimacer, elle le reposa par terre.

– Portez-le dans le jardin, suggéra Jo.

Mike emmena Sam dehors. Catherine et Jo avaient passé une bonne partie de la matinée à souffler des ballons et à les accrocher le long de la barrière et dans les arbres. Jo avait les bras tout endoloris à force.

– Seigneur ! s'exclama Gina en acceptant le verre de vin que Jo lui tendait, je parie qu'il y a au moins trois mille ballons là-dehors.

– Pas du tout. Il y en a précisément deux cent vingt-six, répondit Jo.

– Seulement deux cent vingt-six ? Que s'est-il passé ? Vos poumons ont flanché ?

– La pompe s'est cassée. Tu veux un gâteau aux Rice Krispies ?

Gina l'engloutit en une bouchée.

– À ma prochaine fête, tout le monde viendra en uniforme d'école et on jouera aux chaises musicales, déclara-t-elle. C'est décidé. Je trouve ça plus drôle !

Elles sortirent sur la pelouse. Sam avait fini de déchirer le papier d'emballage. C'était une remorque assortie à son cher tracteur et dotée d'un bras pivotant géant.

– Tu peux suspendre des trucs et ça sert aussi de grue, précisa Mike.

– C'est génial, Mike !

Sam était déjà en train d'empiler consciencieusement ses voitures sur la plate-forme arrière.

– C'est peut-être un peu trop compliqué techniquement ? chuchota Mike.

– Il y arrivera, répliqua Jo. Merci beaucoup.

La sonnette retentit.

– J'y vais, lança Catherine.

Le jardin fut bientôt rempli d'une ribambelle d'invités. Jo avait convié les mères qui s'étaient trouvées à la clinique en même temps qu'elle et qui avaient pris part aux mêmes cours de préparation à l'accouchement. Même Eve, l'assistante sociale, était là : elle avait suivi Jo dès les premières étapes de sa grossesse et était venue lui donner un coup de main lorsqu'elle avait été de retour à la maison avec Sam. La pelouse fut vite envahie de petits corps et de jouets éparpillés tandis que les mamans, à l'ombre, grignotaient les vestiges du gâteau au chocolat que leurs enfants avaient abandonnés dans leur sillage.

– Comment tu t'en sors ? demanda Gina à Jo dans un moment de répit.

Elles étaient adossées au mur de la maison et regardaient Sam en train de poser des briques en équilibre sur le siège de son tracteur.

– Je ne peux pas me plaindre, répondit Jo.

C'était l'habituelle question codée à propos de sa situation financière. Gina avait toujours peur que Jo fût à court. Jo la rassurait systématiquement en lui disant qu'elle croulait sous le travail. Évidemment, Gina savait qu'elle trimait nuit et jour en jonglant avec les horaires de la garderie et les baby-sitters. Il aurait été inutile de souligner qu'elle serait peut-être en meilleure posture sur le plan pécuniaire si Alicia n'avait pas fait main basse sur le patrimoine de Doug. C'était un sujet particulièrement épineux, qui échauffait les sangs de Gina et que Jo, de son propre aveu, préférait éviter.

Après la mort de Doug, on s'était aperçu que ses papiers étaient affreusement en désordre. Dans l'embrouillamini de l'achat de maison et du déménagement six semaines plus tôt seulement, comme le notaire l'avait expliqué à Jo, il avait conseillé à son client de refaire son testament, vieux de dix ans, qui laissait tout à Alicia. Doug avait promis de s'en occuper – de fait, il avait rédigé un document préliminaire qui se trouvait parmi ses papiers. Document qui stipulait clairement que Jo était la nouvelle bénéficiaire. Seulement il ne l'avait jamais signé ni fait authentifier.

Jo s'était retrouvée avec la moitié de la maison de Lincoln Street et son appartement à Londres. En tout et pour tout.

Alicia avait réclamé l'autre moitié de la maison, celle qui était au nom de Doug et toutes ses économies, soit quinze mille livres, outre un portefeuille d'actions que son père lui avait légué. Jo avait été étonnée d'apprendre qu'elles valaient près de quarante mille livres.

Cela faisait beaucoup d'argent. Suffisamment pour attiser la colère d'Alicia. Moins de deux semaines après l'enterrement, Jo avait reçu une lettre spécifiant les droits d'Alicia selon le testament existant. Cela aurait pu être un choc, peut-être intolérable – un de trop ! – mais Jo était trop bouleversée pour que cela la touche. Gina s'était bagarrée à sa place ; elle avait fait appel au cabinet d'avocats qui représentait le *Courier.*

– Ils sont super efficaces, avait-elle expliqué à Jo. Ils enverront Alicia promener.

Mais Alicia n'était pas disposée à se faire envoyer sur les roses. Elle avait résisté âprement, alléguant la priorité de John sur tout enfant que Jo engendrerait peut-être, ou peut-être pas.

Cette formule avait failli donner une attaque à Gina.

– Peut-être pas ! avait-elle pesté à l'adresse de sa propre mère. Croit-elle que Jo a inventé sa grossesse ? Ou espère-t-elle qu'elle fera une fausse couche ?

Elle avait serré les poings en un geste de fureur extrême teintée d'impuissance.

– C'est ce qu'elle espère, la salope ! Elle est folle de jalousie. Je vais m'assurer qu'elle brûle en enfer, avait-elle juré.

Mais Alicia n'avait pas brûlé en enfer. Elle était restée en vie et s'était battue avec acharnement. À la fin de l'été, au bout de onze mois, elle avait gracieusement accepté Franklin House, les quarante mille livres en actions et le contenu des comptes en banque de Doug. Jo s'était vu attribuer la maison de Lincoln Street en entier. Fini. Terminé.

Gina regarda Jo. Elle avait appuyé la tête contre le mur et faisait tournoyer le pied de son verre entre ses doigts. Elle tournait le dos à la pelouse, une main en visière pour se protéger les yeux du soleil, et écoutait d'un air absent la conversation qui se déroulait entre Catherine et Mike à côté d'elle.

Un cri strident retentit derrière eux.

Jo lâcha son verre qui se brisa en mille morceaux sur les dalles sans même qu'elle s'en apercoive. Sam, en équilibre quelques secondes sur la plate-forme de sa nouvelle remorque, avait basculé. Il avait atterri sur le tracteur.

– Oh, mon Dieu ! souffla Jo.

Elle se rua sur la pelouse. Sam gisait dans une position bizarre, une jambe toujours tendue sur le côté du tracteur, le reste de son corps allongé sur l'herbe. Il leva vers sa mère un regard étonné, puis éclata en sanglots.

L'une des mamans assises à proximité s'était précipitée elle aussi.

– Ça n'a pris qu'une seconde, dit-elle. Je le regardais.

Pas moi, pensa honteusement Jo.

– Il s'est cogné la tête sur le tracteur, ajouta la femme.

– Sam ! cria Jo.

Elle s'agenouilla près de lui et le prit dans ses bras.

– Ce n'est rien, murmura-t-elle. Ça va aller.

Elle écarta ses cheveux de son front et vit une petite entaille au-dessus de son sourcil. L'idée qu'il pût saigner la frappa en plein cœur.

En relevant les yeux, elle vit qu'Eve l'avait rejointe.

– Portez-le à l'intérieur, dit-elle.

Une petite procession pénétra dans la maison, Sam et Jo, Catherine, Eve, Gina et Mike. Tout le monde s'assit. Catherine apporta une boîte de lingettes antiseptiques. Jo déchira un des sachets et essuya le front de Sam.

Pendant ce temps-là, Eve l'examinait des pieds à la tête.

– Rien de cassé, affirma-t-elle.

– C'est juste une bosse, décréta Catherine.

Gina échangea un regard avec Mike. Une pensée tacite passa entre eux deux : la remorque, leur cadeau, était responsable de l'accident.

Eve sourit en frottant la jambe de Sam.

– Il n'a rien, dit-elle. Laissons-le reprendre son souffle et se reposer une minute.

Gina apporta une tasse à bec remplie de jus d'orange. Conscient des yeux rivés sur lui, Sam fit un peu de cinéma, détournant la tête jusqu'au moment où

Jo fit mine de poser la tasse. Alors il s'en saisit et but goulûment.

– Un peu de calme, peut-être, suggéra Eve. Cinq minutes de paix.

Elle considéra le petit groupe d'un air plein de sous-entendus.

– Je vais préparer du café, proposa Gina, saisissant le message.

Elle tira sur le bras de Mike.

Une fois la porte fermée, Jo se renfonça dans son fauteuil. Sam gigota un peu sur ses genoux en rejetant les bras derrière sa tête. Puis, lassé, il se mit sur le ventre et glissa à terre en emportant la tasse avec lui. Assise dans le fauteuil en face de Jo, Catherine suivait intensément ses moindres gestes. Puis elle leva les yeux et s'excusa d'une moue comme si elle estimait qu'elle aurait dû surveiller l'enfant. Jo lui rendit son regard en hochant la tête presque imperceptiblement. Sam trottinait lentement, comme s'il était fatigué. Il s'approcha de la fenêtre et tendit le cou pour regarder dehors.

Jo se tourna vers Eve en souriant. L'expression de l'autre femme la glaça.

– Jo, lui demanda-t-elle à voix basse, depuis combien de temps Sam a-t-il ces meurtrissures ?

3.

Il y avait presque deux ans que les navires avaient quitté Beechey Island. On ne pouvait plus dire qu'ils étaient la fierté de la Marine royale. De fait, cela faisait des mois que Gus avait cessé de les considérer comme des bateaux.

Ils n'étaient plus les géants qui avaient pris la mer à Greenhithe en 1845 ; ils ne faisaient plus la course, pas plus qu'ils ne tanguaient dans les embruns salés. Leurs gréements ne tintaient plus ; on les avait démantelés quatorze mois plus tôt. Ils ne flottaient plus, de sorte que, même en faisant preuve de beaucoup d'imagination, on ne pouvait plus parler d'embarcations pour la bonne raison qu'ils n'étaient plus dans l'eau. Ils n'y retourneraient jamais. Ils s'étaient transformés en glace et faisaient désormais partie d'un paysage blanc interminable. L'*Erebus* et le *Terror*.

Gus avait demandé à l'un des matelots de la Marine royale, M. Daly, ce que signifiait *Erebus*. Daly lui avait répondu qu'il trouvait étrange qu'il ait fait tout ce voyage sans savoir ce que voulait dire le nom de leur navire-sœur. Gus avait toujours pensé qu'il s'agissait d'un dieu, grec ou romain. C'était l'impression que cela faisait à ses oreilles de garçon peu instruit. Il s'était dit que c'était peut-être le nom d'un de ces anges, mi-homme, mi-esprit, capable de voler. Il avait cette cadence, après tout. Il était si rapide. Comme s'il avait des ailes.

– Ce nom évoque notre triste situation, lui avait expliqué Daly. Et pas qu'un peu, Gus !

– Est-ce bien ? avait insisté Gus.

– Bien ? s'était exclamé Daly en secouant la tête. Non, Gus. *Erebus* signifie ténèbres, mon garçon. C'est l'espace qui sépare le ciel de l'enfer.

Ainsi, avait pensé Gus, la moitié d'entre eux était dans la terreur et l'autre moitié dans les ténèbres.

On était en mars 1848, l'année où Augustus Peterman devait avoir quinze ans. Il n'entrait plus dans ses habits. Pendant quelque temps, il avait porté un pantalon qu'un des voiliers lui avait confectionné. Trop long et trop large. On s'était moqué de lui, mais ça lui était égal. Il avait serré sa ceinture autour de la taille et laissé les jambes du pantalon pendre sur ses bottes. Ce vêtement lui tenait chaud, même s'il était trop ample, et de cela il était reconnaissant. Ce n'était pas tant le pantalon qui lui posait problème que la veste. Il lui semblait que ses bras étaient trop longs par rapport au reste de son corps. À mesure qu'il grandissait, la sensation que ses membres ne lui appartenaient pas en droit empirait. Parfois, dans l'obscurité, il lui arrivait encore de penser qu'il avait les mains osseuses de Torrington. À d'autres moments, il trouvait que sa taille dépassait le possible... Il avait l'impression d'être monstrueux, si grand qu'il ne pourrait plus jamais sortir par les écoutilles et remonter sur le pont. Cette sensation allait et venait comme les vagues sur le rivage. On aurait dit qu'on avait faussé sa vision de lui-même, celle de son corps rangée dans un coin de sa tête. Il avait les doigts larges, aplatis ; ses genoux, douloureux, étaient énormes, ses pieds tournés en dehors comme les bottes pour la neige qu'ils mettaient en expédition. Quelquefois, il ne sentait plus le bord des choses. Les tables, les crayons, le contour en cuivre d'une lampe à bascule, le rebord de son assiette. Il lui arrivait même de ne plus percevoir la douceur de la fourrure qui doublait son manteau. Et cela le peinait, parce que, même s'il ne l'aurait avoué à personne, caresser de la fourrure le réconfortait.

Il y avait d'autres choses qui n'allaient pas, bien sûr. Pour tout le monde. Certains hommes avaient eu les premières manifestations du scorbut : des saignements sous la peau, des dents gâtées. La plupart le supportaient sans en faire cas ; certains avaient déjà perdu des dents, lors de précédents voyages, à cause de ce mal. D'autres avaient le souffle court avant même de présenter des boursouflures et des meurtrissures. À chaque homme qui montrait des signes avant-coureurs, les médecins prescrivaient deux onces de jus de citron sucré, dilué dans une quantité égale d'eau. À bord du *Terror,* Crozier avait insisté pour que chacun avale le jus sous ses yeux pour être sûr qu'il soit bu.

Pour certains, le problème n'était pas tant un mal physique que moral : l'obscurité, l'hiver. Gus avait été choqué de voir que la perspective d'un nouvel hiver perturbait gravement une poignée de marins. Il ne le comprenait pas. On les avait choisis parce qu'ils étaient habitués au brusque déclin de la lumière, à la litanie du vent, aux longues semaines de crépuscule. En novembre et décembre 1846, pourtant, deux hommes du *Terror* avaient désobéi à la consigne qui les confinait dans leurs quartiers sous le pont durant une tempête. Ils étaient sortis de très bonne heure le matin – personne ne savait à quel moment – et s'étaient glissés au pied du navire pour s'enfuir dans les hurlements du blizzard. C'était inimaginable, pensait-il. Il n'arrivait toujours pas à y croire. Les deux fugitifs n'avaient pas la moindre chance de s'en sortir, même à quelques centaines de mètres des bateaux. Il faisait moins trente degrés. Les deux fugitifs n'avaient pas pris de précautions particulières et ne portaient que leur tenue de travail habituelle. Pis encore, ce qu'ils avaient fait n'était pas du tout prévisible. Ils n'avaient rien de rebelle. C'étaient l'un et l'autre des hommes paisibles, tous les deux enrôlés à Woolwich, même s'ils ne se connaissaient pas très bien et n'étaient pas précisément des amis. Le fait qu'ils aient été ensemble la proie du même démon – c'était forcément un démon ! avait-on décidé – était ahurissant. À vous donner le frisson.

– Dans les Amériques, on appelle cela la fièvre des cabines, avait déclaré un des marins. Quand l'hiver s'installe, que plus personne ne sort, il arrive qu'un homme ne puisse plus supporter d'être confiné dans sa cabine.

– *Je suis confiné, enfermé, cloîtré*, avait murmuré M. Helpman, le commis aux vivres.

Il refusa cependant de préciser quel poète avait écrit ça ou de quelle pièce cette citation était tirée.

– Jamais entendu parler de ça, marmonnèrent Wilks, Hammond et Aitken, qui étaient montés à bord à Woolwich eux aussi.

– C'est la fièvre de l'esprit, dit un autre homme.

Il en était donc ainsi. La fièvre de l'esprit.

Ils retrouvèrent les fuyards deux jours plus tard. Ils étaient ensemble, à un demi-mille du bateau dans la direction de la Terre du roi Guillaume comme s'ils avaient eu l'intention de gagner le rivage. L'un deux gisait à plat ventre, recroquevillé, se protégeant le visage d'une main. L'autre était couché sur le dos dans une position bizarre, les bras dressés en l'air, les genoux remontés. Ils étaient gelés. Ils les enterrèrent sur place en découpant un grand trou dans la glace. On ne parla plus d'eux.

En mai de l'année précédente, Franklin avait ordonné l'envoi d'une patrouille en quête de la Terre du roi Guillaume. Il avait désigné le lieutenant Gore et M. des Vœux, de l'*Erebus*. Ils avaient pour consigne de bâtir des cairns pour y laisser des messages, mais leur mission la plus importante, de loin, consistait à couvrir au moins vingt milles vers le sud afin de déterminer où pourraient se trouver d'éventuelles brèches dans la glace qui leur permettraient de se libérer. L'été n'allait pas tarder à être à son apogée. Il faisait jour continuellement. M. Gore était chargé de trouver le passage qui les ramènerait chez eux.

Chez eux.

Tous les espoirs reposaient sur cette équipe. On demandait simplement à M. Gore de dénicher un petit chenal – il n'avait pas besoin d'être bien large. Quelque part dans l'infinie monotonie blanche, il devait bien y avoir un bras d'eau dégagé. Il fallait qu'il le trouve, c'est tout ce qu'on lui demandait. Qu'il le trouve. Un peu d'eau bleue. Un petit courant. Une chance.

Ils rêvaient tous d'une étendue de mer libre. Ils espéraient tous. Coincés, isolés, apparemment oubliés, ils étaient si près, leur semblait-il, d'une trouée dans le pack de glace. L'été la leur apporterait peut-être tout près des bateaux, qui sait ? À défaut, en faisant fondre la banquise qui les tenait à sa merci, il provoquerait au moins un amoindrissement de la pression et l'air charrierait alors une odeur de sel, une brise tiède. Des possibilités s'offriraient à eux. Et M. Gore avait une mission toute simple : flairer cette odeur, déterminer d'où elle venait. Pour les ramener au monde, avec des traîneaux surchargés. Un rêve de liberté. De camaraderie.

Gus savait bien sûr qu'ils n'étaient pas vraiment seuls au monde. Quelque part, loin de là, la vie continuait comme avant. Il y avait des villes, des champs, des arbres. Des routes, des voies ferrées, des maisons. Il y avait des fermes et des églises. Mais il avait de la peine à s'en souvenir. Gus avait l'impression qu'ils étaient des naufragés, le sort du marin depuis des siècles. Des naufragés, les seules créatures encore vivantes sur la terre. De temps à autre, cette sensation d'isolement était brièvement interrompue ; il leur arrivait de voir des ours et, très occasionnellement, ils apercevaient des hommes, des indigènes, silhouettes lointaines, indistinctes, du côté de l'est. Ils entendaient leurs chiens, des aboiements dérivant sur la mer. Il y avait parfois des lièvres ou des renards des glaces ; ils en avaient même pris quelques-uns au piège. Une fois, ils avaient aperçu des faucons, une autre fois, des cerfs. Juste une fois.

La patrouille quitta les bateaux le lundi 24 mai 1847. Le lieutenant Gore, M. des Vœux et six autres hommes de l'*Erebus.* Gus les regarda partir. Il était furieux que tous proviennent du navire de Franklin – qu'aucun membre de l'équipage du *Terror* n'ait été choisi. Il aurait voulu accompagner la poignée d'hommes que l'on débarqua avec deux traîneaux remplis de provisions. Si les indigènes avaient des équipages de chiens, les marins eux, n'ayant pas de chiens, tiraient ces traîneaux.

Franklin avait bien évidemment choisi les hommes les plus grands, les plus robustes. Gus devait supporter la déception, l'humiliation. Il mesurait un mètre soixante-dix – plus que certains, mais il était mince, il le savait, trop mince pour tirer un traîneau et pour marcher de longues distances. Il les avait regardés s'éloigner en serrant les poings. Leurs silhouettes paraissaient plus trapues à cause des couches de vêtements – pantalons, laines, chemises et vestes – ainsi que leurs chaussures à clous surmontées de bottes de pêcheur en toile imperméable.

On avait poli les patins des traîneaux pour qu'ils glissent mieux. Ils transportaient des tentes en calicot, des piquets, des sacs de couchage, des vivres, des tonneaux de combustible, du rhum, des ustensiles de cuisine, des haches, des armes, de la poudre et des balles. Outre des conserves de Goldner. Lors des patrouilles, les hommes avaient droit à des rations bien plus importantes qu'à bord. Ils en avaient besoin. Marcher dans de telles conditions épuisait les muscles, éclaircissait le sang, sapait l'énergie ; ils étaient vite à bout de forces, transis, abattus. Il ne s'agissait pas seulement de marcher, mais aussi de grimper, de creuser des brèches dans les éboulis gelés amassés au hasard dans toutes les directions, pareils à des cubes pour enfants dégringolés, parfois hauts de vingt à trente pieds. En moins de dix minutes, l'équipage du *Terror* les vit entreprendre leur première escalade, glissant en arrière presque aussi vite qu'ils avançaient. Il y en aurait bien d'autres. Leurs camarades n'étaient déjà plus que des petits points noirs se hissant péniblement le long d'un mur de glace. Plus d'une heure s'écoula avant qu'ils disparaissent tous de l'autre côté.

Ils les attendirent aussi patiemment que possible.

– Ils ne couvriront pas plus de deux milles par jour, disait-on, s'ils ont de la chance.

Gus en conclut qu'ils seraient partis vingt jours, en comptant sur ses doigts. Peut-être trente. Un mois.

Cela les mènerait en juin. Sûrement, en juin, la glace commencerait à montrer des signes de rupture.

Gore reviendrait, pour leur annoncer, tout au moins l'espérait-il, qu'il y avait une large brèche dans la glace, un peu plus au sud. Ce ne serait peut-être qu'à un mille de l'endroit où ils se trouvaient. Ou deux. Et s'il y avait un dégel cette année, ce qui n'avait pas été le cas l'année précédente, alors, avec un peu de chance, ils risquaient de passer.

C'était un leitmotiv, une sorte de refrain continuel dans l'esprit de Gus. Ce serait assurément ironique si le sort avait voulu qu'ils fussent arrimés à ce pack inflexible, quasi inerte, alors qu'à quelques kilomètres, au nord ou au sud, il y avait peut-être un bras de mer libre. En parlant à ses hommes un soir, Crozier avait souri quand ils lui avaient posé la même question pour la cinquantième fois : où la glace céderait-elle ?

– Personne ne connaît la réponse à cela, avait-il déclaré en prenant un air presque enjoué, mais je peux vous dire une chose, mes garçons. On n'a jamais vu de la neige comme ça. Jamais, d'après toutes les conversations que j'ai eues avec les indigènes.

– Nous n'en avons pas vu un seul, souligna un homme. Ne trouvez-vous pas cela étrange, capitaine ?

Crozier avait hoché lentement la tête.

– Si, c'est étrange. Mais si les Esquimaux ne peuvent pas pêcher – la glace étant trop épaisse alentour pour pêcher –, et s'il n'y a pas de phoques, alors ils ne viendront pas par ici.

– Mais nous les avons entendus traverser le détroit. Leurs chiens aboyaient.

– Oui, reconnut Crozier. Et cela devrait vous réconforter parce qu'ils se rendaient sûrement sur un lieu de chasse accessible à pied. Nous ne l'avons pas encore trouvé en dépit de toutes nos expéditions vers le nord et le sud, ajouta-t-il en évoquant les sorties infructueuses qu'ils avaient tentées l'année précédente. Mais

ce n'est qu'une question de temps. C'est une mauvaise saison, une mauvaise année. Voilà tout.

– Pourquoi ne viennent-ils pas à nous comme ils le faisaient dans les ports de Whalefish ? demanda un autre marin.

– Ils n'ont pas l'habitude de voir des bateaux, répondit Crozier.

– Ils nous prennent pour des morts, marmonna un troisième homme, si bas que le capitaine ne l'entendit pas. Ils n'osent pas s'approcher. Nous portons malheur. Ils ont peur de nous.

Après ce discours, ils sombrèrent dans le silence.

Chaque homme s'émerveillait de la résistance des Esquimaux. Ils leur faisaient presque l'effet de fantômes. Comment survivaient-ils dans un endroit pareil ? Ces habitants d'une autre sphère, immatérielle, qui apparaissaient et disparaissaient à volonté. Quand une partie de l'équipage descendait du bateau, les efforts qu'ils déployaient, ne serait-ce que pour marcher, les mettaient à l'épreuve au-delà de la raison. Le soir venu, ils tombaient à genoux. Quand ce n'était pas le vent qui les éreintait, les poussant à bout, par beau temps, c'était la neige, éblouissante en dépit des lunettes à grillage qu'on leur donnait. Même sous le soleil, dans la clarté, un froid insoutenable leur transperçait les poumons à chaque inspiration. Ils se démenaient comme des diables pour établir un camp ; les progrès étaient si lents, la soif si terrible. Comment ces gens s'en sortaient-ils, ces chasseurs en peaux de bête aux visages tatoués ? Comment survivaient-ils alors qu'un Anglais, fort de sa richesse et de son idéalisme, n'y parvenait pas ?

Après ce soir-là, Gus s'était souvent demandé ce que les Esquimaux pouvaient bien penser quand ils apercevaient ces grands navires échoués, là. Sur les

vastes plaines de glace où ils voyageaient avec leurs chiens, quel effet ces mâts et ces coques leur faisaient-ils ? Que s'imaginaient-ils voir ? Ils devaient bien savoir qu'il s'agissait de bateaux. Et si c'étaient des bateaux, il y avait forcément des marins à bord. Mais, songeait-il, roulé en boule dans son sac de couchage la nuit, peut-être les Esquimaux ne croyaient-ils pas qu'ils étaient des êtres humains comme eux. De même qu'il était tenté de prendre ces indigènes pour des fantômes, les indigènes pensaient sans doute que lui-même était un mauvais esprit venu les hanter.

Des morts.

Il essayait de ne pas y penser. À la place, il se concentrait sur le lieutenant Gore et imaginait les montagnes qu'il franchissait. Il se mettait à la place de l'officier et l'exhortait à continuer sa route.

Le 8 juin – Gore était parti depuis quinze jours –, un bruit courut, venant de l'*Erebus*, selon lequel Franklin n'allait pas bien. Les hommes n'étaient pas trop inquiets car, depuis son attaque, lorsqu'ils s'étaient trouvés immobilisés dans le détroit, le capitaine se montrait rarement sur le pont. Il montait pour les offices religieux, en uniforme, enveloppé dans un grand manteau de fourrure, assisté par ses ordonnances et ses officiers, et lisait les leçons. Il n'était plus le même homme. Gus trouvait qu'il avait rapetissé, comme si l'apoplexie avait emporté une partie de son être, et l'avait ratatiné. Une de ses mains tremblait quelquefois ; un jour, il mit une éternité à monter les marches.

Ses aides s'agglutinaient autour de lui comme une nuée de domestiques. Ils ne reculaient devant rien pour lui. Ils lui servaient ses repas, composés de quatre plats, deux fois par jour, dressaient le couvert, faisaient briller l'argenterie et lui donnaient toute l'eau et le savon dont il avait besoin pour se laver. Ils lui brossaient ses habits et faisaient en sorte que sa cabine soit toujours bien chaude. Aussi, lorsqu'il tomba malade, tout le monde pensa qu'il souffrait d'un trouble passager dont il aurait vite fait de se débarrasser.

Si Gus, ou tout autre membre de l'équipage, avait pu voir ce qui se passait dans les quartiers de Franklin, il aurait été moins confiant.

Le soir du 7 juin, le capitaine avait dîné comme d'habitude. On lui avait servi de la soupe, des condiments, de la viande accompagnée de légumes, des raisins secs et un peu de fromage. Certes, la viande était terriblement salée, les pommes de terre étaient insipides et les légumes avaient un goût de terre désagréable – que les officiers attribuaient au fait qu'ils n'avaient pas été lavés convenablement avant d'être mis en conserve. Le fromage, dur, était fort mauvais, mais c'était un repas complet. Franklin avait tout englouti, en plus d'un verre de bière écossaise, puis il s'était mis au lit.

De bonne heure le lendemain matin – bien avant l'heure habituelle à laquelle il se levait –, Franklin avait appelé les médecins. Il avait expliqué à Stephen Hanley et à Harry Goodsir qu'il avait des crampes d'estomac ; ils lui avaient administré une boisson amère au cornouiller. Une demi-heure plus tard, le capitaine but un verre de brandy et la matinée se déroula dans le calme.

Ce soir-là, pourtant, Franklin ne prit pas son repas. Il se plaignit à Stanley d'avoir tout un côté du visage insensible. On lui donna de l'opium pour l'aider à dormir. Il avala quelques cuillers de soupe Goldner et du tapioca en conserve.

Durant la nuit, ce fut soudain la panique totale. À

bord du *Terror,* on le comprit lorsque Crozier, les lieutenants Little et Hodgson ainsi que John Peddie furent convoqués sur l'*Erebus*. Il était 3 heures du matin. On alluma des torches pour guider le petit groupe sur la glace sous un ciel fluctuant, baigné d'un vert opale strié de nuages clairs élevés. Une heure plus tard, on envoya chercher M. Macdonald, ainsi que John Diggle, le cuisinier du navire. Quand Diggle s'en fut dans l'autre navire, il était plus blanc que la neige. Il ne comprenait pas pourquoi on l'avait convoqué. Le silence à bord de l'*Erebus* l'inquiétait, mais pas autant que la rangée d'hommes raides comme des piquets qui l'accueillirent sur le pont du *Terror*.

M. Stanley avait, paraît-il, prescrit du calomel et de la teinture de lobélia, des sels de Rochelle, outre du vin de coca péruvien que certains appelaient de la cocaïne. Mais rien n'avait le moindre effet.

À 5 heures du matin, Franklin s'assit droit comme un i dans son lit, un poing serré contre sa poitrine. Il mourut ainsi, sans un bruit, sans une plainte. Tout fut fini en quelques secondes. Son ordonnance personnelle, Edmund Hoar, tomba à genoux et éclata en sanglots ; il fallut le traîner hors de la pièce en le portant à demi.

Au départ, personne ne sut que faire. Aucun officier n'était mort lors d'une expédition dans l'Arctique. Cela n'était pas censé se produire. Leur existence différait tellement de celle de leurs subalternes ; ils étaient protégés des ravages du froid, de la malnutrition dont souffrait l'équipage à telle enseigne que, même s'il arrivait à un officier ou un capitaine d'endurer certaines privations, ils n'étaient pas exposés aux infections et à l'abattement qui terrassaient leurs hommes. Les décès de Torrington et des deux autres, certes désolants, n'avaient pas choqué qui que ce soit.

Aux yeux des officiers, les Torrington de ce monde, reconnus comme des êtres bons, fidèles, courageux mêmes, à leur manière, n'étaient que de la chair à canon pour la grande machine. Ils venaient de milieux totalement distincts de ceux de leurs supérieurs, vivaient dans un état de crasse permanent ; bon nombre d'entre eux ne savaient même pas ce que c'était que de prendre un bain. De temps à autre, quand un marin se faisait engager au port, les autres devaient lui apprendre à se raser et à se couper les ongles. Dans les villes dont ils étaient originaires, de fréquentes épidémies de typhoïde et de choléra décimaient la population par milliers, les eaux d'égout s'écoulaient dans les rues et dans les rivières. Ils habitaient des quartiers puants où des centaines de gens s'entassaient sur quatre ou cinq étages dans des taudis faits de briques nues et de planches grossières qu'on ne pouvait pas vraiment qualifier de logements. Le plus souvent, c'étaient des endroits pour mourir, les enfants succombant plus rapidement encore que leurs parents.

Le fait qu'ils n'eussent perdu que trois hommes de maladie jusqu'à présent prouvait que l'*Erebus* et le *Terror* étaient proprement tenus. Même dans leurs cantonnements étriqués, enfumés, qui empestaient la suie, la plupart des marins vivaient dans des conditions nettement préférables à ce qu'ils avaient connu à terre. Dans le cas des officiers, c'était une tout autre histoire : ces hommes avaient grandi dans le confort, à l'écart des besogneux. Ce mode de vie se répétait sur les navires. Aucun membre de l'équipage – ou un très petit nombre d'entre eux – n'avait jamais vu la cabine d'un officier. Au mieux, ils apercevaient les officiers sur le pont, ou sur la passerelle. Le fait qu'Augustus eût adressé la parole à des hommes comme Macdonald ou Crozier était considéré comme une remarquable exception, une forme de condescendance eu égard à sa jeunesse. C'était un comportement anormal, mal vu par les officiers et les marins.

Quand Franklin mourut, il y eut comme un flottement pendant quelques heures à bord des navires. Rien n'était prévu pour entreposer sa dépouille. Il était évident que l'on ne pouvait le descendre dans la cale, comme on avait fait pour Braine : les rats le mangeraient. Pourtant les médecins, redoutant ce qui l'avait tué, ne tenaient pas à ce qu'on le gardât dans sa cabine. En définitive, on décida d'enterrer le commandant le jour même, dans la glace. Car, pire que le sentiment d'impuissance à l'idée de ne pas savoir que faire du corps du commandant, il y avait la peur de ce qui l'avait tué.

Dès que les officiers se réunirent dans la grande cabine de l'*Erebus*, au milieu des casiers contenant plus d'un millier de livres, la controverse fit rage.

– Ce ne sont pas les conserves, insista le lieutenant Faitholme. Comment voulez-vous qu'il s'agisse des provisions de Goldner ? Nous en mangeons depuis des mois et nous sommes tous en vie.

– Il y a quelque chose dans ces boîtes, décréta Crozier à voix basse.

– Nous en avons sorti deux caisses à Beechey Island, souligna Fitzjames. Si quelques soupes étaient avariées, aucune des autres boîtes n'avait une forme concave. Sur votre conseil, nous en avons gaspillé tout un stock en les perçant et en les vidant.

– Il y a quelque chose de mauvais dans ces boîtes, répéta Crozier.

– Mais quoi ?

Crozier regardait fixement ses pieds. Il était terriblement conscient de la présence de Franklin dans la cabine voisine, prêt pour l'enterrement, à quelques centimètres de lui seulement, de l'autre côté de la fine cloison.

– Sir John a succombé a un arrêt cardiaque, poursuivit Fitzjames, puis il se tourna vers Stephen Stanley.

Stanley, médecin en chef de l'*Erebus,* était né à Londres où il avait grandi. Il avait connu tous les maux indissociables d'une aussi grande ville, toutes les épidémies que l'équipage connaissait si bien. Il avait fait ses études au Collège royal de médecine et décroché son diplôme en 1838 ; il avait vu beaucoup de choses dans les amphithéâtres primitifs de la capitale comme à bord des bateaux. Il avait servi à bord du HMS *Cornwallis* durant la guerre chinoise et avait même publié un document à propos d'une affection spinale rare consistant en un déboîtement complet des cinquième et sixième vertèbres, sans fracture associée. Malgré toute son expérience, Stanley n'avait jamais été témoin d'un cas comme celui de Franklin.

Toutefois il avait vaguement entendu parler de quelque chose de similaire.

– Sir John est effectivement mort d'un arrêt cardiaque, reconnut-il finalement en articulant bien. D'une congestion du cœur déjà présente depuis sa première attaque l'année dernière...

– Mais ? fit Crozier, l'exhortant à continuer.

Ils avaient tous perçu l'hésitation dans la voix de Stanley.

– Mais les crampes intestinales qui ont eu lieu auparavant, dit-il. Et la paralysie...

– Botulisme, intervint Goodsir.

Il avait dit ça si discrètement que sa remarque aurait pu passer inaperçue si Stanley n'avait pas relevé d'un hochement de tête.

– Botulisme ? répéta Crozier. Qu'est-ce que cela ?

– Nous en ignorons la cause, poursuivit Stanley, mais c'est une maladie à action rapide. On dit qu'elle est associée à la consommation de viande en conserve.

L'espace d'un instant, toutes les pensées se tournèrent vers les coqueries, les casseroles, les ustensiles, les couteaux, les assiettes. Les regards s'attardèrent sur les verres de porto posés devant eux sur la table.

– Personne ne sait d'où ce mal vient, ajouta Stanley, ni comment l'empêcher.

– Mais tous les aliments sont bouillis ! commenta Fitzjames.

Crozier se pencha en avant.

– Qu'a mangé sir John en tout dernier ? demanda-t-il.

On fit venir le cuisinier des officiers, Richard Wall. Il attendait dehors, la mort dans l'âme, sachant pertinemment que, de l'avis de Stanley, la nourriture devait être incriminée d'une manière ou d'une autre pour le décès de sir John. Il avait chuchoté ses craintes à John Diggle, du *Terror*. Lorsqu'on l'appela, il eut le sentiment d'être convoqué au tribunal pour témoigner, peut-être dans une cour martiale réunie à son intention. Il était déjà tout empourpré quand il se planta devant eux.

– J'ai tout lavé, bredouilla-t-il quand ils l'interrogèrent. Mes fourneaux sont propres, messieurs. Mes casseroles aussi. Vous pouvez les examiner, si vous le souhaitez. Je vous en prie, messieurs, venez. Je suis un cuisinier propre.

– Qu'a mangé sir John il y a deux soirs ? demanda Crozier.

Wall serra les bouts des doigts d'une de ses mains contre les jointures de l'autre pour éviter de se les tordre.

– Les officiers ont mangé du bœuf rôti.

– En boîte.

– Oui, monsieur..., mais sir John a mangé du porc.

Crozier regarda Fitzjames.

– Il n'a pas mangé la même chose que les autres ? demanda-t-il.

– Non, monsieur. Il a exprimé le désir qu'on lui serve du porc.

– C'est vrai, confirma Fitzjames. Je m'en souviens.

– Et le porc était bouilli, comme le bœuf ? s'enquit Crozier.

– Oui, monsieur.

Crozier fronça les sourcils.

– Et alors ?

Wall rougit ostensiblement.

– J'ai mis le porc en dernier, dit-il, mais il a bouilli comme le reste.

– Pendant le même temps ?

– Oui, monsieur.

– Très bien, Wall, dit Crozier.

On l'autorisa à prendre congé.

Dans la Grande Cabine, Crozier se radossa à sa chaise et se frotta les yeux d'une main.

– Êtes-vous d'avis que cette maladie pourrait être présente dans les conserves de porc, monsieur Stanley ? demanda-t-il. Peut-être y fut-elle introduite durant la mise en boîte ? Elle ne sévirait pas à bord du bateau, mais dans ces conserves et serait là depuis que nous les avons montées à bord.

Stanley jeta un rapide coup d'œil à Fitzjames. Il redoutait de contredire un officier supérieur.

– Je n'en sais rien, monsieur, dit-il finalement. En toute sincérité, je n'en sais rien.

– Ce n'était certainement pas la première fois que nous mangions du porc, souligna Goodsir.

– Certes, reconnut Crozier.

Il se leva brusquement. Tous avaient les yeux rivés sur lui. Cet Irlandais qui avait gravi les échelons de la hiérarchie bien que son port de tête n'eût pas la noblesse de celui d'un officier comme Fitzjames, promu désormais par le sort pour les commander tous. Lorsqu'on avait confié à Francis Crozier le poste de second, en Angleterre, personne ne pensait qu'il réussirait jamais dans ces fonctions. De l'avis de Fitzjames, il assumait mal ses nouvelles responsabilités. Il avait les yeux tout rouges. Il avait pleuré. Fitzjames l'avait vu sangloter au chevet de Franklin. Il désapprouvait une telle attitude, mais s'était abstenu de le dire, se bornant à détourner le regard.

– Personne ne mangera de viande de porc tant que chaque conserve n'aura pas été examinée en quête d'une fuite ou d'un dommage quelconque, déclara-t-il. Nous continuerons à consommer le bœuf.

Il resserra son manteau autour de lui. Les officiers se retirèrent.

Crozier les regarda partir. Puis, seul dans la cabine, il fit les cent pas devant les casiers de livres. Il ne parvenait pas à se débarrasser d'une pensée, si terrible qu'en la mentionnant à nouveau – il y avait fait allusion à sir John à Beechey Island – il provoquerait encore plus d'affolement. Il ne pouvait pas se défaire de l'idée que quelque chose d'autre clochait avec ces boîtes. Chaque jour, quand il observait les membres de l'équipage autour de lui, les jeunes en particulier, comme Augustus Peterman, il ne pouvait s'empêcher de penser qu'ils avaient l'air en plus mauvais état qu'ils n'étaient censés l'être. Même en prenant en compte les hivers successifs, l'amoindrissement des rations, et le scorbut, il semblait qu'autre chose les minait. Ils étaient trop pâles, trop irritables, trop vite à bout de forces.

Ce qui l'obnubilait le plus, c'était que lorsqu'un homme tombait très malade, comme cela avait été le cas de Torrington, et qu'on lui donnait des rations d'officiers provenant des conserves de Goldner, son état empirait au lieu de s'améliorer. Il aurait dû se sentir ragaillardi, au moins pour un temps, en mangeant des aliments plus riches. Mais non.

Il avait remarqué autre chose. Les hommes qui, comme lui, n'appréciaient pas toujours la viande et préféraient le poisson et les légumes marinés, voire les fruits caramélisés, lui paraissaient mentalement en bien meilleure forme que leurs camarades. Ceux qui – et là, il se mordit la lèvre et sourit sournoisement – ... qui aimaient bien l'alcool, comme lui, et à qui il arrivait de boire quelquefois au lieu de manger, semblaient plus robustes. Pourquoi en était-il ainsi ? se demandait-il. Cela n'était pas logique. S'il fallait incriminer quelque chose dans les conserves, en dehors de ce sale botulisme, cela ne se serait-il pas déjà manifesté ? Ils avaient vérifié, revérifié, à Beechey Island. Ils allaient recommencer, chercher des fuites, des contenus avariés. Ils feraient bouillir les aliments. Mais s'il s'agissait d'autre chose...

Agacé, il fronça les sourcils. Il n'arrivait pas à se débarrasser de la crainte que quelque ennemi invisible se trouvait parmi eux, les minant peu à peu, même s'il n'avait pas la moindre idée de ce dont il s'agissait.

Il fit glisser ses doigts le long des livres. *Le Vicaire de Wakefield*... Les sonnets de Shakespeare. *La Reine des fées*, de Spenser. Tennyson, Wordsworth. Il avait pensé à Sophia toute la journée. Il avait aussi pensé à ce cylindre, à son message. « Et les majestueux navires poursuivent leur route. » Qu'est-ce qui l'avait incité à faire une chose pareille ? Ce n'était pas un joli poème. Il exsudait le désespoir. Il ne s'était pas senti particulièrement désespéré le matin où il l'avait écrit. Il éprouvait simplement ce qu'il éprouvait depuis le début... le chagrin de l'avoir perdue, outre la consternation à l'idée que Franklin pût se limiter ainsi obstinément à certaines initiatives. Mais il n'avait pas eu le cœur brisé... ou plus précisément, il s'était remis de cette affliction.

Quoi qu'il en soit, ce n'était pas très galant de sa part d'avoir rédigé ce message. Si l'on retrouvait le cylindre et si on le remettait à lady Jane Franklin, si sa nièce, Sophia, prenait connaissance de ces quelques lignes, alors elle saurait. Elle comprendrait qu'il parlait d'elle. Il lui avait dit la même chose, en riant à demi, son sourire s'effaçant peu à peu, le jour où elle l'avait éconduit.

– Eh bien, s'était-il exclamé, mon majestueux navire poursuivra sa route ! Je serai un marin solitaire, Sophia.

Il avait fait sa demande trop rapidement, il en était conscient à présent, en l'obligeant ainsi à réagir à la hâte. S'il avait attendu, ne serait-ce qu'une autre année, elle aurait peut-être accepté en dépit des pressions que Franklin et son épouse faisaient peser sur elle afin qu'elle le repoussât.

Il n'aurait pas dû inclure ce vers. Elle lui en voudrait, à son retour. Tandis qu'il prenait le volume de Tennyson dans sa main, on frappa à la porte. Surpris, il fit volte-face. C'était Stanley.

– De quoi s'agit-il ? demanda-t-il.

Stanley entra et referma la porte derrière lui.

– Je pensais au lieutenant Gore, dit-il.

– Gore ? s'enquit Crozier. À quel propos ?

Le visage de Stanley s'assombrit.

– Eh bien, à cause des provisions, des conserves Goldner. Le lieutenant Gore n'en a-t-il pas pris avec lui ?

Le 22 juin, la patrouille de Gore regagna l'*Erebus* et le *Terror*. Les équipages les virent approcher sur la glace et Crozier en personne alla à leur rencontre.

Gore avait marché jusqu'au littoral de la Terre du roi Guillaume située à quatre milles des navires. Cela lui avait pris quatre jours. Là, il avait laissé un mot enfoui sous un cairn de pierre. Le 28 mai. Il avait glissé son message dans un cylindre qu'il avait scellé avec soin. Le message indiquait la position des navires, et le lieutenant avait ajouté :

... Avons passé l'hiver 1846-7 à Beechey Island, Lat. 74-43-28 N. Long. 91-39-15 O, après avoir remonté le chenal de Wellington jusqu'à Lat. 77, puis fait demi-tour par la côte ouest de Cornwallis Island.

Sir John Franklin commande l'expédition.

Tout va bien.

Patrouille composée de deux officiers et de six hommes partie des navires le lundi 24 mai 1847.

Lieutenant Gore.

F. des Vœux. Second.

Le message avait été rédigé à bord de l'*Erebus* avant leur départ. Gore et des Vœux avaient signé tous les deux. Ainsi que Franklin, bien que son écriture fût méconnaissable. Personne n'avait remarqué que les dates mentionnées pour Beechey étaient fausses.

Après avoir enfoui cette note sous le cairn, Gore avait poursuivi sa route en direction du sud, couvrant non moins de douze milles, pour atteindre finalement la côte sud de Back Bay où il avait construit une autre pyramide de pierre et laissé un double du premier message. Ses hommes et lui avaient vu que le détroit de Victoria continuait effectivement vers l'ouest, comme Franklin l'avait toujours soutenu, et constaté que, si la glace fondait, un large passage s'ouvrirait au-delà.

Le 11 juin, jour du décès de Franklin, l'équipe avait rebroussé chemin. Et, pour se récompenser des formidables efforts qu'ils avaient fournis au cours de cette mission, ayant accompli tout ce qu'on leur avait demandé, ils s'étaient préparé un repas copieux en ouvrant la deuxième caisse de conserves Goldner.

Le lieutenant Gore mourut trois jours plus tard, le 14 juin.

Quand Crozier les rejoignit sur la glace, les survivants tiraient sa dépouille et celles de deux autres hommes sur le deuxième traîneau.

4.

De bonne heure mardi matin, Jo vit son médecin. Elle était déjà venue la veille, à la demande expresse d'Eve, pour que l'on fasse une prise de sang à Sam.

– Je ne suis pas inquiète, lui avait assuré l'assistante sociale, et il n'y a aucune raison que vous le soyez. C'est une simple précaution.

Pendant toute la soirée, en donnant son bain à Sam, en le couchant, elle n'avait pas cessé de se le répéter, même après que la réceptionniste l'eut appelée pour lui dire qu'elle avait un rendez-vous à 8 h 45, le lendemain matin, avec le Dr Jowett. *Eve n'est pas inquiète.* Ce fut la dernière chose à laquelle elle pensa avant de s'endormir enfin. *Il n'y a aucune raison de s'inquiéter.*

– Avez-vous eu les résultats d'analyse ? avait-elle demandé à la jeune femme au téléphone. Est-ce la raison pour laquelle on me fait venir ?

Un bruissement de papier avait suivi.

– Je crois que oui, avait-on répondu.

– Et quels sont ces résultats ?

– Le docteur voudrait vous en parler.

En s'engageant dans le parking, elle évita de justesse un autre véhicule qui essayait d'en sortir en marche arrière. Le conducteur la foudroya du regard ; elle ne s'en aperçut même pas. Derrière elle, Sam geignait. Il avait déjà jeté par terre tous ses jouets

– rangés habituellement dans une sorte de filet suspendu au dos du siège avant.

– Nous y sommes ! annonça-t-elle.

Elle sortit de la voiture, récupéra Paddington qu'elle lui restitua, puis libéra Sam de son siège rehausseur. Elle le prit contre son épaule.

– Sois sage, chuchota-t-elle. Montre au Dr Jowett que tu es un petit garçon bien élevé.

Quand ils arrivèrent, ils les attendaient. En jetant un coup d'œil par-dessus son épaule aux patients installés dans la salle d'attente, elle se rendit compte qu'on lui avait donné un rendez-vous avant les heures de visite habituelles. La douleur tenace qui lui taraudait le creux de l'estomac s'accentua.

Le Dr Jowett se leva quand elle entra dans son bureau. Il s'approcha d'elle en contournant sa table.

– Bonjour, Sam, fit-il.

L'enfant dissimula son visage contre l'épaule de sa mère.

– Il est de mauvaise humeur, expliqua Jo. J'ai refusé de sortir de ma voiture au péage pour récupérer Paddington qui était tombé par terre.

Jowett sourit. Il lui désigna la chaise sur le côté de son bureau. Jo s'assit et Sam se pelotonna sur ses genoux.

– Comment va-t-il ? demanda Jowett.

– Très bien.

C'était un réflexe, un mode de défense. Contre quoi, elle l'ignorait.

– Enfin, reconnut-elle, pas tout à fait. Il a eu ce qu'ont tous les bébés.

Jowett regarda rapidement ses notes.

– Nous avons une infection pulmonaire il y a quelques mois, dit-il. Une otite...

– Comme tous les bébés, répéta-t-elle. C'est vrai,

on était en hiver. Beaucoup d'enfants ont eu ce rhume qui ne voulait pas s'en aller...

– Oui, reconnut-il. Et ses aphtes...

– Ça fait des lustres qu'il n'en a pas eu. C'était à l'époque où je le sevrais. Il était allergique.

– Avez-vous pu déterminer à quoi ?

– Différents produits laitiers, répondit-elle. Certains yaourts... les crèmes desserts.

– Entendu.

– Il était juste un peu patraque.

– Entendu, répéta-t-il.

Elle regardait fixement son profil. Tout à coup, elle sentit son pouls battre dans sa gorge.

Il a peur, pensa-t-elle. Il a peur de me dire la vérité.

– De quoi s'agit-il ? demanda-t-elle.

Le Dr Jowett leva les yeux.

– Jo, dit-il, j'ai peur que Sam soit un petit garçon malade.

À cet instant, la seule chose qui lui vint à l'esprit fut qu'elle avait eu raison. Jowett avait bel et bien peur. Il venait de le dire lui-même.

– Est-ce l'analyse de sang ? balbutia-t-elle.

– Oui.

– À savoir ?

Il parcourut la feuille d'analyse et le dossier de Sam avant de répondre.

– Sa formule sanguine est déficiente, répliqua-t-il. Un faible taux de plaquettes. Et un manque important de globules rouges.

Instinctivement, elle serra Sam contre elle. Il protesta en levant son visage vers elle. Elle considéra le médecin d'un air interdit.

– Qu'est-ce que ça veut dire ?

– Eh bien, de nombreuses maladies provoquent une baisse de la morphologie sanguine. Cela signifie que le corps lutte contre quelque chose. Une infection virale, par exemple.

– Comme une infection pulmonaire ?

– Cela peut être viral, poursuivit-il comme si elle n'avait rien dit. Une déficience du système immunitaire peut aussi être en cause, un traitement médicamenteux, des dizaines de choses. Quand nous sommes atteints d'une maladie grave, notre organisme se défend. Il faut qu'il produise le type de sang qui convient. Pour le moment, le sang de Sam n'y parvient pas. Il se donne du mal pour y parvenir, mais n'y arrive pas.

– Et c'est cela qui a provoqué le bleu ? demanda-t-elle.

– C'est possible.

– Mais...

Elle hésita.

– N'est-ce pas ce qui arrive dans le cas d'une méningite ? Des bleus qui ne veulent pas s'en aller ? C'est ce qu'on appelle une septicémie, non ?

– Il ne s'agit pas de ce genre de meurtrissures, dit Jowett.

Elle rit.

– Combien de genres y a-t-il ? demanda-t-elle. Un bleu est un bleu.

– Nous devons procéder à d'autres tests, une numération globulaire, un examen de l'aspect cellulaire, peut-être aussi ce qu'on appelle une analyse chromosomique.

– Rien que pour un bleu...

Elle avait les joues en feu tout à coup. Et mal partout.

– Il est tombé de son tracteur, chuchota-t-elle, comme si, par quelque moyen tordu, tout le problème de Sam venait de là.

– Vous devez l'emmener à l'hôpital, répétait Jowett. J'ai pris un rendez-vous pour vous ce matin.

Elle essayait désespérement de se concentrer.

– Maintenant ? s'enquit-elle.

– Oui. Tout de suite.

– Je dois aller à l'hôpital tout de suite ?

– Au service d'hématologie.

Il était déjà en train de remplir un formulaire.

– Attendez une minute ! fit Jo.

Il releva les yeux.

– Je suis désolé, insista-t-il, mais c'est urgent.

Il lui tendit une feuille sur laquelle il avait noté l'adresse du service, l'itinéraire et le numéro du portail d'accès qu'elle devait emprunter.

– N'essayez pas de vous garer dans le parking principal, dit-il. Emmenez-le directement à ce portail, entrez. Faites encore une centaine de mètres. Garez-vous à gauche. Il y a six places juste là.

Elle considéra le papier, puis reporta son attention sur le visage du médecin.

– Directement, répéta-t-elle.

– Oui.

Elle se leva, ahurie. Elle avait presque atteint la porte ; Sam avait réclamé qu'elle le pose par terre. Il lui tirait sur la main et essayait d'atteindre la poignée, quand elle se retourna vers Jowett. On aurait dit qu'elle n'avait pas encore enregistré toutes les informations qu'il venait de lui fournir.

– Une faible numération globulaire, reprit-elle. C'est ce qu'on a quand on est atteint de leucémie.

Jowett se leva et s'approcha d'elle. Il posa une main sur son épaule.

– Ça peut être différentes choses. Pas forcément ça.

Elle eut l'impression que le sol venait de se dérober sous elle. Elle l'avait senti s'effondrer. L'instant d'avant, il était solide – le tapis vert de la pièce, le béton en dessous, et puis plus rien. Elle tombait à pic, en chute libre.

– Il n'est pas si malade que ça, dit-elle. Il va bien, je vous assure.

– Tant mieux, répondit-il. Dans ce cas, nous le prouverons. Aujourd'hui même.

Elle regarda Sam. Il avait arrêté de tirer et les dévisagea, elle d'abord, le médecin ensuite.

– Vous êtes sûre de pouvoir conduire ? s'inquiéta Jowett.

– Oui... oui.

– Demandez à une des secrétaires de vous faire un thé. Reposez-vous quelques instants à côté.

Elle s'écarta et ouvrit la porte.

– Je peux vous assurer une chose, docteur Jowett... (On aurait dit que sa voix fluette, agressive, nasillarde, appartenait à quelqu'un d'autre.) Mon fils n'a pas de leucémie.

Sur ce, elle s'empara de Sam et sortit de la pièce.

Il lui fallut un moment avant d'atteindre le service que le docteur Jowett lui avait indiqué. Elle roula jusqu'à l'hôpital, se gara devant en laissant tourner le moteur et regarda les bâtiments en face d'elle. Elle avait le sentiment que si elle entrait, elle mettrait en branle une suite d'épisodes intolérables, quelque chose d'incontrôlable. Et si elle n'y allait pas... Si elle disparaissait tout bonnement, ces choses-là n'arriveraient jamais. Elle entendait son souffle se briser dans sa gorge tandis qu'elle se cramponnait des deux mains au volant. Ce qui l'attendait derrière ces murs d'hôpital ne se produirait jamais si elle s'abstenait d'y aller, songeait-elle. Elle pouvait retenir le temps ; l'arrêter. Tout le monde autour d'elle resterait en suspens dans ce moment inchangé, et elle pourrait continuer comme avant avec Sam. L'emmener quelque part en lieu sûr, dans un endroit chaud. Loin d'ici. Aux Seychelles. À l'île Maurice. À la Grenade. Elle l'imaginait sur une plage chaude, tout sourire, en train de faire glisser un filet de sable entre ses doigts. La dernière fois qu'ils étaient allés à la plage, elle lui avait fait une pieuvre en sable. Il avait adoré. Elle recommencerait. Elle allait l'emmener là-bas. Loin.

Ce qu'il avait dans le sang, quoi que fût cette horreur, resterait tout bonnement ainsi. Sans jamais changer. Ni grandir. Ni les affecter. Ils seraient quelque part ailleurs. Hors de portée.

Elle pressa ses paumes contre ses tempes. La cassette de comptines qu'elle avait mise pour Sam s'arrêta avec un déclic. En se retournant, elle s'aperçut qu'il s'était endormi.

Fatigue. Léthargie. Meurtrissures.

Non, ce n'était pas possible. Pas une leucémie. Ils avaient déjà eu leur part de malheur. Leur cauchemar était derrière eux. Ils avaient eu leur compte. Elle avait perdu son amant, son mari en tout sauf officiellement. Sam avait été privé d'un père qu'il n'avait jamais connu et ne connaîtrait jamais, hormis en photo. Ils avaient eu tant de misères. Récemment, elle avait commencé à se dire qu'ils avaient franchi un tournant, qu'ils naviguaient enfin en eaux claires. Alors, cette maladie ne pouvait pas leur tomber dessus en plus. Il fallait qu'elle touche quelqu'un d'autre, quelqu'un qui n'avait pas encore connu le malheur. Elle ne méritait pas ça. Sam non plus. Surtout pas Sam. Oh, mon Dieu, chuchota-t-elle. Elle luttait désespérément contre une incroyable envie de fuir, et l'irrationalité de ses pensées. *Si seulement Doug était là,* pensa-t-elle.

Même après tout ce temps, il lui arrivait encore

d'oublier sa mort. Elle oubliait carrément qu'il n'était plus là. Il devait s'agir d'un mécanisme de défense, contre la perte intolérable. Inconsciemment, elle se détachait de cette expérience. Puis elle lisait quelque chose dans le journal et se tournait vers lui pour lui en parler... ou le téléphone sonnait. Elle se précipitait et à la seconde sonnerie seulement, elle se rendait compte que ça ne pouvait pas être lui.

Mais ce n'était plus possible d'oublier maintenant. Il fallait qu'elle aille dans cet hôpital. Elle devait faire ça seule.

Pour finir, une camionnette se rangea derrière elle, une camionnette de livraison. Le conducteur sortit de son véhicule et vint tapoter sur sa vitre.

– Si vous ne bougez pas d'ici, ma petite dame, articula-t-il à travers la fenêtre, vous allez vous faire embarquer.

Elle baissa la vitre.

– Comment ?

– Vous aurez une contredanse en tout cas. Je voulais juste vous prévenir. Vous êtes en zone interdite.

Elle cilla des paupières.

– Oh... merci. Merci.

Il lui adressa un hochement de tête. En regagnant son véhicule, il se retourna une fois en fronçant les sourcils. Elle jeta un coup d'œil dans le rétroviseur et vit son visage blême.

Lentement, elle passa la vitesse et mit son clignotant pour tourner à droite.

5.

La soirée fut interminable. C'était une de ces journées de juin où la lumière semblait répugner à s'en aller. Bien que les rues fussent sombres – les réverbères commençaient seulement à s'allumer –, le ciel était d'un bleu turquoise pâle invraisemblable. Comme Jo appuyait son front contre la vitre de la fenêtre de l'hôpital et regardait dehors, elle vit un groupe de gens descendre du trottoir sous les arbres, bras dessus bras dessous, en bavardant. Cette journée finirait-elle jamais ? Elle durait déjà depuis des siècles !

Dès l'instant où ils avaient pénétré dans le service d'hématologie, on avait équipé Sam d'un goutte-à-goutte afin de lui faire une transfusion. Quelqu'un était resté près d'elle, une religieuse, et lui avait expliqué pourquoi cela était nécessaire. Elle entendait les mots qu'elle prononçait, mais ils lui entraient par une oreille pour ressortir par l'autre. Elle n'arrivait pas à comprendre ce qu'elle disait, semblait-il. Elle avait tenu la main de son fils et l'avait rassuré en lui parlant de n'importe quoi. Son cœur palpitait au point qu'elle avait l'impression d'être malade. Elle s'était abstenue de regarder la poche de sang suspendue au-dessus de Sam. L'endroit où on lui avait mis un tube dans le bras. Ils avaient joué ensemble un moment, mais il avait fallu arrêter parce qu'il remuait trop. Elle lui avait parlé de Dumbo, peint sur le mur, et des corbeaux qui refusaient de croire qu'il puisse voler. Les infirmières lui avaient apporté une tasse de thé, mais elle n'y avait pas touché. Sam avait pleuré, gratté autour de l'aiguille de la perfusion, agité la tête en tous sens.

En milieu de matinée, elle s'était souvenue de Gina et de Catherine. Elle avait sorti son portable de son sac, mais on l'avait informée qu'elle ne pouvait pas l'utiliser dans l'hôpital. On l'avait conduite à une cabine ; elle avait décroché le combiné, puis regardé fixement un point dans l'espace. Que pouvait-elle bien leur dire, pour l'amour du ciel ? Gina n'allait pas revenir à Cambridge ! Il y avait trente-six heures à peine qu'elle avait regagné Londres. Elle devait être occupée. Et puis Catherine, elle s'en souvenait maintenant, en pleine rédaction de sa thèse d'anthropologie, éteignait généralement son portable quand elle bûchait. À quoi cela servirait-il de les contacter l'une ou l'autre, de toute façon ? Elles ne pouvaient rien faire. À quoi bon propager sa terreur ? Elle avait raccroché.

Ils avaient donné un petit cachet à Sam et il avait dormi, les sourcils froncés.

– M. Elliott vous verra cet après-midi, lui avait dit la sœur, vers 13 heures.

– Qui est-ce ?

– C'est notre médecin consultant, lui avait-elle répondu en lui tapotant l'épaule. Il est très bien avec les enfants.

J'espère qu'il l'est aussi avec les parents. Elle avait envie de secouer cet homme anonyme. De taper sur quelque chose. Elle avait envie de leur dire : C'est une erreur, vous m'avez prise pour quelqu'un d'autre.

Ils prirent des renseignements précis sur Sam. Sa date de naissance, les circonstances de l'accouchement, les maladies qu'il avait eues. Sa taille. Son poids. Ils lui firent de nouvelles prises de sang ; Jo regarda les fioles se remplir. Elle pensa que Sam et elle, tout le monde n'étaient rien d'autre que du sang et des os, des tissus, des substances chimiques.

Ses pensées vagabondaient au hasard. En milieu d'après-midi, elle était épuisée à force de suivre les cheminements tous azimuts de son esprit, un fatras de tangentes et d'errances désordonnées. Sa cervelle jouait à une sorte de tennis mental bizarre. Ce matin, au petit déjeuner, avant d'aller chez le médecin, tandis que Sam en face d'elle sur sa nouvelle chaise pour grands se démenait tant bien que mal avec ses céréales, un art qu'il venait juste de maîtriser, elle avait fait la liste des courses – *Seigneur, c'était ce matin !* – qu'elle prévoyait de faire après son rendez-vous. Et maintenant, au milieu des cauchemars innommables qui lui passaient par la tête, elle n'arrêtait pas de se répéter qu'elle avait besoin d'acheter du jus d'orange et des Pampers. Curieusement, cette pensée en particulier – que Sam n'était pas encore propre, qu'il portait une couche à l'instant même dans son lit d'hôpital –, lui paraissait plus insoutenable que tout. Comment un enfant en couches pouvait-il être branché à un goutte-à-goutte ? C'était une farce. La plaisanterie la plus sinistre qui soit. Elle ferma les yeux pour empêcher les larmes de couler. Il ne fallait pas que Sam la voie pleurer en se réveillant. Elle lissa ses épais cheveux du bout des doigts.

Le consultant arriva deux heures plus tard. À 17 heures. Il s'approcha du lit où Sam, réveillé à présent, mangeait une glace.

– Salut, Sam ! dit-il. Tu te régales, on dirait.

Sam dévisagea cet inconnu d'un air incertain, sa

cuiller en suspens à quelques centimètres de ses lèvres. Le médecin sourit et tendit la main à Jo.

– Je m'appelle Bill Elliott.

– Jo Harper.

– Mlle Stevens va tenir compagnie à Sam pour que nous puissions parler tranquillement une minute.

Jo jeta un coup d'œil à son fils.

– Ne peut-on pas parler ici ?

– Nous n'en avons pas pour très longtemps.

Il recula et lui désigna une porte de l'autre côté du couloir.

Jo se pencha vers Sam et lui déposa un baiser sur le front.

– Je reviens dans une minute, dit-elle.

– On laissera la porte ouverte, précisa Elliott, et on mettra votre chaise juste à côté. Ainsi il pourra vous voir.

Une lumière rosée baignait la pièce qui donnait sur la rue bordée d'arbres, du côté ouest. Jo promena rapidement ses regards sur le bureau d'Elliott où trônait une photographie encadrée de son épouse et de lui en compagnie de leur progéniture. Ils avaient trois enfants, apparemment. Deux filles et un petit garçon qui devait avoir à peu près l'âge de Sam. Durant toute l'entrevue qui suivit, elle reporta continuellement son attention sur eux.

– Nous avons les résultats d'une partie des analyses, l'informa le médecin.

Jo était incapable de réagir. Elle avait déjà du mal à respirer. Impossible de parler.

Elliott ne consultait pas ses notes, ni le dossier ouvert sur son bureau. Il était penché en avant, les coudes sur ses genoux, les mains jointes.

– Avez-vous une quelconque idée de ce dont Sam souffre ? s'enquit-il.

– Dites-le-moi, répondit-elle. S'il vous plaît.

Combien de fois avez-vous fait ça ? se demanda-t-elle. Dehors quelqu'un cria un nom en riant.

– Sam a un problème de sang, déclara Elliott. Laissez-moi vous expliquer.

Il regardait fixement ses mains.

– Le sang est fabriqué au niveau de la moelle, ce tissu spongieux qui se trouve au centre de la structure osseuse. Notre organisme contrôle la croissance de la moelle.

Il leva rapidement les yeux vers elle.

– C'est un gros travail, poursuivit-il. Trois millions de globules rouges et cent vingt mille globules blancs environ sont produits chaque seconde.

– Je vois, murmura-t-elle.

Inconsciemment, elle joignit les mains elle aussi.

– Nous avons différents types de cellules sanguines dans notre corps, lui précisa Elliott. Les lymphocytes de type T, qui contrôlent notre immunité et éliminent les virus. Des lymphocytes B qui fabriquent les anticorps. Des granulocytes, principalement des neutrophiles, qui combattent l'infection et tuent les bactéries.

Il esquissa un sourire.

– C'est trop compliqué ?

– Non, non. Continuez.

Il hocha la tête.

– Ensuite, il y a les monocytes. Ils participent notamment à la production d'anticorps. Les globules rouges véhiculent l'oxygène et les plaquettes contribuent à la coagulation en empêchant le saignement.

– Oui, souffla-t-elle.

Elle avait probablement retenu à peu près vingt pour cent de ce qu'il lui avait dit, obnubilée par l'idée que quoi que signifient tous ces mots, ils étaient irrévocablement liés à Sam et à ses meurtrissures.

– Chacun de ces différents types de cellules a une longévité distincte. Les globules rouges vivent environ quatre mois après avoir quitté la moelle, les neutrophiles quelques heures, les plaquettes quelques jours. Parce que les globules blancs et les plaquettes sont si éphémères, ils ne sont pas facilement remplaçables lors d'une transfusion.

Elle détourna les yeux, considéra à nouveau la photographie, puis reporta son attention sur lui en prenant une inspiration profonde.

– Sam a-t-il une leucémie ? demanda-t-elle.

Elliott se renfonça dans son fauteuil. Il marqua un temps d'arrêt, comme s'il cherchait la manière de formuler la phrase suivante.

– Nous avons besoin de procéder à d'autres analyses, dit-il. Je souhaiterais faire une biopsie de la moelle osseuse demain.

– Mais a-t-il une leucémie ?

– Non, lui dit-il, je ne pense pas que Sam ait une leucémie.

Elle le dévisagea une seconde, puis poussa un énorme soupir. Jusqu'à cet instant, elle ne s'était pas rendu compte qu'elle retenait son souffle.

– Dieu merci, dit-elle. Dieu merci.

Elle prit sa tête dans les mains et se couvrit le visage. Elle sentit la main d'Elliott sur son genou. Il lui tendait un mouchoir. Elle s'essuya les yeux et les joues.

– Vous ne pouvez pas savoir à quel point je suis soulagée, dit-elle. Oh... toute la journée, j'ai pensé... Dieu merci.

– Je pense que Sam souffre d'une anémie aplasique, dit Elliott.

Elle se moucha en riant à demi.

– Anémie, bredouilla-t-elle. Juste de l'anémie. Ce n'est rien, alors, n'est-ce pas ? Ça se soigne, non ?

Un spasme contracta un bref instant le visage de Bill Elliott : un réflexe de douleur. Jo s'interrompit en pressant le mouchoir sur sa bouche. Puis sa main retomba lentement sur ses genoux.

– Ça se soigne, non ? répéta-t-elle.

– Madame Harper...

– Jo, dit-elle.

– Jo. Écoutez, il faudra que nous reparlions demain. Peut-être après-demain. Les analyses doivent être faites plusieurs fois. Il faut que nous soyons sûrs...

– Mais vous êtes certain qu'il n'a pas de leucémie, souligna-t-elle.

Elliott se frotta la figure d'une main.

– La journée a été longue, dit-il, davantage pour vous que pour moi. Aussi...

Il se leva.

– Vous devriez rentrer à la maison tous les deux et vous reposer. Mais il faudra que vous soyez de retour ici demain matin.

Elle resta où elle était, les yeux rivés sur lui.

– Anémie aplasique, dit-elle.

– Je m'avance un peu, dit-il. Attendons le résultat des autres analyses.

– Qu'est-ce que c'est qu'une anémie aplasique ? insista-t-elle. Qu'est-ce qui vous incite à dire cela ?

Il la considéra un moment, et comprit qu'elle n'était pas près de bouger.

– Quand on a sous les yeux un cas d'anémie aplasique lors d'un examen de la morphologie cellulaire, cela ne ressemble à rien d'autre, dit-il.

– Et c'est la raison pour laquelle vous dites...

– Je veux être sûr à cent pour cent, Jo, dit-il.

Elle finit par se lever. Elle entendit sa propre voix

trembler quand elle reprit la parole. Elle avala une goulée d'air, reformula sa phrase.

– Vous supposez... C'est une hypothèse, n'est-ce pas ? dit-elle. À cet instant... à la minute présente ?

– Oui.

– D'accord, dit-elle. Cette supposition, l'anémie aplasique. Dites-moi de quoi il s'agit. Ce n'est pas simplement de l'anémie. Ce n'est pas ce que je pensais, n'est-ce pas ? Ce n'est pas si simple ?

– Je ne...

Elle se fit violence pour ne pas hurler.

– Auriez-vous la gentillesse de me répondre. Pour l'amour du ciel !

Il la considéra attentivement.

– Asseyez-vous, dit-il.

Elle obéit. Il l'imita en déplaçant son fauteuil de manière à lui faire face. *Mon Dieu*, pensa-t-elle, *prépare-toi ! Qu'est-ce que c'est ? Qu'est-ce que c'est, bordel ?*

– L'anémie aplasique, si c'est bien ce dont souffre Sam, commença-t-il en articulant, est une maladie grave, aussi grave que la leucémie. Elle met sa vie en danger, ajouta-t-il. Si tant est que l'hypothèse soit exacte dans le cas de votre fils.

Jo inspira profondément puis roula le mouchoir en boule dans son poing. Son cœur avait recommencé à battre violemment, mais plus lentement, plus lourdement, comme s'il avait de la peine à fonctionner, chaque pulsation tel un coup dans sa poitrine provoquant une douleur aiguë.

– Je suis vraiment désolé, dit Elliott.

Il s'approcha de la porte. En levant les yeux vers lui, Jo aperçut Sam. Il était assis au bord du lit, les jambes pendantes et tordait les bras d'un nounours en tous sens. L'infirmière tenait un rouleau de compresse qu'elle dévidait autour du bras de l'ours.

– Pourrions-nous avoir du thé ? entendit-elle crier le docteur.

– Bien sûr, répondit quelqu'un.

Elliott revint et se rassit.

– Ça va ? demanda-t-il.

– Non, marmonna-t-elle. Anémie aplasique. Jamais entendu parler.

– C'est une maladie rare. On dénombre peut-être une centaine de cas chaque année en Angleterre. Bien que ce chiffre soit en augmentation. La plupart des patients ont entre quinze et vingt-quatre ans, ou bien plus de soixante.

Elle en resta bouche bée.

– Alors Sam ne peut pas être atteint, dit-elle. Il n'a que deux ans.

– Il y a eu des cas d'enfants atteints à la naissance, je le crains, répliqua-t-il d'un ton calme.

– Vous le craignez ! lâcha-t-elle d'un ton sec.

Elle le regretta aussitôt.

– Pardonnez-moi, dit-elle. Ce matin, mon médecin disait : « J'en ai peur. »

– Désolé, reprit Elliott. C'est une façon de parler. Nous savons bien que nous ne sommes pas aussi inquiets que vous. Que nous ne le serons jamais. Tout au moins nous l'espérons.

L'infirmière entra, les bras chargés d'un plateau qu'elle posa sur le bureau. En ressortant, elle repoussa la porte pour faire en sorte que Jo puisse voir Sam.

– Les patients atteints d'anémie aplasique ne produisent pas de bons globules, poursuivit Elliott. Quand on examine la moelle osseuse au microscope, on voit un grand nombre de cellules graisseuses à la place.

– Mais comment aurait-il pu attraper ça ? dit-elle. Est-ce contagieux ?

– Non, ce n'est pas contagieux. Mais nous allons peut-être nous apercevoir que Sam souffre aussi d'un problème immunitaire. Parfois ces deux affections vont de pair.

– Se peut-il que je le lui aie transmis quand j'étais enceinte ?

– Non.

Elle réfléchit, puis ajouta :

– Son père est mort quand j'étais enceinte de trois mois, chuchota-t-elle. Le choc peut-il avoir provoqué ça ? Lui avoir fait du mal, avant sa naissance ?

– C'est impossible à dire, mais peu vraisemblable. Ne pensez pas en ces termes. Vous n'êtes pas responsable.

– Mais ça vient bien de quelque part.

Elliott écarta les mains.

– Nous en sommes réduits aux conjectures, dit-il. Nous soupçonnons des radiations, le benzène, une hépatite ou les antibiotiques.

– Les antibiotiques ? répéta-t-elle. Sam en a pris à plusieurs reprises à cause d'une infection pulmonaire.

– On ne sait pas très bien. Il se peut qu'ils soient en cause, mais rien n'est moins sûr. Le mal survient brusquement. Le patient est fatigué, pâle, il a le souffle court et il a facilement des bleus. Les meurtrissures de Sam sont tout à fait caractéristiques. Elles sont dues à un faible taux de plaquettes.

Jo porta ses mains à son visage, un bref instant.

– Je ne comprends pas, dit-elle. Je vois bien qu'il est fatigué, qu'il a des bleus. Mais il court partout. Il joue.

Elliott hocha la tête.

– Je sais, dit-il, mais l'examen de la morphologie

cellulaire est clair. L'anémie aplasique a un aspect très particulier. Cela ne ressemble à rien d'autre. En fait, cette analyse présente un *manque* d'anomalies. Ce fait, associé aux autres tests, est une preuve manifeste de l'AA.

– Mais vous allez encore vérifier, dit-elle. Vous ferez d'autres tests ?

– Bien sûr, lui dit-il. C'est ce que j'essaie de vous expliquer. Écoutez, je suis navré que cette conversation ait été aussi loin. C'est de ma faute. Vous vous inquiétez inutilement.

– C'est moi qui vous ai interrogé, lui rappela-t-elle. J'ai insisté.

Il posa sa main un bref instant sur la sienne.

– Nous procéderons à une ponction médullaire demain matin. Une anesthésie de cinq minutes suffira. Nous prendrons un peu de moelle au niveau de la hanche.

Jo frissonna involontairement.

– La bonne nouvelle, ajouta Elliott, c'est qu'il y a dix ans, soixante-dix pour cent des gens atteints de ce mal succombaient. De nos jours, le même pourcentage vit. Nous faisons continuellement des progrès. On découvre de nouveaux traitements...

– Est-ce ce que vous feriez dans le cas de Sam ? demanda Jo. Vous lui administreriez des médicaments.

– On commencerait par ce que nous appelons une thérapie immuno-suppressive, lui expliqua-t-il. Nous lui prescririons des GAL – des globulines antilymphocytes, qui détruisent les cellules de type T. Et de la cyclosporine qui en entrave la production.

– Et ces cellules T pourraient être responsables des dommages ?

– Les cellules de type T attaquent la moelle. En

d'autres termes, l'organisme se tourne contre lui-même. Nous essayons de l'en empêcher.

Jo jeta un coup d'œil à Sam par-dessus son épaule. Elle s'efforçait désespérément d'accepter l'idée que son propre sang puisse l'attaquer.

– Et si ça ne marche pas ? Que peut-on faire d'autre ?

– Nous allons tout mettre en œuvre pour que ça marche, répondit Elliott. Il arrive que la moelle se régénère et recommence à fonctionner d'elle-même. Tout au moins si on lui donne un coup de pouce. Nous ferons des prises de sang chaque semaine pour voir comment Sam évolue. Nous lui fournirons du sang et des plaquettes. Nous nous efforcerons aussi d'être optimistes.

– Et si ça ne marche pas ? demanda Jo.

Elle arracha son attention de Sam pour la reporter sur Elliott qu'elle regarda dans le blanc des yeux.

– Soyez optimiste, répéta-t-il avec douceur.

– Au pire, murmura-t-elle. Je vous en prie, dites-moi quel serait le pire scénario.

6.

En août, un camp fut établi au cap Felix, sur le littoral de la Terre du roi Guillaume, à quatre milles du *Terror*. Sur l'ordre du capitaine Crozier, l'équipe à terre se mit au travail, construisant des tentes, dressant des pièges, recueillant des observations magnétiques, découpant dans la glace des trous de pêche profonds qui ne tardaient pas à geler à moins qu'il n'y eût six hommes par percées pour les maintenir dégagées et une toile tendue au-dessus d'elles.

Gus avait supplié qu'on l'amenât là-bas bien qu'il eût été saigné moins d'une semaine plus tôt à bord du bateau. Ses compagnons lui avaient affirmé qu'une saignée lui ferait du bien, mais il n'était pas sûr qu'ils aient raison. Il avait horreur de voir l'épais liquide visqueux sortir de son bras ; il se sentait mortel, humain. Il avait l'impression qu'il risquait de mourir d'un moment à l'autre parce qu'il n'était qu'un amas d'os et de ce sang rouge qui dégoulinait goutte à goutte dans le bol.

Après cela, il n'avait pas dormi, sans parler de rêver, pendant deux nuits. Il avait la sensation qu'on lui avait pris quelque chose et que, s'il fermait les yeux, il cesserait d'exister. Pour finir, il s'était assoupi au pied de l'escalier du pont ; on l'avait porté à l'intérieur et mis à l'infirmerie. Alors il rêva, pas d'erreur !

De poissons sautant hors de la glace, sur son lit. De bras enroulés dans des draps entortillés. De son sang dansant en un petit ruisseau et des mêmes poissons se débattant dedans, s'étouffant, rendant l'âme. D'autres poissons encore. Dans des canaux en Angleterre. De caisses en bois remplies de poissons de mer sur le quai. De tas de viscères de gros poissons, hauts jusqu'aux genoux, des baleines à bord du bateau de son oncle. Il s'efforçait encore à présent de s'extirper de ce genre de sommeil qui le mettait sens dessus dessous.

De bonne heure ce matin-là, la moitié de l'équipe à terre avait abandonné les tentes pour se lancer à la poursuite d'un renne à un mille de là, ou plus. Gus avait insisté pour accompagner ces hommes armés de fusils. Il voulait qu'on le laisse tirer, comme il avait appris à le faire à Beechey Island. Cependant, croulant sous le poids de leurs manteaux et de leurs fourrures, ils n'avaient pas été très loin avant que le brouillard tombe, obscurcissant tout.

– Que Dieu maudisse ce sale temps ! maugréa un des marins. Je n'ai jamais vu ça. Où est ce fichu été ?

Ils avaient rebroussé chemin, mais le brouillard s'était épaissi et Gus qui fermait la marche ne parvenait plus à s'orienter. Il entendait les voix des hommes devant lui. À plusieurs reprises, ils s'étaient retournés, l'oreille à l'affût, mais il était tombé et, le temps de se relever, il les avait perdus. Pendant un moment, il lui sembla que leurs voix venaient de toutes les directions ; il s'élança sur leurs traces en titubant. Le sol était légèrement plus élevé ; des éboulis et des plates-formes de schiste affleuraient entre les monticules de neige. Il erra quelque temps avant d'avoir la présence d'esprit de creuser un trou dans la neige en l'empilant au mieux qu'il pût autour de lui, dans une petite dépression. Il s'assoupit. À un moment donné, pensant qu'il était réveillé, il crut sentir deux mains lui presser quelque chose entre les mains. Il leva les yeux en essayant de percer le brouillard, et crut voir un visage de femme. En dépit des tatouages qui lui couvraient les joues, des commissures des lèvres aux coins des yeux, elle était ravissante. Puis, regardant davantage, il ne vit plus rien hormis quelques flocons secs, écailles iridescentes, sur ses gants.

Ils le retrouvèrent vers midi.

– Augustus ! cria une voix d'homme.

Il plissa les yeux pour se protéger de l'éclat lointain à l'horizon. Profondément endormi depuis quelques minutes, il s'était imaginé dans une belle nuit polaire, la nuit de l'été qui ne devenait jamais vraiment sombre ; le rivage ourlé d'un épais tapis de neige, la mer gelée au-delà, et l'orange du ciel se reflétant en longues traînées de lumière sur le bleu de la glace, de la mer, de la côte. Juste à l'horizon, il y avait une ligne dorée, brillante, presque aveuglante. Il songeait que ce serait sans doute ainsi quand il arriverait au ciel : un fil d'or s'enflammant pour devenir le jour. En ouvrant les yeux à présent, il vit le brouillard se dissiper et le long paysage incliné devant lui.

– Il est là, monsieur ! Il est là !

Quatre hommes approchaient. Il fit la grimace pour tâcher de discerner leurs visages. Le premier était celui de John Handford, un des marins brevetés. Il tomba à genoux et entreprit de lui frotter les joues.

– Où étais-tu passé, mon garçon ? cria-t-il. Seigneur ! Regarde-toi. Des gelures. Où es-tu allé ?

Gus ne pouvait pas le lui dire. Un deuxième visage surgit de la grisaille.

– Est-ce lui ?

– Oui. Il est gelé.

– Levez-le. Faites-le marcher.

Gus ne put résister. Il regarda Irving, un des lieutenants. Ils le mirent debout, mais ses jambes refusaient de plier.

– Portez-le, ordonna Irving.

Handford dévisagea son supérieur, puis il hissa Gus sur son dos.

– Il y a des empreintes, nota Irving.

Il était en train d'inspecter le sol alentour.

– D'animaux, suggéra Handford.

– Non, lança un troisième homme qui approcha à son tour, le souffle court, comme rendu malade par l'effort. C'est une empreinte humaine. Pas une botte.

Irving orienta le visage de Gus vers le sien.

– Quelqu'un est-il venu ? demanda-t-il. Peterman, as-tu vu quelqu'un ?

– Une fille, souffla Gus.

Il y avait douze officiers et une quarantaine d'hommes au cap Felix, provenant tant de l'*Erebus* que du *Terror*. Ils avaient dressé trois tentes en utilisant des planches en guise de piliers ; l'intérieur était tapissé de couvertures et de peaux d'ours. À côté de chaque tente, ils avaient construit des foyers ; c'était là qu'ils faisaient la cuisine et fumaient la viande. Ils disposaient d'une marmite en cuivre qui avait été fabriquée à bord d'un des navires ; comme combustible, ils se servaient du bois qu'ils avaient apporté avec eux.

Crozier avait ordonné que le camp du cap Felix fût autonome et qu'on n'y consommât aucun aliment en conserve. Il organisa des expéditions de pêche et emmena les hommes les plus robustes à l'intérieur des terres où ils attrapèrent des renards et trouvèrent des lagopèdes. Certains se plaignaient de manger constamment du poisson, presque cru, parce que les faibles réserves de bois ne leur permettaient pas d'entretenir les feux bien longtemps. Mais le commandant y tenait. « Vous vous sentirez mieux, leur avait-il expliqué. Les indigènes mangent cru. Ils n'ont pas le scorbut. Nous vivrons comme eux tant que nous camperons. Nous les imiterons. Nous déterminerons comment ils font pour survivre. »

Ce credo avait été fort mal accueilli. La plupart des marins n'avaient pas la moindre envie de copier le mode d'existence des Esquimaux. Ils étaient anglais ; non des sauvages. En Angleterre, on disait que les hommes qui allaient dans l'Arctique et vivaient comme les Esquimaux ne méritaient pas le même statut que ceux qui survivaient en conservant leurs us et coutumes européens. C'était une disgrâce, une spoliation de leur héritage que de retomber ainsi à l'état dans lequel se trouvait l'homme des millénaires plus tôt.

Depuis l'enfance, on leur avait enseigné que les chrétiens, les hommes blancs, avaient le devoir de convertir les tribus ignorantes, de leur transmettre leur savoir, leurs progrès, leurs traditions. Vivre en indigène, c'était revenir sur ce principe. C'était admettre la supériorité des naïfs sur les Européens. Reconnaître leur échec, leurs faiblesses. Mais ils ne pouvaient désobéir à Crozier, leur officier supérieur. Ils étaient contraints de se plier à ses ordres. Quoi qu'il en soit, ses sempiternels sermons les agaçaient suprêmement.

– Quand les Esquimaux, que certains appellent Inuit, mangent, ils ne se donnent pas forcément la peine de faire du feu, leur avait-il précisé pendant qu'ils bâtissaient les foyers sur lesquels ils tenteraient de faire bouillir leur thé tiède. Lors de précédents voyages, je leur ai acheté des sacs en peau de phoque contenant de grandes quantités de gibier et de saumon, avait ajouté le commandant ainsi que des pattes de morse. Tout cela, ils le consomment cru, avec bonheur, même si la viande est parfois vieille d'un an.

– Doux Jésus ! avait grommelé Handford.

Crozier avait poursuivi son discours d'un ton déterminé.

– Ils raffolent d'un plat particulièrement délicat, le foie de caribou cru coupé en cubes de deux centimètres et mélangé au contenu de l'estomac de l'animal.

Ils s'étaient massés autour du feu éphémère résultant d'une pique débitée dont on avait scié la pointe en métal.

– Il n'y a pas de honte à vivre comme les Indiens, leur avait-il affirmé. C'est une bonne leçon. Vous verrez que nous nous en sortirons beaucoup mieux.

Ils ne l'avaient pas cru. Ils se languissaient de leur bouillie ; ils détestaient le goût du lichen et des petites tiges vertes qu'ils extirpaient de la neige. Ils se disaient qu'ils souffriraient encore plus et mourraient sur place. Crozier était fou, à coup sûr, ou sur le point de le devenir ! Il n'y avait rien à tirer de cet endroit désolé où les saisons avaient cessé d'exister. Pourtant ce régime provoqua un changement en eux. Les hommes atteints de scorbut reprenaient des forces ; ils n'avaient plus de douleurs dans les gencives ni de maux de dents ; plus de plaies.

– Tu dois manger du poisson, avait dit Crozier à Gus. Y compris les entrailles, les boyaux, les branchies et les têtes. Il faut tout manger.

Il recrachait quand même les arêtes qu'il n'arrivait pas à avaler.

Crozier surveillait de près le garçon. Il s'était abstenu de lui dire le pire, ce à quoi, en son for intérieur, il pensait qu'ils seraient bientôt réduits. Les Indiens de Coppermine considéraient qu'il n'y avait rien de meilleur au monde que les poux ; ils chargeaient les femmes de passer leurs vêtements en peau de caribou au crible afin d'en récolter le plus grand nombre possible. Ils en prenaient des poignées dans le creux de leurs mains et les dévoraient avec délices. Il y avait souvent pensé en se demandant s'ils ne devraient pas suivre leur exemple. Après tout, il y avait plus de poux que de rats sur les bateaux. Ces bestioles étaient une source de nourriture pour les indigènes – et les indigènes étaient des hommes, tout comme eux. Il n'avait jamais entendu parler d'un Esquimau ayant souffert d'avoir consommé cette vermine. Bien au contraire, cette coutume leur était salutaire.

Pendant que les autres dormaient, Crozier méditait toutes ces choses-là. Il estimait de son devoir d'envisager l'impensable, sachant que l'une de ces idées risquait d'être la voie de la survie, l'unique moyen de triompher de la détresse qui les attendait. Il songeait à la manière dont les Coppermine apprêtaient leurs peaux de bêtes : ils broyaient le cerveau et la moelle des animaux avant d'étaler cette mixture sur les peaux, puis de les faire tremper près de la chaleur d'une lampe d'huile de phoque. Après quoi, ils les suspendaient des jours entiers dans la fumée de ces mêmes feux. Il en avait revêtu une un jour, avait senti sa texture douce et chaude, et s'était émerveillé à l'idée que tous les vêtements que portaient ces gens-là provenaient des bêtes qui rôdaient autour d'eux ou du contenu de la mer. Pas une seule usine ne crachait de la fumée pour subvenir à leurs besoins. Aucun enfant ne trimait quatorze heures par jour. Pas de rues jonchées d'immondices. Ils ne jetaient rien. Ils menaient une vie simple, ne prenaient que ce qui leur fallait. Rien de plus. Ils étaient propres, pleins de ressources et vivaient longtemps. Mais ces pensées étaient intolérables, aussi le capitaine les gardait-il pour lui-même.

On ramena Gus au camp à une heure. Ils allumèrent un feu, l'assirent devant en le tournant régulièrement afin que tous les côtés de son corps soient près de cette source de chaleur quelques instants. Ils l'enveloppèrent dans des peaux d'ours.

Crozier vint le voir.

– Alors, Augustus, dit-il, tu voulais monter une expédition à toi tout seul ?

– Je suis tombé, répondit le garçon. Je suis désolé, capitaine. Je me suis endormi.

Crozier hocha la tête.

– Quand tu es épuisé et que tu tombes, dit-il, il faut résister à l'envie de dormir. Tu as de la chance d'être encore en vie.

– J'ai vu une femme, ajouta Gus. J'ai rêvé d'elle. Elle avait le visage tatoué.

– Quand ça ? demanda Crozier.

– Ce matin, monsieur.

– Quel genre de tatouages ?

– Des lignes comme celles qui se dessinent sur le visage quand on sourit.

Crozier jeta un coup d'œil aux hommes autour d'eux.

– Était-elle réelle ?

– Je n'en sais rien, capitaine.

– T'a-t-elle parlé ?

– Non, monsieur, mais j'ai eu l'impression qu'elle me donnait quelque chose à manger.

Crozier s'accroupit et le dévisagea.

– Tu dois garder le visage à l'abri de la fourrure, lui dit-il en lui effleurant la joue et le front. Sens-tu ma main ?

Gus hocha la tête.

– Normalement ?

– Oui, capitaine.

Crozier continua à le regarder intensément.

– Était-elle grande, Gus ?

– Pas très.

– Une Esquimaude ?

– Oui, capitaine.

– Comme ceux que tu as vus auparavant ?

– Oui, capitaine.

Crozier se leva, considéra le garçon encore un moment, puis s'éloigna.

Ce matin-là, ils bâtirent un cairn au sommet d'une petite colline. Le point le plus élevé à des kilomètres, pensa Crozier. Il leur fallut un moment pour hisser les pierres glanées sur la terre environnante où la glace se fendillait, surtout les plus grosses pour constituer la base. Crozier s'assit au pied du monticule pour rédiger le compte rendu qu'il mettrait à l'intérieur. Il n'avait pas de papier à en-tête de l'Amirauté, aussi déchira-t-il une feuille de son carnet.

HMS Erebus *et* Terror, *25 juin 1847.*

Équipe composée de douze officiers et quarante hommes partis d'ici le 26 juin en direction du sud afin de poursuivre l'exploration entamée par le lieutenant Gore.

Sir John Franklin, mort le 11 juin 1847. Lieutenant G. Gore, le 14 juin 1847. Perte totale d'hommes à ce jour : deux officiers et sept hommes.

Navires pris au piège dans une épaisse glace, inhabituelle pour la saison. Latitude 70°5 N, Longitude 98/23° O.

Ils élevèrent un cairn de cinq pieds de haut, et dessus, ils placèrent deux bouteilles ; dans l'une d'elles, Crozier enferma son message. Ensuite, on les recouvrit d'autres pierres. Quand ils eurent fini, ils reculèrent et embrassèrent leur monument du regard.

– Tiendra-t-il le coup ? demanda un des hommes.

– Des années, répondit Crozier en resserrant son manteau autour de lui. J'ai vu des endroits où les sillages creusés par les traîneaux de Parry sont encore visibles. Les os que l'on trouve éparpillés sur le rivage, de phoques, d'ours, sont là depuis des siècles.

Il ébaucha un sourire.

– Rien ne bouge ici, dit-il. Il n'y a rien pour bouger quoi que ce soit.

Ils se détournèrent et descendirent la colline. Ce fut seulement en se rapprochant des tentes qu'ils virent les Esquimaux.

Crozier entendit des éclats de voix avant d'avoir couvert la petite pente entre le cairn et le camp. Il aperçut Gus, toujours assis près du feu, voûté sous le poids des peaux de bête, son petit visage levé vers le groupe qui marchait vers lui. Un marin sortit précipitamment d'une des tentes, un fusil à la main.

– Arrêtez ! cria Crozier.

Ils dévalèrent la pente. Ou tout au moins ils essayèrent.

Il régnait un silence profond dans le camp. Brusquement Crozier prit conscience des centaines et des milliers de kilomètres qui s'étendaient dans toutes les directions autour de ce groupe d'Anglais perdus, boursouflés, gelés, malades avec leur petite réserve de renards dépecés et d'oiseaux plumés. À l'inverse, les hommes qui leur faisaient face étaient bien nourris, chaudement vêtus, à l'aise. Et diablement curieux.

Trois d'entre eux s'approchèrent de lui. Ils s'arrêtèrent à quelques mètres. Derrière eux, leur équipage de chiens les observaient, de même que les femmes et les enfants. Crozier dévisagea les visiteurs. Ils avaient des cheveux noirs coupés court avec une mèche, unique, pendant sur chaque joue.

Le capitaine ânonna les quelques mots qu'il connaissait : *Kammik-toomee.* « Nous sommes amis. » Les Esquimaux sourirent. Ils s'avancèrent en parlant tous en même temps. Plusieurs marins derrière Crozier brandirent leurs fusils et les armèrent.

– Ne tirez pas ! s'exclama le capitaine.

L'homme qui était devant tendit le bras et, de son doigt brun foncé, il tapota la poitrine de Crozier. Il souriait jusqu'aux oreilles. Ensuite, il se retourna et appela les autres. Tout le monde se précipita, hommes, femmes et enfants.

– Monsieur Irving, dit Crozier, allez chercher le coffre dans la tente. Le petit coffre en bois avec une serrure en fer.

Les enfants avaient fait cercle autour de Gus. Ils tiraillaient sur ses fourrures en ricanant.

– N'aie pas peur, Gus, dit Crozier. Ne crie pas et ne bouge pas.

Une femme à sa droite se glissa à côté de lui et pénétra dans la tente la plus proche. Deux membres de l'équipage la suivirent. Moins de quinze secondes plus tard, elle ressortait avec des poches de tabac et une partie du bois stocké pour le feu.

– Surveillez-les, dit Crozier. Postez-vous près des tentes. Ne les laissez pas entrer. Restez sur place. Ne les touchez pas. Ne touchez pas les femmes.

Il ouvrit le coffre qu'on lui avait apporté. Les Inuit guignèrent à l'intérieur, toujours hilares, sans cesser de jacasser.

– Des aiguilles et des couteaux, dit Crozier.

Il leur montra les aiguilles dans le creux de sa main.

Les hommes les ignorèrent. Ils effleurèrent les lames des couteaux.

La main d'Irving planait sur la gâchette de son fusil.

– Ne tirez pas, répéta Crozier.

– Capitaine, répondit Irving, je tirerai sur un homme s'il vous menace d'un couteau.

– Personne ne me menacera, murmura Crozier. Attendez. Soyez patients.

Gus n'avait pas bronché. Il avait des fourmis dans les jambes. Il souffrait le martyre maintenant qu'elles reprenaient vie. Il avait besoin de bouger, d'allonger ses membres engourdis, mais n'osait pas. Son regard passait des étranges visages burinés des Inuit à celui de Crozier, si pâle bien que teinté d'une rougeur qui témoignait de ses origines celtes. Les yeux du capitaine étaient fiévreux, enflammés. En dévisageant les uns après les autres ceux qui l'entouraient, Gus se rendit compte, pour la première fois à quel point les Européens avaient l'air malade à côté de ces indigènes apparemment indestructibles dont la peau paraissait légèrement huileuse. Le blanc de leurs yeux était d'une clarté limpide, presque ahurissante. Gus remarqua alors que tous les gens des bateaux, même le capitaine, avaient les yeux injectés de sang. Il se sentit très faible tout à coup.

Les Esquimaux déballèrent un paquet qu'on était allé chercher sur un de leurs traîneaux. Les hommes placés juste derrière Crozier reculèrent pour s'en écarter, mais le capitaine ne bougea pas.

– De la graisse et de la viande de phoque, dit-il, finalement. Du saumon congelé.

Les hommes poussèrent l'épaule de Crozier. Un brouhaha s'éleva parmi les Inuit. Ils riaient en désignant leurs chiens.

– Nous n'avons pas de chiens, dit Crozier.

Les enfants couraient en tous sens dans le camp, inspectant les réserves, les renversant. L'un des matelots en saisit un au passage et le souleva. C'était un petit garçon qui ne devait pas avoir plus de quatre ou cinq ans. Il poussa des cris perçants quand il se retrouva la tête en bas, suspendu au-dessus de la neige.

– Ils n'ont pas peur, remarqua Irving.

– Ils n'ont rien à craindre, répondit Crozier. Votre fusil n'est qu'un bâton à leurs yeux. Ils n'ont pas la moindre idée de la raison pour laquelle vous vous y cramponnez, pas plus qu'ils ne comprendraient si vous le braquiez sur eux. Ils n'ont jamais vu d'armes de leur vie.

Irving lui lança un regard furtif. Il avait de la peine à détourner les yeux des traîneaux où les hommes s'activaient à présent, extrayant de nouveaux trésors de leurs paquets.

– En êtes-vous sûr ? répliqua Irving. Au Groenland, ils se servent toujours de fusils.

– Nous ne sommes pas au Groenland, lui expliqua Crozier. D'autres tribus, d'autres familles peuplent cette région. Ces gens chassent dans le détroit et non dans la baie du Lancaster, ni même aux abords. Il se peut qu'ils voient des Blancs pour la première fois.

Comme pour prouver qu'il avait raison, les femmes s'étaient attroupées autour de Gus. Elles enfonçaient leurs doigts dans la fourrure et lui caressaient le visage en effleurant la gelure sur sa joue.

– C'est elle, s'exclama Gus.

Crozier se tourna vers lui.

– Laisse-la te regarder, dit-il. C'est tout ce qu'elle veut faire.

Mais il n'avait pas besoin de lui donner ce conseil : Gus était subjugué. Il n'avait jamais vu des yeux pareils, noirs d'encre ni de cheveux aussi foncés, huileux, d'une somptueuse épaisseur. La fille devait avoir son âge ; elle portait un pantalon et une veste en peau de caribou, comme un homme, bordée en bas de fourrure blanche peignée en lanières frangées. Son capuchon lui couvrait presque le visage, mais elle le repoussa, dévoilant les tatouages que Gus reconnut : d'extraordinaires lignes brun henné en forme d'arcs sur ses joues et rayonnant le long de son menton.

Une autre femme s'accroupit à côté de lui. Elle était plus âgée : il se demanda si c'était la mère de la fillette. Elle aussi avait des tatouages, mais en plus, son visage était creusé d'une multitude de plis de peau profonds, sorte de parodie de l'extrême vieillesse due aux rigueurs du climat. Il était impossible de lui attribuer un âge, mais lorsqu'elle sourit, Gus vit que ses dents étaient très usées.

Les Inuit avaient traîné plusieurs paquets au pied de Crozier. Ils contenaient beaucoup de viande, toute crue. L'homme qui lui avait tapoté la poitrine s'empara habilement d'un couteau qu'il glissa dans sa manche. On appela les femmes : elles prirent les aiguilles et le bois, les bouts en fer des piquets. La vieille femme aurait embarqué la marmite en cuivre si un des membres de l'équipage ne la lui avait pas arrachée des mains.

– Offrez-leur de la nourriture, dit Crozier.

Ils montrèrent aux Esquimaux leur stock de lagopèdes des roches, mais ils les refusèrent. Personne n'en fut surpris car la chair de ces volatiles était foncée, dure et amère ; mais c'était la seule chose qu'ils parvenaient à abattre sans peine. Ils ouvrirent une caisse contenant des raisins secs, des figues et du sucre.

Les Esquimaux plongèrent les doigts dans le sucre

et le frottèrent entre le pouce et l'index avant de goûter. Il s'était solidifié pour prendre l'aspect de la mélasse. Ils recrachèrent. De la même manière, ils mâchonnèrent quelques secondes seulement les figues et les raisins avant de les rejeter dans la neige.

La fille n'avait pas quitté Gus d'une semelle. Après avoir supporté ses caresses et l'exploration de ses doigts sur sa figure, il finit par se lever pour soulager les picotements intolérables. Il chancela un peu. Elle lui prit le bras et lui parla en lui désignant les traîneaux, sans cesser de rire.

– Eh, fit-il, mais ils ne ressemblent pas du tout aux nôtres !

Il avait raison. Les traîneaux des Esquimaux étaient minces et étroits. Ils devaient bien mesurer vingt pieds de long, estima-t-il, mais ne faisaient pas plus de cinquante centimètres de large. Des cordes en peau de phoque glissées dans des trous percés le long des patins s'inséraient aux extrémités de sortes d'arbalètes en bois disposées à une dizaine de centimètres seulement les uns des autres. Ils paraissaient souples, maniables et ne comportaient pas un clou visible. Les traîneaux qu'eux-mêmes avaient tirés depuis les navires étaient en réalité deux chaloupes remises à neuf auxquelles on avait fixé des patins en bois, larges et lourds. Gus vit tout de suite que ceux des Esquimaux, tirés par leurs chiens, devaient glisser aisément à n'importe quelle vitesse, y compris sur les grandes crêtes bosselées alors que les traîneaux provenant du *Terror* se dérobaient à chaque monticule et restaient coincés ; il fallait, chaque fois, plusieurs minutes de manœuvres et d'efforts pour les dégager. En les comparant même brièvement, il se demanda pourquoi des hommes comme Franklin, qui connaissait les Esquimaux n'avaient pas commandé des traîneaux comme ceux-là, minces comme des roseaux et si gracieux.

La fille partit tout à coup en courant. Elle descendit vers les traîneaux en regardant par-dessus son épaule. Tout le monde parlait en faisant de grands gestes. On sortit quelque chose du premier traîneau qu'on lui confia ; elle revint auprès de Gus en serrant son fardeau contre sa poitrine. Deux autres filles de part et d'autre d'elle poussaient des cris de joie en désignant ce qu'elle lui avait apporté. Il regarda. C'étaient des chiots, deux huskies à peine sevrés aux figures rusées de renard levées vers lui. Elle les lui mit dans les bras.

– Capitaine ! appela-t-il.

Avant que Crozier eût le temps de répondre, il y eut une explosion.

Les Esquimaux se figèrent. L'image même de la surprise. L'un des marins postés près de la première tente brandissait en l'air son fusil encore fumant. Devant lui se tenait une Esquimaude, une main toujours tendue. Elle paraissait abasourdie, sous le choc. Le coup de feu sembla se prolonger interminablement, faisant écho dans la toundra. Les chiens se mirent à aboyer furieusement.

Irving fut le premier à rejoindre le marin.

– Elle a essayé de me le prendre, expliqua l'homme.

La femme porta la main à sa tête. Il y avait une trace de brûlure brune sur son capuchon : elle rabaissait la main et la regarda. Du sang suintait sur ses doigts ; quelques gouttes tombèrent dans la neige.

– Elle est blessée ! cria Irving.

Quand il fit mine de s'approcher d'elle, elle poussa un hurlement et bondit en arrière.

– Laissez-moi regarder, fit Irving. Où est la blessure ?

– L'a-t-il touchée ? cria Crozier.

– Elle saigne, répondit Irving.

Les autres femmes s'étaient rassemblées autour d'eux. Elles ôtèrent le capuchon de leur compagne et explorèrent le haut de son crâne, son visage, son cou.

Crozier se mit à courir.

Brusquement, l'homme qui l'avait touché plus tôt lui barra la route en gesticulant. D'autres se glissèrent derrière lui et lui tirèrent sur les bras. Il y eut tout un brouhaha. Les indigènes reculèrent pas à pas, sur la neige et la glace pleine de creux.

La fille qui se tenait près de Gus se tourna vers lui, les yeux écarquillés de peur. Puis elle fit volte-face et s'enfuit à toutes jambes en direction des traîneaux. Les autres femmes la suivirent.

– Est-elle gravement blessée ? demanda Crozier.

– Impossible de le savoir, répliqua Irving.

– Je vous avais dit de ne pas tirer ! hurla Crozier, furieux, à l'adresse du marin. Vous aviez l'ordre de ne pas tirer.

– Je n'ai pas tiré, capitaine. C'est elle, en m'arrachant le fusil des mains.

– Pour l'amour du ciel ! vociféra Crozier.

Ils regardèrent, impuissants, les Inuit lancer leurs traîneaux. Les chiens bondirent en avant, l'animal de tête de chaque équipage mordant ses voisins sous les coups de fouet. La neige produisit un son plaintif. Gus vit la fille qui s'était hissée à l'arrière du dernier traîneau se retourner vers lui. Il mit sa main en visière pour la suivre des yeux, effleura du bout des doigts l'endroit de son visage qu'elle avait touché. Derrière lui, les chiots jappaient et gesticulaient dans la caisse sans couvercle où il les avait rangés.

Crozier jeta le coffre qu'il tenait toujours dans la neige.

– Nom de Dieu ! hurla-t-il. Nom de Dieu !

Personne ne bougea. On ne l'avait jamais entendu jurer auparavant.

Les hommes le dévisagèrent tandis que l'impact réel du coup de feu se faisait jour dans leurs esprits. C'était la première fois depuis plus de deux ans qu'ils avaient vu d'autres êtres humains. La première fois aussi qu'on leur donnait de la viande fraîche pour laquelle ils n'avaient pas eu à se battre avec la dernière énergie. Plus terrible encore, une perte bien plus considérable, ils se rendaient compte qu'en faisant fuir les Inuit ils avaient gaspillé la toute première gentillesse qu'on leur avait manifestée.

Ils gardèrent les yeux rivés au sol tandis que les premiers flocons de la neige accumulée dans le ciel tombaient sur eux.

Pour finir, Irving approcha peu à peu sa botte du sac en peau de phoque posé dans la neige devant lui.

– Au moins, on va pouvoir manger maintenant, murmura-t-il.

Handforth jeta un coup d'œil aux chiots.

– Oui, reconnut-il. C'est déjà ça.

7.

Catherine sonna à la porte de Lincoln Street ce soir-là. Elle avait essayé de joindre Jo à plusieurs reprises au cours de la journée pour savoir ce que le médecin lui avait dit au sujet de Sam et, bien qu'elle ne fût pas très inquiète, elle avait résolu de faire un détour en rentrant chez elle. Le rez-de-chaussée était plongé dans l'obscurité ; elle scruta les fenêtres à l'étage en fronçant les sourcils. Puis on alluma dans l'entrée. Jo ouvrit la porte.

Ce que Catherine était sur le point de dire lui resta coincé en travers de la gorge lorsqu'elle vit Jo. Elle était blême et paraissait exténuée. Derrière elle, Catherine aperçut ses chaussures au pied de l'escalier ainsi que les vêtements de Sam éparpillés sur les marches – ses chaussettes, sa salopette, son T-shirt.

– Jo ! Que se passe-t-il, pour l'amour du ciel ?

Jo ne répondit rien. Elle laissa la porte ouverte et remonta sans dire un mot. Catherine referma derrière elle et la suivit.

– Qu'est-ce qu'il y a ? demanda-t-elle. Jo...

Les chambres et la salle de bains se trouvaient au second. En atteignant le palier, elle vit une lumière dans la chambre de Sam. Jo s'était assise par terre au pied du lit. Sam dormait ; seule sa tête dépassait de la couette.

Il y avait un verre de vin rouge, presque vide, sur le coffre à jouets près de Jo. Catherine s'approcha et s'assit à côté d'elle. Elle lui caressa le bras avec douceur.

– Qu'est-ce qu'il y a ? répéta-t-elle. Que s'est-il passé ?

Les lèvres de Jo tremblaient.

– Savez-vous où il est ? demanda-t-elle.

– Qui ça ?

– John.

Catherine la considéra d'un air interdit.

– John ? Non.

À son grand étonnement, Jo lui agrippa le bras.

– Parce que si vous le savez, vous devez me le dire, dit-elle.

Catherine regarda la main de Jo, puis reporta son attention sur son visage, totalement bouleversé à présent.

– Je n'ai aucune nouvelle de lui, répliqua-t-elle. C'est la vérité.

Jo se prit la tête à deux mains.

– Il faut que je le trouve.

Catherine observa rapidement Sam, redoutant que la panique de sa mère ne le réveille.

– Vous devez me haïr, reprit Jo. Pourquoi ne me détestez-vous pas ? Vous en avez parfaitement le droit. C'est moi qui l'ai poussé à fuir.

Elle fondit en larmes.

Catherine tendit les bras et la serra contre elle. Elles restèrent ainsi un moment dans cette étreinte maladroite, sur la moquette jonchée de soldats en plastique, de figurines Pokémon et de pièces de puzzle en bois.

– Pour l'amour du ciel, dit Catherine, je ne vous déteste pas !

– Vous devriez, insista Jo.

Elle s'écarta d'elle et s'essuya le visage avec la manche de son sweat-shirt.

– Que s'est-il passé aujourd'hui ? Dites-le-moi, je vous en prie !

Jo ne répondit pas. Elle se contenta de secouer la tête, encore et encore.

– C'est ironique, dit-elle finalement. Voilà ce que c'est. Une foutue ironie du sort !

Pire que les sanglots de tout à l'heure, un torrent de larmes se déversait à présent en silence sur son visage. En les voyant, Catherine sentit son cœur chavirer. Jo ne pleurait pour ainsi dire jamais. Il lui arrivait de jurer, de claquer une porte quand elle était frustrée et Catherine supposait qu'elle ne devait guère avoir de patience avec les imbéciles. Mais cet abandon total au chagrin était insoutenable.

La dernière fois qu'elle l'avait vue dans cet état, c'était à l'enterrement de Doug. Debout à côté de John, raide comme un piquet, qui n'ouvrait pas la bouche – et Dieu sait si cela lui avait été pénible ! –, Catherine s'était sentie affreusement tiraillée par la loyauté qu'elle éprouvait envers l'un et l'autre. Surtout lorsqu'elle avait vu Jo. Il était pour ainsi dire impossible de communiquer avec John, totalement replié sur lui-même, qui semblait prêt à la rejeter et à l'exclure de sa vie. En revanche, les sentiments de Jo étaient évidents aux yeux de tous. Catherine avait eu envie de courir vers elle et de la prendre dans ses bras. Elle était accablée de douleur.

Quelque chose d'aussi terrible que la perte de Doug était à présent peint sur le visage de Jo.

– Venez ! chuchota-t-elle en tirant doucement sur le bras de Jo. Descendons. Venez me parler.

Jo résista.

– Je ne peux pas..., protesta-t-elle. Je ne peux pas le laisser.

Son regard était fixé sur la forme endormie de Sam.

– Vous ne pouvez pas laisser Sam ? demanda Catherine. Pourquoi pas ? Rien qu'une minute.

– Pas même une minute.

– Mais, Jo...

– Vous ne comprenez pas, bredouilla Jo.

Elle s'empara du verre de vin qu'elle éclusa d'une traite avant de le reposer. Elle regarda autour d'elle, comme si elle cherchait quelque chose, puis ramassa un bout de puzzle. C'était une tête de pie, noir et blanc, avec une touche de vert derrière. Elle poussa un petit soupir triste, le retourna entre ses doigts, encore et encore.

– Il faut le surveiller, reprit-elle. Tout le temps. Il ne faut pas qu'il pleure, ni qu'il ait un cauchemar, ni qu'il pique une crise, ni qu'il tombe. Plus jamais. Il ne peut plus sauter du canapé. Ni faire du vélo dans l'allée. Ni essayer de grimper...

Catherine ne comprenait rien.

– Il ne faut pas ? répéta-t-elle. Mais pourquoi ?

Elle regarda le verre, puis Jo.

– Qu'a dit le médecin ?

– Il m'a envoyée à l'hôpital.

– Pour quoi faire ?

Jo ne répondit pas.

– Jo, fit Catherine.

Elle posa les deux mains sur ses épaules et la secoua doucement.

– Quel est le rapport avec John ?

Jo releva la tête.

– Avez-vous jamais entendu parler de l'anémie aplasique ? demanda-t-elle.

– Anémie quoi ? Non.

Jo esquissa un sourire.

– Moi non plus, répliqua-t-elle.

Elle reposa le bout de puzzle.

– Ça ne se voit pas... C'est ce que je n'arrive pas à comprendre... On ne voit rien. C'est dedans... Ce n'est pas comme une jambe cassée. Ou une coupure. Même si on prend une radio, on ne voit rien.

– Anémie aplasique.

Une vision cauchemardesque venait de naître dans l'esprit de Catherine. Elle fut prise de terreur.

– Le sang.

– L'os, dit Jo. La moelle osseuse.

Catherine déglutit avec difficulté.

– Et Sam a ça ? Une déficience de la moelle osseuse ?

– Oui, dit Jo.

Elle reprit le fragment de puzzle et l'expédia à toute volée. Il atterrit contre le mur derrière le lit de Sam. Elles regardèrent le petit garçon se retourner en tendant les bras.

– Quand on est rentrés, reprit-elle, j'ai dû lui faire prendre un bain pour le débarrasser de l'odeur...

Elle ferma les yeux.

– Il faut qu'il y retourne demain matin. Oh, mon Dieu !...

Catherine regarda Sam, en proie à un effroyable sentiment d'impuissance.

– Nous devons retrouver John, chuchota Jo. Il le faut absolument.

– Jo, dit Catherine, devinant à moitié, mais n'osant pas exprimer ses soupçons. Pourquoi ?

Jo se leva brusquement en titubant, la main plaquée sur sa gorge. Catherine s'empressa de se redresser à son tour. En quelques pas, Jo gagna le petit lit. Sa main vola au-dessus de Sam, sur son visage, sa poitrine, comme si elle avait envie de le toucher, mais redoutait de lui faire mal.

– On peut entreprendre certaines choses, dit-elle en se retournant vers Catherine. Pour enrayer le mal, momentanément... si on a de la chance. On peut lui donner du sang, des stéroïdes... un truc qui s'appelle cyclosporine. Mais il est si malade, si terriblement malade, Catherine !

Catherine n'arrivait plus à parler. Elle se mordit la lèvre, la gorge serrée par l'angoisse.

Pourtant Jo avait relevé le menton et, pour la première fois depuis qu'elle était arrivée, Catherine vit une faible lueur d'espoir s'insinuer dans son regard.

– Chacun de nous a ce qu'on appelle des cellules-souches, dit-elle. Je peux lui en donner, en tant que mère... On les prélève sur moi, dans mon sang. On m'administre un médicament pour que j'en produise plus, tellement plus qu'elles se déversent en masse de la moelle dans le flux sanguin. Ils récoltent cette surproduction. Ensuite ils congèlent ces cellules.

Elle énumérait les étapes en comptant sur ses doigts, mais ses mains tremblaient.

– Ils les prennent et les congèlent, reprit-elle, pour pouvoir y recourir s'il n'y a rien d'autre à faire, au cas où rien d'autre n'a fonctionné...

Elle était si pâle à présent que Catherine avait l'impression d'avoir un masque sous les yeux plutôt qu'un visage humain.

– Et vous savez ce qu'il y a de plus terrible dans tout ça ? murmura-t-elle. Je ne suis qu'à moitié compatible avec lui. Même si je fais tout ça, les chances de réussite sont faibles...

– Oh ! Jo...

Jo fit un pas vers elle et s'empara de son bras.

– Ce n'est pas fini, dit-elle. Si nous entreprenons

tout ça et s'il ne réagit pas, il faudra procéder à une greffe de la moelle osseuse. Et les meilleurs candidats pour ça, ce sont les frères et sœurs. Les frères...

Son regard scruta celui de Catherine.

– Mais Jo, répondit Catherine, John est seulement son demi-frère.

– Ça réduit les chances, mais...

– Il y a des banques de moelle..., s'exclama tout à coup Catherine. J'ai vu ça à la télévision. L'autre jour aux nouvelles, ils ont montré un bébé qui...

– Ils peuvent très bien chercher dans le monde entier et ne jamais trouver de sujet compatible, répliqua Jo.

Elle serra le poing et le plaqua sur sa bouche. Il y eut un moment de silence tandis qu'elle s'efforçait de se calmer.

– Okay, murmura-t-elle, il existe peut-être un meilleur donneur que John. C'est peu probable parce que... mon Dieu, c'est tellement compliqué, le médecin m'a tout écrit sur un carnet, il m'a dessiné un diagramme, j'ai essayé de me concentrer...

– Peu importe maintenant, dit Catherine. Venez en bas...

– Non, c'est important. Il faut que ça soit bien clair dans mon esprit.

Elle fronça les sourcils.

– John, son père et Sam ont peut-être le même type de tissu. D'haplo-type. Si c'est un type rare et si Alicia et moi avons le même haplo-type en commun, alors nous sommes tous compatibles et John correspondrait à Sam, ou serait suffisamment proche. Vous comprenez ? Suffisamment proche pour le sauver.

Le silence autour d'elle parut s'amplifier.

Catherine sentit son estomac se serrer. La terreur.

– Jo, dit-elle lentement, ça fait beaucoup de si.

– Oui, je sais.

– Quelle chance y a-t-il que John, Doug et Sam présentent le même type de tissu, cet...

– Haplo-type.

– Haplo-type, répéta Catherine. Vous dites qu'il faudrait qu'il s'agisse d'un type rare...

– Oui, mais c'est possible. Ça arrive.

– D'accord, reprit Catherine en pesant ses mots. Disons que le père et les deux fils partagent ce type rare. Mais Alicia et vous...

– C'est possible aussi, riposta Jo. Dix pour cent de la population ont le même haplo-type et si Alicia et moi avons...

– John serait compatible avec Sam.

– Oui.

Catherine porta la main à son front.

– Oh, mon Dieu. Mon Dieu ! murmura-t-elle.

– Mais c'est possible ! insista Jo. C'est probablement plus une éventualité que de trouver un sujet compatible qui ne serait pas de la famille.

– Dans ce cas, John serait le meilleur espoir pour Sam.

– Oui, souffla Jo. Oui.

Et elle soutint le regard de Catherine une seconde avant que ses épaules s'affaissent. On aurait dit qu'elle s'effondrait tout à coup, que son dos ployait comme si on lui avait assené un coup dans l'estomac. Elle croisa les bras sur son ventre et se pencha en avant.

Catherine s'empressa de la prendre dans ses bras et la serra contre elle.

– Je suis là maintenant, dit Catherine. Je vais vous aider.

Jo frissonna.

– Je sais que les chances sont minces, mais si cela se révèle être notre unique solution... S'il n'y a pas d'autre donneur... alors vous comprenez, Cath, n'est-ce pas ? Vous comprenez ? John serait le dernier espoir qu'il resterait à Sam.

Au bout d'une heure, Catherine parvint à faire descendre Jo, après avoir branché dans la chambre de Sam le système de surveillance bébé dont Jo ne s'était plus servie depuis six mois.

Catherine l'installa dans la cuisine pendant qu'elle réchauffait de la soupe et la surveilla pour s'assurer qu'elle mangeait. Puis, elle prit place à côté d'elle en lui tenant la main.

– Alicia sait peut-être où il se trouve, dit-elle.

Jo la dévisagea.

– Est-il possible qu'il lui ait écrit à elle et pas à vous ? s'enquit-elle.

– Je n'en sais rien.

Jo était assise très droite, les yeux rivés sur Catherine.

– Pensez-vous qu'à l'heure qu'il est, il s'achemine vers les sites de Franklin à Nunavut ?

– Seul ? dit Catherine. Comment ?

– Et ce photographe ? demanda Jo.

– Je ne me rappelle même pas son nom. Il y a trois ans de cela et je crois que cet homme voyage dans le monde entier. Où peut-il bien se trouver maintenant ? Peut-être Alicia...

Jo se rongeait l'ongle du pouce en réfléchissant.

– Se pourrait-il que John demande de l'argent à sa mère ?

– Je n'en sais rien, avoua Catherine.

– De quoi vit-il ?

– Il travaille, je suppose, dit Catherine. Il fait des fouilles, peut-être, ou des petits boulots.

– Il a forcément contacté sa mère.

– N'y comptez pas, Jo.

Jo se leva brusquement et s'approcha du téléphone.

– Je vais l'appeler !

Catherine la rejoignit et interrompit son geste.

– Elle refusera de vous parler, dit-elle. Elle raccrochera. Laissez-moi essayer.

Elle sortit un carnet de son sac.

– Je crois que j'ai gardé le numéro.

Alicia ne décrocha pas tout de suite.

– Madame Marshall ?

– Oui.

– Ici Catherine Takkiruq.

Il y eut un silence.

– Madame Marshall, je cherche à contacter John.

– John, répéta la voix au bout du fil. Pourquoi ?

– Je suis désolée...

– Pourquoi maintenant ? voulut savoir Alicia.

Catherine marqua une pause, consciente qu'elle devait faire très attention à ce qu'elle disait. Mentionner le nom de Jo serait rédhibitoire.

– Je me demandais comment il allait, répondit-elle.

– S'il ne vous a pas écrit, je ne crois pas qu'il tienne à ce que vous le sachiez, riposta Alicia.

Catherine fronça les sourcils.

– Vous a-t-il contactée ?

– Ça ne vous regarde pas !

– Mais...

– Je n'ai aucune nouvelle de vous depuis plus d'un an et tout à coup...

– Je pensais que vous ne teniez pas à me voir, précisa Catherine.

– Je n'ai jamais dit ça.

Catherine rougit. Jo, à côté d'elle, fit la grimace. Elle posa une main sur le bras de Catherine.

– La dernière fois que je suis venue vous rendre

visite, reprit Catherine lentement, vous avez déclaré que vous ne voyiez pas l'intérêt de ma présence à Franklin House. Vous m'avez fait clairement comprendre que je n'étais plus la bienvenue.

– Vous et cette Harper, répliqua Alicia, vous avez fait fuir mon fils !

– C'est faux !

– Vous vous êtes cramponnée à lui alors qu'il était clair qu'il ne voulait plus vous voir.

– Ce n'est pas vrai.

– Vous ne le laissiez jamais en paix ! lança Alicia.

C'était si désespérément faux que Catherine, momentanément à court de mots, laissa échapper comme une plainte. Si quelqu'un avait fait fuir John, c'était bien sa mère avec ses éternels apitoiements sur elle-même. Quand John lui avait fait part des propos que Jo lui avait tenus à la chapelle, Alicia avait fulminé pendant des jours, interprétant ces paroles comme une attaque contre elle par l'intermédiaire de son fils, une injure à sa famille. Jo l'avait blessée, elle, elle lui avait volé son mari, et avait accusé son fils. Comme si John n'était qu'un accessoire du drame personnel de sa mère.

– Je n'ai rien d'autre à vous dire, déclara Alicia.

Catherine s'obligea à rester calme.

– Je vous en prie, madame Marshall, c'est très important. Savez-vous où se trouve John ?

Mais il n'y avait plus personne au bout du fil.

Catherine tendit le combiné à Jo pour lui faire entendre la tonalité, puis elle raccrocha.

– Oh, mon Dieu ! gémit Jo.

Elle retourna près de la table et se laissa tomber sur une chaise.

– Cette femme. Oh, mon Dieu ! répéta-t-elle en s'essuyant les yeux. Comment faire pour communiquer avec elle ? Pensez-vous qu'elle sache où est John ?

– Même si c'est le cas, répondit Catherine, elle ne nous le dira jamais.

Elles tournèrent toutes deux leur regard vers les carrés noirs des fenêtres, vers la nuit.

En haut, Sam se mit à pleurer.

8.

Elle voulait partager avec lui ce qui lui tenait le plus à cœur. La tempête tellement inattendue à cette saison dans le détroit s'était abattue depuis l'est ; elle marchait en bordure de la mer gelée. De temps à autre, quand elle se retournait, elle voyait son petit trébucher tandis qu'à d'autres moments, il s'immobilisait et regardait ailleurs. C'était ça qui la troublait le plus, car les oursons suivaient généralement leur mère à la trace afin de l'observer et d'apprendre. On aurait dit qu'il s'éloignait d'elle en se concentrant sur quelque objet distant, invisible à ses propres yeux.

Elle continuait sa route vers le sud en suivant son instinct.

Jadis, alors que le froid gagnait du terrain, elle était allée à l'île de Devon dans la baie de Lancaster. Elle sentait encore les échos de cet hiver retentir dans sa tête. S'il avait été fort, elle l'aurait ramené là-bas, attirée par les anses où les bélugas se trouvaient pris au piège dans des trous d'aération de moins en moins profonds. Elle y était en compagnie d'autres ours en attendant que la mer bloque la voie aux marsouins et leur offre cette prise aussi facilement qu'un pêcheur halant ses filets. Les ours se bornaient alors à sortir leurs proies de la mer pour les tuer sur la glace. Quarante bélugas, des jeunes, encore tout gris. Elle se souvenait de l'odeur, du sang déversé souillant le paysage gelé.

Elle voulait lui apprendre à nager. La liberté de l'âme. Mais l'endroit où ils étaient ne convenait pas. À mi-chemin du grand golfe d'eau, le courant était trop rapide. Elle détestait les tremblements venus du fond de la mer, la vieille empreinte de la peur. Sa marque invisible serait peut-être là encore pendant des siècles – ce terrible écho du monde sous-marin, vestige de quelque obscur souvenir à la lisière entre la glace et la terre. Elle grogna en atteignant le sommet d'une congère et s'arrêta net.

Un ours adulte était planté devant elle, les yeux rivés sur elle : une masse de fourrure éparse sur un paquet d'os. Elle lui rendit son regard en baissant la tête sous l'effet de la surprise, du choc. Rien ne l'avait avertie qu'il se terrait là, à demi couvert de fins granules de glace. Il la considérait d'un œil las. Éteint.

Immobile, elle le jaugea du regard. Il était couché, la tête sur un monticule surélevé. À l'évidence, il s'était mis sous le vent de mer pour mourir. Ainsi finissaient les ours. Il avait peut-être quinze ans, vingt, voire trente ans. Il avait fait son temps. Elle se détourna.

Ce faisant, elle aperçut des bandes sombres sur la crête. Elles étaient attachées à des os plus vieux encore que ceux du mâle allongé en contrebas. Il ne restait plus de chair dessus, mais les choses qui flottaient dans le vent autour étaient foncées : des lambeaux de vêtements mouillés. Elle y goûta avant de les rejeter. Pas du phoque. Elle écarta le tissu de côté et renifla les objets inertes près du squelette. Des boîtes peintes en rouge. Rien, moins que rien, pour elle. Elle s'assit sur ses pattes arrière et poussa un braillement.

Alors l'ourson s'approcha d'elle lentement en se frayant un chemin parmi les restes humains depuis longtemps inanimés.

9.

Alicia quitta Cambridge de bonne heure le lendemain. C'était une magnifique matinée d'été, mais elle conduisait presque sans se rendre compte de la présence du soleil. À 6 h 45, elle était déjà dans la banlieue de Londres, sur la M25. Trois quarts d'heure plus tard, elle s'engageait sur la M3, en direction du sud.

Elle accéléra ; les villes de la périphérie londonienne, puis du sud-est, disparaissaient les unes après les autres derrière elle. À 9 heures, elle avait quitté l'autoroute et pris la longue route qui franchissait les hauteurs des Wiltshuire Downs en passant au sud de Salisbury Plain par Cranborne Chase avant d'atteindre Blackmore Vale.

L'Angleterre n'avait rien de plus beau à montrer ce matin-là. Le pays de Thomas Hardy – le Vallon des Great Dairies où Tess avait exploré les pâturages en quête d'ail sauvage sous l'œil d'Angel Clare – déployait devant elle son grand tapis vert à damiers. Pourtant, Alicia ne voyait rien de tout ça tandis qu'elle négociait un tournant après l'autre sur une succession d'étroits sentiers. À un moment, furieuse contre elle-même parce qu'elle s'était trompée de chemin une fois de plus, elle s'arrêta et déplia sa carte. Elle se rendit compte qu'elle tremblait. Elle prit plusieurs inspirations profondes pour tâcher de dissiper cette sensation d'oppression dans sa poitrine, les palpitations nerveuses de son estomac.

La lettre était posée sur le siège à côté d'elle. Elle consulta le petit mot qu'elle avait écrit et scotché sur la carte : « Hermitage Farm, Cerne Magna. »

Il était presque midi quand elle dénicha finalement l'endroit blotti sous une crête de craie couronnée d'un petit bosquet, sans aucune pancarte pour indiquer le chemin. Seul un petit groupe de dépendances délabrées trahissait le passé besogneux de la fermette. Plusieurs 4 × 4 et deux vieilles camionnettes Ford étaient garées sur l'allée criblée d'ornières et le bas-côté.

Apparemment, il n'y avait personne. Alicia traversa la cour, puis s'engagea dans le champ. En suivant un bruit de voix distantes, elle se fraya un chemin entre les touffes d'orties et de chardons jusqu'à un mur de pierre.

– Bonjour ! lança-t-elle.

La fille assise de l'autre côté faillit lâcher la cigarette qu'elle tenait à la main.

– Bonjour, répondit-elle en regardant par-dessus son épaule.

– Je cherche John Marshall.

– John ?

– Oui. Est-ce qu'il est là ?

La fille jeta un coup d'œil derrière elle. Quelque part dans les arbres au-dessus d'elle, les fouilles d'une colonie anglo-saxonne étaient en cours depuis quatre semaines. D'après ce qu'elle en savait, ils n'avaient pas eu une seule visite.

– Eh bien, il doit être par là, je suppose.

Elle toisa Alicia des pieds à la tête, puis se leva.

– Vous êtes de l'université ?

– Je n'ai rien à voir avec ces fouilles. Je suis la mère de John.

La fille en resta bouche bée, mais elle ne fit aucun commentaire, se bornant à écraser sa cigarette sous son talon.

– Par ici, dit-elle.

Elles montèrent la colline. Juste avant le sommet, le sol s'aplatissait, et, sur un pan d'herbes plat, à l'ombre des arbres, une demi-douzaine de personnes s'affairaient autour de fosses peu profondes.

– Ken ! appela la fille. Il y a quelqu'un pour John Marshall.

L'homme le plus proche leva les yeux. Ses vêtements étaient couverts d'une poussière crayeuse. Il se redressa en s'essuyant les mains sur son jean, puis en tendit une à Alicia.

– Ken Bryant.

– Bonjour, dit Alicia. J'ai parlé hier avec Charles Edge.

Bryant hocha la tête.

– Oui, il m'a téléphoné hier soir, répondit-il, avec hésitation.

– John est bien ici, n'est-ce pas ? demanda Alicia.

– Oui.

– Vous l'avez embauché ?

– Par le bouche à oreille. Un ami de Bristol me l'avait recommandé.

– Savez-vous que tout le monde le cherche ? dit-elle.

Elle n'avait pas voulu prendre un ton accusateur. Ce fut néanmoins l'effet qu'eut sa remarque.

– Non, répliqua l'homme.

– Il a disparu depuis près de deux ans.

Il la dévisagea intensément.

– Nous ne posons pas de questions sur la vie privée des gens que nous employons. Désolé.

– Il a un appartement à Cambridge, ajouta-t-elle. Il n'a rien à faire ici.

– Écoutez, madame Marshall, rétorqua Bryant, je ne l'ai pas kidnappé.

– Certes, reconnut-elle.

Elle sentit une crispation au coin de sa bouche : un frémissement d'angoisse.

– Certes, répéta-t-elle. Je suis désolée. Vous n'y êtes pour rien.

Bryant considéra furtivement l'équipe derrière lui ; certains s'étaient arrêtés de travailler pour les regarder.

– Allons nous asseoir là-bas, voulez-vous ? proposa-t-il en effleurant le bras d'Alicia.

– Je voudrais voir John. Où est-il ?

– Je préférerais vous parler quelques instants d'abord, répondit-il d'un ton calme.

Il la conduisit vers une table entourée de quelques chaises. Après avoir épousseté les sièges en toile, il en disposa un à un endroit plat et attendit qu'Alicia soit à l'aise.

– Je vois bien que vous êtes un peu impatiente, observa-t-il.

– Mettez-vous à ma place.

Il s'installa à côté d'elle.

– Oui, poursuivit-il en tirant sur un fil de sa manche. Voyez-vous, John a... Eh bien, je dois dire qu'il m'inquiète...

– Que se passe-t-il ? s'inquiéta-t-elle. Est-il malade ?

– Non, non. Pas vraiment.

– Alors, quoi ? Qu'entendez-vous par *pas vraiment* ?

Bryant eut l'air gêné.

– Vous savez, on voit toutes sortes de gens dans ce

métier. Des étudiants, des fanatiques. Des vieux de la vieille comme moi.

Il sourit. Alicia le dévisagea.

– C'est...

– Je suis un peu pressée, l'interrompit-elle.

Bryant s'adossa.

– John vous a-t-il demandé de venir ici ?

Alicia s'empourpra.

– Vous savez très bien que non, répliqua-t-elle. Sinon, je n'aurais pas été obligée de téléphoner partout pour savoir qui faisait des fouilles dans le Dorset. (Elle cala une mèche de cheveux derrière son oreille.) Mais il sera content de me voir, j'en suis sûre. Quand je pourrai le voir...

Bryant se balança en arrière sur sa chaise, les mains croisées sur son estomac.

– John ne veut voir personne, commenta-t-il.

Alicia le considéra d'un air interdit.

– Que voulez-vous dire ?

Les traits de Bryant s'adoucirent. Il la gratifia d'un regard compatissant.

– Madame Marshall, reprit-il, je ne me mêle pas de la vie de mes étudiants. Je ne leur dis jamais ce qu'ils doivent faire, mais il n'empêche que je me fais du souci pour John. Vraiment.

Alicia le regardait toujours fixement. Bryant s'était mis à frotter la poussière qu'il avait entre les doigts avec application.

– John vit ici, sur le site, expliqua-t-il. Il est arrivé avec une tente. Il habite ici. Il campe.

– N'est-ce pas le cas de vous tous ?

– De certains, oui. Mais John s'est installé à l'écart, hors de notre vue. Il ne descend pas le soir. Il...

Bryant lui rendit son regard.

– Il ne parle pas, madame Marshall. Il...

Il s'interrompit, puis se leva lentement. Il avait manifestement décidé d'en rester là. Il désigna une butte en lui précisant qu'elle avait des chances de le trouver par là.

– Enfin..., conclut-il. Vous verrez par vous-même.

John était couché sur le dos, au-delà du bosquet, sur un petit versant à découvert. Le soleil lui chauffait le visage. Il regardait fixement le ciel, les bras croisés sur sa poitrine, les chevilles l'une sur l'autre. Il aimait bien venir ici. Il s'y sentait en paix. Il s'y était habitué et, même s'il restait couché là des heures, il ne sentait plus le sol dur. C'était un meilleur lit que celui qu'il avait eu à Bodrum au moins. En Turquie, il avait dormi neuf semaines à l'arrière d'une camionnette. Certes, ici il n'était pas assez loin de tout. Mais, il n'y avait aucun endroit qui le fût assez.

Quoi qu'il en soit, le travail à Bodrum lui avait convenu. Le site se trouvait au bout d'une plate-forme construite entre deux falaises à pic pour y loger les plongeurs, leur équipement, les poids et les appareils de levage. Il s'agissait d'une opération extrêmement complexe consistant à récupérer quatre cents amphores provenant d'un vaisseau qui avait sombré au XIIe siècle. L'équipe comportait six hommes. Il avait tout appris sur le tas – les arrêts pour la décompression, les régulateurs, l'emplacement des sources d'appoint d'oxygène, le quadrillage du site, l'évacuation des sédiments. Il avait adoré ce travail, et tout particulièrement le silence absolu des plongées, même si cela était parfois abrutissant, surtout quand il y avait du courant et que la visibilité faiblissait. À vrai dire, il ne demandait que ça : se retrouver dans le silence, au fond de la mer, presque invisible sous les guirlandes de vase avec, pour unique compagnie, sa respiration, le staccato des prises d'oxygène. Il descendait volontiers même quand les autres hésitaient à le faire. Il se sentait bien quand son monde se réduisait à ces quelques mètres de fonds marins obscurs. Il aimait l'eau froide, les frissons qui lui parcouraient l'échine, et c'était le cas, même dans ces mers-là. L'anesthésie du froid l'apaisait. Toutefois, plus que tout le reste, il appréciait le fait de ne plus avoir besoin de penser, d'être limité aux quelques mètres carrés juste devant lui. Le plus souvent, on devait lui rappeler qu'il était temps d'arrêter de travailler parce qu'il fallait remonter.

Il appréciait même les arrêts de décompression – si tant est qu'il pût apprécier quoi que ce fût étant donné ce qui se passait dans sa tête. Les autres plongeurs se plaignaient de ces pauses ennuyeuses, mais lui les attendait avec impatience. Il aimait ne rien faire, ne pas réfléchir – et cette nécessité absolue le ravissait. La chose qu'il détestait le plus, c'était remonter à la surface. L'explosion de lumière, l'assaut des sons et des couleurs, les voix des autres. Quatre cents amphores. Il aurait préféré les remonter toutes à lui tout seul. L'une après l'autre. Il donnerait cher pour être en train de le faire maintenant, pour flotter dans le silence de la mer en écoutant son air se raréfier, attendre aux points de décompression, les yeux fermés en se balançant doucement d'avant en arrière dans l'eau. Mais le travail n'avait pris que six mois. C'était la nature de ce métier, et ses inconvénients. On ne pouvait jamais se perdre assez longtemps.

– John, fit une voix.

Il mit sa main en visière pour voir qui c'était.

– Bonjour ! fit Alicia.

Il la dévisagea, puis se leva précipitamment.

– Tu ne m'embrasses pas ? demanda-t-elle.

John tarda une seconde avant de s'approcher d'elle,

les bras tendus. Elle lui rendit son étreinte en posant un bref instant sa tête sur son épaule.

– Oh John ! chuchota-t-elle.

Il recula d'un pas. Elle le tint à bout de bras et scruta son visage.

– Regarde-toi, murmura-t-elle.

– Qu'est-ce qu'il y a ?

– Eh bien, John...

Elle le désigna d'un geste, puis s'arrêta.

Il était sale, comme s'il ne s'était pas lavé depuis des jours. Alicia essaya de dissimuler sa consternation. Elle s'efforça de sourire en se mordant l'intérieur de la joue pour réprimer ses larmes. Un chapelet de mots lui venait aux lèvres. Elle avait envie de le prendre par la main, de le traîner jusqu'à sa voiture et de le ramener sur-le-champ à la maison. Elle s'obligea à garder son calme.

– Si on s'asseyait ? suggéra-t-elle en se posant sur l'herbe.

Il se laissa tomber à côté d'elle.

– Comme c'est joli ici ! fit-elle, bien qu'en vérité elle n'eût rien vu.

Elle ne le quittait pas des yeux. John arracha un brin d'herbe.

– Comment vas-tu ? s'enquit-elle.

– Ça va.

– Ça n'a pas l'air d'aller du tout.

Il haussa les épaules. Elle avala sa salive.

– Es-tu content de me voir, John ?

Il sourit faiblement.

– Il fallait que je vienne.

– D'accord, commenta-t-il.

– Ta lettre, dit-elle. Je ne peux pas...

Elle s'interrompit, sortit un mouchoir de sa poche et s'essuya ostensiblement les yeux. En le considérant à nouveau, elle s'aperçut, interloquée, que cela n'avait pas eu le moindre effet sur lui. Il regardait ailleurs, vers les champs.

– Tu m'as brisé le cœur, chuchota-t-elle.

Pas de réponse.

– John... Deux ans. Deux années entières... Qu'ai-je fait pour mériter cela ?

– Je suis désolé, marmonna-t-il.

– Te rends-tu compte à quel point j'ai été inquiète ? À m'en rendre malade, John ! Comment as-tu pu faire une chose pareille ?

– Désolé, répéta-t-il.

– Et dire que tu ne m'as écrit que deux fois, sans même me donner d'adresse.

Il se tourna vers elle.

– Écoute, commença-t-il, je pars pour le Canada. Alors, si tu es venue ici pour m'en empêcher, tu perds ton temps.

Elle ouvrit la bouche, abasourdie.

– C'est tout ce que tu trouves à me dire ?

– Qu'est-ce que tu veux ? Si tu cherches à m'en empêcher...

– De quel droit est-ce que je t'en empêcherais ? Comme si je le pouvais ! Je ne suis que ta mère. Je suis seulement la personne qui tient le plus à toi au monde.

Il enfouit la tête dans ses mains un bref instant.

– Oh, s'il te plaît ! Pas ça, marmonna-t-il. Ne commence pas.

Il rabaissa les bras.

– Si tu tiens tellement à moi, tu devrais être contente que je fasse ce qui me plaise. Enfin ce qui me plaît, maman ! La dernière fois, tu m'en as empêché, mais Sibley m'a proposé à nouveau de l'accompagner. Et j'y vais.

Il jeta le brin d'herbe entortillé par terre.

– Je pars travailler avec Richard Sibley au Canada, reprit-il. Je vais à Gjoa Haven, cet été. Compris ? Tu es prévenue.

– C'est ridicule. De partir comme ça. Comme un... hippie, John. Voilà à quoi tu ressembles !

– Peu importe, grommela-t-il d'un ton amer. Ça me va très bien.

– À croire que tu n'as pas de toit, pas d'argent.

– Je m'en vais. Un point c'est tout.

– Et comment vas-tu te débrouiller financièrement ?

– J'ai de quoi payer mon billet. J'ai économisé.

– Si tu rentres avec moi, si tu partais l'année prochaine, l'été prochain, dit-elle, je te payerai ton billet.

Il la dévisagea, déconcerté.

– Pourquoi ferais-tu une chose pareille ?

– Parce que je voudrais te voir, que tu restes un peu à la maison. Quelque temps. Pour que je prenne soin de toi.

– Non, maman.

– Regarde-toi. Tu as l'air épuisé. Rentre avec moi.

– Non.

– Je ne sais pas pourquoi tu t'es enfui, poursuivit-elle, mais quelle qu'en soit la raison...

– Je ne pouvais pas faire autrement.

Il se frotta le visage des deux mains, puis s'essuya les yeux avec la manche de son sweat-shirt.

– Je n'arrêtais pas d'y penser, ajouta-t-il, presque comme s'il se parlait à lui-même. En partant de Cambridge, j'espérais ne plus y penser.

– Penser à quoi ?

– À l'accident.

Il se leva comme s'il était prêt à s'en aller.

– Je ne comprends pas, dit-elle.

Il secoua la tête, riant un peu, grimaçant à demi.

– Évidemment que non. Tu ne comprends pas pour la bonne raison que tu n'écoutes pas, hein ? J'ai essayé de t'expliquer. Tu ne voulais pas m'écouter.

– Mais...

– C'est de ma faute.

Alicia resta bouche bée.

– L'accident ?

– Oui.

– Pas du tout.

– Tu n'étais pas là ! s'exclama-t-il. Il ne se serait pas trouvé sur cette route si je n'avais pas été là.

– Et toi, tu n'aurais pas été là s'il n'y avait pas eu cette fille, riposta-t-elle. Cette Jo Harper. As-tu pensé à ça ?

Il leva les yeux.

– Où est-elle ? demanda-t-il. Le sais-tu ?

– Pas la moindre idée.

– Est-elle restée à Cambridge ? Comment va-t-elle ?

– Qui ça ? questionna Alicia, perplexe.

– Catherine.

Sa mère comprit finalement à qui il faisait allusion.

– John, c'est le passé. Tout ça, c'est le passé.

Il détourna la tête et contempla le versant de la colline.

– Rentre avec moi, dit-elle.

– Encore combien de fois, bordel ?

– Il est inutile de me punir. Je n'ai rien fait.

– Seigneur ! s'écria-t-il. Je ne suis pas en train de te punir.

– Comment appelles-tu cela alors ?

– Ce n'est pas ça du tout.

– As-tu la moindre idée de ce que j'ai vécu ?

– Mam...

– Non, tu n'en as pas la moindre idée, n'est-ce pas ? Ce que tu m'as fait endurer...

Il se mit à marcher.

– Qu'est-ce que tu fais ?

– Je vais travailler, rétorqua-t-il. C'était ma pause-repas.

– Je n'ai pas fini ! lança-t-elle. (Elle courut après lui, trébuchant presque sur les touffes d'herbe.) John ! cria-t-elle en lui saisissant le bras.

Il s'arrêta, mais s'abstint de la regarder.

– Écoute, commença-t-elle.

Il leva la tête.

– Tu ne comprends pas, dit-il. Tu ne comprendras jamais.

Il s'empourpra peu à peu. Alicia s'aperçut qu'il tremblait.

– C'est toujours toi, toi, poursuivit-il. Il ne s'agit ni de papa, ni de moi, évidemment. Tu n'en as rien à foutre de nous.

– Ce n'est pas vrai ! Comment peux-tu prétendre une chose pareille ?

– Tu ne penses qu'à toi ! Tu n'en as rien à faire de Catherine non plus.

– Catherine ?

– Elle aussi, je l'ai quittée, dit-il. As-tu jamais pensé à ça ? Je l'aimais. Je l'aime toujours.

– Dans ce cas...

Alicia vacilla.

– Rentre à la maison. Je suis sûre qu'on pourra la retrouver.

– Je ne peux pas faire ça ! hurla-t-il. Tu ne vois donc pas ce que j'essaie de t'expliquer ? Merde.

Elle le dévisagea, bouche bée, choquée par le désespoir, la violence qui émanait de sa voix.

– Je l'ai tué ! cria-t-il. Tu comprends ? Jo avait raison. Je l'ai tué ! Je l'ai vu sur le visage de Catherine quand on est entrés dans la chapelle.

– Non, murmura Alicia. Tu te trompes.

– Je ne me trompe pas, riposta-t-il, à bout de souffle, livide.

– John, mon chéri.

Il se dégagea d'une secousse.

– Écoute, reprit-il en bafouillant, j'ai essayé d'oublier pendant deux ans. De partir pour ne plus y penser. D'aller dans certains endroits où il est allé, mais il n'y était pas. Il n'y a qu'un seul endroit sur la terre où il peut se trouver.

Alicia était épouvantée. Pour la première fois, elle prit conscience de la profonde douleur de son fils et elle en fut effrayée comme jamais auparavant.

– Tu es malade, dit-elle, comprenant soudain que c'était le cas. Tu as besoin de la compagnie de gens qui t'aiment, qui peuvent t'aider. Si tu veux, tu peux voir Catherine et...

Il pivota sur lui-même.

– Crois-tu que je puisse la regarder en face avant d'avoir réglé tout ça ?

– Oh, John, mon chéri.

– Arrête avec tes « chéri » ! hurla-t-il. (Il serra les poings et les pressa de part et d'autre de sa tête.) Je ne peux pas retourner là-bas. Ni marcher là où il a marché. Je ne peux pas remettre les pieds à l'université. Voir les gens à qui il donnait des cours. Je ne peux pas voir Peter Bolton, ni Catherine, ni qui que ce soit. Je ne veux pas voir ce qui est inscrit sur leurs visages.

– Mais tu ne verras rien. Personne ne pense que tu aies tué qui que ce soit, John.

– Bien sûr que si, protesta-t-il en la regardant dans

le blanc des yeux. Et même si, par quelque miracle, eux ne le croient pas, *moi* je le sais.

Ses yeux s'emplirent de larmes ; elles commencèrent à couler sur ses joues. Le cœur affreusement serré, Alicia vit les premières gouttes laisser des traînées sur son visage maculé de poussière. Elle voulut les essuyer, mais il la repoussa.

– J'ai ça en moi !

Bouleversé, il se couvrit le visage du bras.

– John, dit Alicia, je t'en supplie. Nous verrons quelqu'un. Un psychologue. Spécialiste du deuil. Il pourra t'aider. J'en suis sûre. (À présent, elle se tordait les mains.) C'était ton père. Il est normal que tu te sentes très mal, tu ne serais pas humain si tu...

Il éclata de rire, tout à coup, baissa le bras. Un sourire tordu, sinistre, déformait ses traits.

– Humain ? s'exclama-t-il. Bon sang ! Mais je n'ai plus rien d'humain.

Elle le dévisagea, horrifiée.

– Que veux-tu dire ?

Il l'écarta d'une main.

– J'ai quitté la race humaine, dit-il. Je vis dans un *no man's land.*

Un coup violent déchira la poitrine d'Alicia. La douleur fut si soudaine, si terrassante qu'il lui fallut respirer à petites goulées rapides. Elle n'en continua pas moins à la tarauder pendant trente secondes. Des petites taches flottaient devant ses yeux. Puis son malaise se dissipa. Jamais de sa vie, elle n'avait éprouvé une pareille émotion.

– John chéri, ce n'est pas vrai ! Tu es mon fils, mon unique fils. Maintenant, s'il te plaît, rentre à la maison.

Le jeune homme finit par se retourner et la regarder.

Des bruits lointains, venus d'en dessous, leur parvinrent. Loin, au-delà de la ferme, un chien aboyait.

Elle entendit l'appel grinçant d'un faisan ; une voiture passa dans le sentier qu'elle avait remonté ce matin. Elle vit le soleil se refléter sur le toit et le pare-brise, entendit le bruit du moteur décroître lorsque le véhicule disparut derrière les arbres. Bientôt, ce ne fut plus qu'un éclair de couleur au moment où il tournait à l'angle d'une maison à cinq cents mètres de là, dans la vallée. Et puis elle ne distingua plus rien. Pas même de couleur. Elle croisa le regard de John et comprit que, lui aussi, elle l'avait perdu.

– J'ai quelque chose à faire, dit-il. Je dois finir.

Il s'élançait déjà à grands pas en bas de la pente.

– Retourne à la maison, maman ! dit-il. Va-t'en !

10.

Jo faisait continuellement le même rêve. Elle était sur des montagnes russes. La barre métallique à hauteur des épaules était baissée. Tandis que son wagon redescendait lentement, une brise fraîche lui fouettait le visage. Elle entendait le fracas de la chaîne sous elle défilant entre les rails : un bruit sourd, régulier qui secouait le wagon et la faisait grincer des dents. Au loin, il y avait de la musique. En remontant la pente abrupte, elle découvrait peu à peu la cime des arbres, des reflets dans l'eau d'un lac, la foule des badauds qui passaient, certains levant le nez vers elle pour la regarder.

Le siège sur lequel elle était assise était dur. Il n'y avait personne d'autre dans son wagon. Les autres véhicules aussi étaient vides. Au moment où le sien s'immobilisait au sommet de la montée, il y avait un moment de silence absolu, d'immobilité totale. Le vent, plus fort à présent, charriait des odeurs glaciales d'eau, de sel, de pourriture. La pourriture la surprenait toujours, cet assaut farouche, violent, inattendu porté à ses sens. Elle détournait la tête pour s'en préserver et à cet instant, elle apercevait Sam, son Sam, passant à toute allure sur une voie parallèle, grimpant inexorablement une autre montée, les wagons glissant devant elle juste au-delà de sa portée.

À cette seconde, elle plongeait brutalement. Un cri s'arrachait de sa gorge, sa poitrine se vidant d'un seul coup de son air. Tandis qu'elle tombait ainsi en chute libre, le monde défilait sous ses yeux en une débauche de couleurs. Elle visualisait en un éclair ces visages levés. Et puis, soudain, tout disparaissait – les montagnes russes, le wagon, la barre de sécurité. Elle était projetée en avant, hors de son siège, dans l'immense espace, dégringolant de plus en plus vite jusqu'au moment où elle comprenait, sans qu'il y eût le moindre doute dans son esprit, qu'elle ne s'arrêterait jamais de tomber et que ce tour de manège, cette chute, continuerait à jamais.

C'était toujours à ce moment-là qu'elle se réveillait, hébétée. Elle se dressait sur son séant, le cœur battant si fort qu'elle avait l'impression qu'il allait exploser dans sa poitrine. Parfois son cri lui restait coincé dans la gorge, elle s'entendait le ravaler, s'efforçant de le contenir. D'autres fois, le cri lui-même la réveillait. Dans tous les cas, elle s'asseyait au bord de son lit, le souffle coupé, baignée de sueur.

Les montagnes russes de sa vie étaient tout aussi vertigineuses. Elle n'avait pas plus de contrôle dans le monde éveillé. Elle aurait donné si cher pour descendre de cet engin infernal, pour se planter au pied du manège et regarder quelqu'un d'autre harnaché dans ce wagon en pleine ascension, comme les badauds dans son rêve. Pour être seulement une observatrice. Avoir une journée, ne serait-ce qu'une heure, pour penser. Choisir.

Mais elle n'avait pas le temps. Ni le choix. Elle avait dû se rendre à Londres et logeait chez Gina. Sam venait d'achever un traitement aux GAL – globulines antilymphocytes, de cyclosporine et de méthyl-prednisolone, des médicaments destinés à éliminer les lymphocytes et les cellules de type T qui attaquaient sa moelle osseuse.

– Nous faisons sans arrêt des découvertes à propos de l'AA, lui avait affirmé Elliott. Il y a vingt ans, face à une maladie comme celle-là, nous étions totalement désemparés. Elle est connue des médecins depuis près de cent ans, mais essayer de la dépister, de la combattre revenait à s'élancer dans un labyrinthe. Nous savons que le traitement aux GAL fonctionne dans de nombreux cas, mais nous ignorons de quelle manière il agit. Nous supposons que cela s'effectue par le biais d'une immuno-suppression, mais la corrélation est en réalité assez faible lorsque nous essayons de reproduire l'action des GAL sur l'AA in vitro.

Ils se tenaient près du lit de Sam. On l'avait transféré en chambre stérile, dans une petite pièce ne comportant qu'un seul lit. Le premier jour, il avait pleuré. Les larmes l'avaient épuisé. Il regardait sa mère en levant vers elle son petit visage triste, tout marbré, d'un air plein de reproche. *Pourquoi me fais-tu ça ?* Elle aurait voulu se coucher à sa place, être malade à sa place. Se relier elle-même à toutes ses machines, aux goutte-à-goutte. Elle avait allumé la télévision au-dessus de son lit, mais le regard de l'enfant avait glissé sur l'écran pour se tourner vers la fenêtre. Elle avait hésité, tenant la main qu'il ne voulait pas qu'elle tienne, bien qu'il la serrât de toutes ses forces.

– Ça ira bientôt mieux, lui avait-elle dit pour le rassurer.

Elle s'en était voulu de ce mensonge. Comment pouvait-elle le savoir, être certaine qu'il irait mieux ? Comment aider un enfant de deux ans à y voir clair dans un tel dédale ? Où trouver les mots pour lui expliquer ce qui se passait, alors qu'elle-même ne comprenait pas et qu'elle était terrorisée chaque fois qu'on l'allongeait pour le soigner ? Elle ignorait s'il irait mieux un jour. C'était la vérité. Une vérité qu'elle gardait enfouie dans son esprit et réprimait désespérément quand elle était près de lui.

Quand on lui avait exposé la situation – le traitement, les remèdes – elle avait eu beaucoup de mal à assimiler les données. On aurait dit que son cerveau s'était fermé. *Plus rien, je ne veux plus rien entendre.* En rentrant chez elle le soir, elle restait debout presque jusqu'à l'aube, épluchant les sites Internet et imprimant leurs versions de la même thérapie. Le matin, lorsqu'elle passait en revue ces documents en essayant de déjeuner, elle les trouvait invariablement difficiles à lire. Elle ne parvenait pas à comprendre les phrases les plus simples. Elle s'était toujours flattée de la quantité d'informations qu'elle était capable d'emmagasiner sur toutes sortes de sujets. Lorsqu'elle faisait des interviews par exemple, elle ne prenait pour ainsi dire pas de notes. Elle mémorisait. Tout simplement. Toujours. Mais plus maintenant.

– J'ai l'impression que ma cervelle est morte, avait-elle avoué à Elliott. J'entends ce que vous me dites, j'ai l'impression de comprendre, mais deux heures plus tard, je ne me souviens plus de rien.

Le médecin avait hoché la tête.

– C'est normal, lui avait-il répondu. Ne vous inquiétez pas. Nous vous le répéterons vingt fois si nécessaire. Ce n'est pas grave. Aucun problème.

Pas de problèmes. Aucun souci. Normal.

Qu'y avait-il de normal dans ce monde cinglé

plein de miroirs aux alouettes ? Elle ne le savait plus. Elle essayait de se souvenir de l'époque où les choses étaient « normales », quelques semaines plus tôt seulement. Se promener en ville en tentant d'empêcher Sam de toucher aux vitrines, de disparaître dans la foule ou de chiper les jouets d'autres enfants. Cela aurait été un jour normal. Ou s'asseoir à côté de lui tandis qu'il les éclaboussait consciencieusement avec son milk-shake, elle et lui, avant de se le renverser sur les genoux. Normal. Sam essayant de fourrer une douzaine de bonbons dans sa bouche en même temps. Normal. Sam assis sur ses genoux en train de regarder l'écran de son ordinateur portable, découvrant le nom de Gina sur son e-mail. Il connaissait la lettre G ; il savait que, le plus souvent, ce qui suivait cette lettre faisait rire sa maman et désormais, c'était une sorte de jeu entre eux. Ils voyaient des G partout et s'esclaffaient. Une blague secrète. La normalité, Sam. Tu t'en souviens ?

Ou Sam dans ses bras le soir, suçant son pouce, les paupières tombantes, s'obligeant à rester éveillé. Normal. C'était son fils. *C'était.*

Elle existait à présent dans un autre monde où aucune des règles habituelles ne s'appliquait. Elle entrevoyait les autres gens – les autres mères, qui déambulaient en ville, s'efforçant de garder leurs enfants auprès d'elles pendant qu'elles faisaient les courses, essuyant nonchalamment leur frimousse aux tables des cafés... Seigneur ! C'était insupportable. Elle n'aurait jamais pensé qu'elle aurait pu être ainsi, si furieuse, si anxieuse en étant toujours elle-même, Jo.

Chaque matin, quand elle s'apercevait dans la glace, elle était vaguement surprise de voir ce visage connu lui rendre son regard. Elle avait de la peine à croire que ce nouveau monde – celui des illusions où elle vivait désormais – ne se reflétait pas dans son expression, dans sa chair, que la douleur n'était pas visible, comme une cicatrice ou une marque de naissance. Une déformation, quelque chose de faussé, un fragment de miroir déformant. Elle s'attendait presque à voir quelque chose d'horrible, d'épouvantable... Du sang dans ses yeux par exemple. De la peau qui pelait, dévoilant ses veines. Une bouche noire, une plaie purulente... Chaque fois, elle devait repousser ces pensées obsédantes, ce film d'horreur pour elle toute seule. Le fait était que rien en elle ne changeait, ni se désintégrait. Elle était toujours la même. Ce n'était pas elle qui changeait, mais Sam.

Il devait être maintenu à l'abri des sources d'infection. Il ne pouvait plus aller à la garderie. Plus question de prendre les transports en commun : ni trains, ni bus, ni avions. Pas de foules, ni réceptions. Pas de piscine. Pas même le petit bassin en plastique installé dans le jardin, dont l'eau était toujours remplie de feuilles et de terre parce qu'il passait son temps à y entrer et à en sortir. Plus rien de tout ça. Pas de jardin non plus, dans la mesure du possible. Le petit lopin de terre, véritable cadeau du ciel qu'elle avait aménagé pour lui, était bourré de dangers.

Son alimentation aussi avait changé du tout au tout. Il ne pouvait plus manger de fruits, ni de légumes crus. Tous ses repas devaient être bouillis afin de réduire les bactéries, même ordinaires. Pas de lait frais. Ni fromage à pâte molle. Uniquement des petites boîtes de céréales que l'on ouvrait et consommait le même jour. Des produits sous vide, bouillis, en conserve. Insipides. Congelés. Sans intérêt. Comme s'ils s'étaient embarqués pour un long voyage dans un endroit où il n'y aurait pas de denrées fraîches. Un voyage dans l'espace. Une longue expédition en plein désert. Coupés du monde, tournés sur leur propre angoisse, obsédés par leur combat pour survivre.

Le traitement aux GAL avait duré une semaine, le pire étant l'insertion du cathéter. Sam avait besoin de tellement d'injections, ce système avait pour but de lui faciliter la vie : un tube relié en permanence à sa poitrine. Plus facile... enfin, oui, avait-elle reconnu le premier soir. C'était effectivement plus facile pour Sam. L'adaptateur en plastique apparemment inoffensif qui pendait de son torse était bien conçu ; un coup d'œil ne trahissait guère plus que le pansement qui le maintenait en place. Mais c'était bien plus que ça, évidemment.

Quand elle avait vu Sam au moment où on le ramenait de la salle d'opération, quelque chose l'avait ébranlée au tréfonds d'elle-même. Ce n'était pas la peur, ni la répulsion, mais la prise de conscience que la situation était inaltérable, que le monde s'était soulevé, retourné et ne serait plus jamais le même. Avec ce tube pénétrant dans son corps et s'enfonçant dans son artère, Sam n'était qu'un grain de poussière dans le poing fermé d'un ouragan. Elle pouvait le voir, l'entendre et même le toucher, mais elle n'avait aucun moyen de le sortir de là.

Ils l'avaient remis dans son lit, en douceur, et il avait ouvert les yeux.

– Salut, Sam, lui avait-elle dit. Ça va ?

Il l'avait regardée ; sa lèvre inférieure tremblait. Puis il avait vu le tube. Ses doigts avaient volé dans sa direction, vers le point d'entrée, sous le bras. Puis, presque au ralenti, il avait écarquillé les yeux et sa main écartée avait plané au-dessus de son cou. Il devait se sentir envahi, pensa Jo, comme si quelque chose avait fait irruption en lui. Et je n'ai rien fait pour empêcher ça.

– Ce n'est rien, dit-elle pour essayer de le rassurer. Ça fait de toi quelqu'un de spécial. De très spécial, Sam.

Il l'avait dévisagée. La confiance illuminait son visage.

– Répare, avait-il chuchoté. Maman répare.

Dieu sait comment, elle avait réussi à sourire, puis elle avait ajusté les couvertures et lui avait caressé le front jusqu'à ce qu'il s'assoupisse enfin. Après quoi elle était allée s'enfermer dans les toilettes pour pleurer toutes les larmes de son corps.

Le cathéter pénétrait en lui, bien plus en profondeur qu'elle n'avait jamais été. Chaque fois qu'elle l'avait baigné, caressé, nourri, chaque fois qu'elle s'était allongée avec lui sur son lit, émerveillée, admirant sa peau, ses petits doigts, son extraordinaire douceur, sa perfection... elle n'avait jamais été aussi proche de lui. Jamais autant que cette drogue qu'on lui injectait, que ce tube en plastique qui s'acheminait jusqu'à son cœur. Elle ne serait jamais aussi intime avec lui que cette fichue maladie qui vivait en lui, dans ses os.

Pour le traitement aux GAL, ils avaient commencé par un dosage-test d'une heure. Le service disposait d'une brochure à propos de ces remèdes qu'on lui avait remise. Les effets secondaires y étaient spécifiés en plus des bénéfices. Et la liste de ces effets secondaires était si longue qu'elle s'était empressée de la déchirer menu et de la fourrer quelque part hors de sa vue. Elle ne voulait pas savoir que cela pouvait provoquer un arrêt cardiaque, une défaillance hépatique ou rénale. Tout ce qu'elle voulait – la seule chose sur laquelle elle se concentrait –, c'était que ce traitement le guérisse et le ramène à la vie. Deux heures plus tard, à 16 heures, on avait entrepris de lui administrer la dose principale. À raison de dix-huit heures par jour, pendant cinq jours. Et au bout des dix-huit heures, encore des plaquettes, du sang, des antibiotiques.

Vers la troisième nuit, elle avait cessé de pleurer. Les larmes appartenaient à quelqu'un d'autre, de toute façon. À une inconnue sans nom, une femme épleurée, lâche, qui serrait un mouchoir en permanence dans sa main. Mon Dieu, comme elle détestait cette femme, cette mère qui sanglotait quand les médicaments affluaient dans le cathéter. Elle n'osait pas imaginer ce que les infirmières pensaient d'elle. Peu lui importait si on disait la vérité à tout le monde. Son cœur lui faisait mal, comme si on lui avait asséné un coup. Ses côtes étaient douloureuses parce qu'elle retenait si souvent son souffle, sans s'en rendre compte. Elle restait assise là et regardait Sam. Elle n'avait jamais faim.

Mais le pire était à venir, bien pire encore que les larmes et les plaintes. Sam devint silencieux, soumis, consentant. Ses yeux suivaient les infirmières et puis il observait sa mère, son attention passant d'un visage à l'autre. Et quand Jo se tournait vers lui, il la considérait avec une confiance absolue, la certitude qu'elle le protégerait. C'était ça le pire !

À la fin de la semaine, Elliott lui avait annoncé qu'elle devait aller à Londres pour le prélèvement de cellules-souches. Elle s'y attendait, mais ce fut tout de même un choc, si vite après les premiers GAL. « C'est une sorte de garantie », lui avait-il expliqué. Ils étaient dans son bureau une fois de plus après que Sam eut fini son ultime journée de traitement. Jo s'était retrouvée en train de regarder le même bloc-notes sur lequel il avait dessiné ses diagrammes. Il lui avait parlé lentement en pesant ses mots, lui jetant de temps en temps un coup d'œil pour s'assurer qu'elle comprenait. Son inertie, son expression morne l'inquiétaient.

– Voilà ce qui va se passer, lui avait-il dit. Nous vous administrerons une substance chimique pour que vous produisiez ces cellules en surnombre. Nous les recueillerons. Nous les congélerons. Ainsi nous les aurons sous la main si nous en avons besoin, dans le pire des cas. Cela vaudra la peine d'essayer.

– Comment ? avait-elle bredouillé. Comment vous y prenez-vous ?

– Vous serez reliée à un appareil, lui avait expliqué le médecin, afin de procéder à ce que nous appelons une aphérèse. Cela signifie tout simplement séparer le sang, votre sang, en différents composants.

– Sous anesthésie ?

– Non. Vous serez simplement assise sur une chaise avec un tube dans chaque bras. Cela prend environ quatre heures.

– Oh, avait-elle murmuré. D'accord.

Son estomac s'était soulevé.

– Cinq jours auparavant, nous vous administrerons un médicament appelé G-CSF, avait-il ajouté. C'est un facteur de croissance. Il s'agit d'une injection sous-cutanée. Vous recevrez cinq doses pendant cinq jours d'affilée, à la même heure chaque jour. Disons en milieu de l'après-midi.

– Et que se passera-t-il alors ? Comment je me sentirai ?

Elliott avait tendu les mains.

– Chacun réagit différemment. L'idée est de faire en sorte que votre corps imite l'effet d'une lutte contre un virus. Vous aurez peut-être des symptômes comparables à la grippe – douleurs musculaires, fatigue, maux de tête. Ou encore des douleurs osseuses et cela pour une excellente raison. C'est bon signe !

– Pourquoi ?

– La moelle se dilate en produisant plus de cellules qu'à l'ordinaire, en si grand nombre qu'elles se déversent dans le flux sanguin. Une abondance de cellules-souches, fondations de la moelle. C'est ce qu'il faut. Le moment sera alors venu de les recueillir pendant qu'elles circulent en vous.

– Entendu, avait-elle dit, en pensant *Quelle horreur !*

– Après les avoir recueillies, nous les congelons. C'est ce qu'on appelle la cryoconservation. Nous les stockons dans du nitrogène liquide en les incorporant lentement, de manière à ce qu'il ne se forme pas de cristaux. On peut les garder longtemps sous cette forme. Des années, si nécessaire.

Jo avait réfléchi. Le cœur au bord des lèvres à la perspective d'avoir des aiguilles dans les bras pendant quatre heures d'affilée, elle avait néanmoins commencé à prendre conscience de l'habileté requise par un tel procédé. C'était audacieux, un peu comme un défi lancé à Dieu. Une petite lumière naquit en elle. Pendant quelques jours, elle serait comme Sam. Partenaire dans son combat contre l'anémie. Son associé.

Elle avait ressenti une première lueur de satisfaction. Puis en y repensant, elle s'était rendu compte à quel point c'était simple et ingénieux : lui prendre des cellules, les séparer du sang, les remettre en place. C'était tellement futé et elle *pouvait* le faire – elle qui s'était sentie si impuissante et inefficace au chevet de Sam.

Elliott lui avait souri tout en essayant de lire dans ses pensées. Elle s'était accoudée au bureau et avait couvert son visage d'une main.

Elle pouvait vaincre Dieu – Dieu implacable et austère qui la hantait. Elle sourit enfin et leva les yeux.

Elliott se détendit dans son fauteuil.

– Eh bien, bonjour, avait-il dit.

Elle avait levé un sourcil.

– Comment ?

– Un sourire. Le premier que je vois.

– Je souriais souvent avant, fit-elle en haussant les épaules. J'étais même assez bonne pour ça.

Elle s'était levée, prête à partir.

En la raccompagnant à la porte, le médecin lui avait dit :

– Continuez comme ça. Vous en aurez besoin.

Elle était au CHU de Londres à présent, Gina auprès d'elle. C'était le premier jour du prélèvement. Un des photographes du *Courier* aussi était présent. Au départ, quand elle lui avait demandé cette faveur, Gina avait hésité. Le journal pourrait-il publier un article – même un entrefilet, sur ce qu'elle faisait ? Elle lui avait posé la question deux jours plus tôt, au téléphone. Pourrait-on inclure une photographie ? Mentionner Sam, Doug, ou les deux ? En précisant à quel point il était important que Sam trouve un donneur.

– Bien sûr, avait répondu Gina.

– Je suis désolée de te demander cela.

– Pourquoi ? C'est une information, non ? Je fais de l'info !

Jo avait ri au bout du fil. Un rire fluet qui avait fait froncer les sourcils à Gina.

– On se souviendra peut-être du jour où Doug a été sauvé par hélicoptère.

Gina voyait déjà la page. Le gros titre : « Un sauvetage bien plus périlleux. » Une photo de Jo branchée pour l'aphérèse.

– Doug était un homme courageux, lui avait dit Gina. Tu dois maintenir la tradition familiale.

– Merci, Gina.

– Tu logeras chez nous quand tu viendras.

– Une nuit seulement. Catherine restera auprès de Sam. Il faudra que je me dépêche de rentrer.

Gina s'efforçait de ne pas penser aux jours où Jo était venue leur rendre visite avec Sam, quand elles filaient en catimini au Regent's Park ou au Dôme en prenant des congés qu'elles ne pouvaient pas se permettre ni l'une ni l'autre. Elle essayait de ne pas penser à l'autre Sam avec lequel elle avait couru en tous sens dans le couloir victorien de son appartement d'Holland Park en jouant à Power Rangers.

– Gina, avait ajouté Jo avant de raccrocher, cela t'ennuie de me dire si tu as un rhume, ou quelque chose comme ça ?

– Non ?

– Un problème d'estomac ?

– Non, tout va bien. On est en forme.

– Pardonne-moi de t'interroger ainsi.

– Pas de problème. À bientôt.

En dépit des coups de fil, Gina n'était pas préparée à la vision qu'elle eut quand Jo descendit du train. Toujours mince, elle était presque décharnée maintenant. Sa veste pendait de ses épaules. Elle était très pâle. Seule l'étreinte fut la même. Défiante. Nerveuse.

– Tu as atteint ton poids de combat, avait observé Gina en la tenant à bout de bras.

Jo avait brandi le poing.

– Et comment !

11.

L'appel fut transmis à 8 h 30 le lendemain matin. Il n'y avait pas trois heures que le *Courier* était dans les kiosques. Jo et Gina étaient dans le bureau de cette dernière ; elles regardaient la vue sur le fleuve, les premiers ferries, les bateaux de touristes. La Tamise leur paraissait plus basse qu'à l'ordinaire. Il faisait déjà lourd.

Gina décrocha.

– Actualités.

Elle marqua une pause.

– C'est moi.

Jo la considéra. Gina avait levé un sourcil.

– Je vois, dit-elle en s'asseyant sur son bureau. Oui.

Jo la regarda dessiner des cercles concentriques sur son agenda – signe de profonde concentration.

– Attendez une minute ! fit Gina.

Elle mit la main sur le récepteur.

– Connais-tu un certain Anthony Hargreaves ? demanda-t-elle. Du HMS *Fox* ?

Jo réfléchit une seconde.

– Le médecin-major qui a soigné Doug, dit-elle. Oui, bien sûr.

– Jo Harper est ici, précisa Gina à son interlocuteur. Voudriez-vous lui parler ?

Elle sourit. Sans un mot, elle tendit le combiné à Jo.

Jo le porta à son oreille.

– Ici Jo Harper.

– Miss Harper, Anthony Hargreaves.

– Bonjour. Comment allez-vous ?

Il y eut un temps d'arrêt très bref.

– C'est plutôt à vous qu'il faut poser la question.

– Ça va, répondit-elle.

– Je suis désolé pour votre fils.

– Merci...

– Je voulais juste vous prévenir...

Un temps d'arrêt.

– ... Ça ne me regarde pas, vous êtes probablement déjà au courant. Mais dans votre article, vous parlez de donneurs. De donneurs de moelle. Dont Sam a besoin.

– Oui.

– Eh bien... avez-vous contacté l'Association James Norberry ?

– James Norberry ? répéta-t-elle.

– C'est une banque de moelle osseuse. Elle se trouve à Londres. Ils ont un registre de tous les gens qui ont proposé de faire des dons.

– Non, répliqua-t-elle. Vous pensez que j'aurais dû le faire ?

– Doug et John y étaient inscrits.

Elle eut l'impression que la pièce devenait floue, puis de nouveau nette en l'espace de quelques secondes. Elle s'assit sur la chaise la plus proche.

– Comment ?

– Vous ne vous rappelez pas ? Ils étaient montés à bord lorsque nous étions à Portsmouth et avaient passé tout l'équipage au crible. Les gens de la banque. Pour recruter des donneurs. L'un de nos hommes...

– La petite fille, souffla Jo. Il y avait une photo d'une petite fille sur le panneau.

– C'est ça, dit-il. Chrissie Wainwright. Elle avait neuf ans. C'était la nièce de notre adjudant. Elle avait une leucémie.

– Je m'en souviens maintenant, murmura-t-elle.

Jo n'osa pas demander si l'enfant avait survécu. Elle avait trop peur d'entendre la réponse.

– Eh bien, Doug et son fils se sont fait faire une analyse de sang tous les deux. Nous avons réussi à embarquer les échantillons sur le prochain vol. Ils ont été transportés à la banque.

– Il ne me l'a jamais dit, bredouilla Jo.

– On a dû leur donner une carte, poursuivit Hargreaves, une carte d'identité de donneur.

Jo essaya de se reporter mentalement à la période qui avait suivi le décès de Doug quand le notaire s'était occupé de son testament. À cause de toutes les complications, de l'imbroglio avec Alicia, elle avait trié passablement de papiers, mais elle ne se rappelait pas avoir vu une carte de donneur.

– Il avait une carte de sécurité sociale. Une mutuelle aussi, je crois.

– Il s'agit d'une carte de couleur beige, comme une petite chemise, lui précisa Hargreaves. Quoi qu'il en soit, si vous n'arrivez pas à la trouver, la banque doit avoir un dossier.

– Je vais les contacter, dit-elle.

Il y eut un silence.

– Écoutez, reprit Hargreaves, je doute qu'ils vous communiquent les noms des donneurs, mais j'ai pensé, pour votre tranquillité d'esprit, que John doit déjà figurer sur leur liste.

– Mais personne ne sait où il est. J'ai expliqué dans l'article...

– Oui, acquiesca Hargreaves, mais il est possible qu'il soit en contact avec eux. Il leur a peut-être précisé où il était. Je voulais juste vous dire ça. Vous ne savez pas où est John, mais la Banque, en revanche, est peut-être au courant.

– Et ils sauraient s'il est compatible.

– Probablement.

– Oh, mon Dieu ! souffla-t-elle.

Après l'avoir remercié et avoir pris congé, elle raccrocha et se tourna vers Gina.

– Est-ce une bonne nouvelle ? s'enquit-elle. Que t'a-t-il dit ? Était-ce à propos de John ?

Jo n'avait pas bougé. Elle porta une main hésitante à sa bouche.

– Quoi ? dit Gina. Qu'est-ce qu'il y a ?

– As-tu un annuaire ? demanda Jo au bout d'une seconde ou deux.

– Évidemment, répondit Gina en extirpant un volume du tiroir de son bureau. Qui cherches-tu ?

– L'Association James Norberry.

Gina tourna rapidement quelques pages.

– Voilà ! fit-elle. SW1.

– L'adresse ?

– Tarrangore Street.

Jo hocha la tête.

– Il faut que j'aille les voir, lança-t-elle en ramassant son sac posé par terre.

Gina fit le tour de son bureau et la rejoignit en deux enjambées.

– Oh là ! s'exclama-t-elle. Attends une minute. Tu ne peux pas aller à l'autre bout de Londres maintenant.

– Pourquoi pas ?

– Tu dois être au CHU à 15 heures.

– Et alors ? J'ai plusieurs heures devant moi.

– Tu es censée te reposer, insista Gina. Il y a trois

jours, tu m'as dit que tu te sentais affreusement mal à cause du G-CSF, rappelle-toi. Je t'ai vue prendre des aspirines ce matin.

– Je vais très bien.

– Pourquoi veux-tu aller là-bas ? De quoi s'agit-il ? D'une banque de moelle ? Ces gens-là ne parlent pas au public.

– Je ne fais pas partie du public. Je suis la mère d'un patient. J'ai un lien de parenté avec un de leurs donneurs. Je veux savoir où se trouve John. Hargreaves pense qu'ils sont peut-être au courant.

– Si c'est le cas, cela ne concerne que John et eux, souligna Gina. Ils ne te transmettront aucune information provenant d'un donneur.

– Si !

– Je t'assure que non, Jo. Réfléchis.

– Ils me le diront, rétorqua Jo d'un ton plein de défiance. Ils sont obligés.

– Jo...

– Tu ne comprends donc pas ? répliqua Jo. S'ils sont en contact avec lui et s'il ne veut pas, alors que se passera-t-il ?

– Je n'en sais rien, mais je doute qu'ils puissent le forcer.

– Exactement. S'ils le trouvent et qu'il refuse, que peuvent-ils faire ? Rien. Alors que moi, je peux faire quelque chose.

– Quoi ?

– Je peux aller le voir, où qu'il soit. Le persuader. M'excuser de l'avoir traité d'assassin pour commencer.

– Tu ne le pensais pas.

Jo la considéra d'un air triste.

– Justement si, répondit-elle. Je le pensais. Du fond du cœur. J'en étais convaincue. Mais plus maintenant.

Je croyais qu'il reviendrait auprès de Catherine et qu'à ce moment-là je pourrais lui dire à quel point j'étais désolée. Mais il n'est jamais réapparu.

– Et tu crois que s'il était au courant pour Sam, il reviendrait ? Tu as raison. Ce serait inhumain de ne pas le faire. Il reviendra.

– Il n'a pas besoin d'être inhumain pour refuser de revenir. Il suffit qu'il soit démoralisé, qu'il se sente coupable, seul, qu'il ait peur. Et si c'est le cas, j'y suis incontestablement pour quelque chose.

Gina lui tendit gentiment les bras.

– Pourquoi n'attends-tu pas ? demanda-t-elle. Elliott te dira bien assez tôt si l'on a pu trouver un donneur.

Jo s'écarta d'elle.

– Je ne peux pas attendre, Gina. S'il y a une fraction de chance que je puisse changer quelque chose, accélérer le processus, je dois le faire.

– Mais il n'est peut-être même pas compatible.

Jo était déjà presque à la porte.

– Je dois le faire, insista-t-elle. C'est tout.

L'Association Norberry Trust était presque invisible. En sortant du taxi, Jo se retrouva dans une rue affairée. Des bureaux municipaux formaient un grand bloc gris d'un côté ; il y avait aussi un vendeur de journaux, un marchand de vins, une quincaillerie, outre une rangée de maisons jumelles. Des feux à l'intersection, un pub à l'angle, un bureau de paris, un fleuriste. Elle aurait pu se trouver dans n'importe quel quartier de la ville et la banque n'était nulle part.

Elle longea la rangée de boutiques à l'affût des numéros de rue. Vingt-deux... trente-quatre. Elle s'arrêta pour consulter l'adresse qu'elle avait gribouillée sur un bout de papier. L'Association occupait les numéros vingt-six à trente. Mais où était-ce ? Elle était apparemment passée devant sans rien voir. Elle revint sur ses pas et finit par dénicher l'endroit : une seule porte prise en sandwich entre un magasin de vidéos et une laverie. Elle appuya sur le bouton de l'interphone.

– James Norberry, fit une voix.

– Je m'appelle Harper, précisa Jo. J'ai besoin de parler à quelqu'un à propos d'un donneur.

Il y eut un silence, puis la porte s'ouvrit.

Elle monta un escalier. Arrivée en haut, elle fut surprise par l'ampleur des lieux. Une double porte vitrée, dotée d'un autre système de sécurité, donnait sur le hall d'entrée. La réceptionniste leva les yeux et déclencha le mécanisme d'ouverture. Jo entra.

– Madame Harper.

– Mademoiselle, dit Jo. Écoutez, il faut à tout prix que je parle à quelqu'un.

La jeune femme derrière le comptoir lui sourit.

– Je vous reconnais, dit-elle. Vous êtes du *Courier,* n'est-ce pas ?

– Puis-je parler à quelqu'un ? insista-t-elle.

La réceptionniste hocha la tête.

– Je vais appeler Mme Lord, dit-elle. Tenez, la voilà.

En se retournant, Jo vit une femme qui venait de sortir d'un bureau donnant sur le palier de la réception. Petite, mince, brune.

Elle tendit la main à Jo.

– Bonjour. Je me nomme Christine Lord.

– Jo Harper.

Mme Lord regarda furtivement la réceptionniste.

– Nous allons dans la salle des entretiens, Sarah. Pourriez-vous nous apporter du café ?

Impatiente, Jo la suivit. La salle en question était en fait une pièce grise, minuscule, encombrée de cartons.

– Je suis désolée, dit Christine. Nous ne savons plus où stocker les livraisons. L'espace est limité.

– Je vous remercie de me recevoir, dit Jo. Je souhaitais vous parler d'un donneur qui figure dans vos archives.

– Oui.

– Il s'agit de John Marshall. Son père, Douglas, et lui sont inscrits depuis trois ans.

– Je vois.

Jo la regarda intensément.

– Ils sont sur vos listes ?

– Je ne peux pas vous le dire.

Jo essaya de prendre une inspiration.

– Ils ont donné du sang à bord d'un navire. Le HMS *Fox*.

– Nous avons vu des gens sur ce bateau. En effet.

– Et vous avez reçu du sang de John et de Doug.

– Je ne peux pas vous le dire. Désolée.

Jo prit une grande inspiration.

– Douglas Marshall est décédé, poursuivit-elle. Il a déménagé et, deux mois plus tard, il a péri dans un accident de la circulation. Peut-être avez-vous essayé de lui écrire pour mettre son dossier à jour et vous ne l'avez pas trouvé ? Eh bien...

– Je sais que Douglas Marshall est décédé, dit Christine Lord. Je l'ai appris par la presse.

– Après sa mort, enchaîna Jo, son fils John a déménagé lui aussi. Il a quitté son appartement. 16A Wilding Crescent, Cambridge.

Pas de réponse.

– Savez-vous où il est ?

– Si des sujets compatibles apparaissent en réponse à nos recherches, nous leur écrivons alors à la dernière adresse connue, précisa Christine.

– Avez-vous écrit à John Marshall à cette adresse ?

demanda Jo. D'accord... Vous ne pouvez pas me le dire. Entendu.

Elle essaya une autre approche.

– Si vous le faites, vous n'obtiendrez pas de réponse. Vous a-t-il fourni une autre adresse ? Vous a-t-il contacté d'un autre endroit ?

Christine Lord l'écoutait, les mains jointes sur la table.

– Tout ce que nous faisons ne concerne que le donneur, nous et le chirurgien chargé de la transplantation, dit-elle. Nous protégeons les identités. C'est essentiel.

– Il ne s'agit pas d'un cas ordinaire, protesta Jo.

– Si je puis me permettre, aucun cas que nous traitons n'est ordinaire. Ce sont toujours des urgences, des crises.

Jo s'était mordu la langue. Au sens propre. Elle avait envie de crier que Sam était différent de tous les autres, mais se rendit compte, juste à temps, à quel point cela serait absurde. Dans cette pièce, dans ces bureaux, Sam était exactement comme les autres patients. Tous regardaient la mort en face.

Christine Lord l'observa.

– Nous apprécions les moindres bribes d'informations concernant l'endroit où se trouvent nos donneurs, dit-elle. Les gens qui adhèrent à notre association sont pleins de bonnes intentions, mais il peut leur arriver d'oublier de nous prévenir lorsqu'ils déménagent.

– C'est sûrement le cas de John, répliqua Jo en s'obligeant à garder un ton calme. (Cela ne servait à rien de s'énerver, de se fâcher.) Il est parti précipitamment. Il était... bouleversé à l'époque.

– Si un sujet compatible se présente, nous avons des agents de contact chargés d'essayer de localiser les individus manquants.

Jo se pencha en avant.

– Votre... contact cherche-t-il John Marshall ? A-t-on réussi à le trouver ?

– Je suis désolée, mais...

– Oh, s'il vous plaît, ne me dites pas que vous ne pouvez pas me répondre ! s'écria Jo. Vous le pouvez ! Je suis la mère de son demi-frère. Son demi-frère qui est en train de mourir. Vous pouvez sûrement me le dire !

Christine Lord secoua la tête.

– C'est impossible, mademoiselle Harper, répondit-elle d'une voix douce. Non que je ne veuille pas, mais je suis légalement contrainte de me taire.

Jo prit sa tête entre les mains.

– Nous devons protéger les donneurs, poursuivit Mme Lord. Il faut qu'ils aient la certitude que personne ne viendra frapper à leur porte pour exiger d'eux qu'ils donnent de la moelle. Nous encourageons les gens à s'inscrire sur nos registres et, pour cela, nous devons leur assurer qu'ils ne subiront aucune pression, de la part de parents, de relations, de médecins, ou de nous.

– Vous ne comprenez pas ! s'exclama Jo. Je n'ai pas la moindre intention de faire pression sur lui. J'ai quelque chose à lui dire, quelque chose de personnel. C'est pour son bien. Quelque chose d'antérieur à cette tragédie. (Elle rougit.) Je lui dois des excuses, ajouta-t-elle.

– Peu importe la nature du contact que vous souhaitez avoir avec lui, déclara Christine. Imaginez ce qui pourrait se passer si nous délivrions cette information. Imaginez qu'un enfant soit mourant et que la famille soit prête à tout pour le sauver. Que quelqu'un appelle un donneur et lui propose de l'argent. Ou pis encore, le menace, lui ou sa famille.

– Je n'ai pas l'intention de le menacer !

– Je le sais, mais c'est aux donneurs eux-mêmes de prendre cette décision. Leur vie privée doit être préservée. Nous les conseillons, nous les soutenons, nous faisons de notre mieux pour leur faciliter les choses. Par exemple, nous leur réservons des chambres dans des cliniques. Nous couvrons les frais. Nous mettons des gens à leur disposition pour leur parler à n'importe quelle heure du jour ou de la nuit, dissiper leurs angoisses, leur fournir des informations. Nous faisons office d'intermédiaires, si nécessaire, entre eux et le personnel médical. Nous proposons des traducteurs, nous contactons des chefs religieux de leur confession, s'ils le souhaitent. Nous nous assurons que leur régime alimentaire et leurs préférences en la matière soient pris en compte. Mais de loin, la chose la plus importante que nous faisons pour eux, bien plus importante que tout le reste mis ensemble, c'est préserver leur anonymat et respecter leurs décisions, quelles qu'elles soient.

Jo la considéra d'un air interdit.

– Vous voulez dire que si John refusait d'aider Sam, vous l'accepteriez tout simplement ? chuchota-t-elle. Même s'il était compatible ?

Christine tendit les deux mains.

– Bien évidemment, nous ferions tout notre possible pour déterminer ce qui l'en empêcherait. Quelquefois, c'est juste l'idée de donner de la moelle qui les arrête. Nous essayons de leur expliquer la situation au mieux, mais on ne peut en aucun cas les forcer. Il n'est pas question de leur faire du chantage affectif. Nous ne leur révélons même pas l'identité du patient. Effectivement... pour répondre à votre question, si quelqu'un refuse de faire un don, nous n'insistons pas. Même si un donneur accepte, si le patient est prêt pour la transplantation par le biais d'une chimiothérapie, même si les portes de la salle d'opération sont ouvertes, si le donneur est sur un brancard, si subitement, il revient sur sa décision... eh bien, c'est ainsi. Pas de greffe. Pas de donneur.

– Cela n'arrive sûrement jamais.

– Personnellement, je ne connais personne qui se soit désisté à un stade aussi tardif. Mais ça ne signifie pas que ce ne soit pas arrivé ou que cela n'arrivera pas. Les gens se ravisent parfois.

– Mais pour quelle raison ? Ils savent bien qu'une vie est en jeu.

– Certes, répondit Christine, mais songez aux raisons pour lesquelles ils ont adhéré à notre association. Sept fois sur dix, ils se sont inscrits parce que quelqu'un qu'il connaissait était malade et avait besoin d'une transplantation. Ils ont donné leur sang à ce moment-là pour figurer sur nos registres et pour déterminer s'ils étaient compatibles.

Elle haussa les épaules.

– Mais les choses changent. Peut-être la personne qu'ils connaissaient est-elle morte. Ou bien ont-ils déjà donné de la moelle et cette personne est morte malgré tout. Peut-être que dans leur esprit, tout cela est si étroitement lié à la souffrance, à d'atroces souvenirs, à des sentiments de culpabilité qu'ils ne parviennent plus à aller jusqu'au bout.

Elle se radossa à sa chaise.

– Nous avons affaire à des êtres humains, poursuivit-elle. Il n'y a aucune garantie. Personne n'est parfait, aucune réaction ne l'est non plus. Nous nous entretenons continuellement avec des gens stressés. Nous sommes nous-mêmes sous pression. Nous nous entourons d'un maximum de précautions.

– Même en sachant qu'un enfant risque de mourir à tout moment ? demanda Jo.

– Oui, répondit Christine. Même en sachant cela.

On frappa discrètement à la porte. La réceptionniste entra, les bras chargés d'un plateau qu'elle posa sur la table devant elles.

– Voudriez-vous autre chose que du café ? demanda-t-elle à Jo. Un verre d'eau ? Un jus de fruits ?

Jo regarda fixement le plateau quelques secondes. Elle était à des lieues de là. Puis elle leva les yeux.

– Un verre d'eau, dit-elle. Merci.

Christine Lord se retourna. Elle tendit le bras vers un petit bureau et prit une feuille de papier.

– Je peux tout de même vous proposer quelque chose, dit-elle.

Elle poussa la feuille dans la direction de sa visiteuse.

– Si jamais John Marshall nous contactait, expliqua-t-elle, je veux bien lui transmettre une lettre, sous certaines conditions.

Jo considéra le papier quelques secondes.

– Vous feriez ça ?

– Je ne peux rien vous garantir, poursuivit Christine, mais je peux garder votre lettre ici. Si nous entrons en contact avec John Marshall, pour quelque raison que ce soit, si c'est le cas, je lui dirai qu'il y a une lettre ici pour lui. Mais je ne la lui remettrais que s'il me le demande.

– Merci, fit Jo.

Il lui fallut une demi-heure, seule dans la salle des entretiens, pour déterminer ce qu'elle voulait dire à John. Ce n'était pas facile. Son premier jet fut un débordement de panique : elle lui expliquait à quel point Sam était malade, combien elle était désespérée et combien il était essentiel qu'il revienne. C'était même son devoir. En se relisant, elle s'était rendu compte que cela s'apparentait presque à une injonction. Du chantage affectif pur et simple. Elle avait arraché la page et en avait fait une boulette avant de recommencer. Cette fois-ci, elle s'aperçut, qu'elle pouvait résumer tout ce qu'elle voulait dire en quatre courtes phrases.

John, pardonnez-moi pour la terrible chose que je vous ai dite. Je suis absolument désolée. Nous avons terriblement besoin de vous maintenant. Si vous pouvez rentrer, ou si vous avez besoin d'aide pour ce faire, je vous en conjure, contactez-nous.

Elle nota son numéro de téléphone et son adresse électronique au bas de la page, scella l'enveloppe et retourna à la réception où Christine Lord l'attendait.

– Au cas où vous avez des nouvelles, dit Jo.

– Nous ferons de notre mieux, répliqua Christine en prenant la lettre et en la mettant dans sa poche.

Jo marqua une pause une dernière fois.

– Si vous aviez des sujets compatibles, en dehors de John, je suppose que vous ne me le diriez pas non plus ?

Christine Lord posa la main sur son épaule.

– Dès qu'il y a des possibilités, même une seule, nous en informons le chirurgien, expliqua-t-elle. Nous lui recommandons toutefois de vous en faire part seulement s'il a pris la décision d'accepter le donneur. Quoi qu'il en soit, le médecin ne connaît que le numéro d'identité du donneur, pas son nom. Je peux toutefois vous assurer que lorsque nous avons un résultat positif, nous ne perdons pas une seconde. Pas une.

Jo scruta son visage. Elle y vit de la compassion. Rien d'autre.

– Entendu, murmura-t-elle. Merci.

Elle jeta un dernier coup d'œil au-delà de la réception vers le couloir où elle apercevait d'autres systèmes de sécurité et de verrouillage. Elle essaya d'imaginer ce qu'il y avait derrière. Quelque part dans ces pièces, elle le savait, le nom de John attendait, un maillon d'une chaîne qui ne pouvait être brisée. Peut-être y avait-il d'autres noms là, aussi, de gens qu'elle n'avait jamais rencontrés, dont le sang, miraculeusement, correspondait à celui de son fils. Peut-être certains étaient-ils voisins, mais pas suffisamment. D'autres, qui sait, parfaits, mais provenant de donneurs qui se désisteraient. Elle ne le saurait jamais. Elle reporta son attention sur Christine Lord.

– Eh bien... Au revoir, lâcha-t-elle.

– Au revoir, mademoiselle Harper. Et bonne chance.

Christine Lord écouta les pas de Jo résonner dans l'escalier, puis elle entendit la porte donnant sur la rue se refermer. Elle regagna son bureau et, en regardant par la fenêtre, elle vit la jeune femme héler un taxi et s'y engouffrer. Après quoi, elle s'installa devant son écran. Son regard erra un moment sur la rangée d'autres ordinateurs, des plafonniers fluorescents qui lui faisaient mal aux yeux aux énormes boîtes de rangement remplies de formulaires de demande et de mise à jour, de brochures promotionnelles, d'appels de fonds et de précieuses lettres émanant de gens demandant des renseignements, des donneurs potentiels. Elle aperçut son reflet dans une vitre : celui d'une femme fatiguée qui prévoyait toujours de prendre des vacances sans jamais vraiment trouver le bon moment. Devant la fenêtre, les chlorophytum piquaient du nez, faute d'eau ; les corbeilles à papier débordaient. Depuis qu'elle avait rallié l'Association, songea-t-elle en souriant intérieurement, il n'y avait jamais assez de temps pour tout faire. Le temps lui filait entre les doigts. C'était la course jour après jour. En dépit de tous leurs efforts, le temps comme l'argent manquaient toujours.

Elle tourna son attention vers la première lettre sur la pile. Le matin même, vingt minutes à peine avant que Jo Harper ne sonne à sa porte, l'association James Norberry avait reçu une demande concernant un enfant de deux ans. Il vivait à Cambridge et ne réagissait pas au traitement aux GAL. Elle passa en revue les informations le concernant. En haut du formulaire, un encadré demandait de préciser si la requête était urgente. Oui, avait écrit le médecin.

Date de naissance : 11 juin 1998
Sexe : masculin
Race : blanche
Diagnostic : anémie aplasique grave
Nom : Samuel Douglas Marshall

Avec une célérité propre à l'habitude, Christine transféra ces données dans le programme de recherches. Sérologie, classe 1, ADN classe 1, Sérologie classe 11, ADN classe 11, CMV – cyto-mégalo-virus, médecin traitant, centre de transplantation, date du diagnostic. Une fois les informations complètes et le profil correspondant au sang de Sam établi, elle mit l'ordinateur sur le mode *Recherche*. C'était toujours à ce stade qu'ils croisaient tous les doigts et faisaient une prière. Peu importait depuis combien de temps ils travaillaient dans ces bureaux ou combien de recherches de ce type ils avaient effectuées. À l'instant où la touche *Recherche* était enclenchée, il y avait un terrible moment de suspense tandis que le Sort distribuait les cartes sans cérémonie. C'était un processus colossal, redoutable.

Il y avait plus de deux millions de donneurs à passer en revue dans le monde entier. Chaque recherche se concentrait exactement sur les mêmes composants : les antigènes HLA dans le sang. Trois sites principaux : HLA-A, HLA-B et HLA-DR. À ce jour, on avait identifié vingt-quatre antigènes différents possibles pour le site HLA-A, cinquante-deux pour le site HLA-B et vingt pour le site HLA-DR. Pour chaque antigène, les combinaisons de compatibilité se multipliaient à l'infini. Comme chaque individu avait au moins deux antigènes par site, plus de six cents millions de combinaisons d'antigènes HLA étaient théoriquement imaginables. En suivant ces millions de combinaisons, les moteurs de recherche vrombissaient, poursuivant les compatibilités et les incompatibilités au fil de tunnels de probabilité de plus en plus étroits, présentés, examinés, rejetés d'innombrables fois en l'espace d'une seconde.

Les risques d'incompatibilité augmentaient encore lorsqu'on prenait en compte les sites antigènes tissulaires, en dehors de ceux de HLA, dont les rôles dans le cadre d'une transplantation étaient imprécis, ignorés, encore inconnus. On pensait qu'on finirait peut-être par s'apercevoir que ces sites et niveaux obscurs étaient responsables des rejets quand une affection greffe/hôte séparait brusquement des éléments apparemment compatibles, l'organisme se rebellant contre la moelle implantée, d'où un échec de la transplantation. Les analyses de l'ADN révélaient déjà que des antigènes que l'on avait cru identiques comportaient en fait jusqu'à dix variations ou microvariantes distinctes.

Christine Lord se demandait souvent ce qu'on penserait à l'avenir de leurs méthodes d'assortiment, lorsqu'on aurait découvert les composantes délicates – et pour l'heure non identifiées – du sang et de l'organisme. Elle se disait que peut-être lorsqu'elle serait vieille, elle reviendrait sur le passé en s'émerveillant du formidable pari qu'une transplantation représentait en l'an 2000, lorsqu'on amalgamait les antigènes en multipliant les remèdes pour combattre le rejet, en mettant sens dessus dessous les fondations vitales d'un organisme, en aiguillant l'un vers l'autre deux individus différents dans l'espoir de vaincre la maladie. Quand elle y pensait, c'était un miracle qu'une transplantation puisse fonctionner tant les chances étaient minces. Pourtant cela réussissait parfois. Et, dans ce cas-là, l'opération transformait des gens malades en gens bien portants et des familles accablées en familles heureuses.

Des miracles dansant le long des câbles téléphoniques, au fil de lettres, des banques de données informatiques. Des miracles flottant dans le flux sanguin d'un bébé. Des miracles définis noir sur blanc sur un formulaire de protocole médical long de dix pages présent dans tous les bureaux des chirurgiens spécialistes des transplantations. Des miracles de la foi, de l'endurance de parents et d'amis qui ne cessaient jamais d'espérer.

Christine Lord regarda l'image vacillante sur l'écran devant elle, unique indice d'une activité lancée à travers le monde entier. Elle prit son menton dans sa main et attendit. Six millions de combinaisons. Deux millions de donneurs. Un petit garçon dans une chambre stérile à Cambridge. Il était insupportable d'y penser, et pourtant elle y pensait. Elle scrutait l'écran comme si c'était la vie de son propre fils qui en dépendait. Samuel Douglas Marshall avait besoin de partager l'haplo-type rare de son père avec son demi-frère. Et Jo Harper devait avoir un haplo-type différent en commun avec la mère de John Marshall.

Christine prit son visage à deux mains en se couvrant les yeux, cachant l'image devant elle. Elle estimait les chances à vingt millions contre un. À un ou deux millions près.

12.

27 avril 1848. Jeudi saint. Crozier était seul sur la glace, à cent mètres des navires qu'il regardait, le cœur gros. On disait que les marins étaient mariés à la mer et à leur bateau, et c'était son cas. Que cela fît de lui davantage un marin et moins un homme, il n'aurait pas su le dire, mais son âme était soudée à son vaisseau que les tourmentes de cet hiver n'avaient pas encore brisé.

Son sort était lié au *Terror* depuis neuf années. À son bord, il avait vu deux continents de glace et couvert des milliers de milles. Il avait navigué jusqu'en Antarctique avec lui, sous le commandement de sir James Clark Ross. Il le connaissait mieux que tout être humain : ses formes, ses sons, ses aptitudes, ses forces, sa nature vigoureuse et tenace. C'était son partenaire, sa fierté.

En dépit de l'assaut des tempêtes, il était toujours aussi beau. Légèrement incliné sur la glace, il avait juste un peu chaviré. En fermant les yeux, il pouvait imaginer qu'il filait sur les flots, légèrement penché dans la brise marine, contournant un rivage, sortant d'un port, prêt à gagner la haute mer. Et il avait voyagé, même au cours du dernier hiver. D'après ses calculs, l'*Erebus* et le *Terror* s'étaient déplacés de dix-neuf milles vers le sud, portés par les glaces flottantes. Un petit progrès. Pas suffisant. Il manquait encore cent milles.

Il se demandait combien de temps ils tiendraient le coup.

Peut-être seraient-ils réduits en miettes dès demain par la glace ou les intempéries. À moins qu'ils ne dérivent encore des années si la glace ne se rompait pas. À raison de neuf milles et demi par an, on pouvait imaginer que, dans dix ans, voire plus, ces deux extraordinaires géants puissent même se libérer et être expédiés dans les détroits qui s'enfilaient vers l'ouest. Crozier se demandait si cela se produirait. Si le *Terror* s'en sortirait, sans mâts, sans équipage. Un navire fantôme voguant sur l'océan inexploré. Trouverait-il le Passage du Nord-Ouest tout seul, sans lui ? Sans aucun d'entre eux. Parce que, quelle que soit l'importance qu'il ait à ses yeux, même s'il était marié à son navire, il devait le quitter à présent.

Crozier regarda ses mains. Il faisait assez doux – moins dix degrés seulement –, et il s'était hasardé à ôter ses gants. Dehors, sous l'intense lumière du jour, il voyait plus nettement. Il rapprocha ses mains de son visage, les retourna. Des meurtrissures étaient même apparues sur les parties charnues de ses paumes et autour des ongles des pouces. Il avait la peau toute blanche, tachetée de pigments, comme un vieillard. Des veines filiformes étaient visibles au niveau des poignets. Sur les jointures, des lésions, comme des coupures qui n'étaient ni des engelures ni des blessures, mais un signe de désintégration progressive.

Il remit ses gants, lentement, avec soin, laissant la réalité de leur triste situation s'imposer à son esprit. Il l'avait repoussée pendant des mois. Même ces dernières semaines, bien qu'il eût ordonné que l'on transporte les réserves des deux navires sur la rive parce qu'il redoutait que les terribles tempêtes ne fracassent les bateaux. Au cours de ces dernières heures encore, après avoir enjoint les équipages de faire leurs paquets, il avait écarté de son esprit les faits réels.

En vérité, ils étaient en train de mourir. Même les meilleurs d'entre eux. Même les maîtres, les experts en glace. Même lui. Le scorbut avait fait des ravages terribles l'année dernière. Il ignorait ce qui en était la cause. Personne ne le savait, pas même les médecins. Ils se doutaient que cela tenait à leur alimentation et que la viande fraîche et une ration de jus de citron quotidienne devaient pouvoir maintenir le mal en échec. Mais ils ne connaissaient pas l'identité du coupable.

Les hommes craignaient le scorbut, mais ils s'attendaient à en souffrir. Quand un homme commençait à se sentir las, quand il saignait sous la peau, quand ses gencives gonflaient et qu'il perdait ses dents, les marins savaient à quoi ils avaient affaire. Les malades étaient à bout de souffle au moindre effort ; ils n'arrivaient plus à se concentrer sur les tâches les plus banales. Le travail mental – écrire un journal, faire des calculs – devenait une véritable montagne dont les impossibles gradins s'inclinaient un peu plus chaque jour. Crozier se rendait bien compte que son esprit divaguait. Souvent, il arrivait tout juste à former des mots pour construire des phrases ; il se trouvait maladroit, même pour s'habiller ou se laver. Il était incapable de finir un seul chapitre des livres qu'il adorait. Il était irascible avec tout le monde. Et quel que soit le mal dont il souffrait, il était multiplié par cent sur chaque visage autour de lui.

Il y avait un moyen infaillible de combattre le scorbut : fournir des substances antiscorbutiques. Du jus de citron. L'*Erebus* et le *Terror* en avaient embarqué des quantités, dans des barils, mesurées en livres. Il y avait eu non moins de quatre mille cinq cents livres de jus de citron à bord des deux navires et il leur restait encore trois mois de réserve. Mais Crozier était sûr que le citron avait perdu les propriétés qu'il avait jadis pour empêcher la maladie. Ils distribuaient toujours ce jus de citron aux hommes – pendant quatre jours, puis du vinaigre pendant les trois jours suivants – mais les effets n'étaient plus ce qu'ils étaient. Il avait été congelé, puis avait fondu des dizaines de fois. C'était peut-être à cause de cela. Peut-être la congélation avait-elle une incidence. Il l'ignorait.

En levant les yeux, il vit Fitzjames qui approchait de lui sur la glace. Il observa la lente progression de son second. On disait autrefois de lui qu'il était le plus bel homme de la Marine. Jadis grand, brun, séduisant, il avait rapetissé. Ses épaules s'étaient voûtées ; il traînait les pieds et personne ne se serait hasardé à dire que son visage eût quoi que ce fût d'attrayant.

Fitzjames avait beaucoup souffert au cours des dernières semaines. Il avait eu une pneumonie. Les médecins affirmaient qu'ils étaient venus à bout du mal, mais Crozier n'en était pas si sûr. On l'entendait respirer à plusieurs mètres : un râle sinistre.

– Alors, où en sommes-nous ? s'enquit Crozier.

Ce matin-là, il avait demandé à Fitzjames et William Rhodes, un des quartiers-maîtres, de vérifier le reste des provisions.

– Pas très encourageant, répondit Fitzjames.

Il toussa.

– Nous avons dix jours de charbon.

– Pour la vapeur ?

– Oui.

– Et pour la cuisine ?

– Peut-être assez pour tenir jusqu'à la fin de l'été.

Crozier tapa du poing contre sa jambe en un geste d'impuissance.

Aujourd'hui, c'était la première journée calme depuis quatre semaines. Durant un mois, ils avaient dû affronter des tourmentes impitoyables qui s'étaient succédé sans répit. Le soleil dont ils se languissaient tellement ne se montrait pour ainsi dire jamais. Personne n'était sorti poser des pièges. Seule une poignée d'hommes avaient réussi – au prix de la vie de l'un d'entre eux – à tailler des trous dans la glace pour pêcher. La fureur des vents était démoniaque, incroyable, et au cours de la saison où ils étaient censés utiliser moins de combustibles et de vivres, ils avaient épuisé leurs réserves deux fois plus vite. Ils n'étaient équipés que pour trois ans. Et la troisième année s'était achevée le 19 mai.

En janvier, le scorbut s'était abattu sur eux avec virulence. Depuis lors, vingt et un hommes avaient succombé. Leur agonie avait été longue, leur combat héroïque. Pour finir, ils s'étaient couchés et avaient cédé à leur implacable ennemi. Deux moururent dans leur sommeil, deux de phtisie, huit autres de pneumonie. Le reste – neuf hommes, ombres d'eux-mêmes – avait péri en hallucinant, en sanglotant, raidi de douleur.

À cause de tous ces morts, Crozier était hanté par une idée qui ne lui laissait aucun répit. Il y avait quelque chose d'autre dans les navires. Quelque chose en dehors de ce mortel botulisme dont il haïssait même le nom. Il y avait quelque chose d'autre lié aux conserves, il en était sûr. Les décès étaient plus pénibles et plus rapides qu'à bord de tous les autres bateaux qu'il avait connus ; la tuberculose aussi évoluait plus vite. La pâleur des hommes, même ceux qui ne se faisaient pas porter malades, était démoralisante. Et les disputes, les affronts imaginés, les histoires qu'ils se racontaient, il n'avait jamais vu ça ! Rien ne s'apparentait à ce qui se produisait sur les autres navires.

Tout en essayant de se libérer de ce qu'il redoutait constamment de reconnaître comme le délire – signe indubitable de la maladie –, il savait pertinemment qu'il n'y avait pas de temps à perdre. Ils ne pouvaient plus rester à bord, sans combustibles, avec si peu de vivres. Leur seul espoir était la viande fraîche qu'il trouverait peut-être plus au sud. Ils s'en iraient en abandonnant leurs fantômes sur place. Ils tourneraient le dos à leur unique sécurité avant qu'elle ne devienne leur tombe.

– Ce n'est pas tout, dit Fitzjames, ce n'est pas le pire.

Crozier leva les yeux vers lui.

– Pas tout ? répéta-t-il. Que voulez-vous dire ?

– Nous avons inspecté nos dernières caisses. Nous avons sorti les livraisons du fond, les toutes premières que Goldner avait envoyées.

– Et alors ?

– Il y a des boîtes défoncées dans chaque caisse, dit Fitzjames. De la viande.

Ils se dévisagèrent.

– Combien ? demanda Crozier.

– Quatre-vingt-onze boîtes de trois kilos.

– Seigneur Jésus, marmonna Crozier. Combien en reste-t-il ?

– Quatre-vingt-deux de viande et cent de soupe.

Crozier reporta son attention sur les bateaux. Même

en comptant des demi-rations, cela signifiait qu'il leur restait à peine de quoi se sustenter pendant sept semaines, soit jusqu'à la fin juin. L'année précédente, rien n'avait bougé en juin. Pas une seule fissure dans la glace. Ils ne pouvaient pas se permettre de prendre à nouveau un tel risque.

Il fallait à tout prix qu'il emmène ses hommes à l'endroit où la glace risquait de fondre. Pas vers le nord, ni vers l'ouest. Ils auraient des centaines de milles à parcourir avant d'atteindre la mer. Vers le sud. C'était la seule direction à suivre. Ils iraient où les navires ne pouvaient pas aller, vers le passage que Gore affirmait avoir vu, ou cru voir, lors de son ultime voyage.

Il leva les yeux vers Fitzjames.

– Je suis désolé, James.

Son second lui rendit son regard. Il était inutile de mettre les points sur les i. Il savait pertinemment ce que Crozier pensait. L'attente était terminée ; il fallait commencer à marcher. Pourtant, pas une ombre d'émotion ne passa sur le visage du plus jeune homme. Il avait eu de la peine à couvrir les cent mètres qui les séparaient des bateaux. Il était couvert de plaies, surtout autour de la bouche. Les ulcères lui mangeaient les lèvres ; il en avait sur sa langue. Fitzjames était bien incapable de parcourir ne serait-ce qu'un kilomètre. Crozier lui effleura le bras.

– On n'a pas le choix, dit-il.

Ensemble, ils regagnèrent les navires.

Cent quatre hommes étaient rassemblés sur le pont de l'*Erebus*. Au cours des trois dernières années, ils avaient perdu vingt-cinq de leurs compagnons, y compris Franklin. L'espace d'un instant, Crozier se remémora non seulement son commandant, mais un homme des plus bas rangs, ce pauvre Torrington. Puis dans la foule, il chercha le visage d'Augustus Peterman. Il était grand maintenant, décharné, à peine plus que la peau sur les os. Sa propre mère ne l'aurait pas reconnu, pensa Crozier. C'était un homme désormais. Il promena ses regards sur les autres, sentant leur appréhension.

– Quand nous avons commencé ce voyage, leur dit-il, nous étions pleins d'espoir de réussite. Je n'ai pas à vous dire que nous nous sommes débattus avec la glace. Vous avez vécu et enduré ce qu'aucun autre marin n'a connu avant vous.

Ils attendaient, tout ouïe. Pas un homme ne bougeait. Crozier supposait qu'ils se doutaient de ce qu'il allait leur annoncer. Au-dessus d'eux, le ciel était limpide ; la lumière opalescente qui se déversait sur le pont mettait chaque détail en relief. En les regardant de près, il voyait sur eux les meurtrissures qu'il n'osait pas regarder trop longtemps sur son propre corps. Il surprit le regard d'un homme, d'une détermination tenace. Un autre détourna les yeux en portant son poing à son visage.

– Je n'aurais pas pu vous en demander davantage, reprit-il, et pour cela, je vous salue, comme votre pays vous salue, pour votre force d'âme.

Silence. Pas même un mouvement dans le pack de glace. Aucun murmure provenant du bateau, coincé dans cette intolérable étreinte.

– Nous nous sommes embarqués à Greenhithe équipés pour trois ans, poursuivit le capitaine. Grâce à notre bon jugement et aux précautions prises, il nous reste assez de provisions pour trois mois.

Un gémissement monta quelque part de la foule.

L'équipage avait déjà deviné l'issue des inventaires frénétiques qui s'étaient déroulés dans la matinée.

– Nous abandonnerons les deux navires demain matin, dit-il. Nous chargerons deux chaloupes et prendrons la direction du fleuve Backs Fish.

Une rumeur s'éleva parmi son auditoire. Il la laissa flotter, atteindre un crescendo dubitatif, puis se dissiper.

Le fleuve en question se trouvait à deux cent dix milles plus au sud. Ils ne pouvaient pas traîner les bateaux plus d'un ou deux milles par jour. Même s'ils étaient tous sains et robustes, ils ne parviendraient jamais à destination avant cent cinquante jours, au bas mot. Il resterait alors encore neuf cents milles de l'embouchure du fleuve jusqu'au premier avant-poste de la baie d'Hudson situé à Great Slave Lake. Chacun savait qu'ils avaient peu de chances d'arriver jusqu'au lac. La plupart d'entre eux n'atteindraient probablement même pas le fleuve.

– J'ai des cartes maritimes de la région, leur précisa-t-il, mais je n'en possède aucune pour la zone située à l'est, sur la terre ferme. Le fleuve Backs Fish est un itinéraire tortueux, je le sais, mais quand nous y serons, ce sera encore l'été. Il n'y aura pas de glace sur le fleuve, puisqu'il se trouve à la latitude la plus au sud. Je suis convaincu que, sur le rivage, nous serons rejoints par des éclaireurs de la Compagnie de la baie d'Hudson qui ne manqueront pas de partir à notre recherche s'ils n'ont pas de nouvelles de nous d'ici le printemps.

Le brouhaha reprit de plus belle. À l'évidence, ils n'avaient pas tous une confiance aussi aveugle en la compagnie.

– Sir George Back a rapporté qu'il y avait un grand nombre de rennes, de bœufs musqués et d'oiseaux à l'embouchure du fleuve, ajouta Crozier. Là-bas, nous mangerons à satiété. Nous pourrons faire des provisions pour tout l'hiver, si nécessaire.

Il s'abstint de leur préciser ce que Back avait dit d'autre : le fleuve est une série ininterrompue de chutes et de cascades se faufilant dans un paysage de rochers fracassés par le gel.

De la foule, des voix s'élevèrent. Crozier tourna son regard dans cette direction.

– Parlez, lança-t-il. Parlez si vous avez des doutes !

Les hommes se dévisagèrent.

– Fury Beach ! cria quelqu'un.

– Qu'est-ce que c'est ?

– Il y a de quoi manger là-bas, lui répondit-on. Ross a laissé des réserves sur place.

Fury Beach se situait à cent milles au nord, sur la côte ouest de l'île Somerset. C'était presque aussi loin que la baie de Lancaster. L'endroit portait le nom du HMS *Fury* qui s'y était échoué en 1825, sous le commandement de sir Edward Parry. Toutes les provisions avaient été jetées sur le rivage.

– Les vivres abandonnés à Fury Beach ont plus de vingt ans, souligna Crozier. Nous avons besoin de viande fraîche et de gibier. Il n'y a pas de nourriture fraîche à Fury, ni gibier. Sir John Ross l'a affirmé il y a dix ans.

Il se tourna vers l'expert en glaces.

– M. Blanky servait sous les ordres de sir John à l'époque. Il m'a dit que Fury et Somerset étaient désolés. Il n'y a pas de gibier, tout juste quelques renards et quelques lièvres. Pas assez pour faire vivre cinq hommes, sans parler d'une centaine.

Les marins portèrent leurs regards sur Blanky, puis à nouveau sur le capitaine.

– Je ne vous mentirai pas, reprit Crozier en se penchant en avant. Nous sommes dans une très mauvaise passe. Nous ne pouvons rester ici, ni aller vers l'ouest, ou vers l'est par les terres. Pas plus qu'au nord. Notre seul espoir est le sud, et cette direction est la mort assurée pour certains. Toutefois, si nous demeurons ici, selon mon jugement, nous allons tous à une mort certaine. Les navires ont survécu jusqu'à présent, mais rien ne prouve que la prochaine tourmente ne les anéantira pas. Nous devons présager du pire. Si cet été ressemble à celui de l'année dernière, il n'y aura rien à manger ici, et pas moyen de briser la glace.

Plus personne n'intervint. Le silence était revenu.

– Nous emporterons trois chaloupes, poursuivit le capitaine, pesant chacune huit cents livres et montées sur des traîneaux en chêne. Nous prendrons des tentes, des voiles, des toiles de protection, des rames, des vivres, des vêtements, de la poudre à canon, des armes et du combustible.

Il s'interrompit, en proie à une vague d'émotion qui menaçait de rompre la régularité de son ton.

Pendant cette hésitation, les pensées de chaque homme volèrent en tous sens. Certains songeaient à leur pays, aux rues, aux maisons, aux fermes, aux autres îles. D'autres à leurs femmes, leurs parents, leurs enfants. Ils pensaient à Pâques. Dans trois jours, les églises et les brasseries seraient combles. Ils pensaient au printemps se changeant en été. À l'Angleterre. Un ou deux inclinèrent la tête. Pâques... La tentation du Christ, trahison et souffrances. Ils partiraient le Vendredi saint, le jour de la crucifixion. Les hommes pieux parmi eux frissonnèrent. Ce n'était pas un bon présage.

Crozier tourna son attention vers le sud, vers la lumière bleue de glace. Il évita délibérément le regard de Fitzjames, celui de Little, d'Irving et de tous les officiers debout à côté de lui.

– Nous laissons les meilleurs vaisseaux du monde à la grâce de Dieu, dit-il à voix basse, et nous nous mettons sous Sa protection.

13.

À 8 h 30 le lendemain matin, Catherine attendait dans le hall de la Société des explorateurs, les yeux rivés sur l'allée au-delà des portes vitrées. Dès qu'Alicia arriva, elle s'avança vers elle.

– Madame Marshall...

Alicia monta les marches et s'arrêta net en la voyant.

– Vous ! lâcha-t-elle.

Les portes derrière elles s'ouvrirent à nouveau. D'autres personnes qui l'avaient à l'évidence reconnue entrèrent à leur tour et s'arrêtèrent pour l'attendre.

– Excusez-moi, bredouilla Alicia. J'ai un conseil d'administration.

Elle s'éloignait déjà.

Catherine lui courut après.

– Est-il encore en Angleterre ? questionna-t-elle.

Alicia était déjà au pied de l'escalier.

– Qui vous a autorisée à entrer ici ? dit-elle.

– John, insista Catherine. Il faut que je le sache. S'il vous plaît.

Un homme s'approcha d'elles par-derrière.

– Tout va bien ? demanda-t-il à Alicia.

– J'ignore comment cette personne s'est introduite ici, lui répondit Alicia. Les portes sont censées être fermées au public jusqu'à 9 h 30.

– Je vous en prie ! s'exclama Catherine.

Elle fouilla dans son sac à bandoulière, en sortit un petit portefeuille d'où elle extirpa une photographie de Sam. Elle la fit glisser hors de sa pellicule plastique et la brandit.

Alicia se figea.

– Qui vous envoie ?

– Personne. Je suis venue de moi-même, répliqua Catherine. Connaissez-vous ce petit garçon ?

– La Harper, lança Alicia. C'est elle !

– Il s'appelle Samuel Douglas Marshall, enchaîna Catherine. Il n'a que deux ans.

– Voulez-vous que j'appelle la Sécurité ? intervint l'homme.

– Il est très malade, poursuivit Catherine. Saviez-vous qu'il était malade ? Il est atteint de ce que l'on appelle une anémie aplasique.

Alicia tressaillit presque imperceptiblement.

– On a parlé de lui dans les journaux. Avez-vous vu sa mère ? Elle était dans le *Courier*, un article...

Alicia blêmit. Elle saisit le coude de Catherine et l'entraîna à l'écart.

– Qu'est-ce qui vous fait croire que je voudrais voir la mère de cet enfant ? siffla-t-elle.

– Il est très malade, répéta Catherine.

Alicia resserra son emprise sur son bras.

– Moi aussi, j'ai un fils. Et j'avais un mari. Vous l'avez peut-être oublié, comme tout le monde.

Catherine essaya de se dégager.

– J'ai entretenu mon mari et je l'ai soutenu, poursuivit Alicia en chuchotant presque. J'ai élevé son fils. J'ai contribué à sa carrière. Je me suis sacrifiée pour lui. Et quand finalement il a réussi et commencé à profiter de son succès, que s'est-il passé ?

Elle fit une chiquenaude sur la photographie de Sam du bout de l'ongle.

– Cette femme me l'a pris !

Catherine pâlit à son tour. Elle serra la photo de Sam contre sa poitrine.

– Et ce n'est pas tout, reprit Alicia. Non contente de me le prendre, elle a accusé mon fils de l'avoir assassiné !

Elle dévisagea Catherine avant de la toiser lentement du regard.

– Et puis elle vous a pris John, ajouta-t-elle. Mais bien évidemment, cela ne compte pas autant pour vous que pour moi.

Catherine lui rendit son regard. Il lui fallut un moment pour répondre.

– Les gens disent des tas de choses qu'ils ne pensent pas lorsqu'ils souffrent, murmura-t-elle enfin. Vous aussi probablement, comme les autres.

Alicia en resta bouche bée. Elle redressa les épaules et fit volte-face.

– Ils le regrettent ensuite, tout comme Jo l'a regretté.

– Ça ne m'intéresse pas !

– John n'est pas parti uniquement à cause de ce que Jo lui a dit. Il est resté ici après l'enterrement, n'est-ce pas ? Mais en définitive, il ne pouvait plus supporter d'être là. Et cela n'a rien à voir avec vous, ni avec moi, ni avec Jo. C'est une affaire entre lui et son père. C'est pour cela qu'il est parti, qu'il ne revient pas, et tout notre amour ne suffira pas à le ramener tant qu'il n'aura pas résolu le problème, madame Marshall.

Catherine vit que ses propos avaient fait mouche. Elle aperçut une lueur de compréhension dans le regard d'Alicia.

– Ne pourriez-vous pas lui pardonner ? demanda

Catherine. Elle n'est pas responsable de ce que John porte dans son cœur.

Elle marqua une pause et ajouta :

– Et elle le regrette amèrement.

Alicia leva les sourcils.

– Ah vraiment ? fit-elle d'un ton sarcastique. Alors dans ce cas, tout va très bien !

Catherine rougit.

– Je ne sais pas grand-chose à propos de votre mari, reconnut-elle, mais je connais votre fils, madame Marshall. Je sais à quel point il aimait son père.

Alicia la dévisagea.

– Il avait besoin d'être avec lui, poursuivit Catherine. Il y tenait plus qu'à toute autre chose.

– Vous ne savez rien du tout, riposta Alicia.

Catherine s'empourpra encore. Elle ne se mettait pas facilement en colère, mais elle ressentait encore l'effet du geste nonchalant, outrageant à l'encontre de la photo de Sam.

– Avez-vous lu l'article ?

– Non.

Catherine scruta le visage d'Alicia, comme si elle pouvait sonder son esprit.

– Je ne vous crois pas, dit-elle. Je pense que vous l'avez lu de A à Z.

Alicia se détourna.

– James, s'il vous plaît, s'exclama-t-elle à l'adresse de l'homme qui se tenait derrière elle au pied de l'escalier, cette personne n'a rien à faire ici !

– Je pense que vous l'avez lu, répéta Catherine d'une voix grave, vibrante de tension, mais vous ne comprenez toujours pas. Sam est très malade.

Elle brandit à nouveau la photographie.

– Je crois qu'il ressemble à son père, dit-elle. Est-ce pour cela que cette photo vous dérange ? C'est le portrait craché de son père.

Les lèvres d'Alicia tremblèrent légèrement.

– C'est un gentil petit garçon, n'est-ce pas ? Il a les yeux de son papa.

Elle mit la photo sous le nez d'Alicia.

– Sauf que maintenant, on ne les voit plus très bien. On lui donne des tas de médicaments pour essayer d'enrayer l'infection. Ses paupières sont gonflées, et puis il pleure beaucoup, mais on essaie de l'en empêcher, parce qu'un enfant atteint d'anémie aplasique ne doit pas pleurer.

Cette fois-ci, ce fut elle qui agrippa le bras d'Alicia.

– Savez-vous pourquoi ? Parce que son système se détériore. Il ne faut pas que sa tension artérielle monte. Il n'a plus rien en lui pour combattre les lésions, les saignements.

Elle essaya de secouer Alicia comme pour la réveiller.

– Il allait bien, il était en pleine forme, dit-elle, il ressemblait comme deux gouttes d'eau à son père et maintenant il est malade et on dirait un mort vivant. Vous comprenez ce que je vous dis ?

Sa voix vacilla.

– Il est en train de mourir. À l'instant même, le fils de votre mari ! Et sa mère, cette personne que vous appelez la Harper, elle est chez elle à l'heure qu'il est. Vous savez ce qu'elle fait ? Elle est assise au chevet de son fils. Il refuse de manger. Il adore la glace, mais elle n'a pas le droit de lui en donner. Elle essaie de lui faire boire du lait. Il ne peut boire qu'une seule sorte de lait, qu'il a en horreur. Elle est assise auprès de lui depuis 5 heures du matin. Il est très malade, il vomit, le docteur est venu, il lui a fait une piqûre et maintenant...

Catherine haletait. Elle prit appui contre le mur.

– « La Harper », comme vous dites, s'efforce de le maintenir en vie, chuchota-t-elle et elle ne sait comment s'y prendre, ni ce qu'elle peut faire de plus.

Il y eut un silence.

– Vous pensez que je ne comprends pas cela ! s'exclama Alicia.

Catherine leva les yeux vers elle.

– Je suis désolée, dit-elle, mais...

Elle écarta ses cheveux de son visage et regarda à nouveau la photo du petit garçon.

– Sam est le seul frère que John aura jamais, murmura-t-elle.

Les deux femmes se faisaient face. Un petit groupe s'était attroupé en bas de l'escalier. Les autres administrateurs de l'Académie échangeaient des coups d'œil incertains en se demandant s'il fallait intervenir ou non.

– Ce petit garçon a besoin de son frère, dit Catherine. Tout de suite.

– Je ne sais pas où il est, répondit Alicia.

– Ne me mentez pas, madame Marshall ! répliqua Catherine, criant presque. Je vous l'interdis !

– Je ne sais pas où il est, répéta Alicia en haussant le ton.

Catherine se tourna vers le hall d'entrée. Elle apercevait les objets ayant appartenu aux équipages de Franklin dans les vitrines. Les fragments que McClintock et Kane avaient rapportés de la Terre du roi Guillaume. Tant de gens s'étaient élancés sur les traces de Franklin, un si grand nombre de bateaux désespérément à l'affût, comme ils cherchaient John à présent. Et tout ce qu'on avait retrouvé des glorieux navires du commandant, c'étaient ces quelques vestiges en lambeaux. De l'endroit où elle était, elle distinguait le portrait sépia de Crozier.

Elle reporta son attention sur Alicia.

– Est-il parti pour Gjoa Haven ? demanda-t-elle. Lui avez-vous donné l'argent pour y aller ? Est-ce là que nous devons chercher ?

Alicia ne répondit pas.

– Gjoa Haven, répéta Catherine. C'est une petite ville sur la Terre du roi Guillaume. Dans l'Arctique.

Alicia baissa les yeux. Sa bouche se serra en une ligne filiforme.

– Ne voyez-vous pas ? chuchota Catherine. On a tous peur. On a tous perdu quelqu'un. Je vous en supplie, madame Marshall, ajouta-t-elle à voix basse, ne nous laissez pas perdre quelqu'un d'autre.

Alicia tourna les talons et monta l'escalier.

Catherine la suivit des yeux jusqu'à ce qu'elle disparût de sa vue tandis des larmes inondaient peu à peu son visage. Elle jeta un coup d'œil dans le hall où les autres administrateurs attendaient toujours en la considérant d'un air perplexe. Elle prit son sac et remit la photo dans son portefeuille. Puis elle passa devant les vitrines en s'arrêtant un moment devant les images de Franklin, de son second et des preuves accablantes de leur irrémédiable déclin. Elle posa la paume de sa main sur une vitre froide.

– Où êtes-vous ? chuchota-t-elle. Mais où êtes-vous donc tous ?

14.

Une chape de chaleur pesait sur la ville. C'était dimanche matin, à peine 8 heures. En s'engouffrant dans le Senate House Passage, Bill Elliott se prit à songer qu'il n'avait jamais connu pareille fournaise à Cambridge, même en août. On se serait déjà cru en milieu d'après-midi ; on sentait l'humidité, la pression atmosphérique. Il leva les yeux quand il émergea en face de King's College ; des nuages orageux s'amoncelaient sur les marécages, comme de gros rouleaux. C'était bizarre de voir ces colonnes lointaines s'élever au-dessus des arbres striés de soleil.

Jo lui avait dit de venir de bonne heure, mais il pensa qu'il était probablement trop en avance parce qu'en arrivant devant la maison il vit que les rideaux étaient encore fermés à l'étage. Il répugnait à frapper ; il imaginait fort bien le genre de nuit qu'ils avaient passée et savait à quel point le sommeil était précieux. Aussi avait-il fait demi-tour et s'était-il remis à marcher pour tuer une heure à ce moment si paisible de la journée.

Il avait vu Jo la semaine précédente à l'hôpital.

Elle paraissait nettement plus âgée maintenant. Elle n'était plus la jeunette qui avait arpenté son service le premier jour en rouspétant parce qu'on faisait des analyses et des perfusions à son enfant tout en exigeant de savoir ce qui n'allait pas. Ce n'était plus la jeune femme qui avait pleuré de soulagement dans son mouchoir en apprenant que c'était seulement de l'anémie. Elle était lasse et elle avait perdu de son allant. Elle avait des cernes. Elle s'était coupé les cheveux très court. Cette coiffure ne lui allait pas vraiment.

– Inutile de me dire que je suis affreuse, avait-elle commenté avec un petit sourire en voyant son regard s'attarder sur sa nouvelle coupe. Je n'ai pas le temps de faire autre chose, avait-elle ajouté en glissant la main sur ses cheveux à la garçonne.

Ce n'était pas si laid. Juste un peu cruel, trop dur à cause de ses yeux qui lui mangeaient le visage et de ses joues creuses.

– Il faut que vous mangiez, avait-il dit.

– C'est ce que je fais, avait-elle répondu.

Il n'en croyait pas un mot.

La chapelle du King's College n'était pas encore ouverte au public à cette heure-là. Il contourna l'entrée en contemplant sa façade éthérée, d'une magnifique simplicité. Un triomphe de grâce. Il aurait voulu que Jo Harper fût à son côté afin de lui montrer ce produit de la foi humaine.

Il longea Garrett Hostel jusqu'au fleuve. L'eau était basse : la canicule avait fait son effet. On avait relevé trente degrés dans l'est de l'Angleterre le mois dernier. Il contempla le Cam depuis le pont ; on distinguait le fond de l'eau boueux. Il pensa à Sam, fasciné par le ventilateur électrique qu'on avait installé près de son lit lors de sa dernière transfusion. La moindre chose le distrayait à présent ; son monde avait considérablement rétréci. Il n'essayait même plus de courir. Il voulait sa mère, son Paddington, des pailles flexibles pour son gobelet.

Elliott songea aux photographies de ces enfants

découverts dans les orphelinats roumains plusieurs années auparavant, subjugués par l'ombre de leurs doigts sur les barreaux de leurs petits lits. Il n'existait plus aucun monde pour eux au-delà de cette barrière. Sam ne s'intéressait plus à rien désormais, hormis aux détails : sa paille, un jouet, les mains de la personne proche de lui. La maladie, l'isolement étaient exténuants, restreignants. Abrutissants. On n'avait plus de raison d'être motivé. Les couleurs passaient. Les jeux n'avaient plus d'intérêt. Elliott serra le poing sur le parapet.

Le mois dernier, Jo avait apporté un album de photos à l'hôpital. Elle avait espéré qu'il distrairait Sam. Quand Elliott était entré, elle le lui avait montré.

– Ça, c'est le père de Sam et de John, avait-elle dit en souriant timidement. Le propriétaire de cet haplotype rare. Le drôle de gus !

Elle lui avait tendu les clichés fièrement. Douglas Marshall souriant. Douglas Marshall sur une plage quelque part. Douglas Marshall sur un rivage gelé.

– Il avait une obsession, lui avait-elle précisé, qu'il a transmise à John : Franklin.

Ce nom avait été mentionné si souvent aux actualités ces derniers temps, depuis que Jo avait fait paraître son article dans le *Courier,* qu'Elliott avait l'impression de connaître l'histoire par cœur. Jo et Catherine Takkiruq étaient tellement sûres que John se trouvait en Arctique, dans un endroit appelé la Terre du roi Guillaume que les journaux canadiens et nunavut avaient republié l'histoire de Sam. Des appels avaient été lancés à toutes les organisations qui géraient un mode de transport quelconque sur place. On avait affiché la photographie de John dans tous les aéroports canadiens.

– J'avais oublié Franklin, lui avait dit Jo. Vous

vous rendez compte ? C'est grâce à lui que Doug et moi, nous nous sommes rencontrés. Nous avions un projet d'émission sur lui. Et pourtant, depuis que Sam est né, je n'ai pas pensé une seule fois à ces navires.

Elle était relativement optimiste ce jour-là.

– Il reviendra, avait-elle décrété d'un ton confiant. C'est un gentil garçon. Il reviendra.

Mais John n'était pas revenu. Quatre semaines avaient passé. Personne n'avait entendu parler de lui, ni en Angleterre, ni à Nunavut, ni au Canada. Même le père de Catherine, à Arctic Bay, n'avait aucune nouvelle. John Marshall n'avait pas refait surface sur les traces de Franklin.

Elliott avait été témoin de la terrible déception de Jo. À présent, il était pressé de lui dire ce qu'il avait appris – ce que, déontologiquement, il devrait garder secret. Il s'était démené avec ce problème en voyant la détresse de Jo.

Elle savait pertinemment qu'il n'était pas censé lui révéler si un donneur avait pu être localisé, encore moins si John était compatible. Elle traquait John en croisant métaphoriquement les doigts, plaçant tous ses espoirs dans la conviction qu'il serait compatible avec Sam, mais elle était loin d'en être sûre. Personne n'en était sûr, à part l'Association Norberry et lui-même. Et cette information pesait lourd.

Il se détourna du fleuve et remonta St Benet's Street. Dans la rue silencieuse, l'église était déjà ouverte ; la Sainte Eucharistie avait commencé. Il hésita avant d'ouvrir la porte de peur de déranger les fidèles. Il finit par entrer sur la pointe des pieds, s'assit au fond de l'église et ferma les yeux. Construite sous le règne du roi Canute, St. Benet était le plus vieil édifice de la ville. Elliott y venait régulièrement à l'époque où il était étudiant pour écouter les cloches.

La plus ancienne datait de 1588. L'autel dans l'allée sud était médiéval. Les vitraux ébrasés remontaient au XIIIe. Des gens venaient prier et se recueillir ici depuis des siècles. Il se pencha, les coudes sur les genoux, et pria lui aussi.

Il était 8 h 50 lorsqu'il regagna la maison de Jo. L'équipe de tournage l'avait devancé : leur camionnette et plusieurs 4 × 4 étaient garées le long des doubles lignes jaunes. En guignant par la porte ouverte, il aperçut Jo dans l'entrée, Sam à califourchon sur sa hanche, la tête contre son épaule. Elle regarda rapidement par-dessus son épaule en entendant ses pas résonner sur les dalles.

– Bonjour, Bill ! s'exclama-t-elle en souriant. Vous avez failli rater notre grand moment.

Elle lui tendit une tasse de café.

– Nous avons opté pour le jardin, ajouta-t-elle en désignant le fond de la maison.

Des chaises étaient disposées sur la pelouse, sous le lilas.

– Ça fait très professionnel, commenta-t-il.

– Oui. J'espère que je ne vais pas foirer.

Elle lui lança un regard impuissant. Il lui pressa le bras en considérant Sam qui le dévisageait en silence. Il effleura la joue du petit garçon, fit glisser son doigt sur sa peau duveteuse. Jo leva les yeux vers Elliott. Son expression était impénétrable lorsqu'elle se détourna pour se diriger vers le jardin.

– On est prêts ! annonça le réalisateur.

Jo prit place sur la chaise face aux caméras, ajusta sa jupe, puis s'assura que Sam était à son aise. On fit le réglage de la lumière.

– Salut, Sam, dit le réalisateur en sortant quelque chose de sa poche. Tu veux tenir ça ?

Il sortit une figurine Pokémon de sa poche.

Sam y jeta un coup d'œil et se mit à pleurer.

Il y eut un murmure d'inquiétude.

– Hé ! s'exclama Jo en tournant son fils vers elle. Qu'est-ce qui se passe ?

Sam s'arc-bouta.

– Il est fatigué, expliqua Jo, je suis désolée.

– Ce n'est pas grave.

Le réalisateur ramassa quelque chose dans l'herbe derrière lui qu'il tendit à Jo : un clap. Sam regarda l'objet du coin de l'œil et ses sanglots s'apaisèrent.

– Prêts ?

– Oui, répondit Jo.

Bill Elliott se rendit compte qu'il avait une boule dans la gorge.

– On tourne ! cria quelqu'un.

Jo leva le visage vers la caméra.

– Voici mon fils, dit-elle en souriant. Il s'appelle Sam. Il y a un peu moins de trois mois, on s'est aperçu que Sam était malade.

Sam détournait la tête ; le clap l'intriguait.

Elliot ferma les yeux et vit encore l'arbre, la femme, l'enfant en négatif.

– Comme tout bambin de deux ans, poursuivit Jo, Sam aime faire des bêtises.

Elle lui caressa la joue.

– Et comme toutes les mères, j'ai l'habitude de le tirer d'affaire.

Elle tourna doucement Sam pour qu'il soit en face de la caméra.

Il y eut un silence terrible lorsqu'il braqua son regard droit sur l'objectif. Il n'y avait pas si longtemps, c'était un beau petit garçon espiègle à l'épaisse chevelure blond paille, aux yeux d'un bleu saisissant. Le visage que l'on découvrirait dans tous les foyers le week-end suivant, sur le petit écran, n'avait plus rien de beau, ni d'espiègle. Il avait perdu beaucoup de cheveux. Il avait le teint jaune. Le pire, de l'avis d'Elliott, c'était ce regard, un regard qu'il avait vu des milliers de fois auparavant, empreint d'une connaissance intime de la souffrance. Elliott avait souvent pensé qu'il arrivait un moment – pour certains de bonne heure, pour d'autres plus tard – où ces enfants comme leurs parents héritaient d'une expression qui n'appartenait plus vraiment à ce monde. Ils s'aventuraient dans des recoins de l'esprit si froids, si terrifiants qu'ils changeaient à jamais, et cela se lisait dans leurs yeux. Ils étaient différents, à l'intérieur. À cause de la maladie, et de ce voyage si particulier, si insolite qu'ils avaient fait dans leurs cœurs. C'étaient tous des voyageurs, errant dans un pays où aucune âme humaine ne pouvait survivre longtemps.

Le regard d'Elliott s'embua de larmes. Il regarda fixement par terre en fronçant les sourcils dans l'espoir que personne ne s'en apercevrait tandis qu'il s'essuyait les yeux à la hâte du revers de la main.

– Cette fois-ci, je ne peux pas le tirer d'affaire, disait Jo d'une voix douce. Il a quelque chose qui s'appelle anémie aplasique. Si vous êtes comme moi, vous penserez... eh bien, que ça n'a pas l'air si grave que ça !

Elle sourit.

– Malheureusement, c'est grave. Sam a besoin d'une greffe de moelle.

Elle marqua une pause, luttant elle aussi, apparemment, contre l'émotion. Les membres de l'équipe de tournage échangèrent des regards. Le réalisateur qui l'observait leva la main pour les retenir. *Attendez-la.*

Pour finir, Jo releva la tête.

– Ce n'est pas une situation enviable, loin de là,

reprit-elle. Sam a besoin d'un donneur. Un donneur de moelle.

Elle leva brièvement les yeux vers le réalisateur qui lui faisait des signes pour lui montrer qu'elle devait continuer et qu'on intercalerait des images à ce moment-là.

– Voici John Marshall, poursuivit-elle, le demi-frère de Sam. Il est possible que John soit un donneur compatible pour Sam. C'est un espoir auquel on se cramponne.

Elle esquissa un sourire, prit une profonde inspiration.

– Le problème, et c'est un gros problème, est que nous ignorons où se trouve John. Peut-être pourriez-vous nous aider. John est étudiant en archéologie. Il vivait à Cambridge.

La main du réalisateur fit un mouvement tranchant indiquant que l'image revenait sur elle.

– Sam et moi voudrions vous demander si vous avez vu John Marshall, continua Jo. Il est peut-être en Angleterre, ou bien à l'étranger. Si vous avez voyagé récemment, il se peut que vous l'ayez croisé quelque part. Dans un aéroport, une autre ville. Il est grand, blond et... eh bien, il ressemble passablement à son père, Douglas Marshall.

Bill Elliott se rapprocha d'elle sur la pelouse.

– L'Association James Norberry est un organisme qui se charge de trouver des donneurs de moelle pour des patients comme Sam, dit Jo. Des millions de gens dans le monde sont disposés à faire don de leur moelle, et cela peut faire toute la différence. Sauver une vie. Tout de suite. À l'instant même. John Marshall est membre de cette association...

Sam s'inclina en arrière dans les bras de sa mère et

leva les yeux vers elle comme s'il cherchait à lui donner la réplique.

– Alors, si vous pensez que vous pouvez être un donneur, ou si vous croyez avoir vu John Marshall, conclut-elle, je vous en prie, composez sur-le-champ le numéro qui apparaît au bas de votre écran. Merci. Merci beaucoup.

Une pause, puis elle ajouta encore :

– Merci.

À 9 h 30, ils avaient fini. Bill Elliott avait participé à une prise de vue de trente secondes avec Jo. Au cours de l'appel qui serait lancé, il apparaîtrait dans d'autres séquences tournées dans son bureau, au milieu de ses dossiers ou s'entretenant avec les infirmières de son service. Entre les images de Jo, d'Elliott, de John, on découvrirait le travail accompli par l'Association. Ce reportage, sponsorisé par ladite Association, serait diffusé le dimanche suivant, dans le créneau horaire traditionnellement consacré aux appels de cette sorte, avant les nouvelles du soir. En termes de publicité, ce n'était pas énorme, mais c'était mieux que rien !

– Vous vous en êtes très bien sorti, déclara Jo au médecin quand ils allèrent s'asseoir ensemble dans le jardin après le départ de l'équipe.

– Vous ne diriez pas ça si vous aviez vu ce qu'ils ont tourné hier, répondit-il. Ils m'ont montré les rushes dans cette caméra portative qu'ils trimbalent partout... Je marche en canard !

Jo rit.

– Imaginez vivre jusqu'à mon âge avancé sans jamais se rendre compte qu'on marche en canard, poursuivit-il. C'est monstrueux. Il faut que je fasse des exercices avec des livres en équilibre sur la tête, que je prenne des cours, je ne sais pas quoi, mais il faut faire quelque chose.

– Vous ne marchez pas en canard.

– Pour couronner le tout, j'avais les bras croisés dans le dos tout du long.

Il vit le regard de Jo errer en direction de la fenêtre de la chambre de Sam au-dessus d'eux. On l'entendait s'agiter.

– Il a une température de tous les diables, murmura-t-elle.

– Je devrais y aller, dit-il.

Elle jeta un coup d'œil à sa montre.

– Vous êtes en retard ?

– Non, répondit-il, mais je préfère arriver là-bas de bonne heure. Je n'ai droit qu'à un dimanche tous les quinze jours avec les enfants. Je n'aime pas les faire attendre.

– Ça doit être pénible pour vous, souligna-t-elle en se levant.

– On s'habitue bizarrement à toutes sortes de choses.

– Aller dans leur nouvelle maison, tout ça...

– Voir quelqu'un d'autre à ma place, oui.

Jo se dirigea vers la porte qui donnait sur la cuisine.

– Jo, reprit Elliott, vous savez que s'ils trouvent un sujet compatible, vous devrez aller à Great Ormond Street pour la greffe.

Elle se tourna vers lui.

– Je suis contente de voir que vous y croyez encore.

– Il faut y croire, répliqua-t-il. Planifier.

– Pardonnez-moi si ma confiance est un peu chancelante, ajouta-t-elle.

– Vous savez ce que dit la religieuse qui travaille dans mon service ? Vous arrivez en chair et en os, vous repartez en acier.

– Comment ? fit-elle en fronçant les sourcils.

– Quand on est confronté à une crise, c'est comme passer dans un haut fourneau. On y entre en chair et en os, on en ressort en acier.

Elle était totalement immobile. Elle avait blêmi. Elliott hésita, se demandant ce qui se passait, ce qu'il avait dit de mal.

– J'ai horreur de toutes ces foutaises, marmonna-t-elle.

– Pardon ? Quelles foutaises ?

– Dieu faisant peser des fardeaux sur les dos les plus solides. Toute cette merde moralisatrice ridicule, asphyxiante !

Il était choqué.

Elle regardait ailleurs, vers les ombres de la maison.

– J'ai reçu la visite d'un prêtre hier, dit-elle. Le curé de la paroisse locale, apparemment. (Elle soupira.) Je ne pouvais pas le savoir, vu que je ne vais jamais à l'église. J'ignore d'ailleurs comment il connaissait mon existence.

Elle prit une serviette à thé sur la chaise la plus proche et se mit à la plier distraitement.

– Savez-vous ce qu'il m'a dit ?

– Non. Quoi donc ?

– Il m'a demandé si je pouvais donner mon chagrin à Dieu.

Elle jeta la serviette et se tourna vers lui, la main sur sa hanche.

– Le pouvez-vous ? s'enquit-il.

Elle leva les deux mains.

– Oh, vous n'allez pas vous y mettre ! s'exclama-t-elle.

– Vous ne croyez pas en Dieu ?

– Vous avez vu Sam ! Vous n'allez tout de même pas m'en blâmer ?

Elle le foudroya du regard.

– Catherine a la foi, figurez-vous, ajouta-t-elle, et on dirait bien que vous aussi.

– Oui.

– Eh bien, dites-moi une chose, comment faites-vous ? Je ne pige pas. Catherine s'occupe de Sam presque autant que moi. On dirait presque que c'est son frère, ou son fils. Et elle... elle n'est jamais en colère.

– Alors que vous si.

Elle s'avança vers lui. Ses yeux lançaient des éclairs.

– Sacrément en colère, même ! répliqua-t-elle. Vous voudriez que je croie qu'il y a une logique, une raison derrière tout ça ? Quelque être omnipotent ? Vous voudriez que je prie. Que je Lui demande de l'aide ?

Ses lèvres tremblaient.

– Je ne peux pas Lui demander. Vous comprenez ? dit-elle. Je ne peux plus prier.

Ils se tenaient face à face. Bill Elliott eut l'intelligence de se taire. Il essaya de la toucher, à son insu. Elle aperçut les tasses à café attendant d'être lavées près de l'égouttoir. Elle attrapa la plus proche et l'envoya valser contre le mur.

– Jo ! murmura-t-il en tressaillant quand les fragments s'éparpillèrent par terre.

– Il ne se passera rien, sanglota-t-elle. John ne sera pas compatible, il ne reviendra jamais. Sam va mourir.

– Vous ne devez pas croire cela.

– Ne recommencez pas à me dire ce que je dois croire.

– Ce n'est pas ça. Je vous dis que vous devez vous cramponner.

– Je ne peux pas ! cria-t-elle. Je ne supporterai pas

un jour de plus de le voir me quitter. Je ne peux plus. Je ne peux plus.

– Il le faut, insista-t-il. Si vous n'y croyez plus, Sam le sentira.

– C'est plus fort que moi. (Les ravages de la souffrance se peignaient sur son visage.) Je ne sais plus où je suis. Plus du tout. Je n'ai plus de points de repère, haleta-t-elle. Je ne sais plus où aller, ni que faire. Je ne vois aucune issue. Et toute cette histoire à propos de John, c'est ce que j'ai dit pour la télé tout à l'heure, une dernière lueur d'espoir, n'est-ce pas ? Je m'accroche à une lueur !

Elle se laissa choir lourdement sur la chaise la plus proche et s'enfouit la tête entre les mains.

– Il n'est pas compatible, geignit-elle. Il ne l'est pas. Personne ne l'est.

– Il l'est, dit Elliott.

Il y eut un temps d'arrêt. Elle leva vers lui un visage strié de larmes.

– Comment ?

– John *est* compatible.

Lentement, Jo se mit debout.

– Christine Lord m'en a informé la semaine dernière.

Elle le dévisagea d'un air interdit.

– Elle n'a pas le droit de le dire. Vous non plus.

– Non, pas vraiment, reconnut-il, mais la pression finit par avoir raison de nous tous. Et je voulais savoir.

– Il est compatible, répéta-t-elle à son tour, osant à peine y croire. Dans quelle mesure ?

– Presque parfait.

– Parfait..., souffla-t-elle.

Il sortit un bout de papier de sa poche. Sur lequel il avait écrit un numéro. AZMA 552314. Il le lui fourra dans la main. Il éprouvait un désir presque irrésistible de la prendre dans ses bras, de la serrer contre lui, pour lui donner de la force, la soulager de sa souffrance. Mais il s'en empêcha, redoutant de profiter d'elle, du moment.

– C'est le numéro du donneur compatible, dit-il en refermant les doigts de Jo sur la feuille. Dans les affaires de John, vous devriez trouver une carte de donneur. Sur cette carte figure un numéro. Si vous avez envie de vérifier, vous en aurez la preuve.

– Compatible, répéta-t-elle encore.

Elle referma son poing sur le bout de papier et le porta à ses lèvres sans quitter Elliott des yeux.

– Oh, merci ! chuchota-t-elle. Merci beaucoup.

15.

La neige tombait doucement à pic faute de vent ; elle avait voyagé pendant des jours sur les vastes étendues désolées du détroit de Victoria, muette, spectrale, chargée de gros flocons grands comme la main. Un rideau d'un millier de milles tiré sur l'océan. Avec un temps pareil, les baleines de la baie de Lancaster brisaient la surface en masse, s'élevant au-dessus de l'eau riche de vie dans le fantastique silence de l'air. Il n'y avait plus de ciel, rien qu'un monde blanc comprimé. Il n'y avait pas non plus d'étoiles la nuit. Pas un souffle de vent.

C'était très rare que les chutes de neige se prolongent si longtemps. En général, il n'en tombait pas plus de dix ou quinze centimètres dans l'Arctique en l'espace d'un an. Mais 1848 n'était pas une année comme les autres. C'était l'année que les Esquimaux, pendant des décennies à venir, appelleraient *Tupilak*. Le fantôme. Rien ne vivait dans un tel monde. Tout au moins, pas longtemps.

Trois mois plus tôt, les hommes de l'*Erebus* et du *Terror* avaient découvert que quatre milles de crêtes de glace se dressaient entre eux et le littoral de la Terre du roi Guillaume. Ils s'étaient mis en route à 11 heures du matin, le 21 avril, et n'avaient marché qu'une heure quand ils atteignirent la première arête. L'un des officiers, Fairholme, l'avait escaladée pour évaluer la suite du parcours. Le pli gelé, tout déchiqueté, faisait douze mètres de haut, et en arrivant au sommet il s'était aperçu que la crête s'étendait à un mille au moins dans toutes les directions et que, au-delà, des pans de glace s'éparpillaient au milieu d'immenses champs de pierraille. La banquise affleurait parfois, entre les blocs de roche, pareille à une plage de sable couverte des ondulations des vagues. Fairholme s'était retourné pour appeler le groupe du premier traîneau.

– Il n'y a pas d'autre issue ! avait-il crié.

Ils avaient gravi la crête à leur tour. Quatre hommes étaient passés d'abord pour essayer d'aplanir la glace à coups de pelle et de pique afin de dégager un passage permettant de hisser les bateaux. Après quoi, on avait attaché une dizaine d'hommes à l'avant d'une chaloupe à l'aide de cordes et de harnais ; les dix-huit autres étaient positionnés de part et d'autre et à l'arrière. Ils étaient déjà transis, mais le simple fait de devoir se maintenir en équilibre sur les gradins de glace ratissée leur donnait encore plus froid aux pieds tandis qu'ils enfoncaient péniblement leurs bottes dans les saillies pour trouver des points d'appui.

En se penchant sur les filins, ceux de devant sentaient le fardeau leur entamer les épaules, les bras, le dos, leur coupant presque la circulation du sang dans la poitrine et la gorge, tant la charge était lourde. Ceux qui tiraient de côté glissaient, tombaient, les cordes leur filant entre les mains. Avant même qu'ils eussent atteint le premier sommet, leurs gants étaient trempés de part en part, leurs bottes couvertes de glace, leurs manteaux et leurs pantalons dégoulinaient.

C'était un véritable enfer de tirer les bateaux montés sur des patins en bois, sans parler de les soulever. Leurs contenus, enveloppés dans des toiles goudronnées retenues par des cordes, auraient aussi bien pu être des blocs de marbre. La sueur qui jaillissait de tous leurs pores gelait aussitôt. Leurs cheveux, brillants de transpiration, se solidifiaient sur leurs crânes. Les lunettes qui les protégeaient du soleil leur entaillaient le visage.

Il leur fallut une heure et demie pour négocier la première arête. Lorsqu'ils parvinrent finalement au sommet, il était déjà 13 heures. Et chaque homme qui avait peiné jusque-là sombrait dans le silence parce que de là-haut, il n'y avait rien d'autre à voir qu'une autre crête, suivie d'une autre.

Ils redescendirent en soufflant, penchés en arrière pour empêcher les chaloupes de dévaler la pente toutes seules. Dès qu'ils furent en bas, ils couvrirent à peine dix pas avant de recommencer à grimper.

À 18 heures, ils firent halte pour la nuit.

Ils dressèrent les tentes, malgré leurs muscles douloureux, leurs poumons qui brûlaient à cause de l'effort. Tout ce qu'ils touchaient gelait sous leurs doigts. En l'espace de quelques minutes, les tentes étaient raides : la toile aurait été suffisamment froide, le matin venu, pour se déchirer en lambeaux faute du souffle des occupants qui maintenait un ténu courant d'air chaud. Pendant que les hommes installaient le camp, les cuisiniers firent fondre de la glace et préparèrent du thé sur un feu qui mit un siècle à prendre. Ils mangèrent de la bouillie en conserve, tiède, et des raisins secs qu'ils devaient garder un moment dans la bouche pour qu'ils décongèlent. Ce soir-là, Crozier enregistra une température de moins trente-deux degrés.

Il leur fallut quatre jours pour atteindre la Terre du roi Guillaume. On aurait dit que Fitzjames avait attendu d'y arriver. Durant le dernier kilomètre, on l'avait transporté dans une des chaloupes, enveloppé de peaux d'ours, et quand le médecin vint le voir une fois la première tente dressée, il paraissait paisible.

– James, demanda Goodsir, est-ce que vous m'entendez ?

Fitzjames entrouvrit à peine les yeux.

– James ?

– Je suis fatigué.

En déchargeant l'embarcation en quête d'ustensiles de cuisine, ils s'étaient aperçus que le whisky calé sous les pieds de Fitzjames avait gelé.

– Ne vous endormez pas, dit Goodsir.

Avec des mains engourdies au point d'être insensibles, le médecin frotta celles de Fitzjames, sa poitrine, ses bras. Il le serra contre lui et lui frictionna le dos à travers l'épais manteau de laine et la peau de phoque.

Le regard de Fitzjames vacilla vers l'entrée de la tente et revint se porter sur Goodsir. Il chuchota quelque chose.

– Qu'y a-t-il ? demanda le médecin.

– Les pommiers en fleur, murmura-t-il. En Angleterre.

Goodsir lui prit la main.

– Nous serons bientôt tous de retour en Angleterre, lui promit-il.

Fitzjames secoua la tête. Goodsir écouta sa respiration faible et rauque. Dehors le vent s'était levé. Le dernier groupe avait de la peine à planter sa tente. Le médecin apercevait deux hommes assis sur un traîneau, la tête inclinée. Il redoutait cette vision. Ils appelaient ça : « Le confort du sommeil. » L'irrésistible envie de s'endormir quand on ne sentait plus le froid.

Il se retourna vers Fitzjames. Dans le bref intervalle depuis qu'il avait détourné les yeux, il avait rendu l'âme.

Ils l'enterrèrent le lendemain matin en utilisant leur précieuse énergie pour découper vingt centimètres dans la glace afin de descendre sa dépouille dans l'eau peu profonde du rivage, le sol étant trop dur pour qu'ils puissent creuser.

Lorsqu'ils avaient trouvé le cairn laissé par Gore l'année précédente, ils avaient déterré son message afin d'y ajouter le leur. Fitzjames avait insisté pour rédiger le rapport ; cela lui avait demandé près d'une heure. Crozier lui avait accordé ce temps et il s'en félicitait à présent. Son second supportait mal d'être dépossédé de ses moyens. Assis dans la première tente dressée, il avait composé péniblement son texte tandis qu'un matelot de deuxième classe l'éclairait avec une torche.

25 avril 1848

H.M.S Terror *et* Erebus *ont été abandonnés le 22 avril à 5 lieues au N-NO d'ici, les deux navires étant pris par les glaces depuis le 12 septembre 1846. Les équipages, officiers compris, comportent ici même 105 âmes, sous le commandement du capitaine F.R. M Crozier – latitude 69 37' 42", Long. 98 41'. Ce document a été découvert par le lieutenant Irving sous le cairn censément édifié par sir James Ross en 1831, à 4 milles au nord, et déposé ici par feu le commandant Gore en juin 1847. Cela dit, le pilier de sir James Ross n'a pas été trouvé et le document concerné a été transféré à cette position, qui est celle où le pilier de Sr. J. Ross fut en définitive érigé. Sir John Franklin a rendu l'âme le 11 juin 1847 et les pertes humaines totales de notre expédition à ce jour s'élèvent à 9 officiers et 15 hommes.*

James Fitzjames, capitaine du H.M.S Erebus.

On avait montré ce message à Crozier après que Fitzjames eut terminé de le rédiger.

Il l'avait considéré un moment en regrettant que son second se soit tellement étendu sur l'emplacement des cairns. Il ne lui restait plus de place pour noter la direction qu'ils se proposaient de prendre, hormis quelques mots calés tout en bas de la page. « F.R.M Crozier, capitaine et commandant, partons demain, le 26, vers Backs Fish River. »

Ils allégèrent les traîneaux. S'ils devaient franchir d'autres crêtes, il fallait à tout prix qu'ils soient moins chargés. Ils jetèrent des vêtements, des fourneaux, des piques, des écuelles, une caisse entière de remèdes, un sextant, des fusils, des gamelles et des livres.

Crozier avait failli hurler de frustration. Il considéra le tas qu'ils avaient laissé derrière eux, rangé avec soin, les fourneaux, les haches et les pelles, et se sentit découragé, le cœur brisé. Il s'approcha et donna un coup de botte dans les fourneaux.

– Il nous en reste quatre, l'informa Fairholme.

Crozier le fusilla du regard.

– Nous sommes encore trop chargés.

– Il n'y a rien d'autre, commandant.

– Montrez-moi ce qu'il y a dans votre sac.

– Mon sac ? s'exclama Fairholme, interloqué.

– Montrez-moi ce qu'il y a dedans.

Fairholme déversa ses possessions sur le traîneau. Crozier déballa une tringle à rideaux en cuivre, plusieurs tiges métalliques, une poignée et une plaque en cuivre.

– À quoi ça sert tout ça ? s'enquit-il.

– À dévier les éclairs, dit Fairholme. C'était sur vos ordres, commandant. Des paratonnerres, pour les tentes.

Crozier marqua un temps d'arrêt. Il ne se souvenait

plus des ordres qu'il avait donnés la veille, sans parler de ceux qui dataient du jour où ils avaient quitté le bateau.

– Laissez tout cela ! ordonna Crozier. Des poignées, des plaques en cuivre...

– Pour faire du troc, répondit Fairholme. Du métal... Vos consignes, commandant.

Crozier devint rouge comme une pivoine.

– Ne me répétez pas mes ordres ! hurla-t-il. Laissez ça ici.

Il souleva le paquet posé sur le traîneau et le jeta sur la pile. Fou de rage, il fit les cent pas entre les rangées d'hommes qui attendaient.

– S'il y a quoi que ce soit de pesant dans vos sacs, débarrassez-vous-en, hurla-t-il. Tout ce qui pèse lourd, sauf les armes et les ustensiles de cuisine. Tout.

Personne ne broncha.

– Tout ! hurla Crozier.

Pas un mouvement.

Crozier les dévisagea et vit à quel point ils étaient épuisés. La plupart d'entre eux étaient incapables de réfléchir à ce qu'il y avait dans leurs sacs, sans parler de décider ce dont ils devaient se délester. Il se sentait dangereusement, morbidement furieux. Quelque chose d'acide monta dans sa gorge. Il prit conscience de leurs expressions obstinées, implacables, de bêtes sottes et loyales fonçant droit à l'abattoir. Des rafales de glace, méchantes petites claques charriant de la neige, leur cinglaient le visage.

– Remuez-vous ! ordonna-t-il.

Il surprit un voile de profond désespoir teinté d'un sentiment d'injustice dans le regard de Fairholme, mais ne put se résoudre à lui dire un seul mot.

Ils se mirent en route.

Le voyage le long du littoral de la Terre du roi Guillaume fut un peu moins pénible. Ils couvraient une moyenne de deux milles par jour et il faisait moins froid : presque moins dix. Pendant toute une journée, ils se frayèrent un chemin à travers des ravines enneigées. Les crêtes n'étaient pas aussi inaccessibles qu'aux abords des navires, mais suffisamment ardues tout de même pour que les trois équipes des traîneaux préfèrent suivre les creux entre les arêtes, qui heureusement étaient orientés nord-ouest sud-est. Le vent soufflait moins fort à l'abri de ces versants, mais la neige y était redoutable, épaisse, collante.

Augustus Peterman avait pris la tête du premier traîneau ; il ne céda sa place qu'à midi. Il remit sa perche en rue – destinée à traîner la chaloupe en la glissant aussi près que possible du point de gravité – à l'un des chauffeurs, un petit homme farouche, originaire de Liverpool dont les mains portaient encore les marques crasseuses de son métier.

– Tu as bien travaillé, dit Crozier au garçon.

Gus le regarda avec des yeux vides.

Après le changement d'équipe, ils essayèrent de relancer le traîneau, mais cela se révéla pénible. Ils avaient de la neige jusqu'aux genoux et les patins s'enfonçaient sous le poids de la charge de sorte qu'ils n'avançaient vraiment qu'à partir du moment où ils avaient pris un peu de vitesse. Gus et Crozier se joignirent à eux par-derrière, poussant et soupirant jusqu'à ce que les patins avant se soulèvent légèrement ; les hommes s'inclinèrent alors presque à l'oblique sur les traces du traîneau, à un angle de trente degrés par rapport au sol, poussant de toutes leurs forces.

Plus personne ne relevait maintenant en voyant un officier faire le même travail que les autres. On ne pouvait tolérer une paire de mains inactives.

Une fois qu'ils furent en mouvement, Gus se redressa. Il se passa la main devant les yeux.

– Qu'y a-t-il ? lui demanda Crozier.

– Rien, commandant.

Crozier scruta son visage. Il larmoyait, ébloui par la neige. Il n'y avait pas de soleil, mais le froid et le blanc faisaient ruisseler les yeux et battre les tempes.

– Où sont tes lunettes ?

– Je ne peux pas les porter, commandant.

– Pourquoi pas ?

Gus regarda ses pieds, les bras ballants.

– Mon imagination, dit-il.

– Imagination ? répéta Crozier.

Il jeta un coup d'œil autour de lui. Le traîneau et son équipe les avaient devancés d'une trentaine de mètres.

– Il faut les mettre, dit-il.

– Quand j'ai chaud, la sueur me pique les yeux, répondit Gus et puis, quand je ne tire plus, elle gèle.

– Si tu ne les portes pas, tu deviendras aveugle à cause de l'éclat de la neige et quelqu'un devra te guider, souligna Crozier.

– Ça m'est égal, chuchota Gus.

– Mets-les, ordonna le capitaine.

Gus obéit avec une lenteur exagérée. Quand il eut fini, il se tourna vers l'équipe.

– Combien sont-ils ? demanda-t-il.

Crozier le considéra en fronçant les sourcils.

– Qui ça ?

– Les hommes, capitaine.

– Dans cette équipe ? Trente et un, Gus.

– Trente et un, marmonna Gus. Trente et un.

Crozier lui prit le bras, angoissé par sa question et par son ton morne.

– Marche avec moi, dit-il.

Gus s'exécuta.

– Essuie-toi la figure et couvre-la, lui dit Crozier.
– J'ai froid dedans.
– Resserre ton écharpe.
– Sous la peau.

Crozier le poussa devant lui et entreprit de lui parler tandis que leurs bottes s'enfoncaient dans les congères.

– Ce n'est pas si dur de survivre ici, dit Crozier tout en observant la démarche titubante, zigzagante du garçon. Pense à l'avenir. Songe à ce que tu feras quand tu rentreras.

Gus garda le silence.

– On a connu pire que ça, continua le capitaine. Trois cent cinquante hommes ont marché des jours et des jours sur la glace au large du Groenland en 1777, Gus. Leur baleinier s'était échoué. Ils ont fini par atteindre des villages danois sur la côte ouest.

Pas de réponse, mais Gus trébucha et plongea en avant les mains tendues. Il se redressa avec difficulté.

– Il y a dix ans, des navires britanniques se sont trouvés bloqués dans la mer de Baffin, poursuivit Crozier en se disant que le son constant de sa voix maintiendrait le garçon debout et en mouvement. La glace les gardait prisonniers tout comme nous.

Gus s'évertuait à ôter la neige de ses vêtements. Ses gestes étaient lents, léthargiques, comme ceux d'un vieillard. Crozier lui effleura l'épaule.

– Chacun de ces navires a regagné l'Angleterre, dit-il. Trois ans plus tôt, le *Shannon,* originaire du port de Hull...

Gus le considéra d'un air las.

– Je connaissais le second du *Shannon*, dit-il.
– Voilà ! Tu vois bien ? On peut s'en sortir.
– Seize hommes et trois garçons ont péri, ajouta Gus, et quand les deux bricks danois ont trouvé les autres, ils n'avaient plus d'eau ni de vivres.

Il regarda Crozier dans le blanc des yeux.

– J'ai connu cet homme, dans les tavernes, dit-il. Il n'est plus jamais remonté sur un bateau. Il buvait. Il disait que c'était la soif. Il avait... une soif.

Crozier le força à redresser la tête.

– Mais il a survécu, insista-t-il.

– Oui, marmonna Gus. On peut dire qu'il était en vie.

Crozier le secoua sans ménagement.

– Ce qu'un homme fait de sa vie, ça le regarde, dit-il. Dieu lui a rendu la sienne. À nous de choisir ce que nous faisons de la nôtre. On peut passer son temps à noyer ses souvenirs ou se relever pour se battre à nouveau. C'est un don de Dieu. Le choix de notre existence. Notre liberté.

Il orienta Gus vers les hommes qui se démenaient devant eux.

– Regarde-les bien, Gus, dit-il. Dieu ne rendra pas la vie à tous. Peut-être ne la redonnera-t-il à aucun d'entre eux, mais nous devons poursuivre notre existence jusqu'au dernier souffle. On ne renonce pas, Gus. On ne désespère pas d'un cadeau pareil.

La bouche de Gus tremblait. Il faisait des efforts pour ne pas pleurer.

Crozier baissa la voix.

– As-tu très froid ? demanda-t-il d'une voix douce.

– Pas tellement, marmonna Gus. Pas maintenant.

– Tu peux continuer à marcher ?

– Oui.

– Nous irons jusqu'à Backs Fish, lui dit Crozier. Jusqu'au bout.

– Oui, chuchota Gus.

Il marqua une pause, fronça les sourcils d'un air perplexe.

– Trente et un, marmonna-t-il, se parlant à lui-même. Il y a trente et un hommes dans mon équipe.

Crozier lui tapota le dos.

– C'est ça, Gus, dit-il. C'est ça. Brave garçon.

Cette nuit-là – la dixième depuis qu'ils s'étaient mis en route –, il n'y eut ni neige ni tempête. Un silence absolu régnait dans le camp. Gus était couché parmi les malades. Il ferma les yeux et plaqua ses mains sur ses oreilles pour ne plus entendre leurs respirations funèbres. Goodsir l'avait mis là, sur l'ordre de Crozier ; il s'efforçait de ne pas penser qu'il était sans doute en aussi piteux état que les hommes qui l'entouraient. Il avait mal aux dents, sa bouche n'était qu'une plaie, mais il n'était pas comme Kinningthwaite qui le regardait fixement, couché sur le côté. Kinningthwaite n'arrivait plus à respirer. Il râlait. Une meurtrissure noire lui couvrait tout un côté de la figure. Les yeux grands ouverts, il dévisageait Gus d'un air absent. On aurait dit une marionnette au visage de cire barbouillé de teinture. Ses sourcils et sa barbe criblés de cristaux de glace renforçaient l'impression qu'il était peint plutôt que réel.

– Kinningthwaite, chuchota Gus, tu m'entends ?

Le regard de l'homme vacilla.

– Sont-ils revenus ? questionna Gus.

Quand on avait chargé Gus de le nourrir, Kinningthwaite lui avait dit qu'il y avait des gens derrière son épaule.

– Quels gens ? avait demandé Gus.

– Des morts, lui avait-il répondu avec un horrible sourire.

Gus avait reculé prestement, manquant de lâcher le bol et la cuiller.

– Là, dit Kinningthwaite. Compte-les.

La réponse de Gus ne s'était pas fait attendre.

– Trente et un, avait-il déclaré. Ils ne sont pas morts, Joshua. C'est nous. On est vivants. Demain on sera à cinquante milles au sud de Point Victory, ajouta-t-il en reprenant le bol qu'il serra contre sa poitrine. On a déjà parcouru soixante-cinq milles, Joshua.

– Compte-les, avait répété Kinningthwaite.

Gus ne pouvait plus le regarder. Il se détourna, son cœur palpitant douloureusement au creux de sa gorge. Il comptait lui aussi. Toute la journée. Était-ce un signe de la maladie ? En tout cas, il ne pouvait pas s'en empêcher. Des visages défilaient devant ses yeux, se confondant les uns aux autres. Il avait pensé toute la journée à l'homme qui avait été second à bord du *Shannon*. Lui aussi comptait. Il avait compté les morts et les vivants. Même s'il ne le faisait pas à haute voix, son cerveau comptait pour lui encore et encore. C'est ce qu'il lui avait dit. Combien en reste-t-il ? Combien marchaient encore ?

Il comprenait ce que Kinningthwaite voulait dire. Quand le froid cesse de vous transpercer, de vous mordre jusqu'à l'os, on commence à rêver en marchant. En regardant ses pieds tandis qu'ils s'enfoncent dans la neige, qu'on glisse sur la glace, qu'on dérape sur les crêtes, on pense souvent que d'autres pieds marchent en même temps que les vôtres. On entend des voix. Parfois des voix de femmes. Il entendait les voisines de sa mère bavardant, jurant, s'interpellant pendant qu'elles étendaient leur lessive entre les maisons ou nettoyaient leur perron.

Il entendait même sa mère chanter des airs de la campagne du temps où elle était enfant. Elle fredonnait son nom. Elle redevenait sa mère et lui redevenait enfant, et il retrouvait toute cette douceur oubliée depuis si longtemps, lorsqu'il se nichait dans ses bras le soir et qu'elle le bercait dans le fauteuil près de l'âtre éclairé par les dernières lueurs du feu. Il se souvenait lorsqu'il avait deux ou trois ans, il était si bien sur ses genoux tandis que la pluie ou la grêle tambourinait dans les rues de Hull, ou encore les soirs d'été, quand le vent apportait le murmure de la mer remontant des docks ou de la plage. Il se mettait à compter les gens rassemblés autour de sa chaise, mais en baissant les yeux, il s'apercevait qu'en fait, il comptait ses empreintes dans la neige.

Sous la tente dans le noir, il remonta la couverture sur son visage et pleura. Trente et un. Cent trois. Huit. Dix-huit. Un. Peu importait leur nombre. Ils étaient tout seuls, chaque homme livré à son sort, poursuivant individuellement son Créateur.

En juin, ils atteignirent Terror Bay.

Au cours des six semaines qu'il leur avait fallu pour arriver jusque-là, ils avaient perdu vingt-huit hommes sur les cent quatre du départ. Parmi les officiers, John Irving, l'homme qui avait sauvé la vie de Gus le jour où ils avaient rencontré les Esquimaux. Il succomba six jours après James Fitzjames.

Pendant qu'ils l'enterraient, Crozier se demanda pour quelle raison Irving avait quitté la Marine huit ans plus tôt et émigré en Nouvelle Galles du Sud pour revenir en définitive six ans plus tard. Il avait toujours eu envie de l'interroger sur les motifs de ce revirement. Quel que soit le coup du sort en cause, il avait amené jusqu'ici cet homme de trente ans qui n'avait jamais vraiment eu la mer dans le sang. Avant de l'ensevelir dans la glace, Crozier ôta la médaille épinglée sur son manteau pour l'envoyer chez lui avec ses possessions : il s'agissait d'un deuxième prix de mathématiques, décerné à John Irving par le Collège royal de la Marine en 1830.

Ensuite ce fut le tour de Richard Aylmore, l'intendant de l'armurerie. Il tomba alors qu'il tirait le dernier traîneau et resta plusieurs minutes prostré sur la glace avant qu'on puisse le relever. Il ne se remit apparemment jamais de cette chute et rendit l'âme moins de vingt-quatre heures plus tard. Thomas Work, Josephus Geator et William Mark, tous matelots brevetés de l'*Erebus*, périrent ensuite. Puis John Weekes, le charpentier qui avait fabriqué les patins en chêne pour les traîneaux, Solomon Tozer, le sergent des fusiliers marins à bord du *Terror*. Le caporal William Hedges et le cuisinier, John Diggle, qui avait eu tellement peur à la mort de Franklin, moururent dans le sillage des chaloupes. Magnus Manson, William Shanks, David Sims, John Handford, Alexander Berry et Samuel Crispe, tous matelots du *Terror*, passèrent de vie à trépas à trois jours d'intervalle.

Ils approchaient de la pointe sud-ouest de la Terre du roi Guillaume et ne purent enterrer les derniers qui venaient de mourir. Un vent féroce de nord-ouest soufflait et ceux qui restaient encore en vie n'avaient plus assez de forces pour creuser. Ils enveloppèrent les pauvres Berry, Handford et Crispe dans des couvertures et les recouvrirent tant bien que mal de neige grattée et de pierres. C'était terrible, mais pas autant qu'ils l'avaient redouté. Les corps gelés avant qu'ils aient fini leur prière étaient si amaigris par la maladie et la faim qu'ils étaient aussi légers que du petit bois.

Crozier n'avait pour ainsi dire plus la moindre notion de l'endroit où ils se trouvaient, ni même de ce qu'ils étaient en train de faire lorsqu'ils établirent leur camp à cinquante milles au sud de Point Victory. Dix autres hommes étaient morts, terrassés sur place – quatre un matin, en l'espace d'une heure. En retournant l'un des corps, Crozier avait vu le masque noirci, boursouflé du scorbut. L'épuisement faisait affluer le sang vers le visage, les mains, la poitrine, les jambes ; il coagulait en gonflant les chairs. Comme s'il n'avait pas d'autre endroit où aller. La circulation ne se faisait plus. Quelquefois – c'était trop horrible, pensait Crozier après coup, honteux même – ils étaient trop fatigués pour se soucier des morts. Le froid et la léthargie avaient émoussé leurs émotions. Ils n'avaient plus de chagrin. Plus rien pour pleurer. Regretter. Sentir.

En jetant un coup d'œil par-dessus leur épaule, ils s'apercevaient qu'un homme était tombé. Ils s'arrêtaient, pour regarder. Quelqu'un revenait sur ses pas en titubant sur la glace. Mais c'était sans espoir. Une fois par terre, ils étaient morts, invalides, asphyxiés. Des coques vides.

À Point Victory, Crozier se sentit à bout de forces. Une énorme sensation d'abattement l'avait envahi, le pénétrant jusqu'aux os. Son corps lui semblait incroyablement lourd. Il voyait bien que, autour de lui, les autres dépérissaient. Sur les soixante-six qui restaient, seuls trois ou quatre ne se mouvaient pas avec des gestes aussi lents et maladroits que les siens. Les efforts qu'ils devaient déployer pour planter les tentes, attacher les cordes, installer leurs couchettes étaient presque insoutenables à voir. Il leur fallait deux fois plus de temps pour le faire que lorsqu'ils avaient quitté les navires. Une heure et demie s'écoulait chaque matin avant qu'ils puissent enfin se remettre en route. Et près de trois heures étaient nécessaires pour installer le camp le soir.

Crozier s'assit pour essayer de déterminer combien

de temps il leur faudrait pour atteindre Backs Fish. Il arrivait à peine à compter dans sa tête. Trente jours, peut-être, quarante, cinquante, à raison d'un mille et demi par jour, maintenant qu'ils avançaient à la vitesse d'un escargot.

Les crêtes avaient disparu, mais le paysage qui les entourait n'en restait pas moins un interminable plateau de glace. Difficile à croire, mais c'était l'été. Le gneiss et le calcaire étaient censés affleurer entre les congères, en pleine vue même. Il aurait dû distinguer les poches d'eau, les mares et les ruisseaux qui, à en croire Ross, émaillaient la Terre du roi Guillaume. Il devait pouvoir nourrir ses hommes avec les lichens supposés couvrir presque tout le sol. Ils auraient dû chasser les cerfs qui peuplaient, disait-on, la péninsule. Or il n'y avait rien. Ni affleurements, ni lichen, ni cerf. Pas le moindre signe de dégel bien que ce fût le mois le plus clément de l'année en Arctique. Dieu avait oublié de faire venir l'été au-delà de la toundra canadienne.

Il sortit ses cartes et les étala, avec difficulté, sur l'unique coffre étroit qu'il avait apporté avec lui. À raison d'un mille par jour environ, ils atteindraient donc peut-être le fleuve dans un mois. En août. Il se prit la tête entre les mains à cette pensée. Sir John lui avait dit que lorsqu'il avait entrepris son expédition dans les années 1820, lui aussi avait atteint la côte nord près de Coppermine en août et que, contre toute attente, dès la fin du mois, la glace avait tout couvert. En septembre, Coppermine étouffait sous la neige.

Crozier regarda fixement sa carte. Personne ne savait ce qu'il y avait à l'ouest de Backs Fish, à part une sorte de détroit. Avec un peu de chance, ce passage les conduirait directement à l'endroit où Franklin était allé plus de vingt ans plus tôt. C'était sans doute à des centaines de milles plus à l'ouest, mais ce n'était pas un problème en soi. S'ils avaient encore la force de mettre les chaloupes à l'eau, ils pourraient peut-être profiter des courants marins pour naviguer à la voile jusqu'au Pacifique. Ce serait certainement une meilleure solution que d'essayer de remonter les innombrables rapides du Backs Fish.

Avec encore un peu de chance – et Dieu le leur devait à coup sûr, juste une fraction de la chance ordinaire que tout chef d'expédition avant lui avait considéré comme normale – ils trouveraient assez de poissons et de gibier à l'embouchure du fleuve pour subvenir à leurs besoins. Assez pour voguer vers l'est, ou bien envoyer un petit groupe en éclaireur en amont du fleuve.

Un petit groupe.

Il porta son attention hors de la tente en réfléchissant. Pour finir, il fit venir Goodsir. En le voyant approcher dans la faible lueur du crépuscule, il songea que, parmi eux tous, Goodsir était sans doute le plus mal en point. Il marchait en traînant les pieds, plié en deux à la taille, titubant.

– Combien sont malades ? demanda-t-il. Combien peuvent encore avancer ?

Le médecin ne répondit pas tout de suite.

– Combien sont capables de marcher jusqu'à Backs Fish ? compléta-t-il finalement.

– Aucun.

Crozier se pencha en avant.

– Harry..., dit-il à voix basse. Il faut continuer. Une estimation.

Goodsir haussa les épaules.

– Une vingtaine.

– Combien sommes-nous ?

– Soixante-quatre, ce soir.

Ils se dévisagèrent. Quarante-quatre malades. Goodsir leva la main pour frotter la glace incrustée dans sa barbe. Il tremblait trop pour y parvenir. Il tâtonna quelques secondes, comme un petit enfant tentant d'apprendre à coordonner ses mouvements. À travers les poils hirsutes, on voyait sa bouche toute bleue. Sa langue pendait sur sa lèvre inférieure boursouflée.

– C'est la première fois de ma vie que je vois de pareils cas de scorbut, murmura Crozier.

– Moi aussi, commandant, dit Goodsir.

Il marqua un temps d'arrêt tout en s'efforçant de trouver des propos cohérents. Il voulait expliquer quelque chose d'important, qui l'avait obnubilé toute la journée. Une illumination, la réponse à une énigme qui le tracassait depuis des semaines. Tant d'hommes tombaient morts en travaillant, et tous ces bleus... Ces meurtrissures sous la peau témoignaient d'une rupture des vaisseaux sanguins, il le savait. Peut-être ces décès brutaux en plein effort signifiaient-ils que le scorbut avait atteint le cœur. Si les vaisseaux sous-cutanés cédaient, alors le cœur... Mais il n'arrivait pas à aller au bout de sa pensée. Il s'assit, les mains ballantes entre les genoux, et sa perception des choses allait s'amoindrissant à toute allure.

En attendant, Crozier s'était mis debout.

– Je veux que vous établissiez une tente-hôpital, lui dit-il. Nous vous laisserons sur place avec tout ce dont nous devrions pouvoir nous passer. Vous resterez ici avec Macdonald. Stanley et Peddie m'accompagneront.

Crozier regarda l'homme dont les intérêts l'avaient tellement fasciné avant qu'il ne s'enrôle dans la Marine – le pathologiste passionné de sciences naturelles, si enthousiaste à la perspective d'une exploration dans l'Arctique.

Goodsir semblait totalement abattu.

– M. Stanley est trop malade pour marcher, capitaine, lui répondit-il.

16.

Désormais, il n'y avait plus de nuit. De mai jusqu'en juillet, le soleil illuminait du matin au soir et du soir au matin l'univers de la grande ourse. Elle se tenait à présent au bord du détroit de Simpson, la tête pendante tant elle était épuisée. Il pleuvait, le vent soufflait constamment à soixante kilomètres à l'heure poussant les gouttes vers elle, à l'horizontale. Sur la mer, la glace commençait à se rompre.

Elle ignorait si son petit était encore en vie. Elle n'avait pas pu le nourrir. Les phoques étaient loin dans l'eau ; elle les avait traqués en vain. Elle avait marché cent huit milles et elle ne savait même plus pourquoi elle continuait à avancer. L'ourson gisait sur le rivage caillouteux, enroulé mollement sur lui-même. Elle le considéra avec une vague perplexité jusqu'à ce qu'un mouvement attire son attention.

Au large, un mâle adulte chassait toujours. L'eau n'était pas très profonde et les phoques s'y repaissaient, plongeant avant de refaire surface presque au même endroit chaque fois qu'ils avaient besoin de respirer. Depuis le rivage, elle ne distinguait pas la proie, mais elle voyait le prédateur, immobile dans l'eau chaque fois que le phoque resurgissait. Il ne bougea pas d'un millimètre, pareil à un pack de glace flottante, jusqu'à ce que sa victime ne soit plus qu'à quelques mètres de lui. Alors, brusquement, il plongea et ses mâchoires se refermèrent sur le dos de l'animal. Il y eut un grand tumulte dans l'eau, du sang, puis le corps du phoque atterrit sur la banquise en se tortillant grotesquement dans les affres de la mort.

Après en avoir humé l'odeur, l'ourse se laissa tomber à terre. Elle n'avait pas la moindre envie de traverser la piste du mâle ou d'interrompre son repas. Elle resta couchée, inerte, son petit sur le dos, en attendant qu'il quitte le détroit et la laisse tranquille.

Il était minuit quand il remonta finalement sur le rivage. Elle gisait le dos tourné au vent dans une fosse creusée au pied d'une arête de gravier, son petit contre elle. L'odeur la réveilla. En levant la tête, elle vit une deuxième proie toute fraîche sur les rochers ; le mâle s'avançait vers eux d'une démarche trompeusement insouciante en traînant les pattes. En un éclair, elle fut debout. L'ours la contourna, reniflant le petit, intrigué par son immobilité. Il n'aurait aucun scrupule à le tuer s'il pouvait s'en approcher suffisamment et comme, tout à coup, il accélérait le pas, elle le chargea.

Elle avait un avantage sur lui. Un seul. Il était plus lourd, bien protégé et plus lent que sa rivale sous-alimentée. Elle l'attaqua à l'épaule en plantant ses dents proches de l'os, arrachant des chairs. Le sang jaillit. Surpris, mais pas dissuadé pour autant, il recula, sa tête basse témoignant de son humeur agressive. Elle tint bon. S'il n'arrivait pas à atteindre l'ourson, il y avait de fortes chances qu'il la tue pour se nourrir d'elle avant de dévorer son petit. Mais il devait faire vite pour que son corps couvert d'une épaisse fourrure ne chauffe pas trop. Si elle parvenait à le repousser une demi-heure environ, il finirait par abandonner la partie, en proie à une chaleur intolérable, sa température atteignant un niveau périlleux.

Elle ne songea pas une seconde qu'elle devait sacrifier sa vie pour son petit. Elle ne pensait même plus à lui. C'était l'instinct, et non l'émotion, qui la poussait à se défendre, une détermination guidée par la survie de sa propre lignée. Elle se battrait jusqu'à la mort pour ça.

Sa deuxième attaque fut plus violente que la première. Elle y mit presque toute son énergie. Elle abattit ses pattes avant sur l'épaule de son agresseur à l'instant où il donnait un coup de gueule en direction de sa tête dans l'espoir de trouver l'endroit tendre sous la mâchoire. Cela ne ressemblait en rien à la posture qu'il adoptait au début de sa maturité lorsqu'il affrontait d'autres jeunes mâles, caractérisée par des menaces, le museau grand ouvert, et une lutte acharnée pour faire perdre l'équilibre à son adversaire. Il ne s'était pas attendu à ce qu'elle lui oppose une telle résistance ; il lui fallut même se cramponner à elle quelques secondes. Il recula, en grognant, les yeux rivés sur le corps du petit. Puis il sentit la douleur. Il évalua la femelle du regard tandis que le sang colorait son manteau immaculé. Ensuite il disparut aussi vite qu'il était venu.

Elle le regarda partir, les yeux plissés, la tête dressée, jusqu'à ce que sa silhouette se perde dans le gris ardoise sur blanc. Il se glissa dans l'océan, nageant lentement, ignorant sa proie, et se dirigea vers les glaces flottantes plus épaisses.

Elle resta près d'une heure debout avant de percevoir le faible message dans l'air. Il lui fallut presque autant de temps pour réveiller son petit et se remettre en marche. En faisant ses premiers pas, elle prit conscience d'une sensation nouvelle au creux de sa gorge. Elle l'ignora. Cela n'avait pas d'importance.

17.

Depuis l'appel lancé par Jo dimanche soir, c'était la panique. L'émission avait débuté à 18 h 20. Un créneau de cinq minutes seulement. Les deux premières minutes décrivaient l'Association James Norberry dans les grandes lignes ; puis des images de Doug Marshall se succédaient sur l'écran. Des extraits de sa série destinés à rappeler aux téléspectateurs la personnalité qui avait valu un tel audimat à ces programmes. Ils en avaient choisi un en particulier, à propos de l'estuaire du Severn où une embarcation en bois de l'époque néolithique avait surgi de la mer à basse profondeur ; Doug avait insisté pour qu'elle reste *in situ*.

En incrustation sur ce plan, on découvrait le visage de Sam. Sam lors de son premier anniversaire, rayonnant de bonheur, plongeant ses mains avec extase dans de la gelée vert citron. Puis on le voyait tel qu'il était maintenant, les traits boursouflés, les bras couverts de meurtrissures. Le teint blême. Amorphe.

Dans les bureaux de l'Association, les téléphones commencèrent à sonner dès l'apparition des premières photos de Doug. Toutes les lignes étaient occupées lorsqu'on vit le cliché de Sam à son anniversaire. Le standard était à saturation quand l'objectif de la caméra était fixé sur lui dans les bras de sa mère sous le lilas. Dimanche soir, l'Association reçut non moins de quatre mille huit cents appels de donneurs potentiels. Dès le mercredi suivant, on en était à vingt-six mille.

Le *Courier* aussi fut pris d'assaut. Le vendredi précédent, le journal avait publié une photo de John en première page. La semaine suivante, la direction recevait des centaines de lettres de gens qui affirmaient avoir vu le fils de Doug. Malheureusement, il semblait qu'il fût dans des centaines d'endroits différents à la fois : en Thaïlande, en Nouvelle-Zélande, dans le sud de la France, en Irlande. Et un peu partout en Angleterre.

– Et ça continue, marmonna Gina.

Elle avait fait sa part de travail, restant éveillée tard le soir avec Mike à décacheter des paquets de lettres et à les lire attentivement l'une après l'autre.

– Si seulement les zinzins voulaient bien nous laisser tranquilles, avait-elle murmuré la veille au soir encore avant de tendre à son mari une feuille couverte de lignes étroitement serrées.

– Tu as vu ça ? Une bonne femme de Cleveleys prétend qu'elle a séquestré John dans son salon.

Ils avaient échangé des sourires hésitants.

D'autres lettres vinrent s'ajouter au tas de Cleveleys. À la fin de la journée, toutefois, ils n'osèrent pas les mettre à la poubelle. Ils les rangèrent dans un classeur. Au cas où.

Ce matin-là, Gina réfléchissait depuis un moment tout en tambourinant du bout des doigts sur son bureau. Il y avait longtemps que Jo lui avait fait part des passions et des préoccupations de John. Ces derniers temps, elles avaient parlé de lui d'innombrables fois. Ignorant le fait qu'elle avait un rendez-vous prévu depuis cinq minutes, elle se brancha sur Internet et chercha *ours polaire.*

Alta Vista apparut sur l'écran avec tout un chapelet de sites. Elle en choisit un au hasard et passa dix bonnes minutes à parcourir les explications concernant le sort de l'ours polaire, l'effet néfaste que le réchauffement de la planète avait sur son habitat, de plus en plus restreint, les étés s'allongeant tandis que les périodes de glace raccourcissaient.

– Mazette ! marmonna-t-elle en faisant défiler la page. Quinze mille ours dans l'Arctique canadien. Cinq mille pôles d'attractions possibles. Elle se frotta l'arête du nez pour essayer de dissiper un mal de tête qui menaçait.

Elle passa en revue le Net à la recherche du service hydrographique canadien, qu'elle finit par localiser. Elle fit apparaître les conditions nuages/neige/glace transmises par satellites afin de connaître la situation météorologique dans la région qui fascinait tant le fils de Doug : la Terre du roi Guillaume et la baie de Lancaster. À un graphique de données Landsat succéda l'image d'un pack de glace se brisant dans Cambridge Bay en juillet, puis la mer gelée dans le détroit de Victoria en août, des vues d'eau profonde et peu profonde incroyablement compliquées, outre des réseaux de minuscules îles.

Elle nicha son menton dans le creux de sa main sans détourner son attention de l'écran. Si John essayait un jour d'aller là-bas, il serait totalement hors de portée, pensa-t-elle. On ne faisait pas plus isolé sur la terre que le détroit de Victoria, pris par les glaces onze mois sur douze, les bonnes années ! Jonché de récifs de gravier et de bancs de sable, le site n'était pas navigable sauf par des bateaux équipés spécialement. Trop dangereux. Quand il n'était pas gelé, le rivage était inondé par la fonte des neiges et il n'y avait pas le moindre repère sur l'île plate et désolée. Gina frissonna. Elle ferma la page et s'engagea dans une autre voie.

Au bout de cinq minutes, elle tomba sur *La Piste de Franklin*. Il était question d'une série d'expéditions qui avaient eu lieu dans cette région au cours des années 1990 dans le but spécifique de recueillir des informations sur Franklin. Chaque jour, les activités de l'équipe d'explorateurs avaient été transmises sur le web par téléphone-satellite. Une kyrielle d'images défilèrent devant les yeux de Gina : un coquelicot de l'Arctique, du lichen jaune, des glaces flottantes au large de la Terre du roi Guillaume, une plaque commémorative, un fémur portant des marques profondes de couteau.

Étonnée par cette ultime photographie, elle se pencha en fronçant les sourcils pour mieux concentrer son attention.

Objectif :

Exhumer, analyser et interpréter un site Franklin découvert sur la Terre du roi Guillaume durant l'été 1992 par Barry Ranford et Mike Yarascavich. Continuer l'exploration de Terror Bay.

Résumé du voyage :

L'équipe composée de sept personnes a travaillé sur ce premier site du 15 au 29 juillet 1993. Trois cents os, y compris cinq crânes et sept maxillaires inférieurs ont été recueillis et expédiés... Barry Ranford, Derek Smith et John Harrington ont cherché la « tente-hôpital » de l'expédition Franklin.

Résultats...

Gina parcourut des yeux le reste de la page. Elle retint son souffle :

Un minimum de onze individus présents... Quatre-vingt-douze os portaient des entailles post-mortem... Teneur en plomb des os : 82-83/1 million.

Elle se radossa à sa chaise.

Des entailles post-mortem, murmura-t-elle avant de poursuivre sa lecture, *interprétées comme des indices de cannibalisme potentiel...*

Elle détourna les yeux, le cœur au bord des lèvres. Elle essaya de penser à autre chose. De l'autre côté du fleuve qui coulait sous sa fenêtre, quelque part dans la ville, Jo découvrait l'hôpital pour enfants de Great Ormond Street pour la première fois. Sam venait d'y être transféré. À l'heure qu'il était, elle devait arriver dans le service.

– Reviens, chuchota-t-elle à l'adresse de son bureau vide. Pour l'amour du ciel, John, reviens !

En sortant du journal, Gina fila à Great Ormond Street. Ce fut un trajet pénible dans un métro bondé. L'odeur émanant des Londoniens en sueur agglutinés dans le wagon n'avait rien d'inspirant. Pour couronner le tout, les escaliers roulants étaient en panne. Lorsqu'elle refit surface à Russell Square, elle absorba l'air à grandes goulées. Il lui fallut un temps fou pour arriver enfin à l'hôpital.

Elle trouva Catherine et Jo dans le couloir devant la chambre de Sam. Elles étaient adossées au mur, un gobelet en polystyrène à la main. En les embrassant l'une et l'autre, Gina remarqua que le café contenu dans les récipients en question était froid.

– Comment va-t-il ? s'enquit-elle.

– Il dort, répliqua Catherine.

– On vient de lui faire une nouvelle transfusion de plaquettes, ajouta Jo en considérant Gina avec une expression qu'elle ne lui connaissait pas.

Il en émanait quelque chose de pire que la peur. Si Gina avait dû trouver les mots pour la décrire, elle aurait opté pour *l'horreur*. On aurait dit que Jo venait d'être victime d'un accident. Elle paraissait en état de choc. La lassitude de Gina s'évapora, cédant rapidement la place à l'angoisse.

– Qu'est-ce qu'il y a ? demanda-t-elle. Il y a autre chose. Quoi ?

Catherine posa la main sur l'épaule de Jo.

– Ce sont les résultats des derniers tests, répondit-elle. Les neutrophiles sont à 0,1. Globules blancs : 5,4. Plaquettes : 11.

Elles étaient habituées à ce langage sténographique. Sam avait un dossier que l'on remplissait chaque jour, répertoriant ses résultats d'analyses et les remèdes prescrits. Sur le côté gauche de la feuille, figuraient la date, son poids, les différents niveaux, suivis du traitement administré. Ce formulaire les obsédait toutes les trois. Gina elle-même en rêvait la nuit. Elles avaient coutume d'attendre près du poste des infirmières du service que les résultats reviennent et l'une d'elles complétait la fiche.

Aujourd'hui, le taux d'hémoglobine de Sam était de 102, la normale se situant entre 120 et 140. La numération des globules blancs était de 5,4. Pas trop mal, la norme étant entre 4 et 10.

Gina regarda autour d'elle en quête d'une chaise. Il y en avait une demi-douzaine alignées un peu plus loin.

– Viens t'asseoir avec moi, dit-elle en tirant doucement sur le bras de Jo.

Elles s'assirent toutes les trois en se blottissant l'une contre l'autre pour se réconforter.

– Neutrophiles : 0,1, répéta lentement Gina.

Elle savait parfaitement ce que cela signifiait. Les neutrophiles faisaient partie de la numération des globules blancs. C'étaient les cellules qui réagissaient aux antibiotiques et luttaient contre l'infection dans l'organisme. Le taux normal se situait entre 1,5 et 8,5 par millimètre cube.

– Ça peut descendre jusqu'à zéro, murmura Jo. Ils relèvent tout le temps des taux nuls. La religieuse du service me l'a dit.

Elle leva les yeux vers Gina. Une lueur de supplication brillait dans son regard.

– Les plaquettes, chuchota Gina. Qu'en est-il des plaquettes ?

Elle vit que Catherine était au bord des larmes même si elle faisait de son mieux pour que Jo ne s'en aperçoive pas. Personne ne pipa mot. Elles savaient toutes les trois que le taux normal de plaquettes variait entre 150 et 400.

Celui de Sam était de 11.

Oh mon Dieu, pensa Gina, 11 000 par millimètre cube. Moins de dix pour cent de ce dont il a besoin au minimum !

Le transfert de Sam à Great Ormond Street avait été un vote de confiance de la part des médecins. C'était tout au moins ce qu'elles avaient pensé. On l'avait conduit au centre de transplantation afin qu'il soit prêt sur-le-champ dès que l'on trouverait John. Gina se demandait à présent si ce transfert n'avait pas un autre motif. Peut-être était-il là parce qu'on redoutait qu'il fût trop faible pour supporter le déplacement si son état empirait encore. Procéderait-on malgré tout à la greffe s'il allait si mal ? Il ne serait sûrement pas assez fort pour résister à la chimiothérapie préparatoire si cela continuait. Il mourrait dans la chambre stérile après avoir attendu en vain un donneur de moelle. *Il va mourir de toute façon*, cria une voix dans sa tête.

Une vague de terreur déferla sur elle. Elle observa Jo, horrifiée à l'idée qu'elle avait peut-être exprimé à haute voix ce qu'elle avait murmuré pour elle-même.

Jo avait les yeux rivés sur elle.

– J'ai reçu un coup de fil de quelqu'un de *L'Écho*, dit-elle.

Gina s'arracha à ses pensées pour concentrer son attention sur elle.

– *L'Écho ?* répéta-t-elle.

C'était un des principaux journaux à sensation.

– Il y aurait un donneur compatible à quatre-vingt-cinq pour cent. Quelqu'un d'autre. Pas John.

Catherine enveloppa Jo d'un regard plein de tendresse, mais la colère brillait dans ses yeux quand elle se tourna vers Gina.

– Vous vous rendez compte ? Ils ont appelé ici. On a eu le coup de fil ici même, dans le service.

– Quand ça ? s'enquit Gina.

– Il y a une demi-heure.

– Et pour dire quoi ?

– Qu'il y avait quelqu'un de compatible à quatre-vingt-cinq pour cent. Un Américain qui s'est inscrit le mois dernier.

– Mais John est compatible à quatre-vingt-quinze pour cent, protesta Gina.

Elle se rendit compte aussitôt que ce qu'elle venait de dire était une évidence : le fait désespérant et intolérable que la solution quasi parfaite était hors de leur portée.

– Mais comment les gens de *L'Écho* sont-ils au courant, bon sang ? demanda-t-elle.

– Nous l'ignorons, répondit Catherine.

– L'Association n'est pas censée informer qui que ce soit, dit Jo, comme si elle se parlait à elle-même, mais ils l'ont su quand même.

– *L'Écho* n'avait pas à te mettre au courant, bordel ! fulmina Gina. Et appeler ici...

Elle serra les poings.

– Qui était-ce ? Bradley ? Marsh ? Qui ?

– Les gens de l'Association affirment que l'information ne vient pas d'eux, intervint Catherine. C'était une femme en tout cas. Je n'ai pas entendu son nom. Juste ce qu'elle a dit.

– Quelle salope ! rugit Gina.

Elle surprit un vague sourire sur les lèvres de Jo – une parodie d'humour douloureusement chancelante.

– Je suis désolée, reprit-elle, mais ça me met hors de moi. Ils ont envoyé quelqu'un pour obtenir ce tuyau, ils ont récolté la moitié de l'histoire et ils ont l'audace de te téléphoner pendant qu'on soigne Sam...

Une idée lui traversa l'esprit.

– Mais une compatibilité de quatre-vingt-cinq pour cent ne suffirait pas, non ?

– Nous l'ignorons, répondit Jo. Nous attendons que quelqu'un nous le dise.

– Doux Jésus ! chuchota Gina.

Elle prit les mains de Jo dans les siennes et perdit finalement la bataille contre les larmes. Elle se frotta les yeux. Ce n'était pas à elle de se mettre à sangloter, se dit-elle. Elle était censée rester stoïque. Soutenir Jo. Aider Catherine. Mais quand même...

– Oh, mon Dieu ! fit-elle. Mon Dieu, s'il vous plaît...

Jo se raidit. Elle se libéra d'une secousse et se mit debout brusquement. Catherine et Gina la dévisagèrent sans se lever pour autant. Jo vacilla légèrement.

– Peu importe si c'est quatre-vingt-cinq, quatre-vingt-dix ou cent pour cent, bredouilla-t-elle. Peu importe que John vienne ou non. Ça sera trop tard.

– Pas du tout, protesta Catherine en se levant d'un bond.

– Il ne s'en sortira pas, poursuivit Jo. Il est trop malade.

Gina se redressa à son tour.

– Ne dis pas ça, Jo. N'y pense même pas ! Il s'en sortira.

– Pourquoi ne cessez-vous pas de me mentir toutes les deux ? s'écria-t-elle. Il suffit de le regarder. Il ne réagit à rien. Les GAL n'ont eu strictement aucun effet.

Elle se détourna, leva les mains et les plaqua contre la vitre. Elle resta là en une attitude inconsciente de crucifixion.

– Ça sera trop tard. Son corps est déjà en train de lâcher.

Catherine tendit le bras, hésita, puis le laissa tomber.

Jo pressa sa joue contre la vitre. Elles regardèrent intensément son profil livide.

– Il est parti, il est ailleurs, chuchota-t-elle. Il se bat contre ses dragons tout seul là-bas et il n'a aucune arme à sa disposition. Je ne peux plus l'atteindre.

Ses lèvres tremblaient.

Gina l'obligea à se retourner en posant les deux mains sur ses épaules.

– Écoute-moi, dit-elle. Il ne va pas mourir, Jo. Il aura sa greffe de moelle. Nous le sortirons d'ici, nous le récupérerons. Il te reviendra.

Jo considéra son amie, puis elle inclina la tête.

– Oh, Gina.

Gina la serra contre elle, un long moment. En dépit de ce qu'elle venait de dire, tout ce dont elle était sûre à cet instant précis, c'était qu'elle avait envie de se ruer dans le service, de prendre Sam et de ficher le camp. Sans objectif précis. Filer d'ici, c'était tout.

18.

En sortant de King's Parade, Alicia aperçut le visage de John. Elle s'arrêta net au milieu de la foule pressée. Elle venait de descendre Lensfield Road et de longer St Andrews en passant devant le Musée d'archéologie que John avait adoré lorsqu'il s'était installé à Cambridge. Il parlait toujours des collections du Pacifique, des masses de trophées provenant des expéditions britanniques sur le mode de Franklin. Les premier et troisième voyages de Cook. Les possessions d'Alfred Haddon provenant du détroit de Torres. Se promener dans les salles du musée, c'était faire le tour du monde en une demi-heure, lui avait-il dit un jour. De Jericho aux grandes plaines nord-américaines. De Kechipauan à Fidji-Vanuatu.

En sortant du musée dans la chaleur accablante, elle s'était arrêtée sur les marches en songeant à quel point John ressemblait à son père. Il avait voulu partir lui aussi. Elle l'en avait empêché, elle avait essayé tout au moins. En vain.

En le voyant en face de King's College, elle crut vraiment que c'était lui, dépassant la cohue d'une tête. Après un coup au cœur qui manqua lui couper le souffle, elle se rendit compte que quelqu'un avait trouvé une photographie de son fils provenant de l'université, l'avait agrandie grandeur nature et placardée sur la vitrine d'un café. En s'approchant, elle découvrit une bannière rouge collée en travers au bas du poster : *Avez-vous vu John Marshall ?*

Il était partout, notamment dans les journaux. Elle n'achetait plus le *Courier* à cause de la campagne impitoyable qu'ils menaient à son sujet. Elle avait songé à les appeler pour s'en plaindre. Elle était la mère de John, pourtant personne ne l'avait consultée. À croire que Sam et Jo Harper étaient les seuls mère et enfant du monde ! Rien qu'en feuilletant les pages de ce même quotidien, on voyait d'innombrables échantillons de bien d'autres malheurs, mais tout cela ne semblait plus compter désormais. Elle se détourna du café, une main plaquée sur le visage.

Elle rentra chez elle dans un état d'hébétement. La voiture sentait la saleté à cause de la chaleur. Elle baissa les vitres ; de la poussière rouge mêlée de menue paille s'engouffra à l'intérieur. Elle se trouvait derrière un tracteur remorquant un chargement de céréales. La récolte devait être bonne cette année ; à 22 heures, elle entendait encore les moissonneuses-batteuses s'activer dans les champs. Seule dans son lit, rideaux et fenêtres ouverts, elle contemplait le ciel infini dont l'industrie du tourisme faisait tant de cas. *Des cieux d'artiste !* Qu'en savaient-ils ? Le vide plutôt. Le ciel au-dessus de l'East Anglia régnait par sa vacuité.

En s'engageant dans l'allée de Franklin House, elle aperçut le journal du soir qui attendait dans la boîte aux lettres. Elle s'en saisit au passage et jeta un coup d'œil à la première page en laissant le moteur tourner au ralenti. Un entrefilet tout en bas attira son attention :

Sam Marshall, le petit garçon de Cambridge qui continue à faire la une des journaux en luttant contre une maladie qui met sa vie en péril, a été transféré hier au Great Ormond Street Hospital de Londres en vue d'une greffe de moelle osseuse provenant de son demi-frère.

Alicia sentit le sang lui monter aux joues. Elle appuya sur l'accélérateur et pila net devant la maison dans un nuage de poussière. Elle arracha la clé de contact, se rua à l'intérieur et se jeta sur le téléphone de l'entrée.

Elle composa le numéro du journal.

– *Evening Clarion.*

– Passez-moi la direction.

– De la part de qui, je vous prie ?

– Mme Marshall.

Elle attendit avec impatience en tapant son trousseau de clés contre le lambris en bois, éraflant le chêne vieux de deux cents ans.

– Ed Wheeler.

– Je suis la mère de John Marshall, dit-elle. Je suppose que vous voyez qui je suis ?

– Sa mère, répéta le directeur. Miss Harper ?

– Non, rétorqua Alicia, folle de rage. Je suis la mère de John Marshall. *John* Marshall.

– Oh ! fit-il. Je vois. Désolé.

Il y eut un temps d'arrêt.

– Que puis-je pour vous ?

– Le journal de ce soir. En première page.

– Oui...

– Où est-il ?

– Je vous demande pardon. Qui ça ?

– John, mon fils, lâcha-t-elle d'un ton sec. L'article dit que l'enfant a été transféré à Londres pour la transplantation. Si c'est le cas, ils doivent avoir un donneur !

Le rédacteur parut y voir clair tout à coup.

– Oh non, dit-il. Je vous prie de m'excuser si cette information est trompeuse. Les autorités de l'hôpital nous ont indiqué que c'était la raison de son transfert, mais je ne pense pas qu'ils ont trouvé son demi-frère.

Encore un silence.

– Cela dit vous êtes mieux placée que nous pour le savoir, ajouta-t-il.

Outragée, elle considéra fixement le téléphone.

– Je ne vous le fais pas dire ! Je serai la première informée !

– Oui, je...

– Alors abstenez-vous de publier un reportage quand vous ne connaissez pas la moitié des faits, pesta-t-elle. Ne sous-entendez pas des choses qui ne sont pas vraies. Ils ne l'ont pas trouvé. Si quelqu'un peut le trouver, c'est moi !

Elle avait parlé sans réfléchir.

Son interlocuteur lui sauta pratiquement à la gorge.

– Vous pourriez le trouver ? demanda-t-il. Vous savez où il est ?

Alicia tenta de faire marche arrière.

– Je voulais simplement vous faire remarquer qu'il n'y a pas qu'une mère qui a perdu son fils dans cette affaire, dit-elle. Or tout le monde l'oublie !

– Savez-vous où il est ? répéta le rédacteur en chef.

Elle raccrocha brutalement.

Elle se rendit dans le salon, toujours aussi furieuse. Moins d'une minute plus tard, le téléphone sonna. Elle se retourna. Tandis que la sonnerie continuait à retentir, elle alla dans la cuisine en serrant les dents, ouvrit le réfrigérateur en grand, en sortit une bouteille de vin.

Elle se servit un verre qu'elle engloutit d'une traite. Tout ce qu'elle avait eu lui échappait.

Tout ce qu'elle avait eu lui échappait. Cette phrase faisait écho dans sa tête, refusant de s'en aller. Elle était riche, respectée ; elle avait de l'influence. Et pourtant, elle ne parvenait pas à contrôler sa vie. *Elle n'avait jamais été maîtresse de sa vie. Ce n'était qu'une illusion.* Maintenant qu'elle avait fait surface, cette idée ne voulait plus la quitter. Alicia gémit. Elle revint dans le salon, se laissa choir dans le fauteuil le plus proche et s'empara de la télé-commande pour allumer la télévision.

C'était l'heure des informations régionales. Elle regarda d'un œil indifférent les reportages se succéder en baissant le son au maximum. La petite vie insignifiante des autres gens. Une femme inaugurant une réception. Un enfant brandissant fièrement une médaille. Un accident de la circulation ; le reporter sur le bord de la route avec, en toile de fond, les lumières bleues clignotantes des voitures de police. Elle se passa la main devant les yeux, agacée par les triomphes et les tragédies du reste du monde. Quand elle reporta son attention sur l'écran, Doug lui rendit son regard. Elle prit une brusque inspiration en appuyant de toutes ses forces sur le bouton du volume.

– ... professeur distingué de Blethyn College, décédé il y a un peu plus de deux ans...

Elle s'avança au bord du canapé. Jo et Sam apparurent sur l'écran. Jo assise sous un lilas, Sam sur ses genoux. La voix off continuait.

– ... L'appel télévisé de dimanche soir a suscité une réaction sans précédent comme peut en témoigner l'Association James Norberry. À ce jour...

Alicia n'arrivait plus à respirer. Incapable de regarder Jo, elle dévisageait le petit garçon. Il ressemblait tellement à John au même âge ; les attitudes, l'angle de la bouche quand il se concentrait, si proche d'un sourire.

Seulement le petit garçon que Jo Harper tenait dans ses bras ne souriait pas vraiment. Son regard était rivé sur sa mère, comme si elle détenait la réponse à toutes les questions, comme si elle risquait de disparaître dans les oubliettes au cas où il détournerait les yeux. Elle regarda ses doigts noués autour de ceux de Jo.

Alicia éteignit brusquement la télévision et se leva d'un bond. Elle courut dans le vestibule, ouvrit la porte d'entrée à la volée et sortit dans l'allée en respirant à grandes goulées. Elle tremblait de la tête aux pieds. Oubliant la voiture, elle traversa précipitamment la pelouse.

Le jardin était en plein épanouissement. Elle regarda les fleurs qu'elle avait soignées toute l'année. Des taches lumineuses d'orange et de jaune. L'allée, les champs en arrière-plan. Elle tomba à genoux sur l'herbe épaisse, tondue de frais.

– Oh mon Dieu, gémit-elle, qu'ai-je fait ?

Toute sa vie, elle s'était démenée pour arriver à ses fins. Elle s'était battue pour avoir Doug ; pour ne pas le perdre, elle l'avait persuadé de l'épouser. Elle avait gardé son fils auprès d'elle en l'étouffant sciemment alors que son mari s'éloignait de plus en plus. Elle avait empêché John de sortir de la maison quand les autres enfants allaient jouer dehors afin d'éviter qu'il se mêle à eux. Elle avait insisté pour aller le chercher à l'école, y compris lorsqu'il était adolescent. Elle avait toujours refusé qu'il aille dormir chez ses camarades et dissuadé ces derniers de venir lui rendre visite, le réprimant à force de chantages affectifs au point qu'il avait fini par renoncer à ses propres projets pour faire ses études à Cambridge comme elle le souhaitait. Elle l'avait harcelé, et comment ! Oh, mon Dieu ! En regardant les explosions de la végétation sous ses yeux, d'un éclat presque sauvage, elle eut la sensation que son cœur aussi s'enflammait, consumé par sa propre intensité.

Elle avait appelé son fils jour après jour pour savoir où il était, avec qui, et lorsqu'il avait commencé à rompre les amarres, quand elle avait senti qu'il se débattait pour lui échapper, quand elle avait compris à quel point il se languissait de l'attention de son père, et non de la sienne, elle avait redoublé les pressions qu'elle exerçait sur lui dans l'espoir qu'il se sentirait coupable. En définitive, elle les avait perdus tous les deux. Son mari, son fils. Il ne lui restait plus que l'univers vide qu'elle s'était créé à force de supplier, et de bouder. La solitude. La peur. Des journées remplies d'effroi. Elle détestait le monde qui lui avait pris John et la femme à qui Doug avait donné toute son affection. Elle avait haï ce petit garçon malade. Voilà où l'avait conduit son prétendu amour.

Jo Harper avait une vie. Des amis. Elle était admirée et respectée. Il suffisait de voir la manière dont Catherine la soutenait. Ces images à la télévision. Le médecin lui-même paraissait sous le charme, de même que l'équipe de tournage, les gens du *Courier* et des stations de radio locales. Tout le monde l'appréciait. L'aimait.

Doug avait aimé Jo comme il ne l'avait jamais aimée, elle. Cela était visible sur son visage. Et maintenant il reprenait vie en son enfant. Sam. Deux ans. Le portrait craché de son père. Dans vingt ans, il y aurait un nouveau Doug Marshall dans le monde. Samuel Douglas Marshall... S'il vivait.

S'il vivait.

Pour finir, Alicia regagna la maison à pas lents, les

épaules voûtées sous le poids de la défaite. Elle resta assise un long moment dans les ombres fraîches, attentive au silence.

Pour finir, elle ouvrit le tiroir de la table de l'entrée et en sortit une liasse de papiers, y compris les deux seules lettres que John lui avait adressées depuis deux ans. Il y avait aussi une photographie de Catherine et de lui en sa compagnie. Elle la lissa à l'endroit où elle l'avait pliée pour cacher Catherine de manière à ce qu'on ne voie plus que John et elle. Pour la première fois, elle s'aperçut que l'image ne représentait pas un trio. John et Catherine, bras dessus bras dessous, ne s'occupaient pas d'elle le moins du monde. Alicia se tenait à côté de son fils. Mais l'intruse, ce n'était pas Catherine, mais bien elle. D'un air songeur, elle fit un nouveau pli dans la photo de façon à ce que Catherine et John soient ensemble, et elle exclue.

Dans la même pile de papiers, il y avait une petite carte de couleur crème. Elle la prit, l'examina minutieusement, puis la mit dans son sac avec la dernière lettre de John. En faisant la grimace, elle prit ses clés de voiture et sortit.

19.

Il était minuit. Gina avait fini par rentrer chez elle ; Jo dormait sur le canapé à côté de Sam. On avait baissé les lumières dans le service et le couloir voisin. Jo rêvait de John. Il se tenait au milieu d'un vaste espace blanc. Il était difficile de voir ce qu'il y avait autour de lui, si tant est qu'il y eût quoi que ce soit. Il semblait qu'il n'y eût ni terre, ni ciel, ni horizon. Elle essayait de l'atteindre, mais le sol se dérobait sous ses pieds. Elle luttait de toutes ses forces pour se relever, mais elle sombrait inexorablement. Elle étouffait tandis que la silhouette et le visage de John allaient en s'estompant.

Ce soir-là, Jo avait vécu les pires heures de sa vie. Lorsque Catherine et elle étaient retournées dans la chambre de Sam en compagnie de Gina, après en être sorties dix minutes à peine, profitant du fait qu'il dormait profondément, Catherine avait remarqué que quelque chose n'allait pas.

Sam était réveillé, le dos arqué. Sa blouse était toute plissée sous ses bras et un filet de sang s'échappait de sa poitrine.

– Oh, mon Dieu ! s'était écriée Jo. Que s'est-il passé ?

Gina avait aussitôt tourné les talons pour aller chercher une infirmière.

– C'est le cathéter, expliqua Catherine. Il a tiré dessus.

– Seigneur ! avait haleté Jo. Qu'est-ce qu'il faut faire ? Qu'est-ce qu'il faut faire ?

Instinctivement, elle avait exercé une forte pression sur le point de sortie.

– D'où est-ce que ça vient ? avait-elle demandé en levant les yeux vers Catherine. Du cœur ? Ça doit venir de son cœur. Pour l'amour du ciel !

Jusqu'à cet instant, Sam avait gardé le silence, comme choqué par sa propre force, inattendue, et la taille du tube qui avait jailli de sa poitrine. En les voyant paniquer, pourtant, il s'était brusquement mis à hurler.

– Non, supplia Jo. Sam ! Ne crie pas ! Chut ! Sam...

Elle avait regardé Catherine d'un air horrifié. Le sang coulait à flots entre ses doigts.

– Non ! cria Sam.

Un son aigu, assourdissant qui ébranla l'air.

L'infirmière arriva finalement, suivie de Gina.

– D'où vient tout ce sang ? bredouilla Jo. Je n'arrive pas à l'arrêter.

L'infirmière lui écarta légèrement les doigts.

– De l'épiderme, expliqua-t-elle.

– Nous ne l'avons laissé seul qu'un bref instant... Il dormait.

L'infirmière tourna Jo vers elle.

– Il a tiré sur le tube. Ça ne vient pas du cœur. Le sang va s'arrêter de couler dans une minute. Tout va bien, dit-elle, tout va bien, répéta-t-elle avec emphase pour être sûre que Jo l'entende en dépit des hurlements de Sam.

Tout va bien...

Jo émergea lentement de son sommeil. L'espace d'un instant, elle ne vit que la flaque du clair de lune par terre et le reflet vaporeux de la fenêtre éclairée par la veilleuse au-dessus du lit de Sam.

Elle se redressa d'un bond. Alicia se tenait dans l'embrasure de la porte.

– Bonjour, Jo.

Jo se leva en vacillant.

– Il est tellement petit, dit Alicia. Je ne m'étais pas rendu compte... si petit...

Jo suivit son regard. Sam était tranquille à présent. Il dormait paisiblement, le visage détendu dans son sommeil. On aurait dit un ange. Seules quelques minuscules taches de sang sur le bord de la taie d'oreiller témoignaient du drame qui s'était déroulé trois heures plus tôt. Alicia tendit la main et caressa la joue de Sam.

En un geste de protection machinal, Jo s'approcha de son enfant et lui prit la main.

– Que faites-vous ici ? demanda-t-elle.

Alicia n'avait toujours pas détourné les yeux.

– Je suis venue... en voiture.

– Quelle heure est-il ?

– Minuit.

Elle leva les yeux vers Jo.

Jo n'arrivait pas à déchiffrer son expression. Elle n'avait jamais vu la moindre émotion, si simple fût-elle, transparaître sur le visage d'Alicia. Elle avait toujours pensé que ce qu'il y avait dans ce regard était le produit de quelque mensonge spectaculaire – jamais vrai, ni réellement sincère. Sous cette affectation, il était impossible d'imaginer les véritables sentiments d'Alicia.

À cet instant, pourtant, il ne restait plus rien de tout cela. Le visage d'Alicia était dépouillé de toutes ses défenses.

– Je vous ai apporté quelque chose, fit-elle en tripotant le fermoir de son sac à main avant d'en sortir une carte. Qu'elle tendit à Jo.

Association James Norberry, indiquaient les lettres sur le premier volet. Ainsi que le nom de John. Et un numéro : AZMA 552314.

Jo n'avait pas besoin d'aller voir dans son propre sac pour savoir qu'il s'agissait bien du matricule que Bill Elliott lui avait communiqué : le numéro de donneur de John, la preuve absolue de leur compatibilité. Elle n'avait pas à vérifier parce qu'elle savait les chiffres par cœur, convaincue que si elle les revoyait un jour dans cet ordre, ce serait une sorte de talisman.

– Il y a autre chose, reprit Alicia.

Elle tenait une lettre à la main.

– John m'a écrit. Je suis allée le voir. Il était sur le point de partir. Je n'ai pas pu l'en empêcher.

Sa voix se brisa. Elle inspira, puis tendit la feuille à Jo.

– Si ça peut vous aider, ajouta-t-elle, c'est là qu'il est allé.

Le numéro de téléphone et l'adresse du bureau de Richard Sibley à Winnipeg étaient imprimés en haut de la feuille.

Jo prit la lettre et la parcourut des yeux.

Brusquement, Alicia tourna les talons. Elle avait atteint la porte quand Jo se précipita vers elle, la lettre de John à la main. Elle effleura l'épaule d'Alicia, et l'espace d'une seconde, elles se regardèrent dans le blanc des yeux. Puis Jo se jeta à son cou.

– Pardonnez-moi !

Alicia pleurait sans bruit.

– Je vous en prie, pardonnez-moi ! répéta-t-elle.

20.

Une fois parvenu au rocher, Gus était trop fatigué pour s'asseoir. Il s'allongea, face contre terre, un bras posé sur les pierres. Il n'y avait plus de neige, pas même de neige fondue ni de vent chargé de fines particules de glace. En fait, la température avait dépassé zéro et, la nuit précédente, il avait plu. Il porta son regard sur le détroit de Simpson.

Ils avaient laissé la banquise derrière eux. Ils en étaient sortis, une semaine plus tôt, près de la latitude 68. La mer n'était plus gelée à cet endroit ; elle bougeait à la vitesse d'une limace en charriant son fardeau de glaces flottantes gris-bleu sur le bleu plus profond de l'eau. C'était de la glace sale, de la vieille glace, provenant des vastes champs engorgés où ils avaient abandonné les bateaux. Des centaines de milles plus au sud, l'océan s'était enfin libéré de cette étreinte solide, suffocante. La Terre du roi Guillaume était une île. Le Passage Nord-Ouest existait ; il s'écoulait sous leurs yeux. Mais personne ne s'en souciait, surtout pas les quatre hommes de l'*Erebus* et du *Terror* qui étaient encore en vie.

Finalement, Gus se redressa et tira une ou deux grosses pierres vers lui. Les soulever était au-delà de ses forces. Puis il sortit le cylindre de sa poche. Ils n'avaient même pas pu le sceller ; ils n'avaient rien pour faire du feu, ni pour souder. Ils avaient roulé le message, l'avaient enfoncé dans le tube, puis avaient entortillé un bout de cuir autour de l'ouverture en le liant bien.

Il déposa le cylindre sur la surface plate d'une grosse pierre et le recouvrit de galets en les grattant au fur et à mesure. L'effort que cela demanda lui donna envie de sangloter. Ses doigts restaient collés sur leur surface granuleuse, humide de pluie. Le tube fut bientôt couvert ; il savait que personne ne le trouverait jamais. L'ultime cairn laissé par les équipages de Franklin ne servirait pas à grand-chose.

Deux cents mètres plus bas au pied de la pente jonchée d'éboulis, ils avaient planté leur dernière tente. En l'observant de l'endroit où il se trouvait, Gus se rendit compte à quel point ils s'y étaient mal pris. La toile n'était pas bien tendue ; elle remuait. Les bords n'étaient pas lestés convenablement ; un des angles s'était échappé du tas de pierres posé dessus.

Lentement, Gus se dressa sur un coude. Il gratta la roche la plus proche avec son ongle. La mince couverture végétale vert acide se détacha en copeaux secs. Il entrouvrit les lèvres et les mit sur sa langue.

Il avait affreusement mal à la bouche. Même les fragments de lichen étaient difficiles à mâcher. Hier, ils avaient abattu un oiseau, mais rien qu'en marchant jusqu'à l'endroit où il était tombé pour le récupérer, ils avaient usé leurs dernières forces. Ils s'étaient accroupis autour et avaient découpé les chairs à l'aide d'un couteau de cuisine. Ils avaient essayé de mâchonner, mais leurs gencives étaient si enflées qu'elles saignaient terriblement.

Gus se mit debout. Il descendit la colline à pas lents.

La dernière fois qu'il avait eu le courage de regarder ses pieds, ses orteils étaient noirs. Il n'avait plus aucune sensibilité du côté droit en dessous de la cheville ; l'autre pied allait un peu mieux. Il sentait encore l'os de la cheville.

Arrivé à la tente sur le rivage, il s'agenouilla, les épaules voûtées pour se protéger de la brise salée. Il n'avait pas envie d'aller sous la tente. Il ne voulait pas entendre ce que les autres disaient, ni prendre part à cette ultime conversation. Ces prières et absolutions.

La nuit dernière, il y avait eu un orage. Ils s'étaient blottis sous la tente, trempés jusqu'aux os ; la pluie glacée avait pénétré la toile. Les éclairs autour d'eux ressemblaient à des fantômes de contes de fées déchirant la mer, des jets d'énergie bleus courant sur l'eau et se cabrant sur la terre pareils à des étalons lancés à toute allure.

Gus avait espéré que le diable venait les chercher. S'il était ce que les pécheurs méritaient, alors ils ne tarderaient pas à voir son visage. Sans l'ombre d'un doute. Il saurait ce que c'était d'être arraché à la vie et plongé dans l'enfer. Cette idée ne l'effrayait plus. L'enfer au moins serait rempli de brasiers. Il pensait pouvoir exister dans la chaleur éternelle. Une chaleur aussi pénétrante que la glace. Pour enflammer son sang et carboniser ses chairs. Un corps brûlé n'avait ni aptitude ni désir. Il ne songerait plus à manger.

La faim n'était pas cette impression de vide dans l'estomac, comme il le pensait jadis lorsqu'il était enfant. Mourir de faim, c'était tout autre chose. La douleur le pliait en deux, comme un coup de couteau. Pour finir, il avait arrêté de penser aux repas qui l'attendraient lorsqu'il rentrerait à la maison, aux ragoûts avec des boulettes flottant dans le jus, au poisson cuit au porto, aux braseros sur le dock. Il en avait oublié jusqu'à l'odeur, la sensation dans sa main, sa bouche, ses entrailles.

Quand un homme se remettait du scorbut, la peau de son visage tombait en lambeaux et l'épiderme en dessous était comme celui d'un bébé – fragile et sans poils. Mais cela ne leur arriverait pas. Ils ne se rétabliraient pas. Ils allaient mourir d'ici à quelques jours, même s'ils acceptaient l'offrande qu'on leur faisait à présent.

Gus n'arrivait plus à se souvenir du nom de l'homme qui était mort en dernier. C'était peut-être Abraham. Abraham Seeley, de l'*Erebus*. Qu'avait fait l'Abraham de la Bible déjà ? Gus essaya de réfléchir. Il avait offert de sacrifier son propre fils, Isaac. Il n'y avait pas d'Isaac sur les bateaux. Il n'y avait donc eu personne à sacrifier, hormis cet homme qui était peut-être Abraham, ou peut-être un autre parmi ceux qui étaient venus avec eux de Point Victory : Daniel Arthur, maître de manœuvre, William Goddard, capitaine de cale, George Kinniard ou encore Reuben Male, capitaine du gaillard-avant à bord du *Terror*.

Mais ils n'étaient plus des hommes. Les quatre qui restaient n'étaient que l'ombre d'eux-mêmes. L'essence même, la manifestation de la faim. Rien que des images. Des fantômes sous une vitre couverte de givre.

Gus se tourna vers l'eau, vers la masse grise et floue qui flottait au-dessus de la mer. Au-delà du détroit s'étendait le Canada. À des centaines de milles dans cette direction-là se trouvaient les avant-postes de la baie d'Hudson. Fort Churchill, Fort York, Fort Severn, Fort Albany, Fort Moose, East Main, Fort George. On appelait ce pays Moosonee, Manitoba, la terre de Rupert. Il y avait un fleuve appelé Petite Baleine et un autre baptisé Grande Baleine là-bas. Les indigènes parlaient le Sakehao et le Ketemakalemao. Jadis, le bateau de son oncle avait longé cette côte, poussé par des ouragans. Il y avait des colonies le long du littoral. Quatre-vingts familles à Albany Station. Le missionnaire le leur avait dit. Mais Gus n'irait plus jamais dans la Baie. Il ne monterait plus jamais à bord d'un baleinier, ni d'un autre navire. Plus jamais. Et il s'en félicitait. Il se réjouissait à la perspective d'arrêter de vivre. Ne plus jamais marcher. Ni respirer. Ne plus entendre, ni écouter. Ne plus attendre de voir la dernière lueur de vie dans le regard d'un mourant. Dieu ne lui pardonnerait pas.

Soudain, de l'autre côté du détroit, il vit un mouvement. Il crut que ses yeux lui jouaient un tour. Probablement quelque interminable plaque de glace oscillant dans le courant. Au début même, il pensa que c'était la mer. Puis il aperçut des hommes. Il s'assit sur son séant et regarda plus attentivement.

L'espace d'une seconde, il se demanda s'il s'agissait d'équipages. Les minuscules silhouettes dansaient sur le rivage et ondulaient comme un mirage. Peut-être étaient-ce les matelots qu'ils avaient laissés derrière eux. Ou bien les morts. Peut-être, au cours des dernières minutes durant lesquelles il avait bâti le cairn, avait-il rendu l'âme ? Aussi cette longue procession qui marchait en traînant les pieds sur le rivage d'en face ne pouvait être que des morts venant à sa rencontre.

Il se frotta les yeux avec les poings. Les silhouettes étaient plus nettes, à présent, plus proches. Depuis combien de temps n'avait-il pas vu une colonne d'hommes ? Ils étaient plus de dix là-bas, une douzaine peut-être. Assurément les hommes restés en arrière le long du détroit. Ils venaient les chercher à présent, avec leurs visages émaciés, enveloppés dans leurs manteaux, leurs casquettes dissimulant les coupures et les plaies qu'ils avaient sur le crâne. Gus fit un effort désespéré pour se lever.

Il éprouva soudain le désir irrésistible de s'épargner ce terrible spectacle. S'ils arrivaient jusque-là, il ne pourrait jamais les regarder en face de peur de voir leurs yeux. Il les avait évidés lui-même. Il avait aidé à les découper. Ils les avaient débités en tronçons comme du poisson débarrassé de ses entrailles et mis à sécher sous les faibles rayons du soleil pour nourrir les malades.

À la demande expresse de Crozier, ils avaient taillé les os des cuisses et les avaient vidés. Il en avait pris un bout... atrocement chaud dans sa main. Il n'avait pas voulu avaler. C'était la chaleur de cette moelle qui la rendait intolérable. Ils avaient sangloté sur ces vestiges humains. Il ne savait pas si Crozier en avait mangé ou pas. Il en doutait. Pourtant, pendant qu'ils s'étaient assis en demi-cercle aujourd'hui – le troisième homme dormait déjà en produisant ce terrible râle caractéristique de la pneumonie –, Crozier lui avait effleuré le bras.

– Regarde-moi, avait-il murmuré.

En plongeant ses yeux dans les siens, Gus y avait vu le reflet de sa propre horreur.

– Tu sais ce que c'est ? lui avait demandé Crozier. Ce que tu vois ici, derrière nous ?

– Je ne veux pas voir, avait répondu Gus.

Crozier lui avait agrippé le bras.

– Personne ne doit savoir, avait ajouté le capitaine. Quand tu seras parti d'ici, quand tu t'en seras sorti...

Gus s'était emparé du cylindre qu'il avait mis tellement de temps à remplir et à sceller.

– Attends une minute. Écoute-moi.

Gus avait gardé les yeux baissés. Il avait tourné le tube en cuivre encore et encore dans le creux de sa main, accablé par la futilité de cet ultime message :

11 août 1848.
HMS Erebus *et* Terror.
Restent un officier et trois membres d'équipage.
Dernier cairn élevé Lat : 68°15' Long : 97° 30'
Attendons les patrouilles venant de la baie de l'Hudson.
F.R.M Crozier, capitaine et commandant

L'écriture hésitante couvrait au hasard le formulaire de l'Amirauté.

Crozier avait repris le cylindre et l'avait jeté de côté avec agacement.

– Il faut que tu m'écoutes, Gus, avait-il dit.

– Je ne veux pas voir ce qu'ils ont fait, avait répété le garçon.

– Je sais, mais Dieu est clément. Cramponne-toi à cette vérité.

Pour finir, Gus avait levé les yeux vers lui. Son cœur avait chaviré en reconnaissant la dernière lueur de vie qui brûlait dans le regard du capitaine.

– Nous ne serons jamais pardonnés, avait-il murmuré.

La poigne de Crozier autour ses doigts était encore ferme.

– On sera pardonnés, avait-il assuré. Au ciel, la miséricorde règne. Ceux qui sont morts nous ont pardonnés. Ils nous ont bénis et nous avons obéi à leurs ordres. Chaque homme nous a dit ce que nous devions faire. Le cœur de Dieu vaut-il moins que celui d'un homme ?

– Je ne peux pas.

– Si, tu le peux. Quand tu seras seul, c'est ce que tu dois faire.

– Non, sanglota Gus.

– Promets-le-moi.

Gus s'était mis à pleurer pour de bon. C'était un serment auquel il ne pouvait se résoudre. Un ordre auquel il était incapable de se soumettre. Il avait obéi à tous les autres. Il avait suivi Crozier jusqu'à cet enfer. Il le suivrait dans la gueule même de l'Enfer. Mais il ne pourrait jamais faire cette ultime chose que Crozier exigeait de lui. S'il se retrouvait seul à la fin, quel corps resterait-il à part celui du capitaine ? L'homme qui avait été plus qu'un père pour lui qu'aucun autre homme.

– Gus, dit Crozier. Écoute-moi. La moelle...

– Non, capitaine, non...

– C'est dans la moelle qu'il y a le plus de nourriture, Gus. Souviens-toi de ça. Il faut au moins que tu prennes la moelle.

Gus avait couvert son visage de ses deux mains en pleurant de désespoir. Il sentit à peine la main de Crozier sur son épaule.

– Je te pardonne, Gus, disait-il. Tu m'entends ? Je te pardonne.

Gus aurait voulu obéir à Crozier. Il aurait fait n'importe quoi d'autre pour lui. À cet instant, la solution s'était imposée à lui. Il avait ouvert les yeux, relevé la tête.

– Laissez-moi partir le premier ! avait-il crié. Laissez-moi partir d'abord. Pour vous.

Alors Crozier avait baissé la tête. Un gémissement

était monté de ses lèvres, des profondeurs de son être, du fin fond de son âme. Et ce fut pire, pire que tout, le bruit de cette ultime plainte.

En approchant du camp, les Esquimaux eurent un pressentiment et sentirent une odeur. Ils formèrent un demi-cercle, intrigués, à l'affût des fragments de bruits. Une voix. Deux voix mêlées à la rumeur persistante de la mer, aux grognements et aux cliquetis de la glace.

Les hommes échangèrent des regards. Ils étaient tentés de passer leur chemin sans s'arrêter.

Ils étaient venus de loin, tous les quatre, pour chasser le phoque sur les glaces flottantes qui se rompaient rapidement. Comme tous les indigènes, ils savaient qu'il y avait des hommes blancs dans la région, mais aucun d'entre eux n'en avait jamais vu.

Tooshooarthariu fit quelques pas en avant. Quelque chose le long de la tente attirait son attention. Il distinguait un homme par terre, et un autre, plus âgé, debout près de lui.

Il leva la main.

Lentement, celui qui se tenait debout lui rendit son geste, puis il marcha dans sa direction.

Teekeeta et Owwer reculèrent et Mangaq, qui n'avait pas bougé jusqu'à cet instant, pivota brusquement sur lui-même, prêt à prendre la fuite. Il fit signe à sa femme ; ils tirèrent le traîneau dans l'autre sens.

Tooshooarthariu voyait bien que la faim qui avait fait souffrir sa famille tout l'hiver avait aussi ravagé l'homme qui se tenait devant lui. Mais sous ses yeux, il avait une vision de quelque chose de plus horrible que la faim. Il avait entendu dire que la peau de l'homme blanc était plus claire, mais celle de l'être qui approchait de lui était d'une couleur étrange, non pas ridée par les intempéries, mais tachetée, brouillée comme des peaux de bête mal cousues ensemble. Son front était barbouillé de tons différents : un vilain bleu, un blanc gris morne. Ses pommettes paraissaient blanches, mais sa bouche était noire, trop atroce à regarder. Ses lèvres, ses gencives étaient affreusement foncées, ses dents, longues, jaunes, maculées de sang.

L'homme commença à parler.

Tooshooarthariu regarda ses mains. Il ne saisissait pas ce qu'il disait. Tant de sons brefs, durs, mais il comprit que l'homme venait du nord – il agitait le bras derrière lui –, et qu'il y avait des bateaux là-bas, de gros bateaux. L'étranger ramassa un bout de glace qui fondait en bordure du rivage et le dirigea vers lui en faisant un geste de rupture avec les deux mains. Puis, il désigna sa poitrine en dressant le pouce. Il répéta son geste en levant un autre doigt. Un autre homme. Deux, trois. Ses mains volaient en tous sens. Beaucoup d'hommes.

Les Esquimaux regardèrent la tente d'un air incrédule. Il n'en restait plus beaucoup, c'était évident. Comment auraient-ils pu venir en grand nombre sur la banquise ? Les indigènes eux-mêmes ne se déplaçaient pas en masse. C'était trop dangereux. Ils vivaient en petites communautés composées de deux ou trois familles. Même durant les grands rassemblements d'été, ils n'étaient jamais plus de quarante ou cinquante. On ne pouvait pas faire marcher des centaines d'hommes sur la glace.

L'homme blanc était maigre. Cela se voyait même sans regarder son horrible visage. Il n'arrivait pas à se tenir droit. Le plus jeune, derrière lui, s'était levé ; il était un peu plus grand, mais plié lui aussi à la taille.

– Ils ont faim, chuchota Owwer derrière lui.

Les Esquimaux reculèrent, vers les femmes.

Ahlangyah, la femme de Tooshooarthariu, s'empressa de dire qu'il n'y avait pas beaucoup de viande de phoque. On aurait dit qu'elle avait lu dans ses pensées. Au printemps, ils avaient passé des heures à parcourir la mer glacée à la recherche d'endroits pour chasser. Les jours de soleil, quand les phoques se couchaient sur la banquise, on aurait pu penser qu'ils étaient des proies faciles, mais pour arriver à leur portée, il fallait du temps, de la patience, et beaucoup de pratique. Les phoques avaient l'ouïe très fine, et l'approche sur la glace ou vers un de leurs trous d'aération était lente, digne d'un ver de terre. Parfois les chasseurs restaient des heures à l'affût des sons que produisait l'animal quand il montait à la surface pour respirer. C'était l'instant qui demandait le plus d'habileté, lorsqu'on était à l'écoute du souffle du phoque sous la glace et qu'il fallait estimer le moment précis où il fléchissait ses muscles pour bondir. Le chasseur lançait alors son harpon avec l'espoir d'atteindre le crâne, puis il agrandissait le trou dans la glace et tirait sa proie sur la banquise sans que la bête cesse de se débattre.

Ils n'en chassaient jamais de grosses quantités à la fois. Ils n'en gardaient pas beaucoup en réserve. Ils tuaient uniquement ce dont ils avaient besoin. Ensuite, ils mettaient les os dans un sac, les rapportaient sur le rivage et les jetaient à la mer. Se comporter de tout autre manière vis-à-vis des phoques aurait été un mauvais présage pour les chasses futures.

– Ils ont abattu des oiseaux, fit remarquer Owwer. Ils n'ont qu'à en attendre d'autres.

Tooshooartharíu reporta son attention sur l'homme le plus âgé.

– Nous n'avons pas suffisamment pour partager avec eux, ajouta Ahlangyah.

Il ne savait pas combien ils étaient. Il scruta la tente. D'autres se cachaient peut-être à l'intérieur. Combien pouvait-elle en contenir ? Dix ? S'ils leur donnaient assez de viande pour nourrir dix hommes, il ne leur resterait plus rien. Si l'homme blanc voyait qu'il avait de quoi manger sur leur traîneau, il voudrait peut-être tout prendre.

Tooshooarthariu avait entendu dire que quand des hommes appelés Parry et Lyon avaient jeté l'ancre à Igloolik vingt hivers plus tôt, son grand-père et d'autres hommes de la tribu étaient montés à bord de leurs navires. Il avait parlé aux hommes blancs, il étaient restés avec eux et avaient chassé en leur compagnie. Les étrangers avaient même dit à un dénommé Artungun, un enfant à l'époque, qu'il pouvait retourner avec Parry dans son pays s'il le souhaitait. Artungun savait compter dans leur langue et chantait des chansons qu'ils lui avaient apprises. Il affirmait que le chaman de Parry l'avait rendu à la vie en lui faisant saigner le bras. Artungun montrait sa cicatrice pour prouver que ce qu'il disait était vrai. Son grand-père racontait des choses beaucoup plus inquiétantes. Les hommes blancs avaient des sortes de bâtons qui pouvaient tuer les animaux. Ils les portaient sur leur épaule et s'en servaient en y mettant une fine poudre noire qui prenait feu.

Sans quitter des yeux l'homme le plus âgé, Tooshooarthariu se demanda s'il cachait de cette poudre ou des bâtons incurvés sous la tente. S'ils proposaient de la nourriture aux étrangers, et si ceux-ci trouvaient qu'il n'y en avait pas suffisamment, même s'ils leur donnaient tout ce qu'ils avaient, se serviraient-ils de leurs armes pour en réclamer plus ? Les tueraient-ils faute d'en obtenir davantage ?

Il se tourna vers Ahlangyah. Imperturbable, elle soutint son regard.

– De quoi souffrent-ils ? demanda-t-elle.

– Je l'ignore.

Elle baissa la tête vers leur progéniture.

– Nous ne voulons pas de leur maladie, répliqua-t-elle.

Ils avaient perdu un enfant cinq mois plus tôt et ce triste souvenir la hantait, il le savait. Pourtant, alors qu'il considérait tour à tour les autres hommes, les yeux d'Ahlangyah se reportèrent vers le garçon blanc qui ne devait pas avoir plus de seize ans. Elle sourit à demi avant de baisser la tête en se couvrant le visage d'une main. En dépit de sa peau tachetée, elle voyait bien qu'il avait le teint clair. Il lui faisait penser à des rubans de lumière diaphane dans le ciel.

Owwer croisa les bras sur sa poitrine.

– Ils sont mourants, murmura-t-il. Leur donner de la viande n'y changera rien. Cela ne fera que prolonger leur agonie.

Tooshooarthariu hésita. Owwer avait raison, mais il ne pouvait pas s'en aller en emportant tous ces sacs remplis de vivres. Il ne pouvait passer à côté d'eux avec de la viande et les abandonner ainsi. Il regarda à nouveau la pitoyable petite tente et se demanda sur quels navires ces hommes étaient venus et où se trouvaient ces bateaux. Et s'ils mentaient ? Des centaines d'hommes ? De grands bateaux à voile ?

S'ils disaient la vérité, où donc étaient passés les autres ?

Peut-être les attendaient-ils. Des centaines d'autres allaient-ils les rejoindre ? Les verraient-ils demain ? Il se pouvait qu'ils aient laissé les malades sur place et prévoyaient de revenir les chercher. Ils ne mourraient sans doute pas s'ils leur donnaient de quoi se nourrir une semaine, parce que c'était tout ce dont ils avaient besoin. Il aurait bien voulu savoir. Il regrettait de ne pas les comprendre.

L'homme blanc le plus âgé s'assit brusquement sur la rive comme s'il n'arrivait plus à respirer. Tooshooarthariu rencontra son regard vague, il vit l'évident désespoir dans ses yeux. Quoi qu'il se fût passé, quoi qu'il pût arriver, pensa-t-il, ils ne pouvaient pas continuer leur chemin sans leur laisser un peu de vivres.

– Donnez-leur de la viande, ordonna-t-il.

Deux matins plus tard, il y eut une lumière plus vive. La mer était d'un bleu intense, l'air étonnamment doux. L'espace d'un instant, Gus pensa à des jardins. À côté de lui, il y avait le paquet de viande de phoque que les Esquimaux avaient laissé. La veille au soir, Crozier et lui en avaient mangé à peine une demi-douzaine de bouchées. C'était trop riche, trop difficile à mâcher. Ils s'étaient pourtant donné du mal, assis face à face. La longue soirée s'était dissipée, mais il ne faisait pas encore nuit. Ils n'avaient pas échangé un mot. Il n'y avait plus rien à dire.

Francis Crozier mourut de bonne heure le lendemain matin.

Gus mit un temps infini à aller chercher les couvertures dans la tente pour en envelopper le corps. L'effort eut raison de lui.

Tout à la fin, il n'arrivait plus à se rappeler une seule prière, et il ne pouvait pas pleurer. Il s'assit, les mains posées sur le corps du capitaine, en regardant l'eau. Puis il s'allongea à côté de lui et attendit de le suivre.

21.

Il avait cessé de pleuvoir. Il ne faisait pas beau, mais on voyait à des kilomètres. L'ourse gisait sur son ventre, les quatre pattes allongées, la tête légèrement relevée sur un tas des cailloux. Elle se sentait mieux ainsi. Il y avait plus d'air.

Elle rêvait depuis des heures. Il y avait plusieurs mondes ; elle les avait tous connus. Elle avait nagé sous des plafonds de glace, dépouillés de neige, qui laissaient filtrer la lumière de l'océan, emplissant les profondeurs de rideaux de couleurs. Elle avait empli ses sens de la force du courant, de la beauté froide et farouche de la mer couverte de glaces flottantes. Durant l'été, le détroit de Lancaster grouillait de millions de cténophores bordés de vrilles vibrantes, et de minuscules copépodes translucides, si ténus qu'on aurait dit de la poussière lumineuse dans la lumière réfléchie. En plongeant sous la glace, on avait l'impression de naviguer au milieu des étoiles – une éternité inexplorée où défilaient des galaxies entières.

Elle rêvait de baleines, de bélugas, de baleines franches qui, après avoir séjourné tout l'hiver le long de la bordure sud de la banquise, regagnaient le Nord au printemps. Ils revenaient avant tous les autres migrateurs en se frayant un chemin à travers les failles. Si la glace gelait en surface, quand les passages se fermaient, le béluga pouvait rester immergé vingt minutes et couvrir ainsi non moins de deux milles sous le pack. Faute de trous d'aération, il remontait à la surface et poussait la banquise avec vigueur vers le haut pour absorber l'air de la poche ainsi formée entre la couche de glace ininterrompue et la mer. Elle les avait vus nager sous ses yeux avec leurs dos et leurs évents couverts de cicatrices à force de se heurter aux crêtes de glace.

Elle avait entendu les baleines chanter pour se repérer à travers les océans. Le béluga produisait un son rythmique, une série de cliquetis qui résonnaient dans le courant. La baleine franche, si décimée, massacrée par l'homme au point d'être presque en voie de disparition, chantait pour de bon – une mélodie grave, prolongée, à basse fréquence.

Elle avait fait partie de la mer et des autres univers au plus fort de l'été. Elle avait parcouru des centaines de kilomètres le long des rivages et assisté chaque année au retour irrépressible de la vie : le raisin d'ours, dont les feuilles viraient au rouge vif à l'automne, l'empêtre à fruits noirs qui ornaient la plante tout l'hiver, la framboise de l'Arctique à la consistance épaisse, crémeuse, les lichens, les plantes les plus vieilles de la terre, pour ainsi dire indestructibles, l'explosion de fleurs sauvages – l'herbe de feu aux fleurs roses, les coquelicots, les dryades blanches des montagnes, les myosotis bleus.

Elle avait fait partie de l'air, survivant grâce aux messages transmis par son odorat, véhiculés sur des kilomètres sans interruption. Elle connaissait l'existence d'énormes colonies d'oiseaux : les quatre cent mille oies des neiges au sud-ouest de la terre de Baffin, les deux cent mille oies de Ross qui se massaient dans le golfe de la reine Maud ; les faucons tueurs, les mouettes tridactyles à pattes noires.

Elle avait assisté aux métamorphoses du ciel et au spectacle éblouissant de la neige se reflétant sous les nuages. La brume bleu-blanc de l'Arctique qui charriait des cristaux de glace, les illusions d'optique des parhélies, des piliers solaires, des halos – des déploiements de lumière pris au piège entre le soleil, la glace et le brouillard, tout cela n'avait plus de secret pour elle.

Elle avait ces images dans sa tête et dans son cœur. Et tant d'autres encore. Un million d'étoiles dans l'eau inondée de lumière. Le soleil se déversant sur la neige. Les tempêtes. Le silence. Toutes ces visions la soutenaient à présent, lors de son ultime voyage.

Lors de son quatrième passage sur cette portion du littoral, l'hélicoptère rasa la plage.

– Là ! cria Richard Sibley. Sur cette crête !

Il avait regagné son bureau de Winnipeg quatre jours plus tôt après être allé filmer des ours gris près de Khutzeymateen. En rentrant, il avait trouvé sa sœur submergée d'e-mails et John Marshall assis au milieu de tout le chaos, un unique fourre-tout à ses pieds et une tasse de café à la main.

Un guide inuit à bord d'un canoë avait repéré l'ours, une femelle adulte, apparemment morte, blessée à la base de la gorge. De retour à Gjoa Haven, il avait répandu la nouvelle. La Nageuse avait encore son collier et, sur son flanc orienté vers le ciel, on distinguait toujours le numéro peint en noir par l'équipe de marquage. En l'espace de quelques minutes, le message avait été transmis à Sibley.

– La Nageuse est ici sur le rivage. Voulez-vous faire une dernière photo ?

Et comment !

À l'origine, il avait prévu de monter du côté de Gjoa Haven dans l'été pour pêcher l'omble chevalier. Quand il avait invité John Marshall une nouvelle fois à le rejoindre, il lui avait précisé qu'il serait sur la Terre du roi Guillaume vers le mois d'août et que de là, il tenterait peut-être d'aller à la pêche à la truite plus au sud, à Chesterfield Inlet.

John lui avait répondu par retour du courrier en lui précisant la date de son arrivée et le numéro de son vol.

Sibley n'avait pas vraiment eu le temps de s'entretenir avec le jeune homme. Quoi qu'il en soit, il n'avait pas l'air très bavard. D'une nature à l'évidence renfermée, il gardait le plus souvent les bras serrés contre sa poitrine. Le photographe avait eu tout loisir de l'observer dans cette position durant le long trajet jusqu'à Gjoa. Ils avaient pris des avions de plus en plus petits jusqu'au moment où, finalement, ils avaient survolé la petite colonie nichée au bord d'une vaste baie.

John avait aimé Gjoa sur-le-champ : le quadrillage de blocs en bois préfabriqués au beau milieu des plaines calcaires, cette régularité, l'aspect clos de la petite ville. Il avait marmonné son appréciation, le visage presque collé au hublot.

Ils étaient arrivés la veille, mais n'avaient pas encore vu l'ombre d'un ours, bien que le guide les eût accompagnés sur les lieux.

Sibley s'était réveillé de mauvaise humeur ce matin, agacé à la perspective de dépenser encore de l'argent pour un deuxième vol.

– Elle a intérêt à se montrer cette fois-ci ! avait-il déclaré à John, au petit déjeuner.

Après quoi il avait extirpé une liasse de lettres et de notes de son sac pour les passer rapidement en revue. À un moment donné, il s'était arrêté en haussant les sourcils.

– Tu connais quelqu'un du nom de Gina Shorecroft ? avait-il demandé.

– Non, lui avait répondu John.

Le photographe lui avait passé le message en question : un petit mot rédigé à la main scotché à un e-mail provenant de sa sœur.

– Il paraît que c'est urgent.

John avait jeté un bref coup d'œil à la feuille, puis l'avait fourrée dans sa poche.

– Qui est Jo Harper ? Jo Harper a besoin de te parler, avait ajouté Sibley en lisant l'e-mail à haute voix.

John s'était levé.

– Elle m'a déjà exprimé ce qu'elle avait à me dire, avait-il riposté en mettant son manteau.

En voyant l'expression perplexe de Sibley, il avait haussé les épaules.

– J'appellerai ce soir. C'est le milieu de la nuit là-bas.

L'hélicoptère se posa à cent mètres du rivage. Mike Hitkolok, leur guide, sortit le premier de l'appareil. Ils s'élancèrent sous le tourbillon des rotors avant que Mike ne les arrête.

– Restez derrière moi ! cria-t-il. On va voir ce qu'elle fait, d'accord ?

Ils hochèrent la tête en signe d'assentiment.

Sibley avait confié à John un sac d'équipement. Ils avancèrent ensemble, pas à pas, appareils photo au poing. En approchant de la première pente de gravier qui leur bloquait la vue, Mike passa le premier. Ils l'observèrent tous les deux d'un œil prudent. Pas trace de l'ours depuis cet angle.

– J'ai l'impression de la connaître, murmura John.

Sibley se tourna vers lui.

– Nous la suivons depuis quatre ans, répondit-il. C'est une sacrée créature. Sais-tu ce qu'ils ont mis sur le site Internet maintenant ? Pihoqahiaq, son nom inuit. La Vagabonde.

John hocha lentement la tête.

– Elle n'est plus supposée errer maintenant, ajouta Sibley d'un ton songeur. Elle est censée avoir un habitat limité. Quelques centaines de milles par ici et par là tout au plus. Mais pas elle ! Pas celle-là !

Des gouttes de sueur lui dégoulinaient dans le cou. La nervosité plus que la chaleur. Dès qu'il approchait d'un ours, il avait des démangeaisons. Il ne s'était jamais vraiment défait de la terreur que leur force magistrale lui inspirait.

– John, fit-il à voix basse, si elle n'est pas morte, si elle bouge, tu prends tes jambes à ton cou, d'accord ? On retourne dans l'appareil. Ne regarde pas derrière toi. Monte dans l'hélico. Compris ?

– Compris.

– J'ai lu un article récemment dans le *Nunatsiaq News* à propos d'un Australien qui faisait de la marche du côté du fleuve Soper, murmura Sibley. Une ourse et ses deux petits l'ont pourchassé pendant onze kilomètres.

Sibley rit. Presque un sifflement d'angoisse.

– Ils n'avaient probablement pas faim. Ils étaient juste curieux, ajouta-t-il.

Ils virent Mike leur faire des signes en bas de la petite butte.

Ils descendirent avec précaution et s'immobilisèrent à une vingtaine de mètres de lui.

Mike montait la garde au-dessus du ruisselet le plus proche.

– Elle est morte ? cria Sibley.

– Morte, oui, répondit Mike. Pas de mouvement.

Ils continuèrent à marcher prudemment jusqu'au moment où ils la virent enfin, recroquevillée, en position quasi fœtale. Elle avait des taches de sang sur la poitrine ; ses pattes arrière étaient remontées. Sibley déploya son trépied ; il mit un moment pour l'installer.

En relevant le nez, il s'aperçut avec étonnement que John avançait toujours.

– Hé, petit..., dit-il.

– Hé ! s'exclama Mike, presque au même instant.

John progressait à pas réguliers.

– Qu'est-ce qu'il fiche ? marmonna Sibley.

Il avait mis sa caméra vidéo en marche.

– Reste en haut ! cria Mike.

En d'autres termes, contre le vent.

Juste au cas où.

À travers l'objectif, Sibley vit à peine ce qui se produisit ensuite. Tout se passa si vite qu'il faillit laisser échapper l'appareil sous l'effet du choc. Il perdit le contact visuel et tout en brandissant sa caméra par automatisme – même à cet instant, son instinct de photographe l'emporta, il aperçut Mike Hitkolok du coin de l'œil en train d'épauler son fusil en un seul geste souple et rapide.

John n'émit pas un son. Il ne courut même pas. Quand l'ourse s'élança en avant, il resta exactement à l'endroit où il était, comme cloué sur place.

Le coup de feu fut assourdissant. L'animal tituba – une vision d'horreur, les pattes tendues, sa fourrure éclaboussée de sang, les babines retroussées. Sibley eut une fraction de seconde pour penser. *Quelle taille,*

Seigneur, Seigneur !... avant qu'elle s'effondre, raide morte, à deux mètres à peine de John.

Ce fut à ce moment seulement qu'il lâcha sa caméra. Il descendit le versant à toute allure en dérapant sur les cailloux, reprenant de justesse son équilibre.

Mike l'avait devancé, appelant John à tue-tête.

Dès qu'ils parvinrent à sa hauteur, ils le retournèrent.

– Espèce d'andouille ! hurla Sibley. Triple con ! Qu'est-ce qui t'a pris ? Tu as envie de crever ou quoi ? Je t'avais prévenu de ne pas bouger, je t'avais dit...

Mais leurs mots glissèrent sur John comme autant de coups assenés en état d'apesanteur.

John Marshall regardait derrière eux, au-delà de la masse inerte de l'ourse, dans le creux où elle gisait auparavant.

– Elle a un petit, chuchota-t-il. Regardez... elle protégeait son petit.

22.

Le lendemain, à midi, Gina et Mike passèrent prendre Jo au Great Ormond Street Hospital. Lorsqu'elle émergea sous le dais blanc de la porte d'entrée, ils sortirent du taxi pour lui céder la place. Jo vacilla légèrement en descendant les marches et tomba pour ainsi dire dans les bras de Gina.

Catherine s'extirpa du véhicule à son tour.

– Il est inutile que vous veniez avec moi, dit-elle à Jo. Restez ici. Je peux très bien aller à l'aéroport d'Heathrow toute seule.

– Pas question.

– Tu es éreintée, Jo, insista Gina. C'est moi qui vais accompagner Catherine à son avion.

Jo leva la main pour couper court à toute autre protestation.

– Écoutez, si je le pouvais, j'irai avec elle jusqu'au bout et pas seulement à l'aéroport.

– Nous le savons bien, dit Gina.

– Je serai de retour auprès de Sam dès que possible, ajouta Jo à l'adresse de son amie. À l'heure du thé.

– Nous serons là, répondit Gina. J'ai ton numéro de portable. Allez ! File.

Jo l'embrassa et étreignit Mike. Catherine et elle montèrent dans la voiture. Elles agitèrent la main à travers les fenêtres arrière. Quand le taxi s'engagea sur la chaussée, Jo se tourna vers la jeune femme.

– Tu as tout ?

– Oui, ne t'inquiète pas.

– À quelle heure part ton avion ?

– 15 h 30. On a tout le temps.

– Et depuis Calgary...

– Je vais à Edmonton, répondit Catherine. Et d'Edmonton à Yellowknife.

– À quelle heure arrives-tu à Yellowknife ?

– 22 h 44.

Jo hocha la tête.

– Et le lendemain, tu pars pour Gjoa Haven.

– J'y serai à une heure et demie, confirma Catherine. Je t'appellerai.

– Et pour ton père, il faut un jour de plus ? demanda Jo.

Catherine acquiesça d'un nouveau hochement de tête.

– Il est déjà à Nunavut. Mais, pour atteindre Yellowknife, il doit passer par Iqaluit et prendre le même First Air à destination de Gjoa. Il sera là vingt-quatre heures après moi. Ce n'est pas la porte à côté !

Subitement, Jo lui prit la main.

– Je n'arrive pas à y croire ! s'exclama-t-elle. D'abord John resurgit et puis il disparaît de la circulation.

Elle pressa la main de Catherine dans la sienne.

– Quand est-ce que tout cela finira ?

Catherine passa son bras autour de son cou.

– Ça finira, dit-elle. Nous le trouverons.

– Pour l'amour du ciel, Catherine, même si le temps n'a pas l'air si épouvantable quand tu arriveras là-bas, même s'ils ont retrouvé sa trace, promets-moi de ne pas te lancer à sa recherche sans ton père, et ce Mike Hitkolok. Ne prends pas de risques.

Catherine sourit.

– C'est promis, dit-elle.

La veille au soir, Gina avait reçu un coup de fil de Richard Sibley. Il avait contacté sa sœur à Winnipeg pour avoir la confirmation du numéro de téléphone qu'il avait vu sur la copie de l'e-mail adressé à John, celle que ce dernier avait fourrée dans sa poche en l'ayant à peine regardée. Oui, John l'avait accompagné à Gjoa Haven. C'était vrai qu'ils avaient trouvé l'ours. Oui, John était sorti indemne de l'attaque. Ils étaient rentrés ensemble à Gjoa et, de là, il avait divulgué l'information par l'intermédiaire des téléscripteurs. Seulement il ne savait pas où John était passé.

– Pardon ? s'était exclamée Gina, craignant d'avoir mal compris à cause de la friture.

Elle se trouvait chez elle, avec Mike, et se préparait à partir pour l'hôpital.

– Quand on est rentrés, il s'est enfermé dans sa chambre, avait crié Sibley à l'autre bout du fil. Une fois mon papier rédigé, je suis allé le voir. L'e-mail avec votre numéro de téléphone était sur le lit. John avait disparu.

– Disparu ? avait répété Gina, interloquée. Où ça ? Où peut-on aller, pour l'amour du ciel ?

– Il a pris un canoë, avait répondu Sibley. Euh... madame Shorecroft...

Gina avait attendu la suite en fermant les yeux.

– Un gars de CBC m'a expliqué la situation. Pour Sam. Je suis désolé.

– Vous l'ignoriez ? avait soufflé Gina en sentant son cœur sombrer comme une pierre.

– Vous ne précisiez rien dans votre e-mail.

– La nouvelle a été transmise sur votre réseau national ! avait-elle protesté.

– Nous n'étions au courant de rien, avait répliqué Sibley. Il n'y avait pas de télévision où nous étions. Au retour, nous avons pris l'avion directement pour Gjoa. On n'a même pas dîné.

Sa petite plaisanterie tomba horriblement plat à des milliers de kilomètres de là.

– Je n'arrive pas à le croire ! avait gémi Gina. Vous le tenez. L'instant d'après...

– J'ignore pour quelle raison il est parti, précisa Sibley. L'ourse nous a fait un choc, mais, en toute honnêteté, madame Shorecroft, John n'avait pas l'air si remué que ça. À peine ébranlé, je dirais. Moi, il a fallu me ramasser à la petite cuiller, je vous l'avoue, mais John...

Gina pressa sa main sur sa bouche. Elle se doutait de ce qu'il allait dire ensuite.

– Il donne l'impression d'avoir un sacré poids sur les épaules, avait finalement ajouté le photographe. Un sacré poids... Vous voyez ce que je veux dire, madame Shorecroft ?

– Je sais, avait répondu Gina après un silence. C'est une longue histoire, monsieur Sibley. Une longue et triste histoire.

Le taxi roulait en direction de Whitehall maintenant. Sur leur gauche, les parcs londoniens déployaient déjà leur vaste couronne de verdure : St. James's, Green Park, Kensington Gardens. Jo se souvenait d'avoir marché avec Doug des dizaines de fois le long de la Serpentine jusqu'à Round Pond pour gagner ensuite le

Mall. Ils se rendaient toujours au même endroit, bien évidemment : au monument Franklin sur la place Waterloo, près de l'Admiralty Arch, face à la plaque commémorative en bronze où l'on voyait Crozier en train de lire une prière à la messe du souvenir devant la dépouille de son commandant.

Jo se passa la main sur le visage. Il faisait une chaleur intenable. Catherine baissa sa vitre et un air poussiéreux, empestant le diesel, s'engouffra dans le taxi. L'atmosphère de la ville était suffocante ; la circulation se faisait au ralenti. Catherine jeta un coup d'œil à sa montre, puis se renfonça contre la banquette, la main sur la poignée de la portière. Bizarre, songea Jo. Moins de trois ans plus tôt, elle n'avait jamais entendu parler de Franklin. Elle n'avait jamais eu envie de le connaître, lui ou tout autre individu de son espèce. L'endurance des équipages de l'*Erebus* et du *Terror* ne signifiait rien pour elle. Et pourtant, elle s'était bien involontairement embarquée dans un voyage similaire aux siens, au cœur d'un vaste espace blanc.

Il n'existait aucune carte pour lui permettre de repérer où elle allait. Il n'y avait personne pour la guider quand elle franchissait le seuil de la chambre stérile en tenant son fils par la main. On lui disait qu'il y avait moyen de s'en sortir, mais personne n'en était sûr. Il fallait y aller, un point c'était tout. Faire le grand saut. Pas question de revenir en arrière, de prendre la tangente ou de faire un détour. Il n'y avait qu'une seule et unique voie, droit devant, impossible et apparemment insurmontable. On se forçait à avancer vers l'inconnu, malade de peur, parce qu'il n'y avait rien d'autre à faire.

Et quelque part, à cet instant, à l'autre bout de la

planète, un jeune homme marchait sur les traces de Franklin parce qu'il était obnubilé par l'idée qu'il trouverait l'absolution en cours de route. Il ne savait sûrement pas mieux qu'elle ce qu'il faisait. Il était tout aussi perdu qu'elle. Il n'avait pas la moindre idée de l'aboutissement de son entreprise, ni de l'incidence de ses actes. Or, Sam et elle étaient liés à lui, entraînés de force dans ce paysage.

Un paysage de mort.

Mon Dieu, non ! pensa-t-elle, et elle sentit son estomac se soulever. Ne pense pas ça. Ça ne sera plus jamais un lieu de mort. Cela sera l'endroit où ils reviendront à la vie. John, Doug, Sam. Catherine. Elle. Eux tous.

Nous reviendrons tous à la vie là-bas.

Jo ferma les yeux tandis que les noms familiers des marins agonisants s'attardaient dans son esprit. Doug lui avait raconté toute l'histoire au cours des semaines où ils avaient négocié le contrat en vue de la nouvelle série d'émissions. Au milieu des cartons, pour ainsi dire prêts à être transportés à Lincoln Street, ils avaient ébauché le synopsis des premiers épisodes. Tous ces noms s'étaient alors inscrits dans sa mémoire. Des noms qu'elle avait enfouis tout au fond de sa cervelle pendant des mois après la mort de Doug. Récemment, pourtant, ils avaient refait surface. Elle pensait souvent à eux maintenant. Quand elle restait assise des heures durant au chevet de Sam, sans pouvoir dormir, elle entendait toute la litanie qui faisait écho à n'en plus finir dans les couloirs.

En explorant la Terre du roi Guilllaume, en 1859, McClintock avait découvert le corps de Harry Peglar, capitaine de la hune de misaine à bord du *Terror*. Il l'avait trouvé à quelques kilomètres à l'est du cap

Herschel, gisant à plat ventre au sommet d'une petite crête. On distinguait encore sa veste croisée d'une belle étoffe bleue bordée de rubans de soie, son pardessus ; il avait une écharpe bleue et blanche autour du cou. Il avait marché en uniforme ! Autour de son squelette s'éparpillaient différents effets personnels : un peigne, quelques pièces, un petit recueil. Une grosse pierre gisait près des ossements. L'interprète de McClintock avait estimé que Peglar avait dû s'asseoir en prenant appui contre ce caillou. En essayant de se relever, il était tombé en avant, mort peut-être, ou simplement épuisé. Quoi qu'il en soit, il ne s'était jamais relevé. Rien n'était venu déranger son corps en onze hivers.

Un autre explorateur, le lieutenant Schwatka, avait découvert une tombe à Point Victory, sur la côte nord-ouest de la Terre du roi Guillaume, en face de l'endroit où l'*Erebus* et le *Terror* avaient été abandonnés. La dépouille avait été enveloppée dans de la toile cousue avec soin ; on avait trouvé une médaille par terre à proximité. Elle appartenait à John Irving. Schwatka avait aussi trouvé des ossements éparpillés tout le long de la côte.

Jo rouvrit les yeux et regarda la route devant elle. Le taxi avait pris de la vitesse ; ils sortaient de la ville. Elle pensa au site où Doug et elle avaient prévu de filmer la première émission. C'était sur la côte est de la Terre du roi Guillaume, à une centaine de kilomètres des bateaux.

Doug pensait que les équipages des navires s'étaient séparés quelque part par là ; la moitié des hommes avaient sans doute été abandonnés en cours de route parce qu'ils étaient trop malades pour continuer. On avait dû laisser un des médecins sur place pour se charger de ce qui était en tout état de cause un hôpital de campagne. Les Esquimaux avaient affirmé qu'ils avaient trouvé des tas de corps – trente ou quarante. Et la chaloupe aussi, bien sûr. Un bateau si célèbre que, dès lors et à jamais, cette partie de la Baie de l'*Erebus* où on l'avait découvert serait connu tout bonnement sous le nom de *L'endroit du bateau*.

En 1859, une équipe d'explorateurs débarqués du vapeur *Fox*, sous le commandant de Leopold McClintock, tomba sur une autre chaloupe posée sur un traîneau. Elle était orientée vers le nord, comme si elle avait été abandonnée quand la poignée d'hommes restants avaient résolu de rebrousser chemin. Peut-être s'agissait-il des derniers occupants de la tente-hôpital. Les ultimes survivants. De l'avis de Doug, ils avaient sans doute décidé d'essayer de regagner l'*Erebus* et le *Terror* dans l'espoir que là-bas, au moins, ils seraient à l'abri – si tant est que les tempêtes ne les avaient pas détruits, sans compter qu'il restait passablement de vivres à bord. Ils avaient dû se dire que mieux valait tenter de retourner aux navires plutôt que de passer tout l'hiver sous la tente au bord du rivage. Un petit groupe avait donc résolu de revenir sur leurs pas.

Seulement ils n'étaient pas allés bien loin. Deux hommes au moins étaient mourants ; le bateau était ridiculement lourd. À ce stade, les malheureux n'avaient sans doute plus toute leur tête. Ils traînaient une charge colossale ; la chaloupe retrouvée était remplie d'un fatras indescriptible. À l'intérieur, en plus de deux squelettes, il y avait des bottes, des piles de torchons, du savon, des éponges, des peignes, une housse de fusil, de la ficelle, des brosses, des scies, des limes, des bougies, des balles, de la poudre, des cartouches, des couteaux, des aiguilles et du fil, des sabres à baïonnette, deux rouleaux de plomb laminé, des mouchoirs en soie, des livres. *Le Vicaire de Wakefield, Un manuel de dévotion, Mélodies chrétiennes,* la Bible. Un livre de prières de l'Église d'Angleterre. Au fond de l'embarcation, c'était encore pire ! McClintock en exhuma des cuillers, des fourchettes, des cuillers à thé, des assiettes, des montres, des rames, des boîtes en fer-blanc, du tabac, du thé, du chocolat. Il n'y avait ni viande ni biscuits d'aucune sorte, pas de combustible non plus. En rédigeant par la suite le compte rendu de sa découverte, l'explorateur avait dit que tout le chargement du bateau n'était qu'une accumulation de poids morts, sans guère d'utilité. Il se disait certain que celui-ci avait épuisé les dernières forces des équipes des traîneaux.

On ne sut jamais qui étaient les deux hommes restés auprès de la chaloupe. Selon McClintock, l'un d'eux, le plus jeune, était affalé à l'avant. Ses os étaient sens dessus dessous. De grands animaux puissants, des loups probablement, avaient déchiqueté son cadavre, précisa McClintock. L'autre corps se trouvait sous le banc de nage avant. Il était plus âgé, plus grand. Il était assis enveloppé de fourrures, deux fusils à doubles canons de part et d'autre de lui, chargés et armés, la gueule dressée contre le flanc du bateau.

Ces deux-là avaient toujours fasciné Doug. Un homme assez âgé, un autre plus jeune, vestiges des malades que Crozier avait laissés derrière lui en essayant de regagner les bateaux. Ils avaient été abandonnés sur la rive avec un bateau rempli de livres, sans vivres. Et ces ossements mêlés aux pieds du vieil homme ! Avait-on jamais vu des loups réduire un corps en lambeaux, puis réordonner avec soin les os intacts en un tas dans le bateau d'où ils les avaient tirés ?

Et puis il y avait Crozier lui-même. Cette figure spectrale qui semblait hanter John. Tout ce qui avait émergé de ces terres désolées à son sujet, c'était le témoignage des Inuit que l'on appelait jadis Esquimaux. Des tas de légendes circulaient. On disait notamment que Crozier aurait survécu des années parmi les indigènes avant de regagner finalement la baie d'Hudson par l'ouest. D'aucuns affirmaient même qu'il avait presque atteint un avant-poste lorsqu'il fut tué par une tribu rivale. Des histoires abondaient à propos de Crozier soigné et rendu à la vie au cours de l'hiver 1849, après quoi il aurait remonté le Backs Fish ou gagné la baie de Repulse à l'est. Certaines femmes inuit taquinaient même les Européens des années plus tard en disant qu'ils avaient des enfants qui descendaient non seulement de Crozier, mais de Franklin lui-même.

La seule certitude, parmi tous ces témoignages et ouï-dire mêlés, était que Crozier avait bel et bien été vu à la pointe sud de la Terre du roi Guillaume au cours de l'été 1848. Il y avait rencontré un groupe d'Inuit et les avait suppliés de lui donner de la viande de phoque pour ses hommes affamés. Il avait obtenu gain de cause, mais, pendant la nuit, les indigènes avaient filé parce que la vue des Européens leur faisait peur. Ils avaient la figure toute noire, avaient-ils dit. Leurs dents étaient décolorées et leurs gencives sanguinolentes. Les Inuit redoutaient que le mal dont ils souffraient, quel qu'il fût, ne fût contagieux. Et puis ils mouraient presque de faim eux-mêmes après un hiver et un printemps terriblement froids alors que l'été ne semblait pas vouloir venir.

Crozier serait donc resté sur le rivage du détroit de Simpson, peut-être parmi les petites îles de Point Tulloch. Il était certain que ni lui, ni aucun membre de son équipage n'avaient été vus après cette ultime rencontre. Les navires – ces énormes chefs-d'œuvre de la technique de l'Angleterre victorienne – avaient sombré, à moins qu'ils ne se soient fracassés contre le littoral, poussés par les tempêtes des années ultérieures. À l'instar des marins, ils avaient disparu comme s'ils n'avaient jamais existé.

Jo frissonna. Le taxi se garait devant le terminal de l'aéroport. Catherine avait saisi son sac de voyage et s'apprêtait déjà à ouvrir la portière. *Et si John ne revenait jamais ?* pensa Jo en regardant son profil. *Si lui aussi avait disparu pour toujours ? Si l'on n'arrivait jamais à le retrouver ?*

Lady Jane Franklin avait pleuré son époux pendant près de trente ans. Soudain, elle se prit à espérer follement que Catherine ne sache jamais ce que c'était de vivre le reste de sa vie, comme la femme de Franklin, en ignorant ce qu'il était advenu de l'homme qu'elle aimait.

Pas elle, songea Jo. Pas cette fille-là.

Elles eurent un choc en s'extirpant du taxi. La première personne que Jo aperçut fut une journaliste qui courait vers elle, un caméraman et d'autres reporters dans son sillage.

– *Meridian News !* lança la jeune femme. Avez-vous des nouvelles de John Marshall ?

– Non, répondit Jo en faisant la grimace face à l'éclairage éblouissant de la caméra.

– Mais il se trouve là-bas ?
– Oui.
– Comment va Sam, miss Harper ?
Une autre voix.
– Ça va. Son état est stationnaire.
– Avez-vous parlé à la mère de John ?
– Oui.
– Partez-vous là-bas ?
– Non. Miss Takkiruq y va à ma place. Elle connaît la région.

Les micros se tournèrent dans la direction de Catherine.

– S'il est là-bas quelque part, nous le trouverons, déclara celle-ci.

– Je veux qu'une chose soit bien claire, reprit Jo en tendant la main vers la journaliste. John Marshall ignore pourquoi nous le cherchons. (Elle essaya de garder son calme.) Si nous le trouvons et s'il décide de revenir, ce sera formidable. Merveilleux.

Elle leva le menton et regarda droit dans l'objectif le plus proche.

– Mais si nous ne le trouvons pas à temps ou... quoi qu'il arrive, ajouta-t-elle, ce ne sera pas de sa faute. N'oubliez pas cela.

Il était 14 h 15 quand les bagages de Catherine furent finalement enregistrés. Elle s'était postée près la porte des embarquements et serrait ses billets dans sa main.

– Embrasse Sam pour moi, dit-elle à Jo.
– Entendu.
– Sa numération était meilleure aujourd'hui.
– Oui.

Elles se dévisagèrent.

– Dis à John, chuchota Jo, dis-lui...

Catherine hocha la tête.

– Je sais ce qu'il faut lui dire. Je sais. Ne t'inquiète pas.

Jo consulta rapidement le panneau d'affichage au-dessus de leurs têtes. Le numéro de vol de Catherine était indiqué en vert. Calgary : embarquement porte nº 79.

– J'aimerais pouvoir venir avec toi.

– Ce n'est pas un problème, la rassura Catherine.

Les gens derrière eux poussaient un peu pour avancer. Certains jetèrent des coups d'œil dans leur direction, percevant la tension dans leurs attitudes, scrutant leurs visages, se donnant à l'occasion des coups de coude en les reconnaissant.

Jo serra Catherine dans ses bras.

– Prends soin de toi.

– Je vais le ramener, Jo, promit Catherine. Bientôt. D'accord ? Tu seras ici même dans cet aéroport. Nous franchirons ces portes ensemble. Je te le promets.

Elle embrassa Jo sur la joue et s'éloigna.

En la regardant partir, Jo sentit comme une violente déchirure dans sa poitrine. Elle avait tellement envie de courir après elle, de l'accompagner, de monter dans cet avion. De se poser à Gjoa Haven. De la suivre, où qu'elle aille.

Elle voulait aussi retourner au plus vite à Great Ormond Street. Assister à la prochaine transfusion, inciter le sang à passer dans ces tubes, observer la veine de Sam, cette petite veine bleue au creux de son coude, son pouls. Elle ne la quittait pas des yeux. Pas le cathéter par lequel accédaient les remèdes, mais ce petit endroit bleu sous la peau de son bras. C'était une preuve de vie. Tant que la veine palpitait, il était encore avec elle.

Seigneur, elle avait tant de choses à demander ! La vie d'un enfant. La vie de John Marshall. Deux vies, dans un monde de destruction perpétuelle. Deux vies alors que tant d'autres ne s'en sortaient pas. Le poids de cette pensée l'opprimait. La porte d'embarquement était tour à tour visible et floue. Elle distinguait encore vaguement Catherine, sa haute taille, ses cheveux noirs. Elle avait tellement peur à l'idée de la laisser partir seule, elle redoutait tellement qu'elle ne revienne pas. Et puis elle le vit !

Doug. Juste à la gauche de Catherine. Elle était de profil, son sac gris jeté sur son épaule. Il regardait les gens autour de lui, comme s'il cherchait quelqu'un.

– Doug...

Il se tourna. Vers Catherine d'abord. Puis vers elle. Elle croisa son regard, y lut son message.

Je vais avec elle. Je serai là-bas.

Elle cilla des paupières. Il disparut. Catherine se retourna une dernière fois et lui fit signe tout en continuant à marcher. Puis elle se volatilisa dans la cohue.

Jo la chercha des yeux. Elle regarda fixement l'endroit où Doug lui était apparu.

– Mon Dieu ! pria-t-elle, oubliant toute son amertume passée à l'égard du Tout-Puissant. Je vous en supplie, mon Dieu, aidez-nous !

Une forte impression de chaleur et de lumière l'envahit tout à coup, comparable à ce qu'elle avait éprouvé deux ans plus tôt dans le jardin lorsqu'elle y avait emmené Sam quelques jours après sa naissance. Cette étrange notion de lien. Elle sentit Doug si proche d'elle qu'elle perçut son contact, la douceur de ses lèvres sur son visage.

Quelque part loin de là, elle crut entendre la voix

de la journaliste et d'autres, plus près d'elle, mais elle se rendit à peine compte de leur ton inquiet. Les couleurs volaient en tous sens, fusionnant entre elles. Le sol se déroba sous ses pieds. Il l'emporta dans l'obscurité.

23.

Starvation Cove. Maconochie Island. Il avait vu ces endroits des centaines de fois en songe auparavant, bien que ses rêves eussent toujours été très colorés. Des bleus et des orange vifs, la glace éclairée en contrechamp scintillante dans la lumière à ras le sol, l'océan vert émeraude, des coquelicots de l'Artique, des saxifrages.

Au cours de ces deux derniers jours, John s'était rendu compte que ses rêves étaient tous les mêmes, y compris ceux de la *Jeanette.* Il y avait toujours eu tant d'ombres, une multitude de détails. Le fjord de Disko aux pieds de McClintock en août 1857. Des campanules dardant leur bleu intense parmi les fleurs sauvages. Les halos autour du soleil. Le Noël de McClintock à bord du *Fox* en 1858. Une débauche de bougies. Leur lueur inondant la table en madrier blanche, récurée de frais, tandis que dehors la neige tombait, le thermomètre étant descendu à moins quatre-vingts degrés. Après toutes ces visions, le monde d'ici lui semblait incolore.

Il avait grimpé au sommet de la plus haute butte qu'il avait pu trouver. Elle s'élevait sans doute tout au plus à dix mètres au-dessus du niveau de la mer. Il était midi. Il n'y avait rien derrière lui hormis le paysage lunaire de la péninsule, plat et lisse sauf aux endroits interrompus par une petite crête de grosses pierres. Il y avait de l'eau partout. Laissée par la glace : des centaines de mares parmi les roches. Sous le ciel nuageux, elles formaient des cercles gris. Monochromes, diaphanes.

Il se tourna vers l'est. La terre était parfaitement plate à perte de vue. Pas un mouvement : ni animaux, ni végétation. Quand il pivota sur lui-même, chaque muscle de son corps protesta. Il avait parcouru soixante kilomètres en trois jours ; ses jambes et son dos le brûlaient. Il avait planté sa tente, mais il voyait bien maintenant d'où il était, qu'il ne s'était pas très bien débrouillé. La porte claquait au vent. Il éprouva le désir presque irrésistible de la démonter. Il voulait tout abandonner sur place. Il se demanda s'il enterrerait la tente avec le reste de ses possessions.

Plus loin, vers l'est, le bras de mer s'élargissait. Maconochie Island se situait probablement à un kilomètre de là. Il plissa les yeux pour tenter de distinguer un changement quelconque dans le paysage monotone. Sur la carte épinglée au mur de sa chambre à Cambridge, l'île formait un petit ovale blanc frangé à l'ouest de dunes de sable et de cailloux, et c'était la même chose qui s'étendait devant lui : un horizon blanchi sous les rouleaux de brume, blanc sur gris, gris sur blanc.

Il s'assit sur le rivage. Le rocher sous lui produisit un son râpeux, comme de la porcelaine cassée, qui le fit grincer des dents. Il se recroquevilla sur le sol, soudain privé de ses dernières forces, ignorant la température et l'épais nuage de moustiques omniprésent. Le premier jour de sa marche, il avait essayé de se protéger la figure sous son capuchon et il avait gardé ses gants parce que les insectes se posaient sur lui dès qu'il s'arrêtait. Ils couvraient tout le côté sous le vent de sa tente, profitant de la relative chaleur – sept degrés. Plus tard, il avait renoncé à essayer de leur échapper et il avait le visage tout gonflé à cause des piqûres.

Peu importait. La douleur n'était plus réelle. Comme la soif, comme les élancements dans ses muscles et ses articulations, elle était devenue une sorte de bourdonnement en arrière-plan. De la friture à la radio, le flou du son blanc faute d'une bonne transmission. La tonalité impossible à obtenir au téléphone.

Il roula sur le ventre, ferma les yeux. Il plongea les mains sous les pierres devant lui en faisant glisser le bout de ses doigts sur leurs contours pointus ; certains étaient aussi acérés qu'une lame de couteau. Une brise fraîche et salée l'enveloppa.

Schwatka avait baptisé cet endroit Starvation Cove lorsqu'il était venu à la recherche de Franklin en 1879. Il pensait avoir trouvé des survivants. Il avait écouté les Esquimaux qui lui avaient parlé de corps retrouvés, de montres, de fusils, de la poudre à canon. Leurs enfants ignoraient ce que c'était que cette poudre. Ils croyaient que c'était du sable noir. Ils en avaient emporté dans la tente et avaient mis le feu ; ils s'étaient brûlé les sourcils et les cheveux et avaient eu une peur bleue.

Certains prétendaient que Crozier était allé jusqu'à Montreal Island, à l'embouchure du fleuve, mais John en avait toujours douté. Cela faisait une cinquantaine de kilomètres supplémentaires et il le voyait mal couvrant une pareille distance après avoir mendié de la viande de phoque. Non... c'était ici. Il était mort ici.

John se mit sur le côté et ouvrit les yeux. Il avait attendu cet instant depuis toujours. Après le trajet en bateau de Gjoa Haven jusqu'à la côte, la marche avait été purifiante. Il était content que cela ait été ardu parce qu'il avait la tête remplie. La deuxième nuit, il avait plu ; de l'eau avait pénétré dans la tente. Quand il s'était réveillé, il était trempé jusqu'aux os ; ses vêtements lui collaient à la peau. Il s'était levé et avait continué son chemin, conscient du son laborieux de sa respiration. Il avait vu de la glace loin dans le chenal ; des cristaux étincelaient dans les mares le long du rivage. Dans un mois, l'hiver serait de retour.

Il se força à s'asseoir et attendit. Il pensait le voir. Tout au moins un vestige de lui. Mais il n'y avait rien. Soudain le souvenir de son père remonta à son esprit. Son père dans cette pièce, le grand salon à baies vitrées de son appartement, assis sur le canapé, la jambe dans le plâtre. En train de lui parler de cette journaliste. Il ne l'avait vue que deux fois, et ne lui avait parlé que d'elle : Jo Harper. Pas de lui, ni de John. Il se souvenait de cette journée, des gouttes de pluie qui séchaient sur la vitre quand le soleil avait commencé à percer, du visage buriné, souriant de son père, de la lumière de son regard.

John avait eu envie de lui parler de Catherine, mais il n'avait jamais pu trouver les mots. Tout son problème était là : les mots lui restaient coincés en travers de la gorge. Il n'arrivait pas à s'exprimer, à s'ouvrir. Seule Catherine avait vu le visage qu'il cachait. Elle seule avait sondé la profondeur de son désespoir et voulu de son amour. Elle avait accepté ses obsessions. Pleinement. Pas comme Amy qui lui demandait à tout bout de champ de renoncer à ces idées. Catherine travaillait avec lui, le suivait, main dans la main, son regard scrutant passionnément son visage.

Après la mort de son père, il n'arrivait plus à la regarder en face. Le pardon et la compréhension qu'il lisait dans ses yeux lui étaient insoutenables. Lui ne comprenait pas. Il ne se pardonnait pas lui-même. Alors pourquoi, elle ? Il n'avait rien à donner à personne. Ni à sa mère. Ni à Catherine. Et pourtant elle l'aurait suivi jusqu'ici.

Il porta sa main à son visage en se demandant d'où venait cette eau. Et puis il se rendit compte qu'il pleurait.

Le soir finit par arriver. L'océan se colora enfin : d'un bleu indigo profond, infiniment profond. C'était tellement beau qu'il rit de cette magie, l'eau changeant de tons dans la lumière déclinante. Le cobalt et l'indigo d'une boîte de peinture. Diluez la poudre avec de l'eau. Regardez les nuances s'épanouir. De l'indigo sur le pinceau imbibant le papier à cartouche. Les couleurs de l'enfance, des noms sur une boîte de gouaches. Comment s'appelaient-elles déjà ? Sienne brûlé, violet, blanc titane. Et ce... bleu magnifique qui filait devant ses pieds.

Au début, la clarté de la journée perpétuelle s'estompa à peine. La pluie arriva brusquement, plus épaisse encore que le rideau de moustiques, plus dense que la pénombre, du clair au foncé en quelques minutes. Le vent se leva et lui planta des aiguilles de froid sur les joues. Il ne voyait plus la glace sur l'océan. Ni la terre pleine de creux derrière lui. Pour finir, il perdit le sens de l'orientation.

Il s'était retrouvé à quatre pattes. Il n'arrivait pas à se souvenir ce qu'il cherchait jusqu'au moment où il ferma les yeux et vit resurgir la forme de l'objet. Il s'était coupé la main sans trop savoir comment en tâtonnant. En quête de cette chose ronde, cylindrique qu'il pensait avoir sentie. Une irrégularité parmi la roche. Lisse. Il avait touché quelque chose, puis plus rien. À quatre pattes. L'air lui brûlait le haut des poumons.

Il finit par s'allonger devant la porte de sa tente, immobile, les yeux rivés sur l'endroit d'où il était venu. Quelque part dans la mer face à lui, gisait l'*Erebus*. Il avait dû dériver. En entraînant peut-être le *Terror* avec lui. Les Inuit disaient qu'un des navires, poussé par la glace, était venu se fracasser sur la rive de la Terre du roi Guillaume. Ils avaient retrouvé l'autre presque intact, plus au sud ; ils étaient montés à bord. Ils y avaient découvert le corps d'un homme, une échelle posée sur la glace et les empreintes de deux autres hommes. Apeurés d'abord, puis s'enhardissant petit à petit, ils avaient accédé à l'intérieur en brisant un pan de la coque. Ils avaient récupéré tout le métal qu'ils avaient pu porter avant de s'apercevoir que le bateau était en train de couler parce qu'ils avaient affaibli la structure autour de la ligne de flottaison.

Le bateau avait sombré rapidement, en l'espace d'une journée. Pendant des mois, après cela, on n'en voyait plus qu'une partie ; il avait fini par être totalement englouti. Quelque part au fond de l'océan. John regardait avidement l'endroit où se dissimulaient ces vestiges. Quelque part au fond, il y avait deux locomotives à vapeur. Elles devaient encore être là, même si tout le reste avait pourri. Quelque part. Quelque part.

Son père avait toujours dit que ce serait un coup formidable, le plongeon de sa vie : descendre jusqu'à l'épave de l'*Erebus* ou du *Terror*. Cela vaudrait toutes les autres découvertes de sa vie réunies.

Et John pensa au silence quand il avait plongé en Turquie, le sifflement de l'air, la fragile réserve d'oxygène, les bourdonnements répétés, comme ceux qu'il croyait entendre maintenant au-dessus de lui. On aurait dit un moteur de bateau. Le son que l'on percevait lorsqu'on était sous l'eau avant la remontée. On attendait en écoutant ce bruit qui se mêlait au silence absolu, suspendu quand on arrêtait de respirer. Il pensait à l'*Erebus,* en suspens lui aussi, non pas mort, mais bien vivant au fond du détroit de Victoria.

Il se mit debout et regarda l'océan. Tout ce bleu sur gris et le ciel clair, sans étoiles.

La mer frémissait sous ses pieds.

– Papa ! s'écria-t-il, mais son appel fut noyé par le bruit de l'eau.

Il tomba à genoux sur les galets.

– Je n'arrive pas à te trouver. Aide-moi, papa. Je n'y arrive pas.

Le vrombissement du moteur de bateau se fit de nouveau entendre tard dans la nuit. Ils étaient allés beaucoup trop loin le long de la côte ; à présent, la bourrasque les poussait vers le rivage. C'était l'obstination d'une seule personne qui les avait conduits jusque-là. Le bateau finit par racler les galets. Ils mirent pied à terre tous les trois ; deux d'entre eux tirèrent aussitôt le canoë sur la terre ferme, le moteur hors-bord tapant contre la coque d'un côté. Ils détournèrent le visage en faisant le dos rond pour se protéger des assauts du vent. Il entendit leurs voix – des fantômes à coup sûr –, comme déchirées, éparpillées par la tempête. La troisième forme humaine leva la tête vers la colline et commença à marcher, puis à courir vers lui. En luttant pour s'extirper d'un sommeil fiévreux, il la regarda franchir le torrent, sur le point de le rejoindre.

Elle n'était pas là, bien sûr. Il rêvait de la voir, voilà tout.

Elle s'agenouilla auprès de lui et repoussa son capuchon. Alors il vit l'eau, toute la pluie de l'orage, se déverser sur ses cheveux. Des cheveux, noirs dans sa main, cette corde de cheveux...

– John, dit-elle, John...

Il ferma les yeux, reconnaissant qu'elle soit venue à lui au milieu de cet horrible cauchemar.

Elle le serra dans ses bras. Leva son visage vers le sien.

– C'est trop loin, dit-il. Trop loin pour repartir.

– Peu importe où, répondit-elle. Nous irons ensemble.

24.

Il était 18 heures et le silence régnait dans le Great Ormond Street Hospital. Catherine était partie depuis cinq jours.

Gina se trouvait dans le couloir, près de la fenêtre, à l'endroit où elles s'étaient tenues toutes les trois une semaine plus tôt seulement. L'immobilité aussi soudaine qu'inattendue la fit tressaillir. Elle jeta un coup d'œil à sa montre, puis au couloir, dans un sens, dans l'autre, perplexe. Le silence n'était jamais vraiment complet dans un hôpital ; il se passait trop de choses, entre les changements d'équipes, les sonneries de téléphone, les ouvertures et les fermetures continuelles, bien qu'étouffées des portes coupe-feu, les voix résonnant dans les couloirs, les ronronnements des ascenseurs et celui des monitors près des lits. À cet instant, pourtant, il n'y avait pas un bruit. Même la rumeur de la circulation dehors semblait s'être atténuée. Elle se retourna. Une infirmière approchait dans le couloir.

– Quelque chose s'est arrêté ? demanda Gina.

– Comment ? répondit l'infirmière.

– Quelque chose s'est arrêté ? répéta-t-elle. La climatisation ou... le chauffage ?

La jeune femme tendit l'oreille.

– Non, je ne crois pas. Je ne perçois pas de différence.

Elle considéra Gina d'un air intrigué.

Puis, une terrible conviction frappa Gina de plein fouet. Elle sut exactement ce que signifiait ce silence. Elle écarta à la hâte l'infirmière, interloquée, et courut vers la porte du service.

On avait mis Sam dans un lit dissimulé par un rideau. Jo dormait à côté de lui, dans un grand fauteuil vert, la tête sur le côté, adossée à des coussins. Elle tenait l'ours de Sam à la main. Elle avait repoussé le chariot contenant son repas qu'elle avait à peine touché.

Étant donné la position dans laquelle se trouvait son fauteuil, parallèle au lit de l'enfant, Gina n'arrivait pas à voir Sam depuis le seuil. Une effroyable appréhension l'ébranla brutalement, comme si le monde s'était arrêté. Pareil à ce moment lors d'un accident où l'on se rend compte au ralenti de ce qui se passe et que les moindres détails deviennent étrangement clairs. Elle remarqua la bague que Jo portait toujours à l'annulaire, une fine bande de platine ornée de délicates feuilles de lierre en relief. Ainsi que le bracelet en plastique d'hôpital qu'elle avait attaché à son poignet. Elle y avait écrit son nom pour que Sam voie qu'il n'était pas le seul à arborer un tel insigne. Les lettres étaient éclatantes. Gina tendit l'oreille, à l'affût de la respiration de Sam. Elle n'entendit rien.

Un mouvement dans un angle de la pièce attira son attention. La télévision était allumée, mais il n'y avait pas de son. Elle s'avança, momentanément attirée par l'écran. Elle fronça les sourcils. L'habituel logo de la BBC des nouvelles du soir venait d'être remplacé par le visage du présentateur ; une image s'y superposait dans le coin en haut à gauche. On y voyait un hélicoptère rôdant au-dessus d'un paysage gris au milieu duquel un petit groupe de gens semblait perdu. Elle détourna les yeux et s'approcha de Jo.

À cet instant, son amie se réveilla. Elle considéra Gina d'un air hagard.

– Qu'est-ce qu'il y a ? demanda-t-elle.

Elle écarquilla les yeux en voyant l'expression de Gina. Trop inquiète pour faire face à Sam, elle fixa son attention sur le sol. Pour finir, elle se retourna et repoussa son fauteuil.

Il gisait immobile, les bras de part et d'autre de son corps. Il était réveillé, absorbé par les images à la télévision. En suivant son regard, les deux femmes se tournèrent vers l'écran.

– Mon Dieu ! souffla Jo.

C'étaient des vues prises d'un appareil en plein vol. L'ombre d'un Twin Otter se reflétait sur le rivage en dessous suivie d'une tache bleue sur une surface grise – une petite tente plantée parmi des mares, égarée sur un isthme. On voyait ensuite un canoë vert tiré sur le rivage, le moteur hors-bord Johnson à l'arrière touchant le versant calcaire.

Une carte : Gjoa Haven marqué par une croix rouge au nord, à l'est, Pelly Bay, à l'ouest, Cambridge Bay, avec entre les deux la longue Terre du roi Guillaume pareille à un cœur couché sur le côté. La tente encore, plus près cette fois-ci, l'avion volant à basse altitude. Puis des visages. Celui de Catherine, au milieu d'une foule sur une piste d'atterrissage, son père à côté d'elle. Le visage brun de Joseph Takkiruq, ses yeux noirs perçants. Catherine, tout sourire, repoussant ses cheveux d'une main tout en tentant de parer aux journalistes de l'autre.

Jo se leva d'un bond pour monter le son.

– ... trouvé vivant après cinq jours de recherche dans l'un des paysages les plus désolés de la Terre et une campagne de publicité internationale qui dure depuis plus de deux mois...

La foule se dispersait. Derrière eux, on apercevait un brancard.

– Oh mon Dieu ! Mon Dieu ! s'écria Gina.

Le commentaire leur échappa en partie. Elles n'en entendirent probablement que la moitié. À cet instant, les deux téléphones sur le bureau de l'infirmière de garde au bout du couloir se mirent à sonner.

« ... ce double sauvetage, le jour même où l'ourson a été transporté par avion dans le Manitoba... »

Catherine avait réapparu à l'écran.

On la bombardait de questions.

– Miss Takkiruq ! Comment va John ?

– Ça va, répondit-elle en essayant de se frayer un chemin parmi les reporters. Il est épuisé, mais il va bien.

– Pouvez-vous nous montrer ce qu'il a trouvé ?

– Oui, répliqua-t-elle.

Elles virent Catherine fouiller dans la poche de sa parka et en sortir un cylindre en cuivre, presque entièrement recouvert de vert-de-gris.

Jo émit un petit cri de surprise. Elle s'avança et posa la main à plat sur l'écran une seconde.

– Il était sous lui, dit Catherine. Sous son bras.

Le bruit s'intensifia pour devenir assourdissant.

– Est-ce un vrai ?

– Miss Takkiruq...

Catherine pressa un bref instant le cylindre contre son front et ferma les yeux. Puis elle les rouvrit en souriant et regarda l'objet qu'elle tenait à la main.

– Francis Crozier, murmura-t-elle, capitaine du HMS *Terror*, 11 août 1848.

Dans la chambre d'hôpital londonienne, Jo et Gina se jetèrent dans les bras l'une de l'autre.

Sur l'écran, elles virent Catherine plaquer ses mains sur ses oreilles pour protester contre le vacarme autour d'elle.

Jo se précipita au chevet de Sam et l'embrassa.

Catherine s'était emparée du micro le plus proche.

– Puis-je dire quelque chose ? demanda-t-elle. Juste une chose ? J'ai un message pour Jo Harper à Londres.

Les gens autour d'elle se turent instantanément. Un silence aussi total que celui que Gina avait perçu moins de deux minutes plus tôt. Gina saisit le bras de Jo par-dessus le lit.

Catherine brandit le cylindre.

– Salut, Jo, commença-t-elle d'une voix douce en s'adressant à la caméra, les miracles, ça existe en fait ! Dis à Sam que son frère arrive.

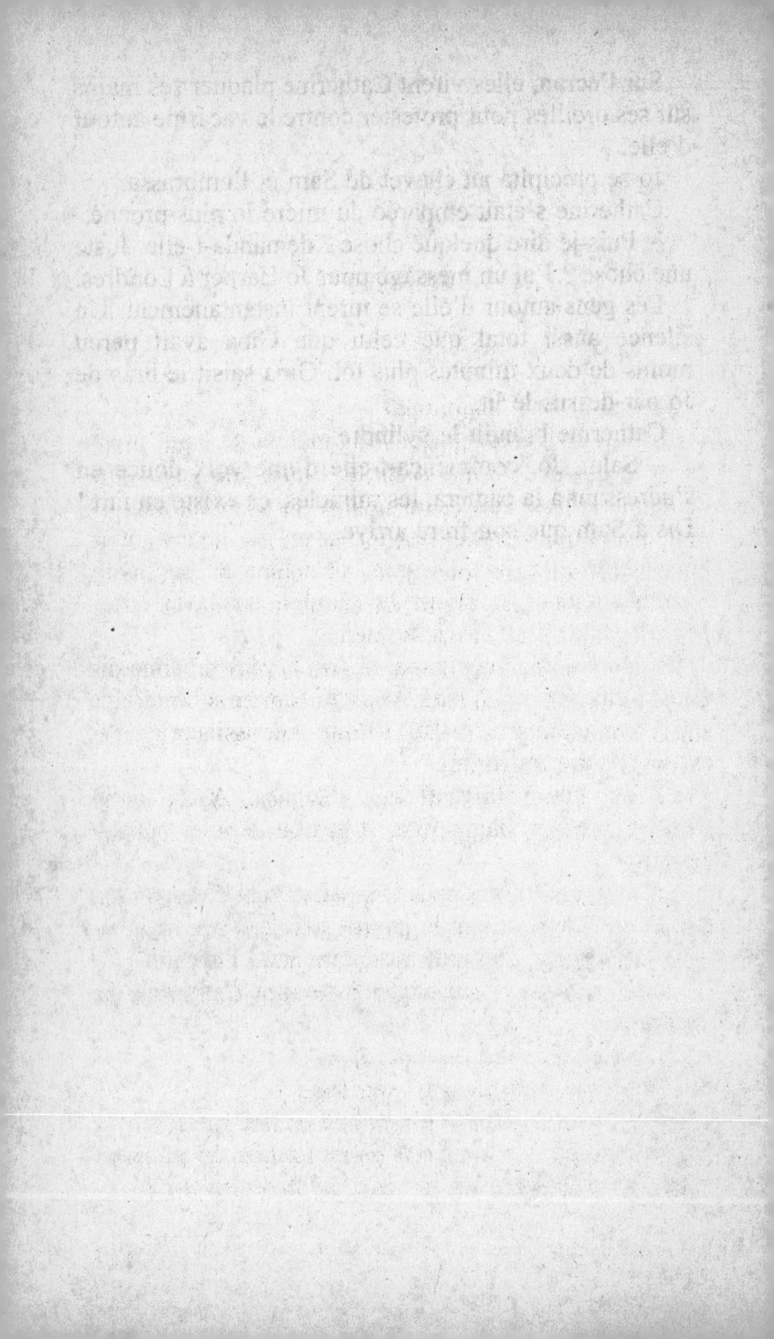

Épilogue

Churchill Bay, Manitoba.

Le Buggy Tundra faisait trois mètres de haut, mais en se dressant de toute sa taille, l'ours atteignait tout de même la fenêtre. Les occupants du véhicule reculèrent instinctivement en voyant sa grosse tête s'introduisant presque de force dans la cabine et ses dents s'enfoncer dans le rebord en caoutchouc de la vitre. Mais l'enfant n'avait pas bronché.

Sa mère aurait sans doute dû être la plus terrifiée de tous et l'éloigner à la hâte. Mais Jo Harper se renfonça sur la banquette près de Bill Elliott pour assister à cette extraordinaire rencontre.

Ce fut John Marshall qui s'avança. Assis entre Catherine et son demi-frère, il prit ce dernier sur ses genoux.

– Comment allons-nous l'appeler, Sam ? demanda-t-il en prenant l'enfant de quatre ans dans ses bras.

– Le Nageur, répondit instantanément l'enfant.

– Tu crois qu'il sait nager ? s'enquit Catherine en souriant.

– Des kilomètres, répliqua Sam.

– Comme sa mère, souligna John.

L'ours se détourna et retomba à quatre pattes sur la plaine tapissée de neige. Il parut hésiter un moment avant de s'éloigner en prenant la direction du nord-ouest, sans se retourner une seule fois. Le premier grand ours blanc à recouvrer la liberté après avoir vécu en captivité !

John se leva en même temps que Sam. Ils suivirent le Nageur aussi loin qu'ils le purent depuis le poste d'observation. Puis John se tourna vers Jo, lui tendit les bras et l'étreignit. Ils restèrent là un moment, Sam calé entre eux deux.

– Tu crois qu'il survivra ? murmura Jo.

– Oui, répondit John avec conviction. L'impossible est possible ici.

Puis Sam se précipita à la fenêtre, retira ses mouffles et pressa sa main contre le carreau froid. Quand il ôta sa main, il resta une empreinte parfaite. En enlevant son gant à son tour, John superposa sa paume sur la sienne. Jo plaça la sienne par-dessus. Quand ils s'écartèrent, leurs trois marques entremêlées se dessinaient sur la vitre.

Et au-delà s'étendait la piste de l'ours polaire.

Des empreintes de pieds étaient encore visibles aux abords du lac Christie au printemps 1850, mais elles n'appartenaient pas à des Esquimaux, ni à des Chipewyan ni à des Cree.

Qui que fût l'homme blanc qui était passé par là durant l'hiver, il avait marché dans une neige poudreuse qui venait à peine de tomber. La neige avait gelé, les vents d'hiver étaient venus et de son périple, il ne restait plus à présent, en cette journée d'avril, que ces marques bien nettes, en relief.

Son pied était plus long que celui des Esquimaux, et la piste continuait sur la glace en direction de la baie vers le nord-ouest. Il n'y avait pas d'empreintes de talon, mais des traces d'orteils que les indigènes ne pouvaient laisser. Les Esquimaux du Sud qui les découvrirent s'acheminèrent vers l'anse de Lyons dans l'espoir de le retrouver.

Certains disaient que le voyageur inconnu était passé par Ignearing, au nord-est d'Igloolik. D'autres affirmaient que l'homme blanc était allé vers l'est, plus loin encore, jusqu'à Fort Hope et les bâtisses encore debout construites par John Rae, venu là trois ans plus tard à la recherche des survivants de l'expédition Franklin.

D'autres encore disaient qu'il avait longé toute cette côte et qu'il avait fini par épouser une Inuit. Il serait allé jusqu'à Fort Churchill, à cinq cents milles au sud. Il était possible de se rendre de cette pointe la plus septentrionale de la baie d'Hudson jusqu'au fort. Il y avait un chapelet de camps Inuit éparpillés tout du long, à Depot Island, Fort Fullerton, et à Nuvuk, au sud de Wager Bay ; ils menaient au comptoir de la baie d'Hudson où les bateaux d'approvisionnement venaient s'amarrer chaque année. On pensait que de là, il était peut-être retourné d'où il était venu en 1845 et aurait traversé l'océan pour rejoindre son peuple.

D'aucuns soutenaient que le mystérieux homme blanc avait atteint Fort Hope. Il était resté plusieurs jours dans les ruines de la maison de Rae en compagnie d'une femme appelée Maliaraq. Il avait longuement regardé les eaux de la Baie avant de se résoudre à retourner vers l'ouest pour la bonne raison qu'aucun homme de son pays ne le croirait.

Pis encore, les gens de son pays risquaient fort de croire ce qu'il avait fait, mais ne le comprendraient pas. Ils ne le laisseraient jamais tranquille jusqu'à la fin de ses jours. Or il ne pourrait supporter un tel fardeau, le poids d'être le seul homme à être revenu quand tous les autres étaient enterrés là-bas.

Certains décrétaient que tout cela n'était que de l'invention, des légendes, des chimères, qu'il n'y avait jamais eu d'empreintes au printemps 1850, que les familles des Esquimaux du fleuve Great Fish, baptisé Backs Fish par l'homme blanc, n'étaient jamais revenus pour emmener le seul garçon encore en vie avec eux.

Était-il devenu un homme parmi eux ? Avait-il vécu avec eux avant de marcher jusqu'à Fort Hope puis de revenir ?

Certaines histoires sont vraies, d'autres des mythes.

On rêve de voyages qu'on ne fait jamais.

Certains, comme Sam Marshall et Augustus Peterman, franchissent de longues distances dans l'obscurité sur des chemins qu'aucun autre homme ne connaîtra.

Pour atteindre finalement la lumière. Et survivre.

Note et remerciements de l'auteur

« *... ce que je redoute, c'est que si vous arrivez si tard, nous... risquons fort d'avancer à l'aveuglette dans la neige... James, je donnerais cher pour que vous soyez là, je n'aurais aucun doute alors sur l'orientation que nous avons prise...* »

Ce livre a commencé avec Francis Crozier.

J'avais découvert l'expédition Franklin de 1845 en lisant la lettre, dont un extrait figure ci-dessus, à l'Institut Scott de recherches polaires de Cambridge. Crozier l'avait envoyée à sir James Clark Ross des Whalefish Islands le 19 juillet 1845. L'écriture passée de cette unique missive, si pleine d'appréhension et d'humour mêlés, m'avait frappée par son ton incroyablement poignant. Crozier avait navigué de nombreuses fois avec Ross, et son attachement à ce grand commandant est évident.

Plus je me documentais sur ce voyage en enfer, plus j'éprouvais d'admiration pour l'endurance et l'indicible courage des équipages des HMS *Erebus* et *Terror*. J'espère leur avoir rendu justice. Tous les hommes de l'un et l'autre navires y laissèrent leur vie, mais leurs qualités, leurs extraordinaires loyauté et affection mutuelles sont impérissables. Elles nous touchent aujourd'hui encore et sont un exemple pour tous ceux qui ont à s'acheminer dans l'obscurité.

En définitive, peu importe que Franklin ait trouvé le Passage Nord-Ouest bien qu'il fût localisé par ceux qui se lancèrent à sa recherche dans les années qui suivirent. Par cet exemple, il laissa un héritage bien plus considérable, de même que tous ses hommes.

Ceux qui connaissent l'histoire de Franklin sauront déterminer où commence la fiction et où s'arrête la réalité. Je m'en suis tenue aux faits dans la mesure du possible, même si toutes les conversations décrites sont bien évidemment le résultat de conjectures. On ne retrouva jamais de journaux de bord et un seul cylindre en cuivre fut découvert. Crozier demanda effectivement la main de la nièce de Franklin, mais je ne fais que supposer qu'il le regretta.

Autre hypothèse de ma part : la rencontre avec les Esquimaux à Cap Felix. En revanche, les ultimes conversations à Starvation Cove sont relativement plausibles. Des Esquimaux donnèrent bel et bien de la viande à des hommes blancs en ce lieu durant cette période.

Il existe des documents relatifs à la marche de la mort. La référence classique tant pour cette ultime étape du voyage que pour l'ensemble de l'expédition est l'ouvrage de Richard Cyriax, *Sir John Franklin's Last Arctic Expedition* (Methuen 1939, réimprimé en édition limitée par Arctic Press, 1997).

Il faut noter que si l'on a retrouvé de nombreux vestiges de cette funeste équipée, personne ne connaît l'ordre précis des décès. Nous savons que Fitzjames a écrit le message fatidique du 25 avril 1848, mais nous ignorons s'il était déjà malade ou non. Nous ne savons pas non plus si Goodsir et Stanley furent chargés de la tente-hôpital ou si Crozier fut véritablement l'un des derniers survivants, bien que certains témoignages des Inuit le suggèrent.

Il n'y avait personne du nom d'Augustus Peterman à bord du *Terror*, ni de garçons de moins de dix-sept ans. Cependant, des gamins de l'âge de Gus étaient souvent employés à bord d'autres vaisseaux, des baleiniers en particulier. Je tenais à exposer cette tragédie à travers le regard d'un enfant. J'espère par conséquent que cette légère déformation des faits me sera pardonnée.

D'après mes connaissances, les navires furent conçus, construits et chargés exactement comme je le raconte. On n'en finira sans doute jamais de débattre pour déterminer si les équipages furent bel et bien empoisonnés par les vivres de Goldner et le fait est que l'Angleterre victorienne fut horrifiée par l'hypothèse du cannibalisme. Mon avis sur l'une et l'autre conjectures est manifeste dans ce livre.

Si la date de la mort de Franklin est exacte, sa raison demeure inconnue. Peut-être mourut-il de causes naturelles ou était-il atteint de botulisme, comme je le laisse entendre. La seule chose dont on soit sûr, c'est qu'elle fut brutale.

Les autopsies évoquées à Beechey Island eurent effectivement lieu et, à cet égard, je dois beaucoup à John Geiger et Owen Beattie pour leur étonnant livre intitulé *Frozen in Time*. Le sort de John Torrington m'a tout particulièrement touchée ; l'image de ses mains délicates aux longs doigts, publiée dans l'ouvrage de ces deux auteurs, restera à jamais gravée dans ma mémoire.

Je suis tout aussi reconnaissante à John Macdonald

et John Harrington qui m'ont autorisée à faire référence aux recherches que j'ai pu étudier sur leur site Internet, *Franklin Trail,* ainsi qu'à Karis Burkowski, chargé de gérer ledit site. En dépit de la véritable avalanche d'e-mails que je leur ai adressés, ils m'ont toujours répondu avec une patience infinie.

Toute ma gratitude va aussi à Dan Moore pour les renseignements qu'il m'a fournis à propos de Gjoa Haven, ainsi qu'à R. K. Headland, l'archiviste du Scott Polar Research Institute. Je dois également beaucoup à Scott Cookman, auteur de *Iceblink* (John Wiley, 2000), que j'ai lu avec énormément d'intérêt.

Strangers among Us de David C. Woodan (McGill-Queens University Press, 1995) expose une théorie fascinante selon laquelle certains membres de l'équipage auraient survécu. Ils seraient retournés aux bateaux abandonnés pour y passer un autre hiver ou auraient poursuivi leur route vers l'est jusqu'à la baie d'Hudson. De nombreux témoignages d'Inuit tendraient à le confirmer. Il n'existe malheureusement aucune preuve matérielle ou concrète pour corroborer cette hypohtèse.

J'ai glané de nombreuses informations concernant les ours polaires dans *Polar Bears*, d'Ian Stirling et Dan Guravich (University of Michigan Press, 1998), *Journeys with the Ice Bear* de Kennan Ward (North Word Press, 1996), et *Arctic Dreams* de Barry Lopez (Harvill Press, 1999). Ils sont tous on ne peut mieux placés pour mesurer l'improbabilité d'une remise en liberté d'oursons orphelins dans la nature, mais on peut toujours espérer. Surtout dans le domaine de la fiction.

Pour ce qui est de l'histoire moderne, je suis redevable à un nombre incalculable de gens concernant la question de l'anémie aplasique.

D'abord et avant tout, je tiens à remercier Paul Veys, chirurgien spécialiste des greffes au Great Ormond Street Hospital, qui m'a conseillée sur la possibilité d'une compatibilité entre Sam et John en qualité de donneur de moelle.

Par ailleurs, je voudrais témoigner toute ma gratitude à deux familles qui ont connu personnellement cette maladie : Stuart et Karen Heaton et leurs étonnantes filles, Emma et Beth. Shaun et Sheila Burrow, ainsi que leurs fils Elliott et Nathaniel qui ont eu l'extrême gentillesse de me recevoir et de me fournir toutes sortes de détails. Ils ont fait preuve d'une extraordinaire générosité dans les circonstances les plus difficiles qui soient. Leur courage me faisait tellement penser aux équipages de Franklin – cette solidarité, cette détermination surhumaine à affronter le cauchemar jusqu'au bout. Si vous avez été touché par l'histoire de Sam, je vous en prie, pensez aux familles qui ont besoin de donneurs de moelle dans la vie réelle, à l'instant présent.

Linda Hartnell, de l'Anthony Nolan Bone Marrow Trust, à Londres, m'a consacré des heures de son temps si précieux afin de m'expliquer les complexités des compatibilités entre donneurs, ce dont je la remercie infiniment.

Tout autant que Bryony Dettmar, du groupe de soutien des anémiques aplasiques du Royaume-Uni, grâce auquel j'ai pu entrer en contact avec les familles Heaton et Burrow, et Denise Curtis, qui m'a parlé de ses enfants, David et Hannah.

Ceux qui ont connu les ravages de l'anémie aplasique seront on ne peut plus conscients que la maladie et le traitement de Sam suivent un rythme nettement plus rapide que la normale et que l'attirance de Bill

Elliott pour Jo l'incite à lui révéler davantage de choses que ce qui se pratique en général. Je demande à ceux qui en savent nettement plus sur cette expérience que moi de me pardonner ce raccourci temporel.

S'il y a des erreurs dans les faits auxquels j'ai recouru pour illustrer ces différents thèmes, j'en suis entièrement responsable et les sources précitées n'y sont pour rien.

Enfin, je voudrais exprimer ma profonde gratitude à tous ceux qui m'ont soutenue durant la rédaction de cet ouvrage :

Mon agent, Sara Fisher, amie et compagne de voyage dans les extraordinaires montagnes russes que fut l'année 2000.

Barbara Rozycki pour sa confiance.

Ursula Mackenzie, ma rédactrice, Francesca Liversidge, et toute l'équipe de Transworld.

Carole Baron et Brian Tart ainsi que l'équipe de Dutton à New York.

Je n'oublie pas les votes de confiance et les gentils messages de tant de gens impliqués dans la publication internationale de *Ice Child*.

Julia Goddard, qui a fait en sorte que je ne sombre pas.

Stu et Dale Blunsom, Astrid Gessert et Anne Corbin pour m'avoir aidée à visualiser le futur.

Le Thursday Group, pour leur enthousiasme et leur soutien généreux.

Stuart Heaton, ma documentaliste quand il y avait du remous.

Ken McGregor qui a toujours cru que le moment viendrait.

Et surtout et avant tout, ma fille, Kate.

Du même auteur :

UN VOISIN EXQUIS, L'Archipel, 1996.

Composition réalisée par NORD COMPO

Achevé d'imprimer en janvier 2007 par
LIBERDUPLEX
Dépôt légal 1re publication : février 2007
N° d'éditeur : 81292
Librairie Générale Française – 31, rue de Fleurus – 75278 Paris Cedex 06